復刻版

三好十郎著作集

第4巻

不二出版

復刻版『三好十郎著作集』刊行にあたって

一、復刻にあたっては、辻吉祥氏の所蔵原本を使用しました。記して深く感謝申し上げます。

一、資料の中に、人権の視点から見て不適切な語句・表現もありますが、歴史的資料の復刻という性質上、そのまま収録しました。

一、原本において誤植がある場合でも、そのまま収録しました。

一、原本の状態により判読困難な箇所があります。

（不二出版）

〈第4巻　収録内容〉

第一七巻　一九六二（昭和三七）年三月三一日発行
第一八巻　一九六二（昭和三七）年四月三〇日発行
第一九巻　一九六二（昭和三七）年五月二六日発行
第二〇巻　一九六二（昭和三七）年六月一二日発行
第二一巻　一九六二（昭和三七）年七月一七日発行

『三好十郎著作集』復刻版と原本との対照表

復刻版巻数	原本巻数	原本発行年月
第1巻	第1巻～第5巻	１９６０（昭和35）年11月～１９６１（昭和36）年3月
第2巻	第6巻～第10巻	１９６１（昭和36）年4月～8月
第3巻	第11巻～第16巻	１９６１（昭和36）年9月～１９６２（昭和37）年2月
第4巻	第17巻～第21巻	１９６２（昭和37）年3月～7月
第5巻	第22巻～第26巻	１９６２（昭和37）年8月～12月
第6巻	第27巻～第31巻	１９６３（昭和38）年1月～5月
第7巻	第32巻～第37巻	１９６３（昭和38）年6月～１９６４（昭和39）年1月
第8巻	第38巻～第42巻	１９６４（昭和39）年1月～5月
第9巻	第43巻～第48巻	１９６４（昭和39）年6月～11月
第10巻	第49巻～第53巻	１９６４（昭和39）年12月～１９６５（昭和40）年4月
第11巻	第54巻～第58巻	１９６５（昭和40）年6月～12月
第12巻	第59巻～第63巻・附録	１９６６（昭和41）年1月～10月

三好十郎著作集

第十七巻

三好十郎著作集 第十七巻

監修　三好きく江

編集　大武正人
秋元松代
高橋昇之助
石崎一正

彦六大いに笑ふ

「寿六大いに笑ふ」の演出に就て

（一）一つの社会劇としてのテーマに重点を置きます。

新宿を中心にした世相劇。

新宿と言ふ町は、現代の文化と世相を極端に「生《き》」のままで露出してゐる町です。

新らしいものと旧いもの、強大なものと弱小なもの、明るいものと暗いもの、都会的なものと地方的なもの、美しいものと醜いもの、等々が、これほどに一ヶ所に対立、交錯、混合したままで、これほど生々と動いてゐる場所は他にあまりありません。ばかりでなく、それらが外面に露出してゐる点が、又独特です。変遷の急激さと対照のはげしさの甚だしさ、それを蔽うてゐる暇が無いのです。いきおい、新宿の町の表情はひどくアケスケなどぎついものです。そこにはポーズやゼスチュアがありません。そこで行はれる企業や商売や事業や取引きも、又、人々の営みや喜びや悲しみ等も、すべてオブラートに包んだり、曰くありげな意味にくるんだりしてはなくて、大體ムキ出しであります。生のままです。

（二）従って、此の作品の演出の中心も右の素材の性質にマッチしたものでなければなりません。描写は出来るだけ正面から、グイグイと線を太く、文学青年的なひよわさから離れてなされます。勿論さうは言ってもデテイルの味やキメの細かさを失ってはなりません。生々とした大衆の日常生活の中に在るエゲツナサに立脚したリアリズム。「より高いもの」「純粋なもの」としてのテーマは、初めから設定されたものの様に感じられてはいけない。結果として必然的にひらめき出して来るのでなくてはなりません。これを一言にすると、言ひ得べくんば全體がゲテモノの迫真性と言ったやうなもので、ふくれ上るやうな風に演出したいのです。

（三）俳優の扮装及び演技、装置、照明、音響、効果、等々の一切が、右に述べた様な迫真性に富んでゐなければなりません。それらに「芝居」じみた強調や誇張は不必要なばかりでなく有害であるでせう。あらゆるものがきはめて自然に、実際に於て新宿裏のどこかに存在してゐるやうな生地のままの感じを與へる様に処理される必要があります。極端なたとへ方をするならば、「実写映畫」みたいな印象を与へるやうな行き方を要求したいのです。

正宗彦六（六十才前後）
彦一（二十七、八才）
ミル（十八才）
お辻（三十二、三才）
おアサ（二十三・四才）
鐵造（四十二、三才）
白木軍八郎（四十才）
田所修（二十五、六才）
コール天服（三十八、九才）
人夫頭（四十三、四才）
酔漢（三十四・五才）
地廻り一（四十才）
地廻り二（三十二才）
其の他、踊子、ルンペン、取り壊し人夫、花売娘、自由労仂者、支那そばや、牛乳屋、通行人等。

新宿街の夜景

午後十一時過の実景

ネオンの燈りに照し出された重なり合ふデパートの高く大きいビルに対立して押しつめられたその下の暗い街の情景を描出しつつ、木造ブロックに近づく（この間に種々なる新宿の特徴ある街の騒音を挿へる、汽車、電車のダイナミックな響無数のカフエーの叫喚等。その音響は次才に木造ブロックに近づくにつれて遠くなる）

十三軒店（空店）

影の多い木造建築の一角をキャメラがとらへる（一移動、それはしばらく前までは十二、三軒の小店だったらしいが、今はみんな空店になってゐて、半数程は戸も下してなくガラン

洞に開けっぱなしたままだ）
（以下この場面を十三軒店と稱す）
その一軒の家の土間をはいった上り口の床の上に、どこかの街燈の光が、筋になって流れ込んで来てゐる
その光の中に黒い生き物がうずくまってこちらを見てゐる――
キャメラ近づくとそれは真黒な猫、らんらんと光る眼が表の方を、睨みつけてゐる
その猫の視線の方角の向い側の薄暗いところに、ヌッと立つてゐる二人のルンペン。無言で、（その木造ブロックの一角そこ丈けが二階建になってゐるその二階）旭亭の明るい窓を見上げてゐる。
別の街角にも一人のルンペンが同じ様に二階の窓を見まもつてゐる
また別の軒下に更にもう一人のルンペン
旭亭の入口と鐵造のカフエー「鈴蘭」の入口に可成り近い電柱の蔭に、やはり旭亭の窓を見張ってゐるコール天服の男がうごめく（ルンペンの親方）
「猫」の邊から（微かなアコーデオンのダンス曲）次第に大きくなる。
可成り大きくなってゐたアコーデオンの曲ピタリととまるコール天服がスッと二階の窓を見る
男の見つめた窓に人影（寄って来るミルの）がさす
ビリヤード　旭亭
窓のところ（外よりカメラ近づく）
アコーデオンの手をとめた田所修（レビュー劇場の楽士）にミル（旭亭の娘、本名正宗千代）が、ちよっと怒った様な感じで寄った姿、その後に二人の若い踊子――何れも稽古着一枚きりの裸體を汗みどろにしてタップダンスを踊り抜いてゐたのである。
ミル「駄目、そこんところ、もう一度！」
修「失敗！、ぢや八小節戻るぜ――三、四ッ」
弾き出す
ミルを中心にして汗みどろのタップダンスの稽古
額に粘りつく断髪
汗で肌に密着した稽古着から透けて見える肉體の線
アコーデオンを弾く修の手、

汗で汚れて濡れた素足
ダンス靴が、蹴る床の剥げたリノリユーム
ミル「さァ！キックをもっと強く！テンポをあげてッ！
はいッ！」
修、三十秒程弾いてまた間違える
ミル「何をボンヤリしてんのよ、あんた今夜どうかしてんの
ね、修さん？」
少しはなれた畳敷の上に横ずわりに坐って、コップ酒をのみ
ながら、こちらを見てゐるお辻。
修「失敬失敬、もう間違へないよ、あのウ……」
ミル「間抜けッ！」
お辻「まるで気狂いだね、ハハハッ」
ダンサー一「ミルちやんは小屋でもさうよ」
ダンサー二「振付の先生の手に噛みついたことがあってよ」
ダンサー一「ミルはこはい、まるで人が変っちまふって、先
生云ってたし」
お辻「なァに、親譲りだ、お父つあんにそっくりなんですよ」
ミル、わざと人々の話を殺してゐたが修につめよって云ふ、

ミル「あんたも商売人じゃないの？、商売をしてんだらう、
遊び事してるんぢやないわね、芸人なら芸の事に成れば、
シラ真剣の筈だ」
お辻「修さん、どうか腹を立てないでね（ミルの方へ）ミル
！いくら仲がよくったって、少しは言葉を慎むものだよ、
大體お前さん達が頼んで来てもらってゐるんぢやないか、
修さんも小屋がハネてから来てるんだから、くたびれてる
んだよ、もう何時だと思ってるの」
ミル「お辻さん、あんたにやわからない」
お辻「さうかね、どう世私は何もわからない女さ、さうさ、
お妾ですよ」
ミル「それがどうしたの？」
お辻「おメカだからおメカだと云ってるんですよ。でもかう
して鐚一文貰へないお妾さんもまア珍らしいだらうね、へ
ん、三多摩自由党の生き残りか何んだか知らないが、あん
たのお父さんなんて云う人はねエ」
ダンサー一「今夜はもうこれ位でよさう」
ダンサー二「疲れちやった！」

ミル、少しプン〳〵しながら、
「かへりたきやかへったらいい。私はお稽古がすっかりすむまではどんなことがあってもよさないよ」
修「僕が悪かった。ぢやア今んとこ始めっから行くよ」
修、アコーデオンを弾き出す
ミル「よし」
三人、再び踊り始める
修、弾いてゐる
三人、熱心にタップを踏んでゐる（再び三十秒程。しかしテンポ早く、カット短く）
修、弾きながら窓の下を見る
窓の外（フカン）
ちよっとうごめく人影
ビーリヤード旭亭二階
修、それに気を惹かれて、テンポを狂はす
タップの音乱れてとまる
修、ミルの方をハッとして見る
ミル、修をにらんで立ってゐたが、矢庭にキユー台からキユーを掴み取り、振りかぶって修の方へ迫る。
修、ぎくっとする。
びっくりしてダンサーの二人、それを押し止めなど
ダンサー一「何をするんだい、ミルちやん！」
ダンサー二「馬鹿なことを、およしったら」
と云って、ミルの手からキユーをもぎ取る
ミルはキラ〳〵光る眼で修をにらむ
修、自分の失策を羞るやうな気持で
「前の往来を先刻から変な奴がウロ〳〵してるもんだから、つい気になっちやって」
それを聞いて、
ダンサー二人「どれ？」
と、云ひながら窓の傍に寄って行って下をのぞく
修「一人や二人ぢやないんだ。先刻から、下をうろ〳〵しながら、こっちばかり見てるんだ」
窓の外
路上（裏の方）
街燈の光の下に、窓を見つめて立ってゐた男、二階から見ら

れてゐることに気付いたらしく、暗い軒下にスッとかくれる。
ビリヤード
反対側の表に面した窓の方に走って行った踊子の一人、路上を見下す、
表、路上
コール天服の男、やっぱり自分が見られたことを感じて一方の方へ手をふって物蔭にかくれる（手をふった方へキャメラパンすると）
誰もゐない街角、路面に、紙片が風に吹かれてチラ〳〵と動いてゐるだけ、
（このカットの中で）
ダンサーの声「あッあそこにもゐるわ、あの角にも、ふたアりー」
ビリヤード
ダンサー達、窓から恐はさうに見てゐたが、何んとなく顔を見合せる
お辻（座敷のところで）
「なアに、そこいらのルンペンさ、残飯貰いに夜歩きをしてるんだよ。」
「だって、そんなら、この家のまわりだけウロウロすることありませんよ」
ダンサー一「気味が悪いわ、私早くかへろう、ね、タアちやん！」
球台の上に脱ぎすててあったワンピースなどを、どんどん着出す、
ほかの踊子もいそいで、帰り支度をし出さうとする
ミル、それに近づいて
「いけないよ、まだすまないぢやないの！」
ダンサー一「だって、もういや、マゴマゴしてゐると何されるか、わかりやしない」
ミル「何さ、ルンペンなんかビク〳〵してて、ここいらに住めると思って？、馬鹿々々しい」
ダンサー二「そりやミルちやんはかへらなくってもいいから強いことが云へるけど」
ミル「おやア泊めてあげる、やるとこまでちやんとやっちまはふじやないの？」

ダンサー一「ただのルンペンならいいけど」
ミル「おや何さ？」
（間）
ダンサー一「とにかく、あたしかへらうっと」
と、手洗ひ場の方へ
ダンサー二　上着を着終りながら、
「でもいやだなア、二人ッきりで出て行くの」
ミル「そら見ろ、弱虫！、いいッだ」
ダンサー二「そんな意地の悪いこと言はないで、おやア田所さん、一緒にかへってよ、どうせあんたも帰るんでせう？」
と修の方へ
修「ああ」
ミル「駄目よ、修さんには、まだ弾かせるんだから」
ダンサー一、手を洗いながら
「ふうんだ、後で二人ッきりで気分を出さうって云ふんだらう、みんな知ってますようッだ」
ミル「引ッ掻くぞ」
でも耳の付根を赤くして、てれて笑ってゐる
ダンサー達ひやかす
ダンサー一「よきちやねえ」
ミル「早く帰っちまへ！」
ダンサー二「でも困ったなあ、おや修さん、ほんのそこまでいいから、お願ひ！」
ミル「ちえッ仕方がない、ボクが、駅のとこまで送ってったげらア」
すばやくワンピースをかぶって着ながら、
「修さんをやると、何んだかんだって、って、また、連れてっちまふから」
ダンサー一「ミルが、妬きまアす！」
ミル「この馬鹿野郎やい！」
と片手で洋服を引っぱり下げながら、小犬のやうに相手に飛びつき、ふざけながら二人出て行く
ダンサー二「さあ、行かうッと、さいなら」
とお辻と修に云ってドアーを開けて出て行く
（この間、台ゼリフで三人のふざけ合ってキャッ〳〵云ふ

のを入れる）
ビリヤード　旭亭　階段（急傾斜）
はしゃいでゐた踊子とミルの三人室外に出ると、下の酒場の酔っぱらひの聲が聞えて来る上に、あたりの気味悪さを再び感じて、こはごは急傾斜の階段を下りて来ながら、途中の階段に沿ったカフエーの明りの窓から内部を立止って覗く、
カフエーの内部（フカン）
酔って管をまいてゐる酔漢
それをなだめてゐるおアサ
スタンドの奥に立って、舌打ちをしてゐる鐵造
酔漢「ーね？、さうだらう？、吾人《ごじん》は未だ酔ってゐるんぢや無いぞ、いいかー！酒を飲んでも飲まいでもだ、まあ聞き給へ！僕は貧乏人階級のために辨じてゐるんだ、彼方を向いても此方を向いても、口ひとつ利けないぢやないか！・（此の邊からハッキリ聞へなくなってもよろし）酒でも飲まなきゃ、チッ息してくたばってしまふぜ、おい、さうだらう？、」
アサ（カブセテ）「えゝさうですよ。さうね、だからさ、そんなあんた、大きな聲を出さないでよ、ね！」
路上（フカン）
修のゐる窓から見たアングル
ヒッソリした街路を突切って小走りに駅の方へ去る踊子達の姿と向ふの軒下の邊から一人の男（彦一）が斜にスッと出て来て、踊子達の方へ歩いて来かける、
修の聲「アッ、来た！」
ビリヤード
窓のところ
おびえた眼で修がその方を注意してゐる
座敷のところにゐたお辻
「何さ？」
と云って修の方へ近づいて来る
路上（フカン）
すでに踊子達の姿は無事に街角を曲りかけてゐる。瞬間に見えなくなる
一方先刻の男はこの家の軒の下にはいって消える
下の鐵造のカフエーのスヰングドアーのきしむ音、及び酔漢

の聲と安レコードの音がスッと流れ出る

醉漢（そのレコードに節を合せるやうな感じで怒鳴る）

「よし！・大いによし！解ったな君？、俺の言ふ者は解ったなあ？、偉い！。話せる！。よし、一つ君のために乾杯しよう、ウイスキーだ、ブラボーツ！」

同時に女給おアサの聲で、

「いらしやアい！」

と云ふのが素頓狂に聞えて来る

ビリヤード

修の傍に立ったお辻、明るいビルデイングの見える窓をバックに

お辻「あんたも神経質ね、ふふ、色華の一つもしようといういい若いものが――」

と云って横目で修をヂロヽと見てゐる

修「ここの家のことで何か始まるんぢやありませんかね」

お辻「なアに、この近所に空店が十何軒も出来たでせうそこへもぐり込んで寝てやろうと思って人気のなくなるのを待ってるルンペンでせう」

修「もう間もなくここは取壊しになるんでせう？」

十三軒店（横移動）（フカン的）

鳶の仕事師の人夫らしい男達がリヤカーの上に金挺《テコ》や、萬力や丸太などの取壊しの道具を積んだのを引いて、空店の前へ来て止まる。四人の内の一人は印半纒の人夫頭。

人夫頭「その邊でいいから、おろしてくれ」

道具類をリヤカーから、ガチヤンドシンと音をさせておろす人夫達

コール天服が近づいて来る

コール天服「いよいよ取壊しにかかるんですかね」

人夫頭「さうだよ。いつまで待ってるわけには行かねえからな。下手してゐると、請負の期限が切れてしまふんで。組でも気が気ぢやねえんだ。お前さん方は白木さんの方の人達かね。白木さん、もう来てんのかい」

（何んとなくカフエーの方へ歩きながら）

コール天服「うむ、頼まれてからして集まってゐるんだが白木先生中々来ねえ、何ね、頑張ってゐるのは、もうあと（顎で二階を指し）たまった一軒きりださうだからし」

カフエーのドアーを押して
主人鐵造が出て来る
鐵造（コール天服に向ってコソ／＼した感じで）
「白木さんはまだ見えないのかね？」
コール天服「ええ、私等も待ってゐるんですがね（と通りの向ふの暗い方を顎で示して）云はれた通り人数はチャンと集めて来てるんだ」
人夫頭「まあ、精々早えいところ立退かしてもらひてえな、わし等取り壊しや役はすむんだ」
ビリヤード
修とお辻
修「でも随分無茶だなア」
お辻、窓からはなれて、玉台の傍に行き、玉を集めながら、
「だってみんな権利金や立退料がドカッとはいったら、結局その方が徳なんですよ。こんな目貫の場所を、くされかかった小店がふさげてるって法はないよ。どうせみんな大きな店に押されて儲かって行ってる家なんぞは、ありやしないんだもの」
修、窓によったまま、
「でも、永年苦しんで店を張って売込んで来た信用と云ふものがあるんだろうし、それで食べて行ってたんだから」
お辻、かぶせて
「喧嘩づれになる方が損さ、うちの旦那なんかがそれですよ、始めにこの建物中全部で十三軒、これこれのことを先方でしなければ立ち退くまいと申し合せをした時、どうか代表者になってかけ合ひをして下さいって一言云はれたのにいい気持になっちやって、わざ／＼寝ちまったりして頑張ってるんだからね、肝腎の頼んだ方ぢや、疾うの昔に金をつかんで立退いちまったのに！いい恥さらしだ」
修「だけど、僕にはここの小父さんの気持はわかるがなア」
お辻「なアに、意地になってるんですよ、何とか何や、昔、あばれた時分の気になって、まるっきり、三多摩自由党の幽霊と云ふところさ」
と云ってお辻、球台の上の集めた珠をケースに入れ、カウントデスクの方へ持って行く。
修「僕にはさうは思へないな・早い話が、これだけにやつ

くゐた店を叩き出されて、あとですぐどうして食べて行けるんです？、ミルちゃんだって、まだいくらもとってゐないし」

お辻「そんなことまで、あたしは知るもんですか」

と云って座敷の傍に寄って、フイとカーテンで仕切られてゐる奥の部屋の方を覗いて見る。

お辻「低い聲で

「お寝みだ、ふん」

と云って傍の球台のカバーを取り上げて修の方に近づきながら

お辻「ねえ、修さん」

修、相手の調子が急にちがうので、びっくりしながら、

「な、何んです？」

お辻、球台の上にカバーを置いて

「あんた、ミルのこと本当に好きなの？」

修「えッ、な、何んですか？」

お辻、修の傍へ近づきながら

「いえさ、あたしだって、かうしてゐれば、まあ、ミルの母分よ、でせう？……気になるからさ」

修「そりや、何んです、す、好きです、非常に僕は……」

お辻「ふふふ、非常にか、さう、非常に」

修「よ、弱ったなア」

お辻「さう、母分は少し可哀さうだったわね、姉分、これでもまだ若いのよ、いくつ位に見えて私？」

修少し尻ごみしながら

「ぼ、僕には、女の人の年齢《とし》はどうも」

お辻「云ったわね、どうせ、あたしはお婆さんですよッ、ミルはやっと十九、手も足もまだコリく堅くって……ふん、まだきれいなんでせう、あんた達？」

修「えッ」

お辻「きれいなつき合ひでせうって、言ってるのよ」

修「そ、そんな、勿論です、僕その内ちゃんとこっちの小父さんにお願ひして、さう思って」

お辻「ああ、酔った」

と片手をあげて二の腕の邊までのぞかせて髪を搔く、云ひつづけて

「おお、かゆい、あたしはね、修さん」

修は殆ど怯えてしまってゐる
カーテンの蔭でクス〱笑ひ出す聲、
お辻、稍、ギヨツとしてカーテンの方を見るが、別にドギマギもしないでゆつくりと修からはなれて、カーテンの方に歩き出しながら
「あんたまだ起きてゐたの？」
聲「うん……」
彦六カーテンを開けて疊敷の方へ出て來るとニコ〱しながらタバコ入れの傍に坐り込む
お辻、ふいと彦六の方に後を向けて、これかくしに玉台の上に置いてある玉台カバーをひろげ出しながら
「眼が覚めたんなら、さう云やいいぢやありませんか」
彦六「ははは、いやわしには遠慮はいらんよ、ははは……
（修を見て）やあ、おいで」
修「はア、今晩は、如何ですか」
彦六「いや、もう、だらしはありません。あんたは、毎晩御苦労様だ、お千代の奴が、無理ばかりお願ひして」
修「いいえ、ミルさんは熱心だから、こつちも張合ひがありますよ。小屋でやればいいんですけど、閉場ると規則で一人殘らず追出されちやふんで」
カバをかけながらお辻、彦六に向ひ
「そりやさうと、どうするの？　鐵造さんちぢや、うちさえ立退けば今夜にも一緒に引き拂ふつて云つてるんですよ、全體、この先、どうする積りなの？」
彦六「それをわたしに訊いたつて、わかりやしないよ、自分のうちだから、かうしてゐるまでさ」
お辻「ちえッ、いやになつちまふ、それに借金も借金だしさ、あたしや――」
カバーをかけ終つて頭髪の根を櫛でゴシ〱かいてゐる。
ドアーの開く音にお辻振り返へる。鐵造キヨロ〱して入つて來ながら
「お辻さん、あの、ちよつと」
と、お辻に近づき
「松田さんの委任状を持つた仕事師がやつて来てね、向ふツ角から取り壊しにかかるから、さう思つてくれと、云つてるんだよ。」

お辻「へえん？、こんな夜中に」

鐵造「昼間だと近所が迷惑するからと云うんだ。（彦六の方に近づいて行って）ねえ、旦那、どうしたらいいんですかね、え？」

彦六「困ったなア！」

鐵造「困った、じゃすみませんよ、松田さんぢゃ、ああして、わかった話をしてゐるんだから、もういい加減に私等と一緒に立退いて下すってもいいぢゃありませんか？、かうしてぎりぎりの土壇場まで来てるのに、あんた——」

彦六「さうさなア……だが、あんたは何もこっちにこだはらずに立退きゃいいぢゃないか」

鐵造「そ、それだ、すぐにそれだ、（傍の椅子を取りに行く）今更になってそんな薄情な——（と椅子を持って来て腰かけ）明日の朝早くでも引き拂ふように、一つ考えて見て下さいよ、お願いですよ。大體、松田さんから頼まれてお百度を踏んで、やって来ている白木と云ふ男の正體を、知らないから旦那、平気でいらっしゃるけど白木軍八郎と云へば、新聞も持ってゐれば大勢の子分も持って、ゐるし、こんなことにかけちゃ、鳴らした事件屋なんですよ。あの男の手にかかったら、万事、おしまひですぜ、御覧なさい、あれだけ居据はらうと申合せをしてゐたこの建物中の十一軒の小店が白木が乗り出して来たら、一ッたまりもなく立退いてしまったぢゃありませんか」

彦六「話はおとなしさうな人だがね」

鐵造「そいつが、曲者なんでさあ、腹の中はどうして、どうして、山の手一帯の土地家屋のブローカー仲間では蝮《まむし》で通る男ですよ」

彦六「鐵っあん、ひどくおどしにかけますね、ハハハッさては白木さんから頼まれたね」

鐵造「ぢよ、冗談云っちゃいけませんよ、何んで、あなたこれだけこちらさんに忠義をつくしてゐる私をつかまへて……」

彦六「いやア、これは冗談ですよ、ハハッ、どっちせ、まアかうして自分でゴロゴロしてゐる分には、誰に咎められることもなかろう。追出されりゃ、野垂死をしなきゃならんからねえ。他人様の畑の物を盗み食いをしてゐる雀とははちがふから、案山子に吃驚してには出すこともない」

鐵造「何んですって、案山子ですって、おやア旦那は私のやってゐることを……」

彦六「たとへ話だ。気にしちゃいけません、とにかく、あんたの方は私にかまはずに引き拂って下さいと云ってるんだ。事実かうした病気で動けはしないし、情ない話さ」

鐵造「そ、そんな意固地な、ね正宗さん、あたしゃ、あなたのためを思っ——」

そこへおアサ（階下のカフエー鈴蘭の女給）がいそいではいってくる。

おアサ、戸口に立ちはだかったまま

眼はお辻の顔を射抜くやうに見つめて

「……請負師の人が、旦那どこへ行ったって、やかましく云ってますよ」

鐵造「ああ、弱った、ね、お辻さん、……（立ち上っておアサに）そいで店は？」

おアサ「先刻から二人のお客様は、まだゐます、ここでどしく踊るもんだから、天井から埃が落ちるって、酔った方の人が怒ってるわよ、早く来て下さいな」

と云って階段の方へ消える。

鐵造（お辻に）

「お辻さん、ちょっと、顔を……」

お辻と鐵造出て行く

この間、落ち着かないで、窓を見たり、彦六達を見たりしてゐる修、二人の出て行くのを見送ってから、

少しためらった後、

彦六の方へ近づいて、幾分おづ〳〵した調子で、

修「……あの、僕——」

彦六「……修さん、あんた……お千代のことを本当に好いてくれるのかね」

修、へどもど吃ってゐたが、

「な、なんです、僕、もう少し弾けるやうになって、収入がもう少し、多くなったら、結、結婚を許して頂きたいと」

彦六「あたしが言うと何んだが、あの子は竹を割ったやうな気性の娘です」

修「そ、さうです。」

彦六「あははッ（始めて修を見て）それに引きかへて、あれの兄貴と来たら、もう仕様のないゴロン棒だ、彦一、と云ひましたがね、どこかで、もう死んだまったかも知れん、大體、父親の私が少し叱言でも言うと、それが気に喰はないと言って黙って飛びかかって来ようと云う代物だ。」

修「はア」

彦六「……しかし、なんですよ、ここのお辻には用心しなきやいけませんよ、あれは、いけない、まるで、まア女郎蜘蛛のやうな奴です。仮りにも自分の女房見たいにしていた女を、こんな云いざまはないけれど、これまでちやんと手切を渡して、何度追拂ったか知れないんだ。金がなくなって男に捨てられると必ず舞ひ戻って来る。この前などは、つひそこのガレーヂの運転手と一緒にねこのうちの有金をさらって逃げて行った、やれ〳〵と思ってゐると、ものの二タ月もしたら、寝巻同然の姿で、洒々として帰って来ましたよ。ハハハハッ……最初ゲームー取りで来たのを、一時の迷ひとは言ひながら、つひ、そんなことにしてしまったのが、私の一生の不覚でしたよ。ハハハハッ」

この間、戸外で支那そばやのラッパの音が聞え出す。

ミルが飛び込んで来て

「只今ッ」

と云ふ聲。

修、見迎へて（カメラ後退）

「駅まで行ったの？」

ミル「うん」（と寄って来て）

「あらお父さん、起きちやったの？」

彦六「うん、どうも寝飽きたよ」笑ひながら立ちかける

ミル、笑ってゐる修の顔を見て

「何笑ってんの、私の顔に何か、くっついてる、ん？、おや、何、そんなにニタ〳〵してんのさ、お父さん？」

彦六、立って、土間へ下りて行かうとする

ミル「あら、どこへ行くの？」

彦六、下駄を突いてふり返って

「久し振りで、急に一ぱいのみたくなった、肴を買って来るんだよ。うまいところへ、チヤンそばやが通る。たまにや、少し外へ出ないと毒だ、ハハハッ」

ミル　「だってあたしが買って来たげる。何もお父さんが行かなくったってさ、オ一、何で不意にお酒なんかのむの？」
彦六　「まアさう云うな、身祝いだ」
ミル　「身祝ひ？、へーん、からしてうちなぞ、追ひ立てを喰ってゐるのに？、　先刻はあたしわざと黙ってゐたけど、表をウロ〳〵してんの、やっぱし、白木の子分らしいわよ」
彦六　「さうか、まア、いいよ、……ハハッ、お前にはわからなくてもいいんだよ、ね、修さん」
修　「……有難うございます」
ミル、二人を見比べて
「へーん、……何んだい」
彦六ニコ〳〵しながら裏梯子の方へ行きかける
ミル、それを追って
「あたしが行ってあげるッたら」
彦六　「お前は稽古でもしてろ」
旭亭裏通り、
チャンそばやお客を待つ
彦六のニコ〳〵しながら裏梯子を下りて来る姿が見える。

ビリヤード
ミルと修
ミル、解せないやうに、微笑してゐる修の顔を見つめて近づいて行き
ミル　「何なの、一體？、」
修やさしく微笑して
「君のお父さんはいい人だな」
ミル　「自分だけ変に心得てゐて、生意気だわよ！」
修　「ハハッ、君は怒ってる時が一番きれいだよ」
ミル　「何を言ふか！。急に気が強くなっちまったにや、驚いた、少しどうかしたんぢやない、ここが（と頭を指す）」
修　「矢でも鐵砲でも持って来い！。」
ミル　「松澤村が近いから、用心しなさいね、ふん。本当に何なのよ、先刻の有難うございますって云うのは？、」
修　「僕が君のお父さんにお禮を云ったのさ」
ミル　「知らない！。勝手にするがいいや」
と、怒った顔をしてそっぽを向き、また修の方をふり返る。
温い笑顔になる。

そこへお辻がはいって来る
お辻　「いよう、御両人」
とミル気付いてお辻を見迎へて
「帰ったの、白木の奴?」
お辻　「白木ぢやない、この屋台を取り壊しに来た仕事師だ
ってさ。……あ、あ」
と、室内をそれとなく見まはして、彦六のゐないのに気が付
き、
お辻　「おや、父さんは? 便所《はばかり》?」
ミル　「ううん、おそばを買ってくるって出てった」
お辻　「ふうん、外へ」
と云ったと思ふと、それとなく
入口から外へ出て行く
ミル　「どうしたんだらう? おかしな奴」
修　「僕はね、もっと勉強するよ、春までに、きっとソロを
ひけるやうになるんだ、さうしたらお給金だって八十圓位
にはなる。それだけあれば倹約すれば二人でやって行ける
と思ふんだ。ね、ミル、……ミル」

修、ミルを抱く
ミルは然し拒みはしない、
支那そばや
そばや、シウマイの蒸し加減を見ながら
「急にこの邊すっかり空家になってしまひましたね。どう
云ふんですか」
彦六、酒を呑みながら
「うむ、……ここいらも段々開けて来て、デパートなどが
後から、後からと出来て行けば、ここいらの小店なぞは追
ひ立てられることになるなア」
そばや、シウマイを皿に盛って差出し
「へい、お待遠様――さうですかねえ、然し気味が悪くて
ね、そこの角の炭屋のおかみさん、家を追ひ立てられて気
が変になっちまったってえの、本当ですか?」
彦六「知ってるのかね?」
そばや「よくそばを買ってくれたんですよ。ゆんべねあの空
家の前を通ると、ふらふらと出て来たものがあるから、ヒヨ
イと見るてえと、かう、髪をふり乱したあのおかみさんだ

やありませんか、あたしや、ゾッとしちやってね。――」

路次を響いて来る口笛二人ばかりルンペンの走り通る気配シウマイを食ってゐた彦六、口を動かしながら、口笛の響いて来た方を何気なくふりかへる

また、そばやの方を向いて、ニコ〱しながら、

「世の中が世ち辛くなって来ると、いつ何時、気狂ひになるような目に遭はされるか、わからないよ、ハハハッ」

そばや「全くねえ」

ビリヤード

ミルと修、接吻してゐる

表にドカ〱と音がして、入口からルンペン達が大勢飛び込んで行く

二人ギヨッとする

ルンペン達（コールテン服も加はってゐる）ドヤ〱とはいって来て、忽ち、キユーを引っ外したり、畳敷の方へ侵入して押し入れを引き開けたり、乏しい家具に手をかける

ビリヤード旭亭、階段（表）

ルンペン達、続いて飛び込んで来る

支那そばやの屋台

彦六、それと知って、食ひかけのシウマイの皿と一合瓶を持ったままで家の方へ引返して行く

ビリヤード

ミル「何をするんだッ、泥足で踏み込みやがって！」

と道具類をバラシにかかってゐるルンペン達につかみかかって行く

修も一方で、ルンペン達に応戦してゐる

そこへ彦六が裏口からノッソリと例のシウマイと一合瓶を提げて立止ってみんなをウットリと見廻してゐたが、やがて静かに、畳敷の上に坐り込む

人々の眼が彦六に集まる

やがて、彦六は、手を差しのべ、傍に転がってゐた茶碗を取って酒を注ぎ、シウマイをボンボン食ひ始める、一言も口をきかない

周囲は石の様になってゐる。やがて居間の方まで侵入してゐたルンペン等、恐るおそる床の方へ降りる

鐵造の顔がドアーから覗く

つづいてお辻.
鐵造「あッいけねえ（お辻に向って）ゐるぢやねえか（恐ろしくへどもどして、はいって来て）全體これアー。お前さん達どうしようって云ふんだ、何れ白木さんの何だろうが」
彦六「ふん」
お辻（きよと〳〵とあっちこっちを見てゐたが急に大きな声で）
「何んだい、他人の家へ踏み込んで来やがって！おい！さっさと出て行って貰はうぢやないか！馬鹿にしやがる！」
その權幕はたゞ事でない。
ルンペン達はびっくり呆れた顔。口を開けてお辻を見てゐる、少しも解せない様子.
お辻（つづけて）
「放り出すなら放り出して見ろってんだ、チャンとかうして、主人がゐるんだよ、ふざけやがって」
ルンペン達、ゾロ〳〵階段の方へ去る。始終無言だが出がけに中の一人の「何んでえ話がちがふぢやねえか」と云ふ声が聞える.
お辻、バツが悪さに床に散らばってゐるキユーをキユー台の方へ差し込んだりしてゐる.
ミルそれを見てゐて、微かに
「畜生めッ」（と呟きお辻に）お辻さん、先刻あはてて何処へ行ったの？」
お辻、片付けながら.
「なにさ、旦那がお一人でおソバを買ひに行ったってから心配になってね、ちよっとそこまで……なんだい？」
鐵造「ねえ、正宗さん（と正宗の方へ寄って行き）事態がこんなになって来てるんだ、こっちでも考へなくっちや」
彦六「動けないんで弱った。出て行くと云ったって行先もありませんしね」
修、ミルに.
「僕、もうかへら」
ミル「さうね、おかげでお稽古がフイだわ」
修、彦六に.

「僕、失礼します」
と、云ってかへりかける
ミル、それを追ふように
「そこまで一緒に行ってあげる」
修「いいよ、いいんだよ」
ミル「だってあんた、怖いんだろ、怖がってゐる癖に」
彦六「ハハッ、送ってッてあげるさ、修さん、一ッ(盃をさす)」
修「ええ(困って人々の顔を見まはす)」
ミル「よしなさいよ、のめやしない癖に」
彦六「まあ、いいや、一ッだけ、あたしさすんだ、ね、いいな?」
修「はア……」
傍へ行って盃をとる
彦六注ぐ
「それじゃ、こぼれる」
修、のんで
「有難う………した」

ミル「さあ、行こう」
鐵造、傍から
「然し、戻りはミルさん一人だろう、物騒だから、私がついてってあげよう」
ミル、受けつけず
「いいわよ、一人で沢山」
鐵造「まあくそう云はずにさ、とにかく一緒に行くよ、何か間違ひでもあると困るからな」
彦六、後から
「ぢやついて行って貰ふさ」
修とミル出て行く
鐵造そのあとからつゞく
お辻、鐵造の後から
「あんたも御親切だね――ふん」
カフエーの内
管を巻いてゐる酔漢(不明瞭に)
「あこりやこりやと!うーい、おい此方向けよ、此処へ来いと言ったら。こちら向かんせ、こちの人、とー、ね、おい！」

酔漢の前にすはってゐるおアサ窓越しに、ビリヤードの階段を下りて行く人影を見て、入口の方へ。

入口の向ふ、階段を下りて駅の方へ行く修とミルと鐵造

それを見送るおアサの後姿

ビリヤード

彦六、散らばったものを片付けてゐるお辻を顧り見て

「一つ行から、（と盃をさす）」

お辻、傍へ寄って坐り込みながら、

「私は、どうも鐵造が怪しいと思ってるんですよ（と盃をとる）」

彦六「何んだ？」

お辻「いいえ、今の人足共がやって来たのがさ」

彦六、酒を注ぎながら

「わしァまた、お前かと思ったよ」

お辻「えッ？、何んですって！……ぢやァなんですか、白木やなんかと私が腹を合せてなにしてると？」

彦六「さうぢやなかったのか、ハハハッ」

お辻「いい加減にして下さい、冗談じゃありませんよ、本当に！あんたもボケましたね（のんで返盃して注ぎながら）しかし、かうなればこの辺が潮時ぢやありませんか、だって、よそぢや、大概千円以下で手を打ったって云ひますよ」

彦六「あいつ等、始めはみんな結束して一軒あたり五千円以下では、テコでも動かないと云ってゐた、それが要求してゐる額の十が一にも足りない金でも、いよいよ現ナマの面を見るとコソコソと尻尾を巻いてゐなくなっちまふ。全く、風上にも置けない連中だよ」

お辻「だってみんな、内證が苦しいから仕方なしですよ」

彦六「そりやさうさ、だから、なほのことだ、私がかうして居残ってゐるのも、自分だけのことを考えるからぢやない、立退いた連中に、もう少しづつでも取ってやろうと思ふからだ」

お辻「この上まだ取ろうと云うんですか？、呆きれたね！そんな法外なことを云って見たって、どうせこっちの負だ」

彦六「ぢやア、思ひ切り負けて見ようか」

お辻「ふん、あれだ、三多摩自由党の生き残りですか、お―は

八番だ、自由党だか、不自由党だか……あんたが、自由党騒動で、三四人もの人を叩き斬っても、二年や三年半で、事がすんだ御時世とは、わけがちがって来てますからね」

彦六「そんなことを誰も云ってやしないよ」

お辻「私はこれでどうなるんです」

彦六「だからわしだけを置いてどっかへ行ってくれと云ってるぢゃないか」

お辻「ミルさんは、ぢやア？」

彦六「……お千代は嫁にやる」

お辻「へえ――」

彦六「……ハハッ田所さんは、まったうな男らしいぢやないか。あんなのがミルにやいい、怪我がなくて」

かへりみち（夜）

修とミル、駅の方へ歩いて行く

修はアコーデオンのケースをぶら下げ

ミルは修の楽譜入れを抱いてゐる

修「僕には事情はよく分んないけど、全體どうする気なんだらうね、君のお父さんは？」

ミル「私、いちんち家にゐないから知らないけど、いろんなのが次から次へひっきりなしに押しかけて来ちや、なだめたりすかしたり脅迫したりしてゐるらしいわよ。この十日ばかり、町会の方の辯護士までやって来やがって、その言草がいいぢやないの、町内の平和を乱す恐れがあるから、いい加減に譲歩して貰いたいだって、大食堂を建てるんだか何んだか知らないけど、お金さへあれば何んでも横車が通るかと思って、本当に町内の平和が聞いて呆きれるわよ」

修「いづれ、地主や今度の経営主から渡りがついてゐるんだらう」

ミル「さうかもわかんない。それに口惜しいぢやないの、（ちよっと後をふり返って）あのおやぢまでがさ、あれはお父さんのずっと前からの知り合ひだとかで、店を出す時なんかお金をこしらへてやったり、随分面倒を見てやった奴よ」

修「くやしいなア、金が欲しいなア」

ミル「こんな時、兄さんがゐてくれたらなア」

修「でも乱暴な人だって云ふぢやないか、お父さん、今話してたけど」

ミル「うそッ！・口汚く云ったって本当は兄さんのことを恋しがって会ひたがってゐるのよ。そんな人よ、お父さんて人は。兄さんが四年前に、仲間の顔役を喧嘩で斬っちやつたね、土地にゐられなくなったあとしばらくってもの、よるになると「慈一、慈一」って寝言を言ふのよ」

修「今、何処にゐるんだい」

ミル「わかるもんか……」

駅の構内近く（夜）

（ロングで）

ミルと修

ミル、抱へてゐた楽譜入れを修に渡し、修と別れの挨拶をする。

鐵造がそれをこっちから眺めてゐる。

ミルかへって来ながら修の方をふり返って

「おやアまた明日ね」

と呼びかける。

鐵造には構はずどん〱前を通り過ぎて行く

鐵造、あとを追ふように歩き出す。

（この間、駅構内附近の雑音を入れること）

カフエー内

おアサ、入口の外に立って往来を見てゐる

スヰングドアーの中から先刻の酔漢がどなる

「おーい君は、何んで外にばかり立ってるんだ、さては色男が来たな（ドアーを押して出て来る）どれ〱どんなんだ……なんだい、ルンペンぢやないか、さうか君の色男はルンペンなのか」

おアサ「ハハ、よして頂戴よ、馬鹿だね」

酔漢「いいぢやないか、俺だってルンペンだぞ、てなことおっしゃいましたかね、おい君、はいって来い、遠慮するなよ」

おアサ「大きな声をするのはよしてよ、もう時間過ぎなんだから（酔漢を店内へ引っぱり込む）」

酔漢（引っぱり込まれながら）

「聞夫はひげ過ぎてって云ふ奴か、こてえられねえなア、若干催すねえ」

おアサ「本当にもうおかへりになったらどう？」

酔漢「さう邪魔にしなくともいいでせう、ねえ君、さうでせう・おテクちゃん（おアサにからんで行く）」
おアサ「うるさいねえ」
と云って表の方へ切れる。
酔漢見送り
「年取るない、年取るな（上方風の男を振り返りよろく近づいて行きーね、君、さうでせう？」
その上方風の男、頷くが相手にならぬ
カフエーの表
スタスタと小走りに戻って行くミル。そのあとを追ひすがるようにして鐵造
旭亭上り口の見えるところまで来て、鐵造、ミルの手をつかんで引きとめる
鐵造「ねえミルちゃん——！」
ミル「いいの、わかってるわよ」
鐵造「ところがさ、大體あのお辻さんと云ふ人は、あなたの考へてる様な、そんな馬鹿な……」
ミル「だって、小父さんがそんな事、気にしなくってもいいーぢゃないの」
と言ひ捨てて、階段を上らうとするのを引きとめ、
鐵造「くどい様だがね、あたしや、あんたのためや旦那のことを考へるから云ってるんだ。大體正宗さんて云ふ人は、度胸がいいのか悪いのか知らないけど、恐ろしい人ですよ、松田さんや白木さんを向ふに廻して、一戦を交へようと云ふんだからね、あたしなんぞ、これでどれ程、傍杖を喰って迷惑をしてるか知れやしません」
ミル「さう？なら、私んちなんぞうっちゃっといて、小父さんだけ越しちゃったらいいわ」
鐵造「そ、そ、そんなあんた、今更になってさう言ふ事はありますまいよ
（バックでおアサ聞いてゐる）
それにねえ、お辻って女は、何をするか知れたもんぢゃありませんよ、あんた、気がついてゐるかどうか知らないけど、修さんのことですよ、あの女は、これはと眼をつけたが最後、どんな男でも物にしてしまふんだからね」
ミル「それがどうしたの？」

鐵造「だから気をつけなくちゃいけませんよ」
ミル「へーん、お辻さんの方で惚れてんの？」
鐵造「まあ、そんなものかね
ミル「だって、あの女はあんたといい仲なんぢゃないの」
バックのおアサ二三歩、こちらへ近づいて来る
鐵造（ミルに）
「ぢよ、冗談いっちゃいけない、あたしはあんたのためを思って――」
ミル「御生憎様、修さんは私に惚れてるのよ」
鐵造「……だけどさ、相手はお辻だ、修さんは気が弱くって、初心《うぶ》だからねえ」
ミル「さうよ、だから、私、好きなんだわ」
鐵造「手ばなしだねえ、だからさ、蛇に見込まれた蛙でいつ何時、……でせう？だからさ、あたしゃ――」
ミル（歩き出しかけて）
「修さんが私よりも、お辻さんの事を好きならお辻さんを葬ればいいぢゃないの、私心配なんかちっともしないのよ、（階段をすぐに二三段のぼってゐる）一體話があるってつまらないことばかり、私もう行くわよ」
（どん／＼階段をのぼって旭亭に消える）
鐵造それを見送ってゐる……
舌打をして戻りかける。と眼の前に、おアサ立って鐵造を睨んでゐる
鐵造「おウ、何んだよ？」
おアサ（ちょっとの間、鐵造の顔を見まもってゐた後）
「お辻が修さんと出来てしまふと、あんたが困るんでせう。だから、あんなことを云って、ミルさんをけしかけてるんだ。お辻なんて糞婆ァの後ばかり追ひかけやがって」
鐵造「何を言ふんだ。お前――」
おアサ（相手の胸倉をつかむ）
「あたしをどうしてくれるんだ。お前さ、おらを一ぱい引つかけたつもりだべさ！この――！」
鐵造「何んだい、こんなところで何をまた――」
おアサ「ぢや、うちにはいって、たんと話すよ（と相手を引っぱってドアーの中へはいって行きながら）

カフエーの内

おアサ「始め、あんた、おらに何んて云った？、ねえよ！。こんだ出来る食堂の酒類のことは一手に引き受けてやるようにちやんと約束が出来てゐるからさうなったら、あたしを正式のおかみさんにしてやって、そいから女給の取締にしてやるって——」

鐵造（キヨロ〳〵店内を見廻しあはてゝゐる）

「今更、何を云うだ——こら！・おい！・」

おアサ「お辻の奴と共謀《ぐる》になってあんた等が何をたくらんでゐるか位えおら、ちやんと知ってゐるんだよ、あんた酒場の方の株と、手数料が欲しいんだろう、お辻はお辻で、うまく二階の旦那を立退かせりや、白木から五百圓出る約束になってんだ。その位のこと知らなくってさ。なんてまあ、腹ん中の小汚ねえ——！・」

（酔漢と土方が驚いて見てゐる）

鐵造「困るよ、おい、話をすればわかるから、ま、こっちへ来い。話をすれば——。イイたいッ！・（腕におアサが嚙みついたのである）な、なにをしやがるんだ！・」

おアサ「こん畜生ッ！・」

（あばれるおアサを、鐵造おしやる様にして奥へつれて行く。）

酔漢（呆気に取られてゐたが我に返って）

「へへへ、話したってわかるもんか、馬鹿め！・（奥でドタンバタンと二人の争う物音が聞える。それにまじってどなり合う声）」

鐵造の声「なにを乱暴なことをしやがるんだ、畜生ッ、話せばわかるって、云ってるぢやないか、このヒステリーめ！・」

おアサ「この助平ッ！。色魔！ 銀流しッ！。おらをどうしてくれるんだ、おらこれでもな——」

物のこはれる音、倒れる音、

酔漢、土方の方に向って、

「ハハハハッ——ねえ君——さうだらふ、俺あ金はないさ——金——」

さう云ってポケットに手を入れ、金を持ってゐないことに気付き、自分のテーブルの上を見る。やがてそっと腰を下ろす、奥では、喧嘩の物音がなほつゞいてゐる。

酔漢キヨロキヨロとあたりを見廻してゐたが、やがて、のみ残りのビールをガブッと音を立ててのみ干し、ビールの瓶をグッとつかむと、あはてて外へ逃げ出す。

土方それを見て、立って行き、スヰングドアー から外を見る。

カフエーの表

少しはなれたところで、向ふから来た白木軍八郎（土地建物のブローカー、ギャング的人物）に酔漢突き当り、一度ころがるが、ビール瓶をまた拾って、脱兎のやうに走って行く小さな姿が見える。

カフエーの内

カフエーの中で見送ってゐた土方おかしくなり、ニヤニヤして、自分の椅子へ戻りかける

そこへ白木、ハンカチでビールのかかった肩をふきながらはいって来て、

「鐵造さん！。鐵造さん！」

土方をチラッと見るが、そのまま奥の方へ歩み寄りながら

「鐵造さん、鐵造さん、ゐないのかね、鐵造さん！」

やがて奥から鐵造が、

ちよっと見ぬ間に、シヤツは乱れ、顔はみみず腫れだらけになり、手のひらで滲み出す血を拭きながら出て来る

それを見て白木

「どうしたんだい、君、え？」

鐵造「へえ、どうもね、へへへ」

白木「困るね、勝手に、人夫を二階へ上げたりなんかして、……君やお辻さんは、私の云ひつけるだけのことをやってくれればいいんだ、（顎で天井を指して）相手が、相手だぜ、また曲られたらこの上どうなると思ってゐんだ」

鐵造「……へえ」

白木「へえぢやないよ、君！。たった今も電話で知らせがあったんでびっくりしたんだが、一番見て変なおチヨッカイを出して貰っちや困る。人夫はこっちの命令で踏み込むことになってゐんだぜ。それを君達が動かすって云ふ法はないよ」

鐵造「どうもすみません、いいえ、こつちで放り出してしまへば、あなたの方の手間が省けると思ったものですから

ね」
白木「その抜け駈けの功名がいけないんだ。いよいよもう何とか解決しないと、私も間に立ってゐて松田さんの方に、合はす顔がないんで、今夜最後の掛合ひに私が来るってことは知ってる筈ぢやないか！」
鐵造「すみません」
白木「上へ行かう」
と云って行きかける
ところへ、お辻がはいって来る
白木、お辻を見て
「困ったことをしてくれるね、君達が頼まれもしないおチョッカイを出したばかりに、彦六め、又ぞろ尻を据えてねばって来出したら、あの約束は折角だが取消しだよ」
お辻、あはてて、
「だってそりやア――そりやア　鐵造さんが――」
と云って出て行きかけてゐる二人に話しかける
鐵造ふり返って
「おいお辻さん、今更になって那様なこと云ひっこなしにしようぜ。大體、お前が先刻下りて来て今、奴がいないからと、かう云ったから」
お辻「何んですって！」
互ひに云ひつのり出す
この間、白木、すでに外へ出てゐたが引返してドアーを開けて二人に
「おーい、いい加減にしなよ。君達もすぐに二階へ来てくれ！」
白木、云ひ置いて階段の方へ行き、暗い方へ手招きをするとコール天服近づいて来る、それに何事か命令して白木、階段を上って行く
カフエー内部になって
お辻「あァあ、おやぢどこまで粘る気だか、流石の私も驚いちまった（スタンドの方へ歩いて行きながら）あんまりクサクサするんで、ブランデイーでも貰はうと思って下りて来たら、トタンにかうだからね、おえッ、（ブランデイーの瓶を棚から取る）鐵造さん、一本貰ふわよ」と云って、

お辻瓶をさげて戻って来る。
鐵造「渋い顔で、それを見てゐたが土方の方をチラリと見て
から、奥へ向って
鐵造「おい、おアサ！お店を頼んだぜ、おアサ、いいかい」
奥からは返事がない。
すでにお辻は外に出てゐる
鐵造もそのあとを追って外へ
ビリヤード
ミルが居間に敷かれた蒲団の傍で頭髪を解《ほぐ》してゐる
座敷のところで、寝そべった彦六の枕元に、白木が書類を並
べてゐる。
白木「ねえ、正宗さん、かう云ふことになって来てゐるんだ
から、少し同情して下さいよ」
彦六（起き直りながら）
「同情ならこちらがして頂きたいんだ、かうして、動きた
くも動けないでゐる。情ない有様ですよ」
（そこへお辻と鐵造がはいって来る）
白木「さういつまでも意固地なことは云ひっこなしにしませ
う」
カフエー
土方の客が奥へ
「おい、もう一つくれよ！おい」
返事なし。
奥の一間
喧嘩のあとの雑然とした中で、倒れたまま、寝ころがってゐ
たおアサが、のそっと起き上る。體の上に倒れかかってゐた
茶箪笥が音を立てて傍に倒れる。
表の店
奥の間からのっそりと出て来るおアサの姿、髪が乱れ、前が
はだかり着物が綻びてゐる惨憺たる姿である。
スタンドからウイスキーの瓶を取って土方の客の方へ近づく
それを見て呆れ、次にニヤ〳〵してゐる土方の客
酒お注ぐおアサ
土方の客「どうしたんだい？、」
坐ってぢっとしてゐたおアサが、しくしく泣き出す、
土方「どうしたんだ？、」

おアサ、泣きながら、

「……畜生ッ！　色魔ッ！。あたしを、あたしのことを放ったらかして……お辻の奴もお辻の奴だ、玉突やのおやぢからたってもかまってもらへねえもんだで、そんで」（泣く。泣きながら、然し店の中が変なことに気がついて、涙のこぼれてゐる顔をキヨロつかせる）……ウエーン、（泣き出し）逃げやがった！。畜生ッ、のみにげだアーッ」

とドアーの外にとび出す。

外は森閑として誰もゐない。

おアサ見廻してゐたが、やがてあきらめて戻って来るが泣きながら前のテーブルを情けなさうに見つめてゐる
土方の客、こみ上げて来る笑を制しながら、

「けんかなんかしてゐるからだよ」

おアサ泣きながら、

「のみにげされた分は、みんなあたしの給料から差ッ引かれてしまふんですからね」

土方「だって、君は、ここのおやぢのおかみさんにして貰へるとか云ってたぢやないか。アッハハハッ」

おアサ「冗談ぢやねえ、本当に、お辻の奴！。」

又ぞろ鐵造、お辻のことを思出してテーブルの上から、のみにげの野漢の残してあったビールをガブのみする。

土方、立って近寄って来て
「時に二階の玉突きはどうしたんだ？、……」

（相手が返事をしないので）

「立ち退きを喰ってるのか！。」

おアサ「……」頷いて「二階旦那ア、可哀想に、骨までしやぶられてしまふんだ。一番恐しいのは白木ですよ。いつもピストルを持ってゐるって云ふからね。」

土方「……今行った？、」

おアサ「ええ。（土方は黙って飲み始める）事件屋なんですがね、この建物の持主の手先になって、十軒あまりの店やを片ッ端から追い立てちやったんです、そりやみんな泣いてましたよ。向ふ角の炭屋のおかみさんは、白木から、あんまりムゴイ追い立てを食ったために、気が変になっちやったし、……あいつのためにどれだけ人が泣かされてるが、わかりやしないよ。ところが白木の奴、そんなムゴイ真似

をして置きながら、うまいことを裏をくぐってゐるんだから
ね、何んにもわからないあたし達だってえ、癪にもさはら
うぢやねえかね、——さうだろう、お客さん？」
土方「さうさなア……（立上ってもとの席からコップと瓶
をとって来る）もう一ぱいくれよ」
おアサ、瓶をとって不安さうにためらふ
土方「大丈夫だよ、金は持ってるよ」
おアサ「おらア、もし神様だったら、あんな奴等は、みんな
叩き殺して、ドブん中へ、投げ込んでやる」
土方「ここのおやぢも叩き殺すのか？」
おアサ「へえ、旦那かね、旦那はさうさね、あれは、旦那は
今迷ひ込んでるんだからね……根はさう悪い人ぢやねえ
ですよ」
土方「ハハハハハッ」
カフエーの表
深夜の人通りのない通り、
どっかで時計が二時をうつ
向ふの曲り角から、四十位と、三十四五の男が現はれて近づ
いて来る
そこへ不意に、コール天服の男がスッと現はれて立ちはだか
る。
コール天服「おい、お前さん方ア？」
二人連れはサッと身を退いて開き、及び腰になって睨み合っ
たまま、双方しばらく無言で相対する男の一（押し殺した声
で）
「お控へなさへ、……お前さんは？」
コール天服「あっしや、この裏の柴田です」
男の一「私あ、関町の久賀山だ、これは舎弟です」
コール天服「お名前はかねがね承って居りますが、私あ白木
さんに頼まれて来てゐる人間だ、お附合ひの挨拶は今夜の
所は抜きにお願ひしてえんだ。で、何ですかい、御用の筋
は？」
男の一「ほかでもござんせんが、そこの鐵造さんのところで
は今度出来る大食堂で酒類一切の仕入れの権利の事やその
他、大分結構なお話がおありなさるようだが、御存じでせ
うが、久賀山一家はその方がまあ縄ばりです、一応のケヂ

メは附けて貰いてえんだ。それにまん更、知らねえ仲でもなし、何か御挨拶の一つ位、あってもよからうと思ひまして参ったわけでございます。普が、白木さんに御挨拶をしなきゃならない筋合ひではございません」

コール天服「わかりました。しかし立退き一件に手を入れるのは御遠慮お願ひしてえ」

男の一「御念にゃ及びません」

コール天服「だやア、お通んなさい」

と云っててーッと闇に消える

（以上のことは素早く、殆ど瞬間に行はれる）

カフエーの内

男二人、カフエーに入って来る

おアサ立って行って

「もう駄目ですよ、時間過ぎですから（さう云ふアサを男の二が黙って押しのける）駄目ですったら」

男の一「おやぢさんに、廟町からお目にかかりに来たと云ってくんな」

おアサ「……今ゐませんよ」

男の一「ゐない筈はねえ。ちよっと御相談したいことがあるんだ。久賀山と言へばわかる」

おアサ「あッ、だや又、うわ前をとりに来たんだね!?」

男の一「うわ前だって？、ハハハ、人聞きの悪い事を言ふねえ！」

男の二「おい、姐ちゃん、早いこと頼むぜ、いい子だからな」

（おアサの腰に手をやる）

おアサ「何んだい！ふん、糞面白くもない。ゐないと云ったら」

（と云ひかけてゐる内に、男の二、だしぬけにステッキをふりまはす）

土方今までだっと黙って、その様子を見てゐたのが、

「…おい、どうしたんだよ？、なんだい、あんた方ア？」

男の二「お前こそ何んだ？」

土方「物騒なもの持ってますね」

男の二「何よッ」

土方「まあ、さう怒るなッてことよ」

土方を先程からぢーっと見てゐた男の一が「あっ」と低い聲、

を出し、男の二の背広のすそを引っぱり一隅へ行く
男の二「何んだよ……」
男の一（耳打ち）
男の二「えッヒコ？、彦か？、そいつあいけねえ」
土方をチラッと見る。蒼くなってゐる
男の一、ペコペコして
「どうも、お見それしちやって」
男の二もペコペコする
二人、コソコソと出て行ってしまふ
土方、見送って、
「……なあーんだい、ハハハッどうしたい、やられたのかい？」
おアサは面喰って言葉も出ず眼をパチ〳〵させてゐる
土方「用心しなきやアいけないよ。夜中になると、いろんなのが出るからなア」
盃をなめる。そこへ花売りの小娘
「おぢさあん、——花買って頂戴」
とはいって来る。
土方「そらまた出たッ！」
おアサ、飛び上る。
土方「ハハッ、いらないよ」
花売娘「みんなで十銭にして置くから買ってよ。おら、もうねむいから、負けちまう」
成程、眼がくっつきそうである
土方「ねむいのか、……ふん、ぢやア買ってやろう、ほいへ
と金を渡す）」
娘（金を受取り、花を渡し）
「有難う」
ふら〳〵した足つきで出て行く
土方「ハハッ（花をポケットにねぢ込んで）今何時だい」
おアサ「……もう二時過ぎでせう……」
おアサ土方の前の椅子に坐る
土方「ねむい筈だ。……だが、おらア三時をまはったかと思ってゐた」
と不意に階上で、さはぎ立てる聲。
白木の聲「これだけ云ってもまだわからねえのか」

ミルの聲「何んだい、よってたかって、弱い者いぢめをしやがって」
鐵造の声「旦那もあんまりぢゃないか」
白木の声「おいどうしてくれるんだ」
つづいて、ドタバタ、ドシンと云ふさはぎ
土方、天井を仰ぐ
「いけねえ、酒ん中にほこりが落ちて来やがった」
二階の騒音の中で
ミルの声「何んだ畜生ッ、来やがれ」
お辻の声「危い！危い！ミル、ミル！危い！」
白木の声「危ねえ、こらッ！」
鐵造の声「ミルちゃん、危ねえッ」
キャーッと云う声
つづいてピストルの音。
ギョッとして天井を見上げる土方とおアサ
ビリヤードの窓
鐵造の體が、何かをさけて、硝子窓にぶつかり
硝子破れて、地上に落ちる、
街角
ルンペン達みな「おーッ！」と言ってビリヤードの二階の明るい窓を見上げる
カフエーの内
蒼くなって石の様になってゐる。
おアサ、急に気がついて
その邊を少し、うろついた末
スヰッチの方へ、タアッと走って行く
街角。
ルンペン達、何事が起きたのかとビリヤードの二階の明るい窓を尚も見上げてゐる
その間、鐵造のカッフエーの明りが消えてサット真暗になる。
ビリヤード　の窓
突然白木が半身を乗り出して一同に向って、手をふる
街角。
ルンペン達、コール天服、始めはどう云う意味かよくわからなかったがすぐに、

コール天服（あはてて）
「おッ逃げろと云つてる！みんなずらかれッ！」
その言葉に、みんな散らばり、一瞬の内に消えてしまふ。
彦一がカフエーのドアーを出て来て階段を見上げ、次に路次の向ふの方をすかしてぢつと窺つたのち、再び、階段を見上げてゐたが、ゴトリ、ゴトリ、ゴトリとゆつくり足音を響かせて、階段を上つて行き入口のおどり場のところに立止り、おつと何物かを聞く様子。
遠くの街を、消防自動車の走つて行くサイレンの音。
ビリヤードの内
球台の上のお辻の手が、ケースから球を散らす。
ドアー——の前
土方ノツプをつかんで一瞬ためらつてゐたが、
思い決してスーツと開ける
トタンに
「五ッ！」
と呼ぶお辻のゲームをとる聲。
土方、次のドアーを開けてはいつて来る。

ビリヤード
室内
彦一（ベ土方）がノツソリはいつて来ると白木と鐵造が玉を突いてゐる。
お辻「いらつしやい——（白木が撞く）七ッ——」
彦一「何んだい、今のは？」
お辻「——何んですか？」
彦一「今の音は？」
お辻「音ですつて？……九ッ　あたりッ！（返事に窮してゲーム盤をカチヤリと鳴らす）」
白木（横眼でヂロヂロ彦一を見て）
「ああ、私が先刻、キユーを倒したから——ハハハッ」
お辻「お撞きになりますか？」
彦一「ふふウ、このうちぢやこんな遅くまで営業するのかね？」
白木「あんたは——？」
彦一（鐵造の撞かうとしてゐるのを見て）
「ひどく慄えますね」

鐵造、キューを取り落す。
ひどい音
白木（ニヤ〱して）
「これですよ」
お辻、彦一の方を見る
彦一、何も言はないでニヤリとする
お辻（笑顔を見て、不意に相手を認め、思はず立上る）
「あッ！ 彦一！。」
鐵造（その声に）
「何ッて（と彦一の顔をうかゞひ）おッ！。彦一さんだ」
（茫然と見つめる）
向ふを向いて寝ていた彦六が、「ウッ」と云ってこっちに向
き返って彦一の方を見る
彦一の姿
白木が、彦六と彦一を見比べる
ミルがカーテンの蔭から、ドキドキするタマド身を提げたまま
飛び出して来て、上りばなに立って、兄を見つめる
鐵造「変ったア、……今の今まで気が付かなかった」

ミル怒ったようにムット歯を食ひしばった顔
「……兄さん！」
刀をドシンと手から落すと彦一の方へ走り寄る
彦一も寄って行き、
「……大きくなったなあ、お千代（ミルの左手に目をつけ
て）ああ、いけねえ、斬ったな」
ミル「何、カスったゞけだ」
彦一「どれ〱（腰から手拭を出して裂く）出してみろ、つま
らないものをいぢくるから、怪我をするんだ」
（ミルの指を縛ってやる）
鐵造が白木にしきりと耳打ちをしてゐる
彦一「痛いか？」
ミル「ううん、痛くなんかない、……」
（繃帯をしてもらってゐたのが不意に、オイ〱泣き出
す、身も世もなく子供のやうに張り上げる泣き聲）
彦一「何んだ、だしぬけに」
ミル「何故、何故、もっと早くかへって来ない、兄さんの馬
鹿！。」

彦一「どうしたって云ふんだよ」
ミル（しやくりあげながら）
「みんなで、寄ってたかって、父さんのことをいぢめやがるんだ、誰がくそッ怖いもんか（再び刀を拾って、ふりまはす）来いッ、畜生ッ！　パチンコなんぞ撃ちやがって！」
彦一、白木の方を黙ってヂロリと見る
お辻「だってさ、話をしてると、いきなり刃物をふりまはすんだもの、危なくって仕様がないぢやないか」
白木「おどかしですよ、どうせ、始めの一発は空になってるんだから、ハハハッ、うつちやッて置けば怪我人が出ますからね」
彦六「とにかく今夜はもう遅いから、これで帰って貰ひませう」
白木、彦六の方へ近寄って行き
「いや、今夜こそは、ハッキリ片を附けてもらはんことには、私、頼まれた松田さんに、顔向けがならない、もう話だけは洗らひざらひしてしまったんだから――」
彦六「わしの方も、云ふだけのことは云ってしまひましたよ」
白木「あれだ、弱るなア、あなただって、もとが自由党で主義のために荒っぽいことをしたり、他人の罪までかぶって暗い処へ行った程の人だ、この位の理窟はわかってくれてもよかりさうなものだ。私が金づくでやってゐるんぢやあるまいし」
彦六「ぢやアあんたは、ただでこんなことを引き受けてゐなさるのかね、今迄に、追い立てられた十軒あまりの店の、血の出るような立退料から、三割四割とピンをはねたのは、どこのどなたでした？、（這ひ出して煙草盆を取りに行く）ハハハッ、もう一度、面でも洗って出直して来たらどうだい？、」
白木「何んだと――」
彦一（又、飛び出して行きかけるミルをさへぎって）
「全體、どうすればいいと云ふんだ」
白木「早いとこ立ち退いてくれさへすりやいいんだよ」
お辻（彦六に）
「いい加減にして下さいよ、あなたは自分の心柄だから本望かも知れませんが――」

彦六「おい、お辻、わしをうまく立ち退かせたら、五百兩貰へる約束になってゐるのは誰だっけな……わしはもうろくはしたが、これでもまだ眼は見えるんだよ」

お辻（蒼くなったが、やがて猛然と逆襲）

「それが悪かったの？、それは、あなたが自分一人の我を張って、あたしや、ミルちゃんのことを考へないから——」

（鐵造とめにかゝる）

ミル「私のことは言はないで頂戴！」

お辻「だ、第一、私が金を貰ったって、そいだけのものがこの家へはいって来るんなら、何もさう、角目立つことはないぢやないか」

彦六「ハハハッ鐵造さんとの約束を忘れちや苦情が出ようぜ、今度このあとに出来る食堂で鐵つあんは酒場の方をやる、お前は女給の監督にして貰ふ、かうちやんと話が出来てゐるのぢやないのか？」

鐵造「そ、そんな、旦那、そりやあなた——」

彦一「下の女給さんも、監督にして貰ふ約束だって云ってたぜ、女給の監督が一度に二人出来るわけか、アハハッ」

（彦六も笑ふ）

お辻がギックリして、隅の方へ後退りをしてゐる鐵造の方へ迫ってゐる

白木「さう云ふことよりも、ねえ正宗さん、あんたは松田の方に金がうなってゐるとでも思ってるから、角も立つんだ、どうして〳〵、遊んでゐる金なんて、今時あるもんぢやない。地代の値上もある、あれやこれやで積って見るとみす〳〵一日に、どえらい金が消えて行くんだ、松田のおやぢさんも、今日びぢや泣いてゐる始末ですよ」

彦六「そっちは、泣きやアすむかも知れんが、こっちは死活問題だからね」

白木「ですからさ、ちやんとそれだけのことはしてあるんだ」

彦六「わしだけなら、それでもいい、だが叩き出された十一軒の家が、あれですむと思ってゐるのか。よしんばみんなが泣寝入りになろうとも正宗彦六は断乎として通さん」

白木「ふざけるない！きれいな面をして今までの分を倍にして五千圓払へだと？、へん、誰のふところにはいる金

だかわかるかい！」
彦六「金がそっちのものなら、家はこっちのものだ」
白木「家債だってろくに入れてない癖に——！」
彦六「おい、貴公はいつからこの家の差配までするやうに
なったんだ？」
白木「こ、こ、この——！」（靴のまま畳敷に上りかける）
彦一「おい、乙な真似をするなよ」（ヂリッと白木の方へ
寄る。それに押されて宙腰になってゐる白木）
彦六「こっちは御覧のやうな體たらくだ、叩き殺されても、
反吐が出る位のもんだろう、ハハハッ」
白木「だやア今までにそっちに渡した分の金はどうなるん
だ？」
彦六「どうにもなりはせん、そちらで渡したから受取ったま
でのことさ」
白木「さうかい！ふん……（立って球台の方へ歩きながら）
そっちが、さう云ふ気なら、こっちにも考はある」
彦一、一二歩近づく
白木、それをヂロリ見ながら隠してあった場所からピストル
を取り出してその光る銃身をハンカチで拭く
彦一「だから、どうだって云ふことよ？」
白木（唇の端で笑って彦一に）
「昔は何んだか知らねえが、ねえ、彦一っあん、お前さん
が兵太君仲間で売ってゐた頃とは、ここいらも大分様子が
ちがってゐるからね、いい気になって、あとで、吠面をか
かないようにするがいいぜ」（とっとと出て行く）……
家の外の夜景に、電灯が殆ど消えて居り、家々の屋根のシ
ルエットに近い空が、白み始めてゐる。その空を背景にし
て立った鐵造が、一二度何か云はうとして口をモガ／＼さ
せるが、ヒヨイとその方を見た彦一の視線にぶつかり、芸気
味が悪くなって、白木のあとを追って去る
お辻（彦一の方にヅカ／＼歩いて行き）
「あんなことを白木さんに云ってもらっちゃ困るぢゃあり
ませんか！」
彦一「わるかったね？」
お辻「不意にかへって来て事情も何にも知らない癖して何ん
だい、本当に！強制立退きにでもなったら、私達はどう

なるんだ・大體あなたのお父さんなんて云ふ人は―」（
なほも云ひつのらうとするが、相手に無視されたのと階下が心配で、なりもふりも構はず、肩をゆすぶりながら、ドアーロを出て行く）

ミル（それを見送って）
「畜生ッ……（彦一の傍に寄って来て）兄さん、もうどこへも行っちゃいけないよ」

彦一「いや、おらァちょっと寄ってみただけだ」

彦一振りかへって父の方へ寄って行き

彦一「父っあん、随分久し振りだな」

彦六（そっぽを向いて噛みつくやうに）
「どこから失せやがった？」

彦一（四邊を見廻しながら）
「ひでえことになったもんだ、ハハハッ、どっか悪いのか？」

彦六「貴様はまたこの邊をウロ〳〵してゐやがると、向う脛を叩き折ってくれるぞ」（立って来さうにする）

ミルがハラ〳〵して二人の間に割って入る

彦一「だがよくこれまで頑張ったねえ」

彦六「きいた風な顔を叩くかッ！貴様この家の事件をどこかで聞き込んで一口割り込まうと思って、来やがったんだらう！」

彦一「何を云ふんだ！おらァ宵の内に、府中から出て来たんだが、何だかバツが悪くて、階下《した》でマゴ〳〵待ってゐる間に、始めて、話を聞いたんだ」

彦六「ふん、何を出鱈目云やがる。出来損ひ奴！」

ミル「うそよ、父さんは、兄さんに会ひたがってゐたんだよ」

彦六「馬鹿を云へ！」

ミル「兄さん、何故もっと早くかへって来なかったの？」

彦一「あんなうすぎたない阿魔に、おふくろ面をされる家にかへって来られるかッ」

彦六「何ッ！不良狩りに引っかかりさうになってずらかった癖しやがって！」

彦一「それもあったさ、しかし、あの当時だって、おらァそれでいいと思って、呉太をしてゐたんじゃない……もと〳〵俺がグレ始めたのは、父っあんの女狂ひの故だぜ」

彦六「それがどうした、わしや助平だよ」

彦一「なア父つあん、おつ母さんが施療院で死んぢまふ時に、さう云つたぜ「お父つあんは、ソツとしてお置きよ、あの人はつむじを曲げ出すと、自分で自分の了見が、わからなくなつてしまふ、本当は私のことを、心から思つてくれてるんだけど、ただ、性質《たち》であんなことになるんだよ」つてね、……その時の、おつ母さんの顔が、俺の眼にこびりついてゐたんだ、思い出すと気が滅入つた、さうすると、何か無茶なことをしないと、やり切れなくなるんだ。俺もやつぱりお父つあんの子だい」

父と兄の話を聞いてゐて、亡くなつた母のことを、しみじみと思ひ出して来たミルの頬に、少女らしい美しい涙

窓の外に明るくなつて行く空に、立ち昇る朝靄《モヤ》。

彦六「へん、今頃になつて何を世迷言、抜かしやがるんだ、お繁は一人で死んぢまひやがつたんだ」

彦一「可哀いい女房が病気になつてさ、金がなくて施療院で野垂死をした、それが癪にさはつたからつて、博奕うつて女狂ひを始めるなんて筋がちがひ過ぎてるぢやないか」

彦六「ぢや何か、おやぢの女が気に喰はねえからつて云ふんで、ヘツ当りに、ほかの奴を斬つてさ、土地を売つたのは筋が違つてやしないのか?、ふふふ、どうだ?」

父も子も思はずニヤ〱笑ひ出す。

ミル「ああ兄さん、ほらそこにある」と窓へ歩いて行き腰板を指して「これ覚えてんの?、兄さんが何か腹を立てて、ドスを引抜いて、いきなり切りつけたあとよ。ほら」

彦一（笑ひながら窓へ）

ミル「あたし毎日の様に、これにさはつて見るの……」

腰板のえぐり取つたやうな鋭い傷を労働でゴツ〱になつた彦一の手がなでる

感情をこめて見交す兄と妹の顔

彦一「俺も乱暴だつたなアハハハツ」

彦六「時に、お前今、何をしてゐるんだ?」

彦一（ふりかへつて）

「なに、土方みたいなことだよ」

彦六「府中でか?」

彦一「いや、府中は家だけで、あちこちの現場を歩きまはつ

てゐるよ、方々へ行くが大體、三多摩一帯だ」

為六「三多摩？、ふうん三多摩か、……さうか、……あの辺ならわしも二十歳前後に、暴れまわったところだ。三多摩の自由党は威勢のいい奴が揃ってゐたからな。さうか、……（自由党時代のことを思い出して身内が熱して来るらしく、乗り出して）お前などは知るまいが、当時自由党の中でも一番若手の連中は、あの辺の寺を押し廻つちや、藩閥政府打っ倒せの演説をして歩いたもんだ。……その刀もその時分の名残りだよ」

為一「昔からあの辺には、そんな気風があったんだね？」

為六「昔からと云ふと今でもあるのか？」

為一「自由党たアわけがちがうが、元気な仲間がゐるよ」

為六「仲間と云ふのは何んだ？」

球台の端に腰をかけたミルが首をさしのばすやうにして聞き入ってゐる

為一「俺達の仲間だよ、貧乏だけど、みんなイヤのいい連中だ。土方土方と人は馬鹿にするが、義理は堅えし、いいことといい、悪い事は悪いで、パッチリしたもんだっ一旦、仲間同志でかうときまったら、グッともすることぢやない」

為六「さうか、三多摩には今でも、そんなのがゐるのか、……然し、あの辺は朝鮮 の人間が多いそうぢやないか？」

為一「多い。だが内地の人間と別に変りやしないよ、現に大阪の玉造でゴロゴロしてゐた俺を、しよッぴくようにしてここへつれて来て、二年近く、附きに附いて、俺の性根を叩き直してくれた男が、さうだ。こいつア立派な男だよ」

為六「へえ、そんな事があったのか」

為一「二人で東海道を上って来る途中、ロクに飯が食へないもんだから、俺がへたばる」

聞いてゐたミル

「まあ、東海道を歩いて?!」

為一（ちよっとふり返ってミルに頷き）

「するとそいつが俺を負ってくれるんだ。まるで佛様みたいな男だ。俺アあいつの背中で何度泣いたか知れない。その時のおかげで、俺ア地道に働ける人間になったんだよ」

為六「ふふん、……さうか、……」

為一「どうだ、父つあん、ここを引き拂って俺達のところへ一緒に来ちやア、こいだけ、トコトンまでやり通しやもういいぢやないか、第一無駄だよ」
彦六「何？、無駄だ？、俺のしてることが何で無駄だ？」
ミル「父さん……」
彦一「だって、ほかの連中あ、父つあんだけを、おつぽり出して行つちまつたぢやないか、かうしてゐたところで、斬死するやうなもんだ」
彦六「お前、何か、わしに説教する気か」
彦一「俺達の仲間なら一人をうつちやつといて、にげ出したりは、しないと云つてるまでだよ、第一、働いて暮すにしたつて、同じ様に働く人間の仲間でなきや、泣くも笑ふも面白いことがあるもんか、父つあんの自由党だつて、その邊は同じ事だらうぢやないか」
彦六「何を云やがる」
彦一「そりや、俺達ア、いつも不自由だらけだが、こんなところで、ロクでもない連中を相手にしてゐるよりやまだいくらかましだ。楽ぢやないが、本当の生活《くらし》があるよ、生きるも死ぬも一緒だ、仲間の骨は、仲間が拾ふんだぜ。——」
彦六「仲間の骨は仲間が拾ふか、ふうん、そいで、この家はどうするんだ」
彦一「うつちやつとけばいいよ」
ミル「へーん、あたしはどうするの？、あたし劇場の踊子してんのよ、うんと勉強して今に日本一の女優さんになるつもりなんだから絶體に劇場はよさないわよ」
彦一「電車で通へばいいよ、日本一にでも世界一にでもなるさ、（立ち上つて）千代も大きくなつたもんだなア、もう立派な、モダンガールぢやないか」
彦六「さうさ、もうちやんと、お婿さんの見当までついてるよ、なア、お千代！」
ミル「ううん、いや、ツいーだ」
彦一「さうか、そいつあいい」
彦六「時にお前はまだ一人か」
彦一「五日前、赤ん坊が生れちまつた」
彦六「赤ん坊？、誰の赤ん坊だ？」
彦一「俺んだよ」
ミル、眼をみはつて

「へーん、だや、おかみさんもらったの、兄さん」
彦一（ミルにかけて）
「一年前から世帯を持ってるんだよ、男の子だ」
彦六「へえ、わしに孫が出来たわけか、こいつア笑はせる、で、何んて名前だ？」
彦一「名前はまだねえんだよ、何だか、変梃で仕様がないんだ」
ミル「そんなのないわよ、当り前だやないの、馬鹿ね」
彦一「それが変梃なんだから仕方がないよ」
ミル「だやア兄さんの子だやないの？」
彦一「たしかに俺の子だけど、変梃なんだ」
彦一（彦六に）
「そりで、父つあんの顔見たら、おさまりがつきさうな気がしたんで、実はかへって来たんだがね……」
彦六「でどうだい～、ふふふ」
彦一「父つあんの気持が、俺にもわかるやうな気がする」
ミル「だやア　私も立派な叔母さんになったわけね、どうだい！」

彦六「で、相手の女は何処の者だ？」
彦一「うん、仲間の妹でな、少しぼんやりしてるけど、気だてのいい女だぜ、今メリヤス工場で仂いてる」
彦六「何故、その赤ん坊を連れて来て見せねえんだ」
彦一「駄目だよ、まだフニャフニャして手に負へない」
彦六「ふうん（間）孫か……笑はせやがる、馬鹿野郎」
（流れ出して来る涙を横なぐりにふく）
彦一「なア、父つあん、思ひ切って、一家引移らうだやないか、うちもあるし気の合った仲間もゐらあ」
彦六、考へ込みながら、
「だが、わしが行って、懐手で遊んでゐるのもなア。今更」
彦一「だって、父つあん、病気だろうが？」
彦六「病気で寝てるんだやない。寝てたから病気見たいになっちまったんだ」
ミル「あれあれ、あんな事云ってる」
彦一「アハハハッ、だや、同意はないよ、探しゃ、帳っけで、もなんでも仕事はあるさ、…だやアいいね」
彦六、頷く、

彦一「よし、お千代、話をつけるから、先刻の連中を呼んで
来い！」
ミル（頷いて）
「うん」（走り出して行く）
彦六と彦一、黙って顔を見合せてゐる、やがて
彦六「ふん……彦一、ぢゃアお前の赤ん坊はわしが名前をつ
けてやるかなア」
彦一「うん、一つ頼むよ、父つあん、ハハハッ」
彦六（乗り出して）
「で元気か、赤ん坊は？、おふくろの方はどうだ？」
彦一「二人とも大丈夫だよ。産婆も頼まねえで、仲間のおかみ
さん達が、寄り合って取り上げてくれたんだがね、ひどい
難産だったよ、赤ん坊が大き過ぎたんだな……」
彦六「そうか、そんなに大きいのか」
彦一「うん、始めから出渋ったりして剛情を張るところなん
ぞ、父つあんに、そっくりだぜ」
彦六「爺は東京で出渋る、孫は府中で出渋るか」
（二人大いに笑ふ）

（その笑声にかぶさせて、ガアーン、べりべりッと大きな
物音）
十三軒店の一部、
人夫達、家屋を取り壊してゐる、
（萬力、カケヤ、鐵棒などを用ひ壁を引剝し柱を倒したりす
る）
カフエーの内
椅子がころがり、瓶がとび、蓄音器がひっくり返るスタンド
の前で
むしり合ひの喧嘩をしてゐるお辻とおアサ
おアサ「この糞婆ッ！－売女－どうするか、見ろ、この野
郎！畜生ッ」
（これと同時に）
お辻「ふざけるなッ！。かぼちゃめッ！。あッちッちッち！
畜生ッ！引掻きやがったなッ！」
など、両人まるで動物のやうな叫び声をして、つかみ合ふミ
ルが入口のドアーから首を突き出してそれを見てゐる、やが
て、ミルは踵を返して、階段をどんどんかけあがり、

ビリヤードに飛び込んで行く。

ビリヤード

ミル飛び込んで来て、

「白木も、鐵造も、下にはゐないのよ、あのね、おアサさんとお辻とが、喧嘩してるの、二人とも鐵造さんの、おかみさんになるんだって云ってね、スタンドのところで、掴み合ってるのよ」

彦一「ハハハッ、アハハッさうか、……あッさうだったな、父つあん、お辻さんも連れて行くんだろう？」

彦六「うっちゃって置け、どうせ金をつかめば、向ふでには、
　出さうとしてゐた女だ」

彦一「遠慮をするなよ、父つあん」

ミル「あたしに気兼ねしなくたっていいわよ」

彦六「もういらんよ、こりこりだ」

彦一「いらんのか？」

ミル「いらんのかい、父つあん？」

彦六「こいつめ！」

ミル（逃げながら）

「いらんのか？、ウヮーイ」

親子三人笑ひ出す。

逃げて行った足でミルは、居間の方へ上って行き、荷物をつくり始める

彦一「だが、先方から取ると云った五十圓とかは？」

彦六「かうなればもういいんだ」

彦一「だって、そりゃア……」

彦六「なアに、二千五百圓だけは、かうして、疾うの昔に受
　取ってある」

彦一「なあーんだ、さうか」

その時、荷物をこさへかけてゐるミルが、うす暗くて不便なので、居間のカーテンをザッと開けると朝の白々とした光線がさっとさし込んで来る

彦六「アハハハッ、それ位、取ってあるさ、このわしを見損ふなよ、アハハハッ！。さうさな、この中から立退いた連中に、いくらかづつ分けてやらう。なアに実はもうあと、百兩づつでも、取ってやらうと思ってゐたが、どうやらこの辺が潮時らしいな」

彦一「ハハッこれまでやりや、もうたくさんだよ」
彦六「だが、俺は白木なんぞに負けたんぢやないぞ、あんな小僧に負けてたまるかい！さうさなア、まア強ひて負けたと云へば、彦一、俺はお前に負けたんかな」
彦一「アハハッ、そいで支度は？」
彦六「支度もへちまもありやしないよ、ちやんと大切なものだけは肌身につけてある」（ブランディーの瓶をミルが持って来る）
彦一「この球台や道具類は？」
彦六「ほっとけ！どうせ、家賃の抵当《かた》に押へられてゐたものばかりだ」
（立上る）
彦一「歩けるかい、父つあん？」
彦六「なアに（床に下りる）……さうだな、お辻に少し金でも置いてってやるか、（ブランディーの瓶を見て）どうだ一杯行くか」
ミル（コップを持って来る）
「はい！」
彦一「よかろう、まア父っあん」
（注ぐ）
彦六（グッと一口にのんで）
「アハハハハッ、さ、のめ！（彦一にコップを渡して注ぎ）ハハハッ」
ミルが二人の様子をうれしそうに見て笑ふ
彦一（一気にのんで）
「ハハハッ乾盃もすんだ、さア行かう！」
そこへ、ドカドカと足音がして、髪も裾も乱したお辻が、のぼせ上って乱入して来る
お辻「畜生ッ、かぼちやめ！殺してやる、群馬縣あたりから、ツンのぼって来た、べいべいアマの癖しやがって！」
（三人の姿は眼にも入らないで、畳敷にかけ上ろうとし床の上の道中差を見て拾ひ上げる）
お辻「ふざけやがって！」
彦六「どうしたんだ、お辻？」
お辻「あッ……（ポカンと見てゐたが、ギョッとする）ななんですか？ どう……？」

畳敷の所までよろ〳〵と戻って行ってしりをつく
彦六「いい加減にしろよ」
彦一「さあ、父つあん、夜が明けちやったぜ」
お辻「どうしてくれるんだよ！皆で寄ってたかって、私に恥をかかさうって云ふんだな？よし、なら、死んでやる！死んでやるとも！」
（刀をひねくりまはす）
彦六「死んでみろ、昔の縁だ、見届けてやる、見てゐてやるから死んでみろ！」
お辻、瞬間、キヨトンとするが、不意に刀を放り出し、畳に突伏してヒイヒイ泣きだす
汽車の発車の音
家屋取り壊しの物音
ミル「糞でも喰へ、こんな家！」
彦六「三百圓ある筈だ、まア達者で暮せよ」
（お辻に金を渡す）
（その間に彦一は刀を拾い鞘におさめる）
お辻、金を取り上げて、夢中で勘定し始める
彦六、笑ひ出す。
三人、ミルを先頭に彦六、彦一の順で入口の方へ

旭亭階段口

上部のみ陽が当ってゐる二階の旭亭の入り口から、三人が出て来る。

朝の街路

明るい音を立てて走り過ぎる牛乳車、彦六、彦一、ミルの三人が歩いて行く後姿
彦六、詩を口吟んでゐる
「青年班馬の鞭を付けんと欲し、忽ち路を失って迷う孤客の煙、洒々たる胸襟、清水に似たり、浩々たる浩気或ひは天を衝く、雪はようやく戸を埋めて朝、夕の如し、人は鎖窓に座して日は月に似たり、きよう笛一声断腸の所、一片朧月しゅう眠に伴ふ」

別の通り

詩を吟じながら、向ふの道を横切って行く、彦六と彦一とミル
その前景の共同栓の傍で、二人の自由労働者、（たった今起きたと見えて、睡むさうな眼、汚ない身なりだが、健康な、

のんきそうな顔、一人は不似合に、白い歯ブラシで歯を磨いてゐるし、もう一人はシャボンを顔になすりつけてゐる）

その一人（A）「よう、お早よう」

B「お早よう、シャボン使ってくんな」

A「有難うさん、本日もいい天気だなア」

B「有難てえ次第だ、アハハハ」

A「ハハハ、めしはすんだのか？」

B「なに、これから驛へ行って排泄をさして貰ってからだよ、
　アハハ」

ガード附近

三人、石段を上って来る。

上り終ったところに立って、

彦六、晴々とした気持で、四辺を見まはす、

朝の新宿の屋根々々に次第に陽が当り出して来る美しさ、

ミル、片手に荷物、片手に兄にもらった花をつかんでゐたその両手を何んとなく高くさし上げて、新宿の屋根々々を見て、

「ウーッ」と叫ぶ

ミル「さようなら、又来るわよ！」

彦六の晴々しい笑声

陸橋の上を歩いて行く三人。その下を貨物列車が、通り過ぎて来る。エキゾーストが真白にガードの欄干を包む。貨物列車は重い音をたてて通過してゐる。

（F.O）

地熱

（前書き）——

此のシナリオは、ロケーション地の條件及びその他の理由のため、部分的にかなり大きな改変を行ふ豫定になって居ます。從って此の稿は謂はゞ未定稿ですから、どうかその御積りで讀んで下さい。——三好。

人物

留吉　源公
お香代　吉公
利助　長島
お雪　轟伍栄
志水　倉川
辰造　齋藤
金助　現場監督
より子　島田
はつ子　その母
近藤　その他・郵便屋、工夫、
お礒　お絹等

（一）工事中のトンネルの入口

コンクリート・ミキサアの猛烈なひびき。

廻転してゐるミキサア。

—運転台で運転してゐる工夫。

—その傍に仁王立ちになって、人夫達を指揮しながら、大きな声で吐鳴り立てゝゐる現場監督。しかしその声はミキサアの音に掻き消されて聞き取れない。

—セメント袋を運んでゐる人夫達。

トロッコで運んで来た砂をスコップで掻きおろしてゐる人夫達。

ミキサアからコンクリートが流れ出たら途端にスコップでトロッコの中に掻き入れるために、空いたトロッコの上で構へてゐる人夫（島田と金助）

—背景には、引っくり返されてゐるトロッコ数台、セメントの袋、支柱の山、その他の材料。

人夫達は皆、半裸體の姿である。

ミキサアが、ピタリと廻転を止める。

と同時に、監督の怒鳴り声（前から続いてゐた）が突進る。

監督「ボヤくするな、馬鹿野郎！・岳田！・金助！・行くぞっ！・」

同時に、ミキサアの口がパックリ開いて、お汁になったコンクリートが、ドロ〳〵とトロッコの上へ流れ出して来る。

それを懸命に掻き入れる岳田と金助。

監督「岳田、もう少しバリバリやれねえのかっ！・」

岳田（人が好い。何か訊かれたと思って）

「へえ、なんだね？」

監督（相手のトンチンカンについ失笑して）

「スコップのさばきを、もうチット早くしろと言ってんだよっ！。奥じや待ってるぞ！・」

岳田「おいしよ！・」

コンクリートをトロッコに掻き入れ終ってトロッコから飛降りた岳田と金助、忽ちトロッコを押して、ウンウンとトンネルの方へ。

その二人の尻へ向って、

監督の声「金助！・そのヘッピリ腰あ、何だっ！・さては貴様、ゆんべは、蔦屋あたりで、よろしくやったな！・」

他の人夫達の笑ひ声。

岳田と金助、トロッコを押してトンネルの奥へ。

金助（押しながら）「へっ、何よう言ってやんでえ、お前なんざあ、女の子に可愛がられるって事が、どんな事だか知りやしめえ。ざまあ見やがれ。ウントドッコイ」

岳田「アッハハハ。ウントドッコイ」

（移動で流して）

暗い。天井から下ってゐる電燈。

奥の方から出て来るトロッコ。これには土砂が積んである。

押してゐる人夫は一人（源公）

再び表の方ではミキサアが運転しはじめた音が、遠く反響して来る。坑内での人声や物音は全部反響する。

源公（すれ違いながら）「よう、金助、女の子がどうしたって？」

金助「可愛がられたってんだ！・」

源公「誰がよ？」
金助「俺だい！」
源公「ヒャー、助けてくれ！　そのツラでなあ！」
（言ひながらドンドン、トロッコを押して出て行ってしまふ。）
金助（これも奥の方へ押して行きながら）「そねめ、そねめ！　女が惚れるなあ、此處だぞ！」（ピシャリと裸の胸を叩いた）「なあ島田！」
島田「ハハ。俺みたいに、オヤヂになっちまふと、惚れた腫れたも無えさ！」
金助「へん、クヨクヨするない。クヨクヨさんすな、これ、こちの人ウー」（と浪花節になってゐる）
その話の間も、二人、グイグイ、トロッコを押して、奥の浸水現場へ到着。
その現場。暗い所を強力な電燈が二三個、カッと照し出してゐる。陰影の多い光景。その中で働いてゐる人夫達。水の音。セメント流し込みの現場。
スコップを持った志水が、眼に泥が飛び込んだと見え、辰造に取って貰ってゐる。
志水「いてゝ！　辰造、乱暴するなよ」
辰造「まあ我慢しろい。播屋のより公とは違ふから少しは痛えよ」
志水「馬鹿。早く取ってくれよ」
辰造（泥を取ってやって）「取れた。治ったらう？」（女の声色で）ねえ、あたし、より子よ。治ったでせう！　志水さん。」（と志水に抱き付く真似をする）
働きながら人夫達がドッと笑ふ。
志水「気味の悪い野郎だ。お前だってお香代に惚れてゐやがるくせに」
辰造「だれがあんなコブ付きに惚れるかい」
金助がスコップを動かしながら話を引取って
金助「辰公は、あきらめこんだよ」
志水「へえ、さうか？」
金助「お香代は、事務所の近藤さんが張ってゐるからな。首ったけだい」
志水「女の方がか？」
金助「なあにお香代の方はコレさ」（と肱鐵砲の真似）

志水「へーん、（辰造の方を見て）辰公に情を立ててか？」

辰造「此の野郎！」（スコップを振上げてなぐる真似）

志水、にげて、トロッコに掴まり、ドンドンそれを押して、出口の方へ。志水がトロッコを押しながら唄ひ出した唄声。

「やーれ、山で赤いのはツツジに椿」

唄がそこまで来た時に、トロッコは、トンネルを出て、ミキサアの傍を通り過ぎる。

監督「志水ウ！こんだあ、セメン積むぜ」

志水「合点だよウ！」

その間にもトロッコは軽く下り坂を走る。志水は唄の続きを唄ひ出す。

「それに、からまる、藤の花ア、やれチートコパートコ」

唄はのびやかに流れる。その流れてゐる間に、画面にそのトロッコから見渡せる炭坑町の描寫。

その最後のカットの中を、志水のトロッコが走り去って行く。

（二） 蔦屋の表

のれんにも店の構へにも一見いかがはしい感じのする蔦屋である。

髪を綺麗に結ったより子が尻っぱしよりで店を掃除してゐる。

近藤がやって来る。

「よう、よりちゃん、御精が出るね」

より子は近藤の顔を見てはしょってゐた裾をおろし、挨拶する。

「お香代ちゃんは——？」

と近藤ソッときく。

「一寸買物に出かけましたわ」

近藤少し失望したらしいが、そのまゝ内へ、より子もバケツをもって、つゞく。

（三）蔦屋の内部

二階からはつ子がこれも掃除してゐたらしい格恰で降りて来る。

はつ子、近藤を見て、

「いらっしゃい。（奥に向って）お神さん、近藤さんがいらっしゃいましたわ」

近藤ニヤニヤしながら下駄を脱いであがりしなにはつ子の

お尻のあたりを手で撫でる。

飛びのいて、はっ子、大聲で、

「お神さん」

近藤少々慌てる。

はっ子はそのまま台所へ。

お神が出て、

「駄目よ、はっちゃんをからかっちゃ。あの子は近いうちに堅気さんになるんだから」

「へーえ、そいつはお芽出たいね。一體誰に身請けされるんだい？」

「誰だっていいぢゃないの」

そして二人は奥へ。

（四）蔦屋の奥

長火鉢の向ふに旦那気取りで坐はった近藤誰かを探してゐるらしくおちつかず。

近藤の帽子や外套を始末してゐたお神は、これを見て面白からず、近藤の傍により
「どうしたのよ、ソワソワして？ 事務所のおエラ方がこんなことぢゃ駄目ね。お酒……それともおビールにしましようか」

近藤「ああ」

気のない返事。

「どっちなのよ」

「ああ……酒、酒にしやう」

お神はお冠りです。

「何さ、お香代がゐないからって。呼んで欲しいなら欲しいと正直にいったら、どう？」

近藤「何も、お前……」

お神「いいわよ。辨解しなくたって。だけど断って置きますがね、お香代に目尻を下げるのもいい加減にしておいて頂戴。でないと……」

近藤の膝を抓る。

「アッ、痛い、痛い、よせよ、大丈夫だよ。（膝をさすりながら）お前といふ女がゐるぢゃないか」

この言葉にお神も幾分御機嫌になって、

「よりちゃん！よりちゃん！・濟まないけど、香代ちゃ

んを探して来ておくれ」
より公「ハイッ」と出て行く。
お銚子がついたらしい。お神は近藤に酌をする。

（五）丘（汽車がすさまじい音を立てて通り過ぎます）

晴れた夕陽。
お香代、ヂッと遠くの山脈の彼方を見つめてゐる。動かない。
線路上を、
留吉が肩で息をしながら、よろめく足どりで歩いてゐる。
（この姿まで汽車の去る音を聞かせる。）
丘――の香代の眼が一途に思い詰めた色を浮べて線路の上に吸ひ付けられる。
憑かれたやうに立ち上る。
白く伸びた線路。
香代ふら／＼と丘を下りる。
汽車が遠くより来る。
線路附近に立つ香代。
遠い山が夕もやにかすれて来る。
汽車がダン／＼と近づいて来る。その音。
香代がふと後ろの気配に気付く。
フラ／＼と線路上を来た留吉がパタリと仆れる。
汽車がすさまじい勢いで来る。
香代「危い！」思はず叫んだ。
留吉を助け起し引きずる。
汽車がバク進して来る。
二人は折重って柵の方に転がる。
―汽車が猛烈な音を立てて通過する。
呻く留吉。
香代「し、しっかりなさいよ！しっかりしなよ！」
留吉、呻きながら薄目を開いて見る。
留吉「……ありがたう、ありがたうございます」
香代「どうしたの、お前さん？どうしたんですよ？」
留吉「腹が減って……それに病気です。脚気で……」
香代「脚気なの、さう？危いとこだった（とこれはどっちに言ふとなく）」
留吉「あんた誰だ？」

香代「お香代。この町の飲屋の女よ」
留吉「お香代さんか、どうも濟まねえ、俺ア留吉と言ふもんです」
香代「留吉……あんた此の土地の人ぢやないのね？」
留吉「渡りもんです。仕事を捜し歩いてる……あゝ苦しい」
香代を捜しに来たより子の姿が向ふに見える。
「香代ちゃん……」と呼んでゐる。
留吉「この胸んとこが苦しくて――」
香代「着物を少しゆるくしたらいいんだよ」
お香代が胸をはだけてやらうとすると、留吉だし抜けに
「ぎやーーッ！」と叫んで飛びつく。
留吉「何、何をするんだ！」
香代「何よう……」
留吉「何をしやがるんだ、これに手を觸れたら殺すぞ、チ畜生うぬあ……」
と気狂じみた男の態度に香代驚いて、
香代「どうしたのさ、何だって……」
留吉「親切ごかしにたらしこんで人の金を」

香代「お金？ それお金なの？」

留吉「カ、金ぢやない、金ぢやない！来るな、来るなッ。ついて来るとしめ殺すぞ！」

わめき乍らお香代から逃げるやうによろめいて行く留吉の形相。

この騒ぎにより子気付いて香代の処へ来てる。

より子「なんだい、どうしたの？ 誰？」

呆気に取られて佇むお香代。

より子「（これも驚いて、留吉と香代をしばらく見較べてゐた後、用事を思ひ出して）香代ちゃん、会社の近藤さんが来てさっきから待ってるんだよ、帰らうよ」

香代、黙ってうなづいて留吉を見る。

留吉ひよろ〳〵して、またバタリ倒れる。

遠く汽車の行く音聞ゆ。


――ワイプ――

（六） 木賃宿の夜。

うす汚い木賃宿の一室。

留吉を介抱してやってるお香代。

留吉「お香代さん本当に済まねえ、助かった……俺は死ぬかと思った」
香代「お互様だよ、恩に着て貰っちゃ迷惑さ。だけど脚気だって言うのに、なんで又そんな遠い所から歩いて来たりしたの？」
留吉「俺達の身分ぢゃ仕事がなけりゃ病気の事なんぞ、言っちゃ居れねえ。……お香代さん、此処に仕事はねえだろうか？」
香代「さうねえ、……トンネル工事だけど、でも相当つらいらしいわ」
留吉「體のつらいのは構はねえ、俺ア働きたいんだ、働きたいんだ」
香代「……」
留吉「おねがひだ、お香代さん、世話をしてくださらんか」
香代「え、とにかく事務所の近藤って人にきいて、見てあげるわ」
留吉、感謝の面持。ガヤガヤと、二の宿に泊ってゐる工夫たちが帰って来たらしい。
香代、立ち上って
「ぢゃあ又、明日、……」

（七）蔦屋の奥

近藤、酒が廻ってゐるらしく
「遅いぢゃないか」
お神も
「ほんとに、どうしたんでせう？、もう帰って来さうなもんだけど。よりちゃん、済まないけれど、もう一遍香代ちゃん呼びに行っておくれな」

（八）蔦屋の店先

より子「ハイ、直ぐ帰るって言ってたんですよ」
と、出かけようとする。
表から、香代が帰って来る。
「唯今」
より子「これ、（拇指を示して）これよ（角を出してゐる格好をする）」
お香代、笑って奥へ。

（九）蔦屋の奥

お香代、入って来る。

「済みません、おそくなって」

お神「どうしたの？」

お香代、それには答へず、お銚子をとって近藤に酌をする。

近藤、もうすっかり御機嫌です。


―F・O―

（一〇）　トンネル工事場

（前のシーンより数ヶ月後）


―F・I―からりと晴れた空、人夫達が働いてゐる。

留吉の姿も見える。　志水も金助もいる。

正午の鐘が鳴りひゞく。

「飯だ！」「飯だ！」


―O・L―


一同、思ひ〳〵に飯を食ってゐる。

材木のところで飯も食はずにゴロリとなってゐるのは留吉。

監督がやって来て、

「おい、金助、それから（留吉を見て）えゝと、何とか言ったな……」

金助、横から、

「留吉ですかい」

監督「そう〳〵留吉！」

留吉、起き上って来る。

監督「二人とも、一服したら事務所へ行って、シャベルを持って来てくれ」

留吉と金助
「へえ」

と直ぐ立って、トロを押して動き出す。

監督は、後から、

「おっと、それから、奥の浸水口へ行って、島田と替ってやってくれ、島田の野郎、腹をすかしてゐやがるだらうから」

二人「へえ」

と、答へて去る。

（一一）　奥の浸水口

水がポタ〳〵たれてゐる。

気味悪い。

島田、腹をすかして張番をしてゐる。

（三）　事務所の内部

お香代とお磯が来てゐる。近藤が椅子にフンゾリ返ってゐる。

「君がこないだ世話してよこした、ホレ、さう、留吉といふ男……」

お香代は留吉の名が出たのでハッとする。

近藤続けて

「えらい変り者ださうだよ。なんでも飯時になっても飯も食はずに働いて居るといふ話だよ」

お磯「へえ、随分経済ね」

近藤「なんでも、内々、金を貯めてゐて、仲間にも貸してゐるさうだ」

お磯「凄いわね、工夫をして金を貸すなんて」

その時、留吉が金助と共に入って来たので、口をつぐむ。

留吉はお香代がゐるので吃驚したが、直ぐに。

「今日は」

と、挨拶しただけで、シャベルをもって出て行かうとする。

金助は出て行ってしまふ。

近藤は留吉を呼びとめ、

「まあ、休んで行ったらどうだ。切角君のいい人がいるんだから、なあ、お香代ちやん」

と、皮肉れば、

お香代「よしてよ近藤さん、お気の毒ですがね。留吉さんとあたしとは何でもないんですからね」

近藤、笑って、

「ほう、何でもなくて、このくらひか。何でもあったら堪らないだらうね」

お磯、近藤に向って、

「なんです。又、あなたったら、お香代ちやんのこと〳〵いふと直ぐに――！」

白らけた気分、留吉、困って、

「ぢや、御免なすって」

と、出て行く。

近藤、つくり笑い。

（一三）事務所の前、

笑い聲がきこえて来る。金助、待ってゐる。

留吉、出て来る。

金助「どうした？、好かねえ奴だな、近藤って奴！」

　留吉、軽く笑って、

「どこにでも一人ぐらい必ずゐるよ、あんな男」

　それから二人でトロッコを押しはじめる（移動）

金助「なあ留公、変なことを聞くやうだが、お香代って女、どう思ふ？」

留吉「どうって？　俺の命の恩人だよ」

金助「それだけか」

留吉「それだけよ」

金助「可笑しいぢゃねえか、命の恩人なら、お前の方で何とか禮しなくちゃならないのに、先方がお前に仕事口を世話してくれたりするってのは」

留吉「あんまりよくしてくれるんで、禮の仕様がねえんだ。困らあ」

　金助、嘆いて
「あーあ、俺も一度でいいから、そんな目に遭ってみてえよ」

　トロッコ、次第に早くなり、二人とも、それにうちのる。

　流れて行く工事場の風景。

　浸水口の方から人々が慌立しく、駈けて来る。そして、島田が担架にのせられてやって来る。トロッコをとめる。金助かけよって大声できく。

「どうしたんだ？」

辰造「島田がやられたんだ、ボタで」

　金助、胸をつまらせて、島田の死體をのぞき込み乍ら、人々と一緒に去る。

　残された留吉、フッと吐息をつくと、力なくトロッコを押しはじめる。


—F・O—

（一四）島田の家（夜）

お通夜—

　汚い狭い家に、仲間の工夫達や近所の人達が大ぜいゐる。

　お袋がおろ／＼してる。島田の息子の健が隅っこに寝てゐる。誰一人口を利く者もない。

　志水と辰造と源公等が別の狭い部屋でひそ／＼話してゐる。（金助の姿はない）

辰造「……仕事の現場でやられたんだから、言はゞ、立派な殉職ぢや無えか。それを僅か二百圓ポッチのクヤミ金で左様ならって言ふ法は無え、受取っちやいけねえ！」

源公「さうだとも！ いくら臨時工夫だからって、まだ獨身ならよからうが、此の家みてえな所だと、後に残ったおっかあや子供はどうなるんだ！」

志水「まあいいや、俺が近藤さんに掛け合って見らあ」

（一五）浪曲節のビラ

「東都浪曲界の第一人者、
笹田賞 久々のお目見得」

そんなやうな文句が書いてある。

（一六）浪曲節小屋の附近

留吉と金助歩いて来る。

金助、何かくどくと留吉に頼みこんでゐる。

金助「ね、留公おねがひだ、三圓だけ貸してくれ、島田の家へ持って行く香典がねえんだ」

留公「……駄目だよ、お前、この前の五圓もまだ返してゐねえよ」

金助「濟まねえ、こんどの勘定日には、きっと一緒に返す。頼むよ、なんなら、いつもの倍、利息を払っていいよ」

留公、それに心動いて

「ほんとに返すね、嘘ぢやあるまいね」

金助「ほんとだよ、ほんとだとも、お前、金のことっていふと、直ぐムキになるから恐いよ」

留公「よし、貸さう。その代り、利息はいつもの二倍だぜ」

と、いひ乍ら、懐中から金をとり出す、ところで、……

（一七）島田の家

金助、入って来る。

「今晩は」

辰造「金公、遅かったぢやねえか」

金助「うん、實はね、（小聲で）留公に金を少し借りるんで大変だったのよ。ガッチリしてやがるよ。前に貸したのが五圓、利息共で五圓五十銭、それに今日のが三圓に、利息が六十銭、〆めて九圓十銭、勘定日に間違いなく返してよこせ、だって」

辰造「呆れた野郎だな」

金助、奥へ入って行く。

（一八）　蔦屋の店先

浪花節のビラ、
すっかり荷造りを終へた、はつ子が、お神の前に両手をつかへてゐる。

「永々お世話になりました。どうか、お體を大事に」

お神「どう、だや、あんたも體に気を付けてね、當分は新世帯で忙しいだらうが、ひまになったら、遊び来ておくれ」

はつ子「えゝ」

土間に下りて、羨しげに見てゐる、より子とお香代に、

「お機嫌よう」

より子とお香代
「あんたも、ね」

はつ子、黙って、うどんを食ってゐる留吉にも、挨拶して出て行く
後からお神が羽織をひっかけ乍らつづき、お香代たちに向い、

「あたしはそこまで、はっちゃんを送って行くからね。お店をたのみますよ」

お香代とより子、

「いってらっしゃい」

お神、出て行く。

（一九）　蔦屋の前

暗い道に、あかるいバスがやって来てとまる、はつ子とお神をのせて走る。

（二〇）　蔦屋の内部、

より子「どう〳〵行っちまったわね」
お香代、淋しく、
「ああ」
留吉、黙って、うどんを食べてゐたが
「あの子、どこへ行ったんだ？」
お香代「足を洗って、堅気になったんですよ、倖せな子さ」
留吉「あんた達だって、金を溜めて足を洗へばいいぢやないか」
お香代「駄目々々」
留吉「どうして……？」

お香代「どうしてって、まあ、考えてもみてよ、こんなことしてゐりや溜るのは借金だけよ」

より子「イヤンなっちやふなあ。香代ちやん、飲まふよ」

と、いひ乍ら、コップに酒を注いでもってくる。

お香代「仕方ないさ、はっちやんなんてのは、千人に一人ぐらいの倖せ者なんだもの」

近藤、入って来る。

より子へ（愛想よく）「いらっしやい。お神さんは、初ちやんを送って驛迄行ったけど、その還で逢ひませんか？」

近藤「ふん」とあいまいな返事をして「おい、香代ちやん、早く仕度しろよ」

お香代「どうするの？」

近藤「どうするって浪花節さ。切符も二枚買ってあるから」

香代「でもお神さんが留守だし」

近藤「よりちやん、頼んだよ。お神には先刻話しといた。お香代ちやんを一寸借りるからね」

より子「へいへいどうぞ——。お香代ちやんあんたそのままで行くの？」

お香代留吉に気兼ねして
「さうね……一寸待って、あたし羽織を着てくるわ」

とお香代二階へ。

隅っこの留吉不快さうな顔。

黙ってテーブルに一つ十銭玉を置いて表へ去る。

二階から、羽織を着ながらお香代駈け下りて来る。

「お待遠様……あら、留さんは？」

より子「あら」とより子も知らなかった。「いつ帰ったのかしら」と見廻わす。

机の上の十銭玉。それをつまみ上げるより子。

（二一）木賃宿

まだ誰も帰ってゐない。留吉一人。

留吉、窓をあける。

曇った夜空の下、のぼりが見える。

（二二）小屋の表

表まで浪花節の声がきこえる。

（二三）小屋の内部

お香代と近藤きいてゐる。

お香代、何かそわそわしくゐる。
〽(紺屋高尾の一節)
……遊女は客に惚れたといひ、客は来もせで、又、来ると
いふ、嘘と嘘との色里に、………

(二四) 蔦屋の内部、

志水、辰造たち大ぜい来ている。

より子、ひとり転手古舞です。

志水「おーい、(より子に)近藤さん、来て居ねえか?」

より子「さっき来て、香代ちゃんをつれ出して浪曲節へ行ったわ」

辰造「そういふ野郎なんだ、組の者が仕事で死んだといふのに、線香一つあげに来やがらねえで」

志水「とつつかまへたら、うんと談じこんでやらなきゃあ」

ところへお神帰って来て
「只今、皆さん、いらっしゃい、どうしたの?、香代ちゃんは?」

より子「あのう……」

辰造「お神さん、しっかりしろよ、大事な近藤さんを香代ちゃんにとられていいのかい」

お神ハッとしたが
「まさか」

辰造「油断大敵、火がボーボーってね」

お神むくれて奥へ。

誰かが大きな聲でからかった。

「焼けます、焦げます、三百度の高熱」

で一同ドッと来る。

(二五) 木賃宿

留吉一人居て、四面に人なきを見定めて部屋の隅
腹にぐる〱巻いてあった虎の子の金を取り出す。
(糸に十銭玉を貫いて珠数の如くして、それを絶えず腹に巻いて持って居るのだ)
留吉幾度も〱十銭玉を数へてニコッとする。
ぢっと瞳をつむると故郷の面が浮いて来る。
留吉十銭玉の珠数を愛撫する。
留吉がふと気付いた。
何時来たのか女の足。お香代が襖の処に立ってゐる。

呆然と佇んで留吉の方を見てゐる。

留吉気違ひのやうに慌て金を匿しながら自分の秘密をのぞかれた腹立しさにカッとして怒鳴ってしまふ。

留吉「何しに来た！何んの用で来たんだ？」

お香代「別に用って事はないけど――」

留吉は無性に腹立たしく口汚くののしる。

（かつての日、線路上のあの獣のやうにわめいた、あの時のあの眼あの口、あの声で）

留吉「何処から這入って来たんだ」

香代「ここから」と窓を指示す。窓が開いて外は裏山道。

留吉「まるで泥棒猫のやうに足音もさせないで入って来やがって、なんだい、馬鹿！」

立ちすくむ香代の青白くされた顔、

（忘れてゐる前だれをサッと畳んだのを片手に持ってゐる。話の間にそれを落して忘れて帰ることにする）

香代「……悪かったわね……一寸相談したい事が有って」

留吉、お香代が金を借りに来たんだと思って、

「な何の相談だ？、いやだよ俺あ、金なら初めから無いと言ってあるんだ。お前には色々世話にはなってゐるから、礼はしたいよ、したいけど、そんな――」

お香代「（冷たく凍った顔）……そんな事は、どうでもいいさ。……邪魔して悪かったわね。帰るわ」

スタスタ去る香代、
留吉さすがに気になって立って見送る。

（二六）　雨――（仕事は休み）

猫鳴――（短く）
作業場附近の雨、（働いてゐる者は一人も居ない）

（二七）　木賃宿

雨で仕事があぶれて一同ごろ〱してゐる。

入口、一人の渡り人夫が転り込む。

ゴロ〱してる金助の處へ来て仕事の事を頼んでる。

金助がそれに返事をしてゐる聲だけが聞える。

金助「そうさな、俺が事務所に頼んで見てやるよ。大概大丈夫だ」

留吉窓の處にゐる。ぼんやり考へて、

雨を見てる―外の雨。

お香代になにか済まない気持である。

留吉お香代の前垂れの紐を無意識にいぢくってゐる。(前にお香代の忘れて行ったもの)

留吉思い切って出かけるつもりで立上る。

別の部屋渡り者の長留(ニワトリの如くひよろ〳〵した奴)と金助の話。

金助「お前どこからやって来たんだ?」

長留「故郷は信州です。半年ほど前に出て来たんですがね、病気をしたりして、どうにも……」

通りかゝりにチラリと聞いた留吉、長留の方を見ながら上り口の方へ。

金助(留吉に)「留公も、たしか、信州だったな?、なあおい」

長留(なつかしさにすがるやうに留吉に)

「あんたも信州かね?、信州は何處だね?、 私あ西條村てえ所だが、……?」

金助「アハハハ信州てえ所は馬鹿に食ひつぶした百姓の多い所だと見えるなあ! ハハハ」

と又留吉をサカナにしかかる。

留吉、下駄を穿きながら長留の方を黙って見る。

―(おや隣り村の男か、……)

(三八) 蔦 屋

軒を打つ雨―
戸が二三枚入ってゐて中はうす暗い より子がテーブルの處でめし喰ってゐます。
時計がニブイ音をたてて十二時をうつ、
留吉が入って来る。
例によって隅の場所に坐る。
留吉「お香代さんは?」
より子「まだ寝てるの……ゆんべ無茶苦茶にお酒を飲んでね、……留さん、何か、お香代ちゃんと喧嘩したんぢやない?」
留吉「いいや、……」
より子「だって、お前さんの事で腹立ててハツ當りさ、困ったよ」

入口の處、其の他に茶碗のカケラ――
より子が指示して、
より「これもお香代ちゃんが叩きつけたんだよ」
留吉「濟まねえが、お香代さんを呼んでくれないか」
より子が二階にあがる、寝てるお香代に云ふ。
より「留さんが会ひ度いって」
香代「厭なこった、あんな奴の顔見度くもない」
より「でも濟まなさうにしてるよ。会っておやりよ」
香代「うるさいったら」
より子「おや／＼」
下で待つ留吉
階段下りて来るより公が首を振る。
留吉淋しさうにうどんを注文する。
二階からお香代が小さい包みを持って、ドカドカと降りて来ていきなり留吉の處へ
香代「お前さんいつもお禮が出来ないで濟まないって云ってたね」
留吉驚いて女を見る。

香代が包を留吉の前に出し乍ら、
香代「そんなにお禮がしたきゃ、させてあげるから、三吉んとこまで、此の着物を届けに行ってくんないか。私行けないから」

（別に三十二銭出して）

「三十二銭。これは新村までの汽車賃。往復だよ」

ちょいと気狂じみてるお香代により子目を丸くして見る。

香代、冷たく命令すると、再び階段へ。

香代「新村の田村熊吉って家だからね、厭なら其儘ほっといてさっさとお帰り……」

亂暴に云い放って二階へあがってしまふ。

テーブルの上の包と三十二銭の金。

より公も留吉も呆気に取られて二階を見上げてゐる。

―O・L―

（二九）雨の町はづれ
角の駄菓子屋、オモチャも売ってる。

畠田の子供の健が、ものほしさうに指をくわえて立ってゐる。おふくろが出て来て子供をつれて去る。

見送る留吉。
　やがて女房の方へ振向いて、手に持ってゐた三十二銭を出して、
留吉「お神さん、その玩具をくれ」
　　　　　　　　　　　　—ワイプ—
　（三〇）雨の小降りになった線路上を、
留吉歩いて行く、何か愉快さうだ。（返すものを返済した）
そんな軽い気持、或ひはお香代の心ン中が少しでも通じてか
オモチャを見乍らのびた線路道を歩いて行く。—
　（三一）蔦屋の内部
お香代、起きたばかりの感じで歯ブラシをつかってゐる。
より子傍から
「香代ちゃん、あんたって人どうしてさう情がきついの、
惚れたら惚れたってどうしてハッキリ言っちまわないのよ」
香代「誰によ」
より子「あれだ、だから情がきついといふのよ。留さんだって変り者だけど、根はいい人だと思ふわ」
香代「それで——」
より子「ハッキリしたら、どうかといふのよ」
香代「あたし、あたしなんか駄目よ。よりちゃんみたいに身軽な體ぢやなし、それに」
より子「それに？」
香代「会ってるとどうしても一緒になんかなりたくないの。といって、別に憎めもしないんだから因果ね」
外は雨—
　（三二）新村の百姓家
田代熊吉の家は、なるほど小汚く、豚くさい百姓家である。

爐邊に病気で寝かされてゐる三吉。フトンの上から着せてある新らしいネルの着物。

女房が玩具を子供に見せ乍ら「小父ちゃんのおみやげだよほら〳〵……」

爐のそばに坐って、留吉に話しかけてゐる熊吉。留吉はあがりがまちに腰かけて三吉の方を見てゐる。

熊吉「……二三日前から熱を出しちゃえましてねえ、なか〳〵引かねえで困って居りますよ。お醫者は大したことはないと言ってくれますがな、なんしろ金がかかって仕様無え

ので、一度お香代さんに来てもらって相談しやうと思ってゐた所でがした」

　女房がシブ茶を汲んで持って来ながら、

女房「はあ、私等ア子供は無し、自分達の子と思って育ててゐる譯ですけどねえ、なんしろ、この通りの貧乏でねえ……」

留吉が夫婦の話を聞き乍ら眼を外にやると荒れた畑が見える。貧乏な村らしい。

　でも畑も山も青い。

　留吉は故郷のことを思い出してゐる。……自分の売った田畑のこと。（信州の描寫）

—F O—

（三三）　工事場（新日後）

　工夫達、三々伍々、引きあげて行く。

カッと晴れた日

勘定日で、早引けだ。

—O L—

（三四）　炭坑事務所の前

　会計の窓口に勘定を受取るために行列を作って並んでゐる坑夫や工夫達。

　この行列の中。後ろの方に留吉がゐる。

　並んで渡り人夫の長岳が居る。留吉が、一つ處から眼を離さぬ。その視線の行方を追ふと留吉から金を借りてる金助が立ってゐる。

　金助もチョイ〳〵留吉を見て、

金「チエッ、こっちばかり見てやがるドラ猫奴！」

　とかなんとか独言、更にこの行列の前の方には志水や辰造、源公、吉、その他の連中、それらは順々に金を渡され、一人々々引下がる。

　附近には借金トリ、掛けとりの商人等が待ちかまへてる。其の中により子も居る。

　志水の番になって志水、金を受取って、志水（辰造や源公、吉、その他の臨時工夫達に向って）

「だや俺あ近藤さんに頼んで来るからな。こないだから、島田んところのおふくろはあの角の駄菓子屋が売りに出てゐるから賠償金が下り次才あれを買って駄菓子屋をしながら孫を育てて行くんだと言って毎日のやうに俺んとこへ相談にやって来てゐるんだが、とにかく、何とか早く話を付けねえと今にあの一家は乾ぼしになるからな。直ぐ話しく来るから、皆チヨット表で待ってゐてくれ」

一同、辰「いいとも」源「ひとつよろしく頼むぜ」等々と答へる。

　行列の後方では、留吉が絶えず前の方の金助を監視してゐる。隣りの長島が留吉に話しかける。

　留吉もそれに答へるが、視線は相変らず金助の方ばかりに注がれたまま。

　長島の話は故郷のことである。

長島「お互ひに早く戻りたいねえ。あんた故郷を出てから何年位になるね」

留吉「四五年になるよ。故郷を出る時南山の峠は越えたかね?、」

長島「越えたとも。あすこに立って村を一目に見渡した時あ、胸が痛くなったなあ……」

　留吉は金助の方ばかりを見てゐる。金助は窓口で金を受取ろうとしてゐるのだ。

長島「近頃ぢや百姓で食へなくて、村を出て行く連中が随分あるよ。あんたの村でも二三年前に村の人達が株を持って製材所を起したりして、いろいろ変ったらしいよ」

留吉「え?、なんだって……?」

　と直接自分の村に関係のあることを言はれて、初めて長島の顔を見る。

　そしてこんど窓口の方を留吉が見ると、既に金助の姿は消えてゐて次の順番の男が金を勘定してゐる。

　留吉、あわてて怒鳴る。

留吉「金助!、金助!、おい金助待ってつくれよ!」

　その大聲に、他の連中がビックリして留吉を見る。

　事務所内では、志水が待たされてゐる。

奥の課長席で近藤が現場監督と何か話してゐる姿。

表では、留吉が窓口で自分の賃金を受取って、あわてて勘定し終り、血眼になって金助を捜す。

　留吉（より子に）

「金助を見なかったかい?、」

より子「たった今、そこに居たやうだけど」

留吉「又逃げやがった、仕様がねえなあ」

留吉がキョロキョロ立去りかけるので、

辰造「おいおい、留、志水がもう直ぐ出て来るからお前も待って居ろよ。留田のバイ償金の事で皆で相談しなきゃならねえから——」

留吉「うん、いや、俺あチョット……ちえッ人から借りた金返しやがらねえぞ——」

コソコソ立去る。

辰造「畜生、仲間ばづれの金貸し野郎め！」

（三五）　蔦屋

電燈が灯いて——ガランとした店、

帳場の處にお神のお磯が居る。

より子が帰って来る。

「香代ちゃん……（階段の下へ行って）香代ちゃん」

「さっき出て行ったよ」

「何處へですか？」

磯「さあね、金でも貯へに行ったんだらう。私がことわったからね」

より子「だって今朝新村から香代ちゃんに来てみた手紙は、やっぱり金を送れって来たんですね」

磯「いくら可愛いい子供の病気で要るったって、ありだけの貸しのあるお香代に、そうさう出してやれるやうな遊んだ金は内にも無いからね。近頃、お香代にやあ大盡の金づるが出来たらしいから、大方そこへでも行ったんだろ」

お磯は冷たく云って除ける。

「へえ!?…」

呆気に取られるより子です、お神に近寄って帳面と集金した金を差出す。

「みんな集まったかい」

「勘定日だってえのにスラリと出してくれる人はないんですよ、志水さんだけですよ、固いのは……あとの人ったら…」

「志水さんは、お前に惚れてるからだよ……」

「厭ですよ、からかっちゃ……」

入口から一同ガヤガヤ這入って来る。

「オー酒だ！」

「酒を飲まして貰うよ今夜は……」

「おいらは、ビールだ」

「早く頼むぜ、今夜ア寄り合いがあるんだ」

「パリパリカツソよ（と朝鮮語で云ふ奴）」

「はい、只今」

とより子がうろうろする。

「よりンべえ、何、見惚れてるんだい、志水の来るのがおそいって、ヤケ酒やったな、赤いよ赤いよ」

一同笑ふ、志水が、

「よせッ馬鹿野郎！」

「馬鹿野郎、結構だ、俺アお前にあやかりてえよ」

調理場から酒持って出て来たより子、

「辰さんこそ、本当は香代ちゃんに木の字のくせにさ」

「なに！」

「隠したって駄目だよ、ホラ、赤いよ赤いよお猿のお尻」

一同が、アハハハハ……笑ふ。

辰造も敗けてゐない。

「なによッ！。此奴、お前と違うぞ、一目惚れのより子ッ誰のことッだい」

とより子の手を引っ張って志水ン処へ押しやり乍ら、

「志水のこと、寝言に言ふのはどなたでござんしたね」

とあとがコハ色で——

より公、赤くなって辰造の手をのがれて調理場の蔭へ——

「アハハハ……馬鹿（歌ふ）こんな気持でゐる私——」

志水が話題をかへる。

「お香代さん居ねえが、どうしたい」

より公の聲、

「新村へでも行ったんぢやない、三吉ちゃん悪いンだってさ」

より子、ビールをはこんで来て、

「香代ちゃんたら心配で御飯もろくに食べないんだよ」

「ヘン子供の所だか—近藤の所だか解ったもンぢやねえや—」

と横から辰造が口をはさむ。

「やりてンのね、辰さんたら厭な人」

「やくかい！。辰造さんを見損なうなよ」と辰造お磯の方にからむ。

「お神さん、近藤は、お香代に御執心だよ。金にもの云はせてお香代を口説き落そうとしてゐるんぢやないかね。油断しちやいけませんぜ」

「お客だものね、口説きもしようさ、……」

とお蔵、羽織ひっかけて
「どれ、私やチヨット……（と云ってより公に）お店を頼ンだよ」

と出て行く、より子が後姿へ、

「お神さん、どちらへ？」

返事も出ず、お蔵、行っちまふ、
辰造が、

「よりんべえ、よく見ときな、ヤキモチッてのはアレだい。わかってるぢやねえか。近藤の社宅へ行くんだ。フン、急に御心配の筋と来やがらあ」

（三六）　料亭の一室

テーブルの上に無雑作に置かれた百圓ほどの札束——お香代が大きなヤツで酒、あほってる。眼を空に据える。その傍に脱ぎ捨てられてある近藤の上衣、

（遠く、汽車の音など聞かせませうか）

（三七）　廊下で

隅の處、近藤と女中がヒソ〳〵話してゐる。

女中が頷いて去る。

近藤が部屋へ戻る。

（三八）　部屋

戻って来た近藤に、お香代が札束を突返す。

「近藤さん、このお金は貰ふの止めましよう」

「どうしたんだ、急に、……え、お香代さん」

「……」

「自分から俺を、此家へ呼出しておき乍ら、……それに金の事だって、お前から切り出した話ぢやないか、子供が病気で是非入用な金だって……」

「そうよ、欲しかったのよ、どうせこんな身體なんだからお金の爲の妾奉公は、ぶん相応だと思ってね、それで自分から飛込ンで来たンだけど、やはり止しにしておくわ」

「……」

お香代立上る。

（三九）　廊下を

お職が血相かへて来る。

（四〇） 部 屋

襖をガラリ！ 開いてお職が部屋の中の二人をにらむ部屋の二人も意外な人物の登場に驚く。

近藤は手にした丸束のやり場に困って、お香代の帯の間にはさむ、お香代気付かぬ。お職が毅然と、

「香代ちゃん、お店が忙しいンだからねすぐ帰っておくれ」

（四一） 料亭附近の道。

金助に纏り付き乍ら、留吉行く、

「分ってるよ誰も返さねえとは云っちやねねえ」

「分ってるなら返して呉れ、前の五圓の分と後の三圓の分で利息共九圓十銭になるンだ」

「だから分ってるって云ってるぢやねえか、分ってりやいいんだろ」

「分らねえな」

「だからよ、九圓十銭返しやいいんだろう簡単明瞭だやねえか」

「金助、本当に返してくれるンだな」

「本当だとも俺アうそは嫌えだ。しかし今はない。皆な取られちやって、文なしよ。無え袖は振れねえ」

「おい金助！、」

二人は纏ひつからみつ話し乍ら去る。

右の對話中に二人の横をお香代が駈けぬけて行きました。

お香代も、二人も、気付かなかった。

（四二） 蔦 屋 表

つた屋の軒燈――（ガラスの割れ目に丸い紙がいくつも張ってある。そんな軒燈）

家の中から、唄が洩れて来る、辰公や其他の連中の合唱です。

れヤーレ、工夫女房にや、なるなよ妹、ガスがドンと来りや後家ぐらし、やれ、チートコ、パートコ。

お香代が帰って来る。

（四三） 蔦屋内部

一同が唄ふ（少し、ヤケ糞の感じで荒く唄ふ）

お香代が帰って来て、帳場の上り椽の處に腰下す。

「よりちやん、私に冷でいいから大きいのでくんないか」

「あいよ」と云ってより公お香代を見、

「香代ちゃん、酔ってるんぢゃないし」

と心配して云ふ。

「いいんだよ……くしゃ〳〵してるんだよ、八方塞りさッ」

より公、心配さうに戻って香代の處へ
「どうしたのよ、香代ちゃん」

テーブルの蔭の辰造が、いやかす様に、

「惚れて惚られて片想いッて奴か、あのゲジ〳〵野郎の留公が相手ぢゃあな……浮ばれねえやね」

辰公頭を抱えて、ひっくりかへる。

「片想ひ！……結構！、魔がさしたってね、……畜生！

自分で自分のことが分らなくなったらおしまひさ」

お香代、捨鉢に云って——より子に、

「より公、早くおくれよ」

「あいよ……」

時計の下の源公が時間を見て（七時十分前）

「そろ〳〵公会堂へ行こうか、七時だぜ」

より公が酒の樽からつぎ乍ら、訊く、

「何かあるの」

「寄り合ひだよ、死んだ島田の手当のことで集まるんだ」

と一同立上る。

志水が
「金助がもう来る頃だ、待ってやらう、それに俺ア留公にも、もう一度すすめてみるつもりだ」

辰公が、

「駄目だ〳〵、あんなガリ〳〵亡者の金貸し野郎に話したって無駄よ、ペッ！、酒えまずくなったい！、新しいのを附けてくれ、より公」

お香代、耐られない気持で——二階へ上ってしまふ。

（四四）二階

お香代、いささか酔った態、電燈のスヰッチをひねる、下を気にし乍ら帯を解く、（下から、どっと笑ひ声）
ポトリと帯から札束が落ちる。
「あらッ！」

（四五）階下

金助が入って来る、続いて留吉が入って来る。

志水が、

「金助、待たすぢやねえか、何處をうろ〳〵してたんだ」

「此奴が、俺の傍にへばり付いてまるで念佛みてえに金の催促だ、腐るぜ」

金助一同の傍へ腰を下す、留吉が、

「金助、返してくれよ」

「わからねえ奴だな今日の所は都合が悪いから、この次の勘定日にしておくれッて、あれほど頼んでるぢやねえか」

「俺の方から頼んで借りて貰った訳ぢや無えし、今日ッて約束だから……」

辰造がいら〳〵して、

「おい金助、早く腹を拵へなよ、皆んなもう集ってるぜ」

金助「うん、より公熱いやつを一本附けて呉れよ、気がめ入らア」

「あいよ」とより公

「留さん、あんたも、一本附けようか?」

「いや、俺あいいよ、後でうどんを食ふ」

志水が、やさしく留吉に云ふ。

「留さん、さっき云った話なア、今夜これから寄り合って相談するんだが、お前も出てくンねえか」

「う、うん」

金助が、吐き出すやうに云ふ。

「そいつは云ふだけ無駄だ」

留吉が、また金助に、

「金返してくれよ、ホントに困るよ」

辰造がムカ〳〵してたもので、いきなりその邊の物を留吉に投げつけ

「畜生、ケダモノ!」

「おい辰!」

志水が止めやうとするが、辰造すでに留吉の胸ぐらつかまへてなぐる、突飛す。

(四六)　二階

鏡台の前にくずれるやうに坐り込んだお香代、札束手にして考へ込んでる。―と、突然、下から、テーブルがひっくりかへる音、モノの壊れる音、呼声喚声、

驚き立ち上るお香代、―下の聲―

「しつこいにも程があらア」辰造の聲、

「なにするンだ」留吉の聲、

「畜生！・」「よせ」「無茶するな」「くせにならアこん畜生！・」

お香代、階段を下りて、下をのぞく、

（四七） 階下では

ぶっ倒れてる留吉の前に突立った辰造が、

「九圓十銭だなア、こいつぁ留田んとこの子供にやるつもりで、帽子を廻して集めた金だ、受取りやがれ」

と、留吉にぶっつける。

銀貨、銅貨が、土間に散る。

金助「しかし、それぢゃ俺が困る。皆に悪いや」

辰造「なあに、事情を話して頼みゃ又皆んな出してくれるよ。此の分は今度の勘定日にお前が返しゃいいんだ。人間の皮をかぶったケダモノと云ふなあうぬのことだい！・ざまア見ろ！・」

「行かう、志水、行かうぜ」

一同、笑ひ乍ら、出て行く、

階段の處、凝ッと佇むお香代のコハばった顔、
留吉、テーブルの下にもぐって金を拾ひ集めてゐる。

入口の處、志水が再び戻って来る、

「…留、…お前、そんなに金が欲しいのか？」

テーブルの下の留吉、金を拾ひ乍ら、

「……？、うん、欲しい」

「それ程までにして金が溜めたいかと言ってるンだ」

「…ほかに溜めやうは無えもの、…でなきア泥棒するより無え、……俺あ、泥棒はしたく無え、……」

階段の下の香代、

「チエッ！。よりちゃん、一杯冷でいいからおくれよ」

志水、ちらと香代を見て
「まア、せいぜい溜めな」

志水、去って行きます。

より公がうどんを持って来てテーブルの上に置く、

「はい！・」

留吉、金を勘定し乍ら起上り
「有難う」

お香代が、酔った足どりで酒樽の處に来て勝手に酒をコップについで、あほる。

「まあ、香代ちゃん」

「いいんだよ、いいんだよ……」

とまた一ぱいコップに酒をついだやつを持ってふら〱帳場の方へ歩き乍ら、

「留さん、お前さんもう少し溜れば国へ帰れるんだって」

（カーッとなりさうな気持を壓えて言ふ）

「さうだよ。信州を出てから五年間、かうして稼いで来たんだからな、俺ア嬉しくって」

と云い乍ら留吉、うどんを喰ふ。

お香代、静かに
「もう少しと言ふのは、いくらなの？」

「あと、百圓足らずだ、二月ありア稼げる、そしたら俺ア」

お香代、涙がチカリ、光る。

「二千圓で妹さんの身請けをして――」

「んにや、それよりも田地を買戻す方が先きだ、お父の借金はあん時で四百圓だったから、もうよつぽど減つてゐやか或いはもう肩が抜けて堅気になってるかも知れねえ」

「さう？、そんなもんかねえ」

お香代、グイと、飲む。

より子が出て来て、

「冗談ぢやないよ留さん！、妹さんの行った先もやっぱり、こんな風な飲屋だらう」

「小さい料理屋だよ、何かおかしなうちだ」

「んぢや駄目だよ、一度前借をしてこんな世界へとびこんだが最後、二年や三年で抜けられやしないんだから、私達を御覧借金はグイグイふえる一方だし」

「そいつは、お前達が、ちやんとしまってやらねえからだ」

「ねえ留さん、畑を買戻すなんか後廻しにしてさ、その妹さんの方を先きにおしよ」

より公熱心に口説きます。

留吉、夢見る眼で（うどんをはさんだ儘）

「とにかく一刻も早く帰りてえよ、俺が帰りや一切合財、片附くんだ」

帳場の處で思悩んでゐた香代が首をもたげる。

「あとの百圓、私があげようか？」

「え……」

意外の面持で留吉はお香代を見る。

「百圓あげるから、お前さん、そこに坐って私の足の裏を舐める？」

お香代の眼にはもう涙はない、ゆがんで引ッつった眼だ。

「……」

「百圓だよ、舐める？」

と怒鳴った、より公が驚いて、

「香代ちゃん……酔ってるんだよ、仕様がないね！」

「百圓やろうと言ってるんだよ、いらないの！」

とお香代帯の間から百圓の札束を取り出すより公は、お香代の気持が迫って来るので泣けて来る、留吉に、

「……留さん！あんた香代ちゃんのことわからないの？香代ちゃんの心が……」

留吉、面喰ったかたち、どもり乍ら、

「だから……俺あ、もし貸してくれるンなら……」

お香代、怒って気狂じみた調子で、

「貸すんぢゃ無い、やるんだ！このお金を持ってトットと国へ帰るがいいよ」

百圓の札束を投げ出す。

お香代、二階へ行こうとする。より公が、

「あんた、香代ちゃん」

呆気に取られて留吉、

「お前え、酔ってゐるんだ」

階段の処で腹立てて振り向くお香代
「酔ってたって、これんばか……の酒に間違やあしないやい、生意気なこと云はずに、その金を持ってさッさと信州へ帰るがいい！私の前でチラ〳〵して目ざわりだよッ！お帰りよ！二度とそんな面ア見たかねえや」

怒鳴りわめいてお香代二階へ駈上る、落ちてる札束、拾ひ上げて留吉が
「ぢゃ、お香代さん、借りるぜ、……その代り信州へ帰ったら直ぐ都合して送り返すよ、そうだな、利息は五分にしといてくれ、もっと出したいが――」

二階からコップが投げられる屑カゴが投げられる。

「馬鹿野郎！。馬鹿野郎！」

（四八）二　階

二階、階段の上のお香代、泣き顔で、

「やるンだ、やるンだよッ！貸すんぢやないやい！」

モノを投げた時、当ったとみえて、電燈がゆれてゐる。

―F.O―

（四九）　走る汽車、

闇を衝いて走る汽車。―その響。

その三等車の一隅に、溢れるやうな悦びを堪へて、ヂッと坐ってゐる留吉。

―O.L―

（五〇）故郷の峠

峠に立ってゐる留吉。

眼下に、故郷の村が一目に見える。

留吉の瞳に熱いものが光る、五年の間の浮苦が報いられたのだ。

「ウオーーッ」留吉思はず怒鳴ってゐる。

「ウオーーッ」とこだまする。

やがて、村に向って大股に歩き出す。

―O.L―

（五一）　村の風物の中を

大股で歩く留吉、

次第に早く、まるで走るやうだ。

製材所の材木を積んだ車が来る。

留吉がめづらしさうに振り向いて行く。

村の三叉路、

百姓に留吉が何か聞いて一方へ。ロングで見せます。

（五二）　齋藤（地主）の家の庭先

地主の家らしく立派な倉など見える。

今迄、庭造りでもしてゐたらしい齋藤の主人が縁先きに腰をおろして笑ひながら留吉に向って話してゐる。

留吉は旅装の儘、齋藤に對してひどく丁寧にペコペコして頼み込んでゐる。

齋藤「わたしんとこでも、色々都合が有るし、それにあの田は小作に出してあるしな、急に言はれても、自分の一存にも行かないよ」

留吉「でも、あの田地を五年前に買ひ取っていただいた時の、お約束では二千圓耳を揃へて持って来さへすれば、いつでも売り戻してやるからと仰有って――」

齋藤「そりゃ言ったよ。しかしなあ、同じ二千圓とは言っても、あの当時とは金の値段が違って来てゐるしなあ。昔の口約束だけをタテに取られても、私も困るんだよ」

留吉の困った顔、庭を見る。

倉が厳然とそびえてる。――

（五三）お雪の家

描写を入れて、――

鮎川利助の標札、

夕方――家の中はもう薄暗い。

留吉が家の中に入って来る。

人の姿は無い。

留吉「お雪！お雪は居ないか」

呼んでも返事がない。

爐端に赤ん坊がすやすや睡ってゐる。（お雪の子供？）

そう思ふと留吉は急に気持に来るものがあって、ニヂリ上って行き赤ん坊に近寄る。

赤ん坊の顔をヂッと覗き込む留吉。

（このカットは、かつての日、新村の熊吉の家で香代の子供の三吉を覗いた時と同じアングルと絵がらで）

留吉は指でチヨイと赤ん坊の頬を突いて見る。

赤ん坊が睡ったままでニッコリ笑ふ。

留吉も思はずククッと笑ふ。

「鮎川さん。……郵便」

郵便屋入って来る。振返る留吉。

「おゝ、留さ、おやねえか、いつ帰って来たゞ」

（内容證明）

差し出す郵便屋。それを受取る留吉。

「たった今だよ」

それを聞きつけて裏口の方から女の聲。

「あんた、いつ帰ったね？」

お雪の声である。

いひながら裏口から柴を束にしたのを持ってお雪入って来る。

留吉が振返る。お雪も留吉を見る。

「五年の間、別れてゐた兄いもうと。しばらくは呆然として動かぬ。言葉も急には出てこない。

お雪「……兄さん……」

留吉「……お雪……」

郵便屋さんは面喰って眼鏡の奥から二人を見較べてゐる。

郵便や、

「お雪さん、それは書留だから判が要るよ」

「はい、はい」

留吉、内容證明を妹に手渡す。お雪はそれを受取り簞笥の小抽出しから印形を取出して郵便屋に渡す。久しぶりに、不意に兄に逢って、夢中になってゐて他の事を考へてゐる餘裕がないのだ。涙の流れる両眼を兄の顔から離さない。

お雪「兄さん、よく分ったな」

「齋藤さんで聞いた。お前が三年前鮎川利助に引かされて国へ帰って来た事も、子供が生れたことも皆んな聞いたよ」

「そうけ」

「はい、では、これを」と郵便屋は言って、二人を見返りながら立去る。


その立去る外景の彼方に、夕陽が山の端に沈みかけてゐる。もう薄暗くなって来た。

時計がチン〱と六時を報じる。

パッと電燈がともる。

電燈の光の下の兄妹。二人とも目に泪を留めてゐる。赤ん坊はスヤスヤ睡ってゐる。

(音楽)

留吉「……だけどよかった。……お前にも永いこと苦労をかけたな……」

お雪、うゝんと首を横に振る。

留吉「どうだ、倖せか?」

お雪、少し妙な表情を一寸躊躇したが直ぐ顔を縦にうながいて見せる。

留吉「俺と利助とは小さい時から仲が悪かったし、大きくなってからも、先きは山気が多いし、正直言ってゴロツキみたいな奴だと思って虫が好かなかったが……だけどなあ、お雪、こんな風になって、俺あ利助が好きんなった。……」

お雪は淋しさうに微笑んで見せる。

留吉「もう心配はかけない。兄さんはね、齊藤に売った田畑を買戻すお金とお前の身受けするお金の二千圓あまり、……食ふものも食はずに働き溜めて持って帰って来たのだ。もういいんだ、これからは皆んなよくなるよ……」

お雪はぼろ〳〵涙を流して果てはワッと其の場に泣き崩れる。

留吉「泣くなよ、泣くンぢやねえ……」

と妹に近寄る。

赤ん坊が急に泣き出した。火のつくやうに泣き出した。

お雪が赤ん坊を抱き上げる。留吉が色々とあやす。赤ん坊を中心に兄と妹の、この三人の風景。

留吉「よしよし、よしよし、アハハ、そら笑った。いい子だなあ、ハハ。……齊藤さんで聞いて来たが、利助さん、今製材所やってゐるんだってなア」

お雪「うん、……だけど、うまく行かなくってねエ……」

と言葉をにごす。

— O、L —

(五四)、製材所内

夜。

機械鋸止ってる。

暗い電燈がぶら下ってる。

シルエットで機械××の絵になるでせう。

しかし他の大部分(十数人)の人夫達は、ひとかたまりに集ってゐる。

その圓陣の中央で口論してゐる利助と轟伍策。

轟「だからさ、今月末迄、倉川に待って貰ふ事を今話して来たし約束したことだから、心配せずに働いてくれ」

利助「でも倉川はその他にも製材所から出した手形や借用證を皆な掻き集めてゐるらしいぢや無えかい?、あの倉川の金貸し野郎、何をやらかすか知れたもんぢや無いぜ。やらうと思へば手紙一本で營業停止命令だって出せるんだからなあ」

人夫A「此処が愈々倉川の手に渡れば町から人夫を連れて乗り込むって言ふ噂だぞ。さうなれば、私らは一體どうなるんだ」

人夫B「さうよ。畑もなにもうっちやらかして無けなしの金をはたいて株を買って働いてゐるわしらが此処をバッサリ放り出されたら、明日が日には野垂死だ」
利助「俺の言ってゐるのも、それだ、轟さん、お前は大丈夫だ、大丈夫だで質落つきに落ついてゐるけど……」
轟「でも、さうだとしても私にだって何んとも出来やしねえ」
利助「それだ、お前さんは直ぐにそれだ……（ヂロヂロ相手を見て）もしかすると、轟さん、お前倉川と組んで何か企らんでゐるんぢやねえか。間に立って甘い汁でも吸はうとしてゐるんぢや無えか」
轟「何を言ふんだ！。假りにも、私と君とは此處の共同経営者だぞ。そんな事をする位なら初めっからこんな事業なんぞに乗り出しやしないよ」
利助「よし、その言葉を信用して置こう。萬一裏を掻いたら俺あ黙っちやゐねえからな」
止ってゐる機械鋸。

— W I P E —

（五五）　お雪の家

夜。

爐端でゴロリと横になってゐる留吉は、新聞を手にしてゐるが読んでゐない。何か別の事を考へてゐるらしく時々ニタニタ笑ってゐる。

（遠く山麓を通る汽車の音）

お膳が一つ。利助を待ってゐるのだ。

お雪は何か手内職をしてゐる。

お雪（手を休めずに）「何を笑ってゐるの、兄さん」

留吉「うむ？」

お雪「なに考へてゐるの？、炭坑町で世話になったとか言ふ女のひとの事……？」

（これもニコニコ笑ってゐる）

留吉「いや、そんな浮いた事ぢや無いよ。田圃のことだ。これからお前達夫婦と俺と三人で田圃をやるだ。……俺が五年間、夜になって見る夢と言へば決ってゐた。齋藤へ売った二段田なあ。あれが一面に菜の花盛りだ。それを春先きの陽がカッと照して明るい事と言ったら。夢の中でゐながら菜の花の匂ひまで嗅いだやうな気がしたもんだ。俺あ、腹の底からの百姓だ。ハヽヽ俺がどんなつらい仕事でも、それから他人から踏まれても蹴られても我慢して来られたのも、それがあったからだ」
お雪「でも、……利助は百姓はやらねえだ」
留吉「なんで？」
お雪「嫌えだと」
留吉「そんな事があるもんか。自分の食ふ物を自分の手で作る。こんな気持の良い綺麗な稼業があるもんぢゃ無え」
お雪「でも利助にゃ製材所の仕事が有るもの……」
　留吉、言葉がつまる。
留吉「あゝに……」
　と言ったが急に笑顔を引っこめ黙ってしまって、心配さうにヂッと空を見詰めてゐる。
　兄妹の沈黙。……柱時計のコツコツコツといふ音。
お雪「……兄さん、もう遅いから寝んだらいい。疲れてんだろ。利助にゃ明日の朝会へばいいから……」
留吉「さうだな、さうするか……」と起き上って時計を見て「もう十時過ぎで……利助さん遅いぢゃないか、いつもこんなに遅いのかい」
お雪「……まだ製材所にゐるんだらう」
留吉「ではさきに寝さしてもらうよ」
　と隣室に入る。
　ふきんのかかった利助の膳。

— O. L —


　隣室の留吉スヤスヤ眠ってゐる。

　やがて寝がへりを打つ。

　物の壊れる音。

　ハッとして留吉眼をさます。隣りの利助夫婦が何やら争そってゐる。

　利助は酔ってゐる。

「チエッ、けだもの野郎奴！、高利貸のゲヂゲヂ奴！」

　膳の上のものを投げる。

お雪「お前さんたら。うちで暴れたって仕方ないぢゃねえか」

利助「うるせえ！、黙ってろ！。俺の建てた工場をムザムザ倉川の金貸野郎にとられてたまるかッ、盗人め！」

お雪「そんな事を今言ったって仕様がねえのに。又、ようく轟さんとも相談して、取られねえやうにすればいいんだから」

利助「きいた風な口を叩くのはよせ！、その轟が当になるやうな畜生なら、こんな苦労はしねえやい。彼奴は倉川と腹を合せて工場を乗っ取らうとしてゐやがるんだ」
お雪「そんな……人を疑うのは悪いよ」
利助「悪い？、何が悪いだ。俺がこんなに頑張ってゐるのも自分の身だけが可愛いからぢやねえんだぞ。工場が人手に渡りや村の者アどうなるんだ。利巧ぶったこと吐すなッ！」
留吉、心配になって半身を起す。
隣室の留吉に気兼ねしながらお雪は、
「兄さんがよく寝てるから、そんなに大きな声出さねえで」
利助「あんだい！、兄さんだって？、妹を叩き売った金で五年間もうろつき廻ってゐた奴があにが兄貴だ。ふざけるねえ、兄貴づらがきいて呆れらあ」
お雪「お前さん、聞えるから……」
利助「聞えたっていいぞねえか。ほんとの事を言ってるんだ。俺が、あん時一山当てた金でお前を身受けしてゐなかったら今頃、お前の身體は、梅毒かなんかで腐ってゐたんだぞ、此の馬鹿野郎！」
お雪「まあさ、もっと静かにして……」

利助「酒、買って来う、酒だ！」

お雪「こんなに遅く行ったって……それに金だって一文もねえのに」

利助「まだツベコベ言ふかッ！　あんでもいいから早く行って来い、馬鹿野郎！」

と叫んで利助が徳利を投げる。

徳利が飛んで柱時計に當る。

ガラスがこわれる。時計が止る。針は一時少し過ぎてゐる。

隣室の留吉、思はず立ち上って襖のところまで行って開けやうとするが思い返してやめる。

隣室の声
「あたしに怒ったって仕方がないぢやないか、あたしだって心配するからこんな事言ふんだから」

「黙ってろッ、分ってらア、分ってるんだよ、畜生！、分ってらい」

留吉、悲しげに蒲團の中へもぐり込む、

F・O

（五六）　想出の炭坑町の丘

朝です。ギラ〳〵と晩秋の強い陽がそゝぐ丘、お香代とより子が並んで腰下ろしてゐる。遠い山とまた遠くを眺めてゐるのでせうより子がポツリと云いました。

「留さん、故郷で百姓してるのかしら」

「止めておくれよあんな奴の話……でもいい夢を見せて貰ったと思やあ、満更ら憎くもないだらうって、よりッペイは云ひ度いンだろ……」

ククと笑ふお香代。

より公が真剣な顔で、

「どうするの？」

「どうするって？」

「住みかへの事よ……港町だってねえ」

「仕方がないさ、身から出た錆だもの、諦めてるよ。此處に居りや、近藤さんとお神さんの間に立って、いやな思いをしなきやならない。借金はふえるし、いづれは、こうなる運命さ」

「でも……三吉ちゃんとは今度は随分遠くに離れちやうのね」

お香代はそれに答へずに黙って立ち上る。

より子がお香代を見上げる。

「信州って寒いとこだってね」

より子返事が出来ずにうつむく。

（五七）信州

秋空の深い信州の朝、

お山に白いものが處々に見えます。

（五八）畑（昔の留吉の所持してゐた畑です）

たゞずむ留吉淋しい顔。

（五九）お峯の家

柱時計がまだ昨夜の侭になってゐる。（傾いて一時十五分を示す）――

利助が踏み台を下げて来て柱時計を直さうとする。

「いま、何時頃だ？」

台所でめしの仕度をしてゐたお峯が

「いましがた十一時の上りの列車が通っただ」

利助は時計を十一時に直してゐる。

「十分ほど進めておくか」

お雪膳の仕度をしてゐる。

（この間に以下の会話）（時計の音）

利助「兄貴は何處へ行ったんだ？」

お雪「齋藤さんの家へ行っただ」

利助「……ふむ どうする気なんだ？」

お雪「田地買戻して百姓するだと」

利助「金はあるのか？」

お雪「さあ、溜めて来たのかな」

利助まだ時計をいぢってゐる。

お雪「ねえ、あんた酒を買って来やうか」

利助「酒？」

「えゝ」

利助「ゆんべは酒買ふ銭が無えって言ったくせに、……」

お雪「ええ……兄さんから今朝土産代りだって、……」

利助「もらったのか？」

お雪が「うん」と首振ると、利助の顔は忽ち険しくなって、

「お雪、そんな金使ふと承知しねえぞ」

「だってさ」

「あんな奴から金恵んで貰ひたか無えッ」

「だってさ、兄さんが折角くれたものを……」

利助カッとなって立ち上る、吐鳴る、

「馬鹿ッ、貴様はそんな気か！ 俺ア骨がシャリになっても彼奴に金なんか恵んで貰はねえッ！」

とあばれかかる。

留吉が浮かぬ顔して帰って来る。

門口からヌッと入って来て此の場の様子を見て立ちどまる。

利助もムッツリとしづまる。

気まづい三人である。沈黙。

利助めしを食ふ。

留吉（へ上に上ってチヤンと坐って）

「利助さん、まだ碌に禮も言ってない。どうも色々ありがとう。面目ないが妹が君の世話になって仕合せに子供まで出来て暮してゐやうとは、ちっとも知らなかった。實に何と言っていいか、本當に濟まねえ、俺あ、…嬉しいんだ。」

利助、黙って飯を食ってゐる。

留吉、言葉のつぎ穂無く、

「……これからあ、しかし萬事よくなるよ。ひとつ三人で、一緒に仲良くやらう」

利助「……俺あ百姓は死んでもいやだよ」

留吉「……そ、言ったもんぢゃ無え。君だって僕だって十八九の時分はよろこんで田圃やったぢゃねえか。青天井の下で働くんだ、こんな気持の良い稼業はないよ」

利助「気持はどうだか知らねえがいまどき二段や三段の小百姓で満足に食って行けてゐるのは此の村にだって一軒だってありやしねえよ、お前、何か夢を見てゐるんだ」

留吉「夢？、……」

ハラハラしてゐるお雪、

お雪「……兄さん、齋藤さんの方の話は？、」

留吉「う？、うん……それがなあ」

暗い寂しい表情だ。

利助立ち上る。

留吉（追ひすがるやうに）

「なァ、利助さん、……なにかね製材所の方がゴタゴタしてゐると言ふが、どんな風に――」

利助、それには相手にならず、

「おいお雪！」と言葉が鋭くなってゐる、箪笥の上に載ってゐる内容證明を発見したからだ。

「これは、いつ来たんだ？、」

お雪「あゝ、それ昨日の夕方来たよ、スッカリ忘れてゐた」

利助は封筒を開いて見てサッと蒼くなる。

「畜生！、」

と歯をくいしばって唸る。

そこへ、

「あんだよ？、」とお雪が近寄る。

利助「此の間抜けめ！、」

いきなりお雪を殴りつける。倒れて畳に手をつくお雪。

「こりゃ銀行名儀で倉川がよこした営業停止の命令でねえか。こんな大事なものを忘れるといふ法があっかァ！。畜生、この腑抜け！。こん畜生、ノロマ！」

と罵り乍ら散々に殴りつけ蹴飛ばす。

見兼ねて留吉が、

「利助さん、まァ」

と止めれば、利助は肱で留吉の手を払ひのけ、

利助「俺の女房を俺が折檻するんだ、ほッとけッ、他人の世話になるかい！」

利助「この野郎！」

お雪あつい

「あつッお前さん」

利助「こん畜生！」

こみ上げて来て怒りを辛うじて壓へる留吉、

利助表へ飛出して行く。

残った兄と妹。

倒れた妹をヂッと見おろしてゐる留吉。

（六〇）村　を、

利助走る、二カット程。

（六一）利助の家

残された兄と妹、

お雪がいた〳〵しい姿でやっと起き上る、泣いてゐたのだ、妹を振り見た留吉、壓へてゐた怒りこみあげてくる（強い決心が顔に眼に現はれてる）

「お雪いつもこうなのか……」

兄の気持を直感したお雪、只無言で首を振る。

（六二）隣　室

子供が何も知らずにすや〳〵眠ってゐる。

お雪が来て、子供の傍に坐る。

（隣室の兄がバックになって見える）

「お膳の仕度が台所にしてあるから……兄さん勝手に食べておくれ」

「うむ……」

（六三）台　處　で

お膳の處へ坐る留吉が、お雪の方をのぞいて、

「お雪、あとで一緒にお墓へ詣らうか……」

「え〻」と隣室の返事。

（六四）製　板　工　場

機械が止ってゐる、封印されてゐる。

雑然とした工場内、誰もゐない。

（六五）工　場　内

「休業」の貼紙、

休業。
整理中に就き當分の間、閉鎖仕候
十一月四日
轟　伍策

「畜生！　矢張りだまされてゐたんだ。轟の奴め！　倉川とぐるだったんだ」

貼紙をねめつけて怒る利助、
手に持ってゐた内容證明、ビリ〳〵と破る。

―ワイプ―

（六六）　村の道を

走る利助、

―ワイプ―

（六七）

利助、轟の家を、そして集会所（村の）を倉川の家を、轟をさがして歩く。

（右をワイプ編輯で見せる――）

（六八）　墓地

兄と妹が墓詣り、荒れた墓、ぬかづく留吉
お雪は子供を背負って傍に立ってゐる、
何か不吉なものを夫の上に感じてか不安さうです。
留吉が立ち上る、お雪が近寄って言ひました。

（坂の下の方を指示して）

「兄さん、あすこに見える板がこひな、ほれ材木の見える」

「あんだ……」

「あれが製板所だ」

「ふーむ、あれか」

ロングの製板工場の俯瞰図、

（六九）　製板所内

鋸機械止まってゐる。封印より移動パンで引けば倉川を案内して来た轟が説明してゐる。

「鮎川利助の處に送った内容證明には千五百圓の支払期間を三日以内、と云ふ事になってゐますから、どちらにしても今の利助にはビタ一文の金はなし、それに今迄の共同経営者をさう言っちゃなんですけど、あんな山師に金を出す奇特な奴はありませんからなア、倉川さんもうあんたの手に入ったも同然ですよ」

「然し轟君、この仕事は確に儲る事業だらうね」

「それは絶対ですよ、絶対有望、張って損なしッてやつですよ」

倉川「でも儲かるものが、なんでこんな事になったね？」

轟「そりゃ資本が足りないからですよ。あなたが充分資本をおろして下さりゃ、大丈夫です。私が一つ手足になって働こうぢゃありませんか」

「ハハハ、轟君はすじこひからな、利助の二の舞をわしも踏まんやう油断は出来んぞ」

二人は笑ふ。

（七〇）門

門のくぐりが音もなく開く、

「鮎川の奴今頃は内容証明をにぎったまゝ卒倒してあぶくをふいてゐるでせう。ワハハハハ」

と、御両人が、ハッと立ちすくむ、
門の内側くゞり戸内に利助が立ってゐる。

轟と倉川立ちすくんだ侭言葉も出ない。

利助の殺気に満ち溢れた鋭い眼が迫る。

（七二）墓地の丘を

留吉とお雪が下りて来る。

（七三）製板工場の表を、

留吉とお雪が通りかかる。

工場内から異様なもの音、叫声に二人は立ち止まる。

お雪が、

「兄さん……」

門に貼られた「休業」の紙――。

（七三）工場内

「何を、何を乱暴するんだ、利助！」

轟と倉川がにげ廻る。

怒り狂ふ利助の手には光ッたものが握られてゐる。

止まった機械、積み重ねた材木、その中をぬって、留吉が馳つける。

「おい利助、止しなよ利助！」

轟と倉川が逃れる。

利助が追ふ、それをさへぎって利助を抱き止め、

「止しなよ、利助！」

轟と倉川がにげ去る。

「逃げるかッ、畜生！ケダモノ！」

と、もがく。留吉が、

「妹が可哀想だ、お雪が可哀想な事になるから……」

「畜生！何が、可哀想だッ」

と利助が喰ってかゝる、
お雪が、ハラハラしてる、

「兄さん！」

利助と留吉、留吉が
「まア落ち付いてくれ」

「お雪は俺のカカアだ、俺が金で買った女だいざとなりゃ人間、自分の手足だって叩き売るンだぞ、俺アお雪を売って金を作るんだ、彼奴等の鼻あかしてやるッ!!」

自制を失った利助、気狂のやうに叫ぶ、

「お前、正気でそれを云ふのか」

「正気だとも、お雪に聞いて見ろ、手前などに売られるよりゃ、俺に売られた方が本望だとよ」

留吉、カッとなって、利助の言葉の終らぬうち、利助をなぐり倒す。

「貴様みたいな奴は、俺が殺してやる、鬼奴ッ！」

猛然と、利助にいどみかゝる。

利助「畜生！やりやがったなッ」

組んずほぐれつ、争闘となる。

お雪は赤ん坊を背負ったまゝ、
お雪「兄さん」

留吉「寄るな！もう我慢ならねえんだ。こん野郎は叩き殺してやる」

お雪「いいから放して、兄さん」

留吉は利助をぐい〱しめあげる。

留吉「お雪ッ、俺アどうなってもいい、此奴ア、お前の事を屁とも思っちゃいない、今日といふ今日は此の野郎、どうするかッ」

お雪「違ふ、違ふ、違ふよ兄さん、そりゃ違ふ」

留吉「お前は引ッ込んで居れ」

お雪「違ふったら兄さん」

とお雪は留吉に挑みかゝる。利助のために、真剣に──。

留吉「お雪、退いとれッ」

お雪「解んねえんだ。兄さんにゃ、兄さんの馬鹿、馬鹿」

兄の手にかぶりつく。

「痛いッ」

留吉は思はず手を離す。

利助はぶっ倒れる。お雪は利助をかばひながら泣いて叫ぶ。

「兄さんにゃ解らねえんだ。この人が死んだら、私も生きちゃゐられないよッ！」

留吉棒立ち、突っ立った。

手から血が流れてゐる。

お雪の聲は尚ほ続く。

「この人は仕事がうまく行かねえから當り所が無えで、私に當るだけだッ！」

留吉「そいぢゃ貴様……」

お雪「兄さんの馬鹿……」

留吉は妹の真剣さにうたれて黙ってしまふ。

利助は倒れてゐる。お雪が利助を介抱してゐるさまを呆然として見てゐる留吉。


向ふの山裾を汽車の通りすぎて行く音。次第に何かを思ひ出して妙な表情になって行く留吉。

子供が人の胸にしみ入るやうな聲で静かに泣き出す。

お雪、子供をあやし乍ら、そして泪に光る顔を兄の方へ向けずに静かに言ふ。

「あんまり永いこと田地の事やお金のことばかりに夢中になってゐたんで、兄さんにゃ人の気持がわからなくなってしまったんだ。……製板所の事でデレデレとやり場のない利助の気持なんて兄さんにゃ解りやしねえ。……女の心持など尚更、解りすもんか。女といふもんは、そんなもんでねえ。わかりすもんか」

びっくりしたやうな顔で突っ立ってゐる留吉。

その遠くを見詰めてゐるやうな眼付き。


― F・O ―

（七四）　利助の家

その夜――。
爐邊、利助がお雪のコメカミのあたりに、コウヤクを貼ってやってゐる。

「痛くねえか……」

「ううむ」

と、お雪首をふる。

暴風雨の後のなごやかさと云った風景。

留吉は其の場に居ません。

「留さんが来なかったら、俺ア人殺しの罪を犯してゐた」

「でも、良かったよ。あたし、どうなる事かと……」

「済まねえ、俺が量見違いだったんだ。留さんとは餓鬼時分からイガミ合ってたのがお前のお蔭で、仲直り出来た。…まるで夢見てるやうだ」

「あたし兄さんの腕に噛み付いた時、もう、何もかもお終いだと思ったよ」

二人の傍に子供がすや〳〵眠ってゐる。

お雪が子供を覗き込んで、

「この子を見て急に気持がひるんだンだって、子供のお蔭で妹の亭主殺しにならずに済んだっだって、兄さん、云ってたよ」

留吉の芝居
利助が入口の方を見る。

（遠く村はずれを行くのだらう汽車の音）

「そう云へば、兄さんおそいぢやないか……どこか寄り道でもしたのかな」

「でも一寸郵便局へ行ってくるから……すぐ帰るって、出掛けたんだからねえ……」

「それにしたって遅いな……そうだ俺ア、一寸見に行ってくらア」

「そうね……」

利助が出て行く。

「あの、お酒の支度しておくから早く連れて帰って来ておくれ」

と、お雪、

「急に気が利くぢやねえかよ。はは、、、」

利助、走って行きました。

（汽車の音、かすか）
（七五）朝の炭坑町
―F・O―

より子が新しいバスケットを擔げて歩いてくる。

辰公金助の二人、新らしいシャベル五六丁づゝ擔いで通りかかり、より子と出会ふ。

「志水が後から来るぞ……」

と辰公ひやかす。金助がバスケット見て、なんだより公、バスケットなんか擔げて、何処へ行くンだ、住みかへか」

「あたしぢゃないよ」

「だれだ……まさか」

と辰公、これはお香代にホの字で——惑です。

「香代ちゃんさ。止めたんだけど、今更どうにもならないんだよ」

（七六）　つた屋では

髪をきちんと他所行きらしく結ったお香代がテーブルの處に頬杖突いてゐます。

傍にコップ。

少し酔ってゐます。或は酔へずに居るかも知れません。

つたやへ新らしく来たお絹が、お香代の荷作りなどしてゐます。

お磯は風呂敷に持って来た帯を包み乍ら、

「ねえお香代ちゃん、今度の住替へで色々無理してる心持あ、私にもよく解ってゐるんだよ、私の事を考へてくれるお前さんの志を思へば、もう少し何とか恰好を付けてあげなきゃ濟まないんだけど」

香代「そんな事、ありませんよ」

お磯「女世帯を張ってからしてゐると、人の知らない苦労があるもんでね……近藤さんとの事で、私がお前にそねんだりなんかして、こんな目に会はせるとだけは思っておくれでないよ」

香代「お神さん、もうその話はやめませうよ、あたし自分で望んで他所へ行くンですから」

お磯、土間へ降りて来て
「それで……三吉ちゃんの方はどうして来たの？」

「昨日いただいたお金、ソックリ置いて来ましたから半年やそこいらつちゃっといても育てて呉れるでせう。それに可愛がってくれてゐるし……」

より公が新しい柳行李をもって戻って来る。

「只今、柴町まで行って、やっとあった、眼が飛び出るぢやないの、これで二圓五十銭」

お磯が、

「だってなかく　いい品ぢやないか」

「二圓にまけろっていくら掛合ってもまけやしない」

「お前、香代ちやんにあげる餞別の品をねぎったのかい」

「だってこいまく　しいぢやありませんか」

「アハハ、相当だよ、お前も……どれ、私やバスの方を見て来やうかね」

と、お磯は外へ出て行く。

（この間に、香代は勝手にコップへ酒を注いで飲みます）

（七七）　信州、　利助の家

郵便屋のおとつあんにカメラつけて、家の中へ、

「利助さん書留だよ、……」

家ン中、

利助とお雪、しよんぼりしてゐる。

郵便屋、手紙を出して、

「留さんからだよ……」

「え？、」

「兄さんから？、……」

利助、慌てて受取って封を切る。

「……留さん、また何處かへ行ったのかね」

と、郵便屋。

利助とお雪、返事もせず手紙をむさぼる如く読んでゐる。

（判が要るよ、お雪さん）と郵便屋、

「はい」とお雪。

利助手紙を読む。

手から小切手が落ちる。

千五百圓の爲替。

利助の手紙を読む声――

その文面。

（七八）つたや表附近（バスが止まってる）

バスに乗る香代とそれを送るより子。見送るお磯、その傍に志水が来る。シヤベルを擔いでゐる。

お香代が半身乗り出すやうにして、

志水に云ふ。

香代「志水さん、あんたよりちゃん好きだろ、え、好きだろ？、返事しろよ、好きだろ」

志水「なんだ驚いたなア」

バスが動き出す。動いてゐる自動車の上から香代は大声でいふ。

「好きなら早くおかみさんにして、一緒になっておしまいよ！　こがらしちゃ駄目だあ。私みたいになっちゃっちゃあ、おしまいだよ。好きなら好きだとスナヲにお言ひよ！・人間スナヲが一番強いんだよ。よりちゃんの方ならもうとうに首ッたけ！・」

離れて残る志水がO・Kの手を振る。

自動車の上の香代、

「いや、もう背が立たない、この邊までブクブク、助けてくれッ」

香代はどっとひっくり返る。

より子「馬鹿！・」

と香代を抱き起しなら、テレてはゐれど嬉しさうである。

バスは遠くに。

― O・L ―

（七九）　停車場

汽車がホームに入って来る。

改札口、香代は切符を切って入る。より子は柵のところで見送る。ベソをかいてゐる。香代は力なく笑って、

「なによ、そのベソ。よりちゃん。笑っておくれよ」

より公の泣き笑ひ。

乗客達が下りる。

香代、列車の昇降口のところで、もう一度ふりむいて、

香代「さよなら、よりちゃん」

より公、手を振る。

香代「思ひ切って乗らうとする。……と、

列車の昇降口に立ちはだかった男、

香代が見上げると、

留吉である。荷物を肩に、だっと香代を見つめてゐる。

香代、むら〱と反感が胸にこみ上げて来る。車の中へ入れないので次の車の昇降口に行く。

留吉が降りて来ていきなり、香代のバスケットをもぎとる。

より公が改札口で見てゐる。感激する。香代がキッとなって、

「遠い巷町に行くんだよ、今度は船乗りが、遊び相手さ、

炭坑の工夫なんて、あき〳〵だ」

と、荷物を捨て、乗らうとする。

「馬鹿！」留吉の声である。

留吉は香代を、力強く引戻す。その力があまりに激しかつたため、香代はよろ〳〵と構内のベンチのところに打ち倒れる。

汽笛が鳴った。

車掌の手があがって、

車が廻りはじめる。

汽車が出る。

香代は物が言へない。呆然として留吉を見守る。

留吉、その手へ分厚な札束を握らして、

「これだけ持って来た。お前の身の代金だ。足りねえ分は

薔屋のお内儀に頼んで、稼いでなしやあいいよ」

まだポカンとしてゐるお香代。

留吉「新村から三吉を連れ戻して、三人で家持とう」

より子が留吉の所へ駆け寄る

より子「よかったねえ、香代ちやん、……よかったねえ！」

香代、手離しで泣き出す。

留吉、（より子に）

「例の島田の一件はどうなったんだい？」

より子「ええ？　あゝ、ありやまだゴテゴテしてゐるさうよ」

留吉「さうか。いいや、今度あ、俺も志水や辰造や金助の仲間に入れて貰って働くよ」

汽車が走って行く。

やがてトンネルから、汽笛の音が遠くから、うれしくひゞいて来る。

— F.O —

おスミの持参金

○人、

スミ（花嫁）
榊一六（花婿）
鈴村彦之丞（スミの父親）
信太郎（放火犯容疑者）
お若（信太郎の恋人）
土方（流れ者）
区長
旅商人（呉服小間物屋）
刑事
ニリ（サーカスのダンサー）
乗合自動車の馭者
サーカスの楽士達。村人達。
軽便鉄道の乗客達。乗務員達。
その他。

音楽　パストラール風に。

○村の誰彼れが昂奮した顔を突合せて、囁き合ってゐる。

（戸外）。


「鈴村の彦之丞がとけえ、電報が来たとの？、」

「なんだろか？、又大地震があったんづろか？、」

「去年の暮、森の喜六がとこの娘が紡績で機械に食はれておっ死んだ時、来たきりぢや。此の村さ電報来んのそれ以来だ」

「なんせロクな事あ無えぞな。電報来るようでは、もうはあ、彦之丞がとこも永え事は無えぞ」

「大水が出たのか？、戦争け？、」これは駆け付けて来た男。

「あんだ、あんだ？、」

「彦之丞がどうしたと？、」とスットンキョーな聲を上げたのはツンボの爺さん。

「電報が来たとよ！」

「雹が降ったのか？、そいつは困ったのう」

「違う、電報ぢや」

「コロの値が出んのか？、それはおいねえ」

「まだ聞えねえ。電報だっ！」

「デンピだと？、」

「電報っ！」

「デンピョーかっ！ウーン」—爺さんが目をまはしかける。

泳ぐ。

○それを追ってパンすると、中景に道路一杯に右往左往してゐる豚の群。

その群の中に取りかこまれ、歩き悩んでゐる電報配達夫。

カメラそれに近づく。

○親豚子豚とりまぜてヒシヒシと動きまはってゐる。

ブウブウ・ギイギイ・キューッと鳴聲。

「わーい！」配達夫叫んで、自転車を引きずる様にして、豚の背の波を踏み越えすべり越えてメチャメチャに走り出す。

しかし豚の群も同方向に向って歩いてゐるので、なかなか抜け出られない。「助けてくれっ！」

○やっと豚の波の中から飛出す。そこは村はづれ。——一軒の家の表にたどり着く。汗をぬぐひながら、表札を見る。

「鈴村彦之丞」

しかし表戸にピッシリ締切ってある。開けようとしても開かないので、ドンドン叩く。

「鈴村さん、電報！」

戸が内からガラッと開けられる。配達夫、はづみを喰って、転げ込む。戸を開けた十五六歳の少年も、ぶっつけられて転びかける。トタンにいきなり、とんでもない大きな聲

「たかさごやあ……　このー」（変な謡曲）

○貧農の家の内部。

間の襖を取り払った奥の六疊の室の床の間を背にして坐った鈴村彦之丞（五十前後）がヤッキとなってドーマ聲をふりしぼってゐる。ゴリゴリの紋付袴姿。酔ってゐる。

その傍にかしこまってゐる楠一六とスミ。

三々九度が濟んだばかりで、二人ともボーッと上気してゐる。特に花嫁の眼は涙にかすんで、器量一杯に聲を張りしぼってゐる父親の顔がボヤけて見えるのである。

近所の小母さんが花婿に酌をしてゐる。花婿は昂奮してゐるので盃がふるえて、酒がこぼれる。こぼれた酒を、もったいながって指に付けて舐めてしまふ小母さん。

「この……この……たかさごやあ……」(変な謡曲)
「お父っつあん」と起き上った少年。
「このう……このう」――何かを紛失でもしたやうにその邊をキヨトキヨト見廻す彦之丞。
○めんくらって、しばし呆然としてゐた配達夫が、やっと気を取り直して「電報っ!」
「えゝと……あん!?」彦之丞。
「鈴村彦之丞方、クスノキ、イチロクさん、電報!」
花婿、飛びあがって来て、受取る。

電文

「ハナシキマリ五ヒカホ
ツナギ　アリカエレオ
ヤヂ　イワクマニアハ
ネバ　クビ　ヨシダ」

○桃の花の花盛りの山村の風景(移動で)
(パストラール風の音楽)

しばらくして会話(畫面は山村風景。)(伴奏音楽)
「僕の方は明日どうしても発たなきゃ間に合はないんだが。然し君は……小父さんがあんなに云ふものをねえ……だけど本当は仕度も何も要りはしないんだから一緒に発っといいんだがなあ」
「だってえ……お父うが明日コロば売って金ば持たせてやるからって……」
「一人娘を東京くんだりまで嫁づかせるのに仕度金も持たせねえぢゃ、やれねえ、か。……小父さんは舊弊だからなあ。そりゃ、僕だって月給まだいくらも取ってゐないから、さうして貰えばありがたいにはありがたいさ。スミちゃんに直ぐに着物買ってやれる。でもそんな事どうでもいいんだけどなあ。しかし、まあいいや。ね、君あ明日発てばいい。ね。君が上野に着く時にはチヤンと僕迎ひに出てるよ」

「うん……」

「本當は僕が明日まで居れば一番いいけど、若しか本當にクビにでもされたら詰らないからね。無論電報打って呉れた友達がフザけてあんな文句入れたんだけれどね……まアだからホンの二日だけ寂しいのを我慢してくれよ。ね、いいだろう？」

「ん……」

「ありがとう。君と僕とはまたいとこで小さい頃から仲が好かったな。ね！ねえ！そうだろ……ねえ！」

接吻かなにかしたらしい。

（音楽に依るストレッス）

「いやん！ウフン」

「だって僕達はもう婚禮をしたんだから、夫婦なんだよ。ね？」

「ウフン……んでもおらあ途中がさむしいが！汽車こ乘んの初めてだからなあ」

「なんでも無いさ。そら、君の分まで買っといたから、この切符で乘って、黙って坐ってればひとりでに東京に着く。乘合馬車に乘って、次に軽便鉄道に乘ってさ、そいから此の切符で省線に乘り換えればいい。省線の駅迄は行ったことがあるだろ？」

畫面に入れてもよろし、（切符を渡す花婿の手と、それを受取る花嫁の手）

「うん、二度行ったことあら。……だども、汽車こ乘ってゝ、もしかしてズルコケて、落っこちたら、どうしべね？」

「そ、そんな、大丈夫だよ。寂しいだろうが、その代り東京に着いたらウーンと可愛がってやるぜ。食べたいものでも見たい物でも、なんでも——」

「東京にはなんでもあんのけ？」

「あゝ、なんでもある」

「ぢゃ、おら、海つうもんば見てえ」

「ウミ？　あゝ海か。あ、あるとも」

「水が一杯あって、キリが無えつうのはホンマかえ？」

「うん、ホンマだよ、ホンマだ」

「海の色、青いの？」

「青い。青くってキラキラして綺麗だよ。丁度よく晴れた空みたいだ」

「そんねえに、青い水一杯あれば、おっかないだろ？」

「おっかないイ？そんな事あない、見てゐると良い気持だ」

「へーん？」

「見ればわかるよ。見ればわかる。アハハハ」

花嫁も笑ふ。

「笑ふと、何て君は可愛くなるんだらう！」

「……そんねにキックすると、息が苦しいが！やん！」
○それまで風景や桃の花ばかりを映してゐたカメラが不意に角度を変へたと思ふと、村はずれの峠の上、人の居ない立場茶屋の傍の、見事に咲いた桃の木の下に、並んで草むらにしやがんだスミと一六をキャッチする。（UP）
停ってゐる乗合馬車。

一六が桃の小枝を折り、スミの肩を抱くようにして、田舎島田に、カンザシに挿してやる。


「やーい、やっとらあ！やっとらあ！スミ公！一六！一六勝負！勝負はどっちだ、一六勝負！」

はやし立てる四五人の声。

びっくりして、声の方を見る一六とスミ。

「こらっ！なん奴だやっ！」彦之丞のドラ声。丁度一六のカバンを下げて坂を登って来た彦之丞が峠に登り着いた姿が頭から肩、腰と見えて来る。まだ酔ってゐる。「なん奴だっ！」

怒鳴られて、それまで人の姿の見えなかった、直ぐ横ッチョの草むらの中から少年少女が四五人、バラバラと飛出す。すべったり転んだり、笑ひはやしながらにげて行く。

彦之丞、手を振り上げて見送ってゐたが、直ぐに笑ひ出す。

「アッハハハハハ、阿呆め！おらがとこのスミと楠一六公はなーー」

えらい上機嫌で言ひながら、二人に近附く「天下晴れた色」

「小父さんー」閉口してゐる一六。

きまり悪がって袖で顔を蔽ってゐるスミ。

「アハハハ、楠一六公、バンザーイー」その同じ大声で「お

「い、まだ出ねえかあ？」
○「おいよう、出るぞう」立場茶屋の裏の邊から馭者の声。
続いてトテッテテ……と響き渡るラッパの音。用便でもしてゐたのかノソノソ出て来る馭者。彦之丞同じ調子の上機嫌で
「さあ乗れや一六！大丈夫だよ！花嫁さんは明日出立だ。軽便までは俺が送って行くだ、心配すんな！さ、乗れよっ！（馭者に）おい馬造公、頼んだぞ、大事な婿なぞ！」

「あれま、さうかい！そいつは、めでてえ、アハハハ（スミを見て笑ひながら馭者台へ。スミ馬車の後ろに隠れる）アハハ。あっよっ！今日はまだ客が無えで、貸切り同様でえ！殿様だよっ！」

「アハハハ。ようし、こんだ一杯買うぞっ。さあ殿様、乗ったり！」

押し乗せられる一六。窓から上半身を出してスミに耳打ちをする。スミかぶりを振る。やがてコックリをするスミ。

それを見ながら彦之丞「スミの奴、可愛がってくれよっ、一六！俺あお前を信用したよるぞ、一六！スミは物知らずだやが、気立てだけは無類の子だや。正直マットウで腹の中の綺麗なことだけは天下一だや。頼んだぞっ！言う事聞かねえ時あ撲ってくれ、貧乏の苦労だっていくらでもさせてえゝ、たゞ可愛がってだけはくれろやっ！なあっ！」言ひながらボロボロ泣いてゐる彦之丞。

一六閉口して「大丈夫だよ、小父さん、大丈夫だよ」
一六、スミの手を握る。
「アハハハ、よしよし、仲あ良えぞっ！仲あ良えぞっ！」

羞しがりながら父を睨むスミ。
○馬車が動き出す。（音楽）
彦之丞、おどり上って見送る。「バンザーイ！」

笑って見送るスミの眼に涙があふれる。

車窓で帽子を打振る一六。

遠ざかり行く馬車。

スミの頭髪に挿したカンザシの桃の花が揺れる。

○翌日。
花嫁の出発。
父親も子豚十五頭を連れて一緒に行く（娘を途中 ― C町
― まで送りがてら、其処で豚の仲買人に豚を売ってその
代金を娘に持たせてやるため）
（順　路）
村（A）から乗合馬車の通る峠（B）迄は徒歩、
そこから軽便鉄道の起点になってゐる町（C）迄は馬車（C）
町から東北本線の（D）駅迄は軽便（C）駅から上野行きの列
車に乗る。
乗り合ひ馬車の通る峠B迄は勿論徒歩。父とスミと弟と小
母さん。それから、つながれて追ひ立てられて行く豚達。
四人Bの峠の立場茶屋に着く。今日はまだ馬車が来てゐな
い。
待ってゐる間に、スミは、自分の為に売られて行く豚達を
憐れがって「可哀そうに、売らぬ訳には行かねえがお父う
？、そんな金、おら、なくともいいだけど……」
「まあいい、しまいにはどうせ売るものだや。そりゃ売らな
くても金さえ有ればだけんど、知っての通りの貧乏だでい」
弟「おらも行きてえなあ」
「馬鹿あこけ！　お前が行ってなんになるだ？」
「んだや、軽便迄でいいから連れてってけれ」
「いけねえ。馬車賃かさんで、おいねえ。それよりも帰り
にお土産持って来てやるで、お前は留守番をしておくれ
なあ、隣りのお母アと」
小母「それがえゝ、わしと一緒に留守番しべえよ」
スミ「おらも東京さ着いたら、一六さに良い物買って貰っ
て送ってやっからな。いいな！」
云々。
荒い竹篭にギューギュー入れられる豚達。隙が有れば忽ち
走り出そうとするので、詰めるのが一仕事だ。―― 滑稽な
騒ぎ。一匹だけはどうしても詰めきれぬので、それはスミ
が抱いて行く事にする。
○馬車が来る。今日は既に一人先客が有る。馭者「はあ、い、

よいよ花嫁ごのお立ちかあ！」等々。

馬車の屋根に載せられて、しばり付けられる豚の篭。

彦「頼んだぞう！」

馭「花嫁ごとコロとは、えらい珍な取り合せだのう！ えつが、出るぞう！ 落ちねえように縛っときなよ！」等々。

スミと弟及び小母さんとの別れ。

弟と子豚との別れ。

馬車が動き出す。暫く追ひすがって来る弟もやがて取残されて、小さくなり、呼びかけながら見送る弟。
○馬車の道中（Cまで）（音楽伴奏）
豚の充満した篭を屋根に載せた滑稽極まる格好の馬車の進行。

馭者の裸足の辺に、籠の目から首を突出した豚の鼻が時々さはるので、馭者はひどく気にしてゐる。しまひに、頭を振り帽子を脱いだ馭者の頭が禿頭。その禿頭を又豚が舐めにかかるので悪戦苦闘する馭者。

先客は、隣村からCまで行く区長さん。――一升ビンとチヨコを持ってグビグビ飲んでゐる。既にいい機嫌である。

スミと彦之丞と区長――以上三人の客。

区長は彦之丞と顔見知りなので、盃を差し、互ひに話し合ふ。

（ダイアローグはコンテイの時書く）

彦之丞、自分の旅行の目的を語る。

祝意を述べる区長。

彦「区長さんは、どちらまで？」

区長返事して、「今日はC町の農業補習校で「農村代用食研究試食会」があるので、それに出席するためだと話す。「東京から偉い博士が来て、C町の婦人会の奥さん達が総出で、いろんな食物拵へだや、私等が食はされる側だけど、これが痛しかゆしでなあ。此の前の時はあまり変な物食はされて、帰ってから早速ええ下痢をやらかして一週間寝込んだで。今日は当てられ

ないように前以て酒飲んで行くさ。なんしろ、こんな
不作では、百姓の食物が一つでも餘計に出来ると言ふ
者は結構な話だからのう、……」
光作の話。
農村の窮乏に関する一二の示唆。
農村の不景気の話。
C町の近くの村で起った地主邸放火未遂事件の噂。区
長「なんでもそこの持田で小作してゐる若い小作人が
やったと言ふ話だが、世間がこんな不景気になって来
れば、人間の気持もあらくなって来るわけだなー」
云々
旅「しかし世間一般が不景気だとばかり言へめえ。C
町あたりでは、いくらか景気が出て来たと言ふではね
えかね？、あんでも、C町の市場辺では此の前の牛市
からこっち、曲馬団や見世物が掛ったりして、まるで
お祭りみてえな騒ぎだと言ふ」
「あゝに、つまる所どこもかしこも不景気で、しよう
事なしに、こんな所まで曲馬やなぞが入り込んで来る
のさ」
「今日ばかりは酔ふと困るから」と酒を控へるように父に頼
むスミ。
「大丈夫々々々」と言ひながら、差されるまゝに飲む父親。
酔って歌ひ出す区長。「相馬ニ遍返し」
その歌に感動して、屋根の上でギイギイギイと鳴きしきる
豚達。
○右の経過と同時に、移り行く車窓外の風景。山村、遠くの
山々、近くの小山や森、街道添ひの家々、等々。
次才にC町に近づいて行くらしい。
沿道、これまでは一人も客は無かったのが、此のあたりで
前方の道角に立って馬車に向って手を上げてゐる中年の男。
すぐそばに、一人の青年が立ってゐる。
馬車停り、二人の客を乗せる。（この一人は刑事で、もう
一人の青年は引かれて行きつつある放火犯容疑者なのだが、

畫の上では、かなり経つまで全然それがわかってはいけない。唯、何となく変った調子の客と言ふ位の印象で）

馬車は再びＣ町の方へ向ふ。

青年が、悲しそうな眼をあげて、車の後部の窓から離れて行く自分の村の方を見やうとして……、思はずハッとする。一瞬嬉しそうな顔色。が直ぐに又悲しそうな複雑な表情。カメラが後部の窓を覗くと――。かなり離れた路上を、此の馬車の後を小走りに追って来る若い女の姿。あわてて家を飛出して来たと見える身装、フロシキ包みをわきに抱え、左手で乱れかかる頭髪を直しながら真剣な眼で馬車を見詰めたまま走る。

青年がそればかりを見詰めてゐるので、中年男もその視線を追って、これを見る。

青年「あのう、」中年男の方に向ける哀願するやうな眼ざし。

「うん？」

「チョット、馬車を停めていただけて――」

「なんだ？」

「あと一ケ月したら、私が一緒に世帯を持つ者になってゐた者で――」

黙って女を見てゐる中年男。――やがて馭者に「おい、チョイと停めてくれ」

馬車停る。

追いすがり近づく女。車上の青年と女が黙って見かわす顔。女の眼にグッと涙がこみ上げて来るが、拭かうとはせぬ。

「信太郎さ……」

中年男「……ついて来ても仕方がない。どうするんだね？」

女「……へい？　いいえ、心配ですから……」

モヂモヂと車窓から離れる。

馭者「乗らねえのかね？」

「女「へい、……銭が少し足りねえから」

これらを見てゐる彦之丞とマミ。特にマミは女をマヂマヂと見詰めてゐる。

青年「お若、村へ戻って待っててくれ、……」

○馬車は又走り出す。
若い女も再び車の後を追ふ。車の立てる白いホコリをかぶりながらトットットットッと走る。一度何かに蹴つまづいて倒れそうにするが再び走って追って来る。

それに気をとられて見てゐるスミの手からのがれた子豚が腰掛けの上を歩いて行き、そこに既に酔って延びてウツラウツラとしてゐる区長の鼻づらを舐めてゐる。

青年の腰の辺にチラリと見えた捕縄を眼にして「ふーむ」と言って二人を見、トットと走って来る若い女を見くらべてゐる彦之亟。

○C町の入口が見えはじめる。
馬車は進む。

もうかなり後ろから、懸命に追ひ付かうと走って来るお若。

豚に舐められた区長が、大きなクシャミをして起き上る。
○馬車が停る。
馭者の声「区長さん！。補習学校に行くんなら此処で降りるんでは無えのかあ？、鈴村の彦さも此処からの方が早えよっ！」

見ると其処は町に入って直ぐの三つ角になってゐる
区長「おゝそうだ。んだや直ぐだから帰りも頼んだぞ。村まで歩いて帰るんだやおいねえからの、少し遅れても待ってゝくれよ」降りる。

馭者「ようがす。軽便の待合の前に待ってるだから、大丈夫だあ。彦さ、あんたも、又酒くらっておそくなっちまねえように来てくれるだぞ！」

彦之亟、車を降り、豚をおろしつつ「あゝた、今日は飲むもんかよ。だやスミ、（スミの小豚を取りつつ）俺直きにすまして軽便さ行ぐからの、お前先きに行って待って居な。債金は後で俺が一緒に拂ふ。馬造公、頼んだぞ。（チラリチラリとお若の方を見ながら）……可哀そうにのう……」

―豚を籠から出しにかかってゐる。

区長、彦之亟に「だや帰りはて一緒になるべえ」とポクポク歩き出す。

二人と豚達を残して馬車は区長とは別の道を曲って町に入って行く。

お若もそれについて行く。

○馬車がC町の、軽便鉄道の起点の駅に着き、その小さい待合室の前に停る。
スミ、馬車を降りて待合の方へ。

中年男は自分と信太郎二人分の乗車賃を払って降りる。

歩いて来たお若も最後から待合室の方へ。

酒でも飲みに行くのか、他へ行ってしまふ馭者。

○待合室。
スミ入って行く。

板張りの腰掛けの隅にモヂリを頭から被って寝てゐる上方風の男。

少し離れて旅商人（呉服・小間物）が掛けて、腰掛一杯に背負荷を拡げて包み直してゐる。鼻歌を唄ひながら。スミとお若の姿を見て、フロシキを片附けながらキサクに、

「さあさあ掛けなさい」

スミ掛ける。お若は立ったまま他の事に気を取られてゐる。

旅商人「悪い時に来たものさ。丁度今出たばかりで、次のは一時間半も待たなきゃならねえ。これだから、私あこんなガタガタの軽便なんて嫌ひさ、アハハハハ。一時間半とは、間が有り過ぎらあ。いや、ブマな時あ、何もかもブマさ。おとついから三日、足をスリコギにして駆けずり廻っても、一反も売れねえ。たまに売れるかと思やあ、木綿針か羽織のヒモ位のもんだ。以前はこんな所ぢや無かったが、いや近来此の辺の村も、酷いことになって来たものさ。要するに、金が無いんですね。アハハハ。なんでも放火があったってえが、いや、こんな事になって来ると、火をつけたくなるさ」——ベラベラ喋りながらお若のそぶりの変なのを見てゐる。スミ、お若の見詰めてゐる方を見ると、駅長室らしい所に刑事と青年が居るのを硝子戸越しに見える。刑事は駅長と何か話してゐる。信太郎は椅子にかけてうなだれてゐる。

スミ「……あんた、掛けねえの？」

言はれてお若、スミの傍に掛ける。

旅商人「なんですい？」

うつむいてしまふお若。

お若と駅長室の二人とをキヨロキヨロ見くらべてゐる旅商人。――やがてハハーンと言った顔をして、お若を見詰める。

旅客が一人入って来る。
それをキッカケにして旅商人、気を変えて、
スミに「あんたあ、どこの村かね？」
スミ「へえ……」
旅商人「こんな歌知ってゐるかね？　へへ……」少しいかがわしい流行歌を唄ふ。

歌の意味がよくわからずニコニコして聞くスミ。

「うるせえな」と寝ながら言ひ放つ土方風の男。

旅商人ビックリして歌をやめる。そちらを睨んでしばらく黙ってゐたが、又笑顔になり、スミに馴々しく話しかける。

「あんた、どこへ行くの？」

スミ「あのう、東京へ……」

「東京？　へえ。それは遠くへ、まあ、そいで東京へは、なんしにね？」

スミ「あのう……」赤くなって返事出来ぬ。

「一人でかね……あちらに親戚でも有るのかね？」

スミ「へえ。……いいえ……」益々ドギマギする。


旅商人「すると、御一緒かね？」と言ってお若を見やる。

と、お若は腰掛けに置いた包みの上に突伏してゐる。

スミ見てゐてから「あんた気分でも悪いのかね？」と肩に手を置く。

お若ハッと起き直る。しかし顔を差し覗いてゐるのが親切そうなスミであるのを知って、悲しげに微笑む。「……」

「気分でも良く無えの？」

「いいえ、なんでも無い。ありがとう。」

二人の若い娘の間にかもし出されるシミジミとした同情と

と感謝の気分。

旅商人「あすこに連れられて行くのは、もしかすると、村の放火をしたと言ふ犯人では無えかな？」

その言葉で、先づお若が、次にスミが旅商人を見詰める。しばらくして、寝てゐた土方がノッソリ起きて、旅商人を見る。冷酷な獣の様な眼である。

旅商人「いえさ、あれがよ」

スミ、駅長室を見る。土方もその方を見る。―チッと見詰めてゐる。

お若は旅商人を見てゐる―「いいえ、違います。信太郎さんは、そんな大それた事をする人ではありません！」

その声に、駅長室を見詰めてゐた土方がお若を見る。穴の開くほど見詰めてゐる。

待合室の大時計が秒を刻む音。

待合室の表に人力車が二臺ばかり着いて人が降りるらしい物音や人声。やがて裕福らしい紳士が、第二号夫人と言った様子の女を連れて待合に入って来る「直ぐに出る車が有るかな？」「えゝと……」待合室の中が少しゴタゴタして賑かになる。

○スミ父親の事を思ひ出し、外に出て行きかけるが席に荷物を置いてあることを思ひ出して引返し、どうしようかと困った顔。

それを見てお若「あの、御用ならば、わしが待って居てあげますから……」

スミ「おやチヨックラ頼みます」

スミ表へ小走りに出て行く。―出入口の角を急いで曲らうとしたトタンに、それまで其處の壁にピッタリ身を付けて待合室の内部を覗ってゐたらしい人に、ぶつゝかる。

スミ「あゝ、ごめんなせ！」

見ると、短いケープを着た変なあまり清潔で無い洋装の極く小柄な少女（ユリ）である。少女はスミからぶつゝかられて、怒ってとがめでもすることか、いゝえ……と小さな声で言って、オドオドした眼でニツと笑って、段々尻ごみをして退り、待合の外の壁に添って柵の方へ。

スミ「チツとも知らなかったもんだから……どうぞ、ごめんなせい」ヤクンと腰を折って最敬禮であやまる。

しかし今度スミが顔を上げた時には、既に少女の姿は見えなくなってゐる。（建物の角を後退りに折れたのだらう）スミ、ばかされた様な顔付きで少しキヨトキヨト見廻すが大した事でもないので、まだ父は来ないかと町通りを眺める。——

驛前のガランとした廣場。それに続いて、田舎町の通りの風景のパースペクティヴ。人通りも少く、勿論、父親の姿は無い。

廣場へ出て、もっとよく通りを見透さうとスミは廣場の手前を横切って、驛の柵の方へ近づく。

柵の内側は、荷役をする場所になってゐて、既に大半の積込みを済ませた小さな軽便鉄道の荷物車が二つ見える。

スミが柵に近づくと、急にギーギーブウブウといふ鳴声がするのでヒヨイと見ると、二つの荷物車にはギッシリ豚が積込まれてゐるのが横板の間からのぞける。

スミはびっくりしてそれに気を取られ、柵につかまって、延び上ってそれを見る。

荷物車の向う側でウロウロしてゐる人の姿が、車と線路の向からチラチラ見える。それが人夫でもなければ駅員でもなく、薄色のストッキングに踵の低い靴を穿いた細い足である。スミ不思議に思ひ、それを凝視する。足はスッと何處から消える。

何だらうと思って考へてゐるスミ。

やがて再び町通りの方を眺めるスミ。

○通りを此方へ向って、ひどくのけぞる様な格好でユックリ歩いて来る人の姿。見るとそれは区長である。竹の皮包みを下げてゐる。待合室の前に置いてある乘合馬車の方へ。

何かを非常に食ひ過ぎてゐるらしい。

どうしたのかと、それに近附いて行くスミ。

キクッキクッと区長はシャックリをしてゐる。


馭者（旣に馬車の上にゐる）「おそいなあ区長さん！、もう出るぜえ！。」

区長「やあ、濟まんのう。あんしろ、―ゲッ」

区長は馬車に乘る。

スミ「小父さん！、お父うがまだだから、もう少し待ってくだせえよう！。」

馭者「仕様無えなあ。彦さは又どっかでドブロク引っかけてんだ。早くしねえと困るがの？、暗くなってしまふと、方々に崖があるで危ねえからな！、チヨッ、仕様の無え飲んだくれだぞ！。」― 鞭を鳴らす。

スミはヤキモキして通りを見たりする。


四邊にポカリと電燈がつく。

そのついたばかりの廣場の街燈の下から、よろめき出るようにして、フラフラする足を踏みしめ踏みしめ走って來る彦之丞。

馭者「さあ、彦さ、乘った乘った！出るぞ」

彦之丞、スミに豚代金廿圓餘を渡す。豚の値が下ったのを悲しみ憤慨しながら。且、仲買人には前に借金が有ったのを差し引かれたために金が少くなってしまったことを嘆きながら。―「あんにしても、貧乏百姓が一番つまらねえて！。カスを掴むはいつでも百姓だ。孫子の代迄百姓なんぞさせるもんで無えっ！」

馭者が怒って怒鳴る。それでも彦之丞がスミに向って道中の注意や一六によろしくだの何のとグズついてゐるので、馭者、彦之丞の襟がみを掴んで馬車の上に引っぱりあげてしまふ。

窓から乗り出した酔った父と、スミの別れ。

馬車、動き出す。
窓から区長の手がヌッと出て、竹の皮包みをスミに握らせる。「さあ、これやるだから、汽車ん中で食べな、御馳走だ」ゲー、ゲー、と言ふ声。

彦之亟、「身體を大事にするだぞーっ！しよっちう便りを呉れるだぞーっ！途中気を附けなよっ！」云々と窓から突出した腕を振って酔った声で呼ぶ父を乗せて、馬車は町通りを元来た方へ。
それを見送ってスミの打振る手には竹の皮包みがブラブラしてゐる。馬車が町の彼方に消へる。スミの眼に涙。（伴奏音楽）
ヒヨイと気が附くと、あたりは少し薄暗くなってゐる。
スミびっくりして待合室に入って行く。

○待合室は既に電燈で明るい。

既に改札口は開いてゐて、お若と土方を残して他の旅客は全部、軽便に乗り込んでしまった後である。

土方が腕を組んで立ったまま、お若の顔をヂッと見てゐる。
お若も土方を見てゐる。
土方「……そいで、あんた、ついて行くのかね？」
お若「へえ、信太郎さには、別について行ってやる人居ねえので、私、どこまでゞも、ついて行って――」
土方「どうするんだ？」
お若「どうするって、……とんかく見とゞけてあげるです」
土方「……さうかい、ふん」

スミの入って来たのを二人見る。
お若「あゝ、あんた、早くしねえと、もう出るが」
スミ「へい、どうも、ありがたう」荷物を取る。

土方はノッソリ歩き出して切符を買ひ、改札口を出て行く。
スミとお若、出札口へ。

「あんた、銭無えのではねえの？」

「いえ、有る。軽便だけは乗って行く積りで来たゞから」

「おら買ってあげる」

「いえ、そいじゃお気の毒だ、そんな――」

「すれば、汽車にも乗って行けら」

スミ切符を二枚買って、お若にやる。

お若「……すみません。ありがたう。」

スミとお若、改札を出て客車へ。

○軽便鐵道の列車。

列車と言っても、箱は小さい上に、人間の乗る箱は一番前の一つきりで、後の二つは豚を載せる箱である。だから此の各種の旅客達は、待合室よりも更に狭い舊式な箱の中に全部収容されたわけである。

スミとお若が入って行くと、旅商人が「さあさあ、此處が開いてるよ」と言ひ、先づスミの荷物を網棚に載せてくれる。次にお若の包みをも載せてくれる。禮を言ふ二人。

土方が冷い眼をニヤリとさせて、その様子を見てゐる。更に視線を移して、ズッと離れて一番向ふの隅に陣取った刑事と青年の方をヂロリヂロリと睨む。

軽便はなかなか発車しない。

連れの女を相手にボヤいてゐる金持の紳士「これだから嫌やになるんだ。いっそ自動車を雇ってD町迄飛ばすんだったな。夜になっちまった。これで又、此の車が、丹念に一つ一つ停留所に停車して行く奴だよ。Dまで四時間では利かないかも知れん。こんなヘンピに遊びに来るのはもうコリゴリだ。保養が保養にならん」それに相槌を打ってゐる連れの女。

向ふの隅に坐った信太郎と、此方のお若は黙って眼と眼を見詰め合ってゐる。

発車のベル。

○そこへ驅け付けて来るサーカスの団員（中に楽士も二三人ゐる）一行の五六人。楽器などの荷物を持ち口々にわめき、ながら、改札口をドヤドヤ走り入って来て、車に乗り込む。――ダンサーの一人が逃げ出したことを語り合ひながら。（此の四五人はそのダンサーを捜しかたがた、サーカス団の殿《しんがり》として最後まで残ってゐたらしいが、もう出発しないと次の町の興業に間に合はぬので、一人を捜査役に残して出発するのである）――「なんしろ、ユリもうまい事をやったもんだよ。お蔭で迷惑を見るのは俺達だ。ユリが見っからねえと、ダンスがやれねえから、捜すのはお前達の責任だぞと来た。団長も人は好いけど、直ぐに責任と来るから、いやんなっちまわあ」――等々喋る。

箱の中は急に賑かになる。

（この間に、短いが、いろいろの風景と会話が點描される）

発車。

外はスッカリ夜になってゐる。箱の中だけが照し出されて明るい。

○心細い速力で走ってゐる客車の内。

窓外には黒々とした山や森や川等の風景。

ポツリポツリと寂しく人家の燈火が點綴する。

時々、列車は停留所（停車場）に停る。走ってゐる時間よりも停ってゐる時間が永い位の停車である。

単線のためホンの二三ケ所で一二の乗客が乗って来るだけ。

お君がスミに向ってポツリ、ポツリ、と言葉少なに語り出す話。――二人の直ぐ前向ふの席の隅に坐ってゐる土方が怒った様なムッツリした顔でそれを聞いてゐる。――近くに坐った旅商人も勿論聞いてゐる。

――（信太郎が地主放火犯人容疑者として引かれて行くやうになった事情。……青年はかねてその地主の小作をしてゐたこと、地主から借金（滞納小作料）してゐたこと、最近小作料釣上げの問題から地主の方では小作田の取戻しにかゝってゐて、それに就き信太郎の方から地主宅へ行って交渉してゐたこと、極く最近に地主が青年をひどく撲り辱かしめた件の有ったこと、放火未遂当夜も宵の口に青年が地主邸へ行ってゐるのを村人から見られて居る事、そのために青年に対して好意を持ってゐる村人からまでスツカリうたがはれてしまったこと等──。

それから自分の境遇（少女の頃、製絲工場に女工に出てゐたが、病気になって帰村し、貧しい兄の家に寄食して農業や家事を手伝ってゐた）と信太郎との夫婦約束のこと。（話の途中にも列車は一回停車する。話の一番デリケートな部分を停車中にさせるやうにはめ込む）

スミ「そいで、あんた、どうすんの？」

お君「Ｅ市迄ついて行きます。そこで裁判のすむのを待つだ。信太郎さんは必らず無罪になります。あの人は火附けなどをする人では無えもの」

旅商人「待つと言っても、どうして待ってゐるんだね！」

お君「勤め口を捜します。まさかとなれば身體を金に代へてでも稼ぎます。信太さんには誰一人差入れをしてやる人も弁護士を頼んでやる人も居ないのです。それにあの人の留守の家には病気のお母さんと子供が二人居ります。仕送りをしてやらねえと、かつえて死んでしまふ。それを私がしようと思って居ります。

お君の顔を見詰めてゐる土方。

旅商人「そいつはいま時感心な話だ。なんなら私が勤め口の世話をしてやらうぢやないか。Ｅ市には口入屋に知ったのが居るし、もし又間に人を立てるが嫌ならば、二三里離れてはゐるが△△町の銀座会館と言ふ一流のカフエーのコックに懇意な男がゐるから、いつそ、私と一緒に其處に行ったらどうだね？あんた位の器量なら直ぐに置いてくれるよ。料理屋などと違ってチップチップで稼ぎは大きいしさ。私にまかせなさいよ。今夜はどうせ遅くなるから、Ｄに泊ってさ。私が連れて行ってあげるから──」云々とひどく乗り出して来る。

土方「……とんだ男気のあるにも有るもんだ、アハハハ。だってお前さん、あの人が火附けなどをする筈は無いと言ってただや無いか？、んだや、直ぐに調べが附いて放免になる筈だ。そんな大袈裟な事をすることも無いやね」

お若「それはそうですけど、信太さんには前申したように真犯人と疑はれても動きの取れない事情が有るもんだで……いづれ急には、どうと言って――」

旅商人「さうだなあ。そいだけ口が揃ってゐるんだやなあ」

土方（お若に）ふん。警察にしろ裁判所にしろ、あき盲ばかり居る訳でもあるめえ。本當に犯さねえ罪なら、やがては身は晴れるだらうさ。そんな事よりも、本當に怖えのは、親切そうに持ち込んで……ヘッヘヘヘ」

旅商人「……おい君！」とからみかける。「君あ、なにか……」

返事をしないでヂロリと見る土方。二人の睨み合ひになって、白ける。

スミはお若に同情して、父から貰った金の中からその半分ばかりをやる。辞退するお若。それをキョロキョロ見る旅商人。――結局お若、心から感謝して金を受取る。

○退屈しきって、楽器を引っぱり出してブーッと鳴らすサーカス楽士。他の楽士が欠伸しながら、「畜生、ニリの奴、逃げ出したりするもんだから、こんな不景気な目に合って俺達が糞を掴むんだ。見附けたら只は置かねえから」等々と喋ってゐる。

連れの女に酌をさせてウィスキーを飲んでゐる金持紳士。

汚い車室内に現出されている小さい人生の姿。――、

しびれを切らして立上って、通路をゴトゴトと一人ダンスみたいな事をする楽士。――靴が何か踏んづけたと見えて、下を見ると、スミが区長から貰った竹の皮包みが床に落ちてゐる。「こいつあ、いけねえ」と楽士それを開けて見ると、カンピョーとオカラの煮たのと、えたいの知れぬ草の煮たものがコテコテと入ってゐる。楽士、変な顔をして眼

を立づけて見る。

スミ「ヘヒヨイと見て」「あら、それ、おらのだ」

楽士「あんたのですかい？」

スミそれを取る。

楽士「それ、なんですか？」

スミ「御馳走だ。区長さま下すったで——」

楽士「へーい。あんたあ、オカラと草を食ふのか？、まるで兎みたいな人だなあ！」

その邊の乗客がゲラゲラ笑ふ。

まっ赤になり、困って、デッキの方へ行くスミ。そこで竹の皮包みの中味を見てビックリし、次にどうしたものかと弱ってゐる。ゲーゲーと言ってゐた区長を思ひ出してゐる。

車が停車する。小さな驛。

車掌「十分間停車」言ひながら外を歩いてゐる。

方々で欠伸の声。ボヤク声。小便に降りて行く乗客も居る

暗い外景。

スミ、竹の皮包みのやり場に困って、捨てようとして、首を出して見ると、客車の窓から肩を出して外を眺めてゐる乗客の姿。間が悪くなり、デッキから降りて、列車の後部の方へ歩いて行き、捨てようとする。

豚の啼声。

スミが振返ると、後部の二輌の箱の板張りの間に、外に向ってズラリと並んでゐる豚の鼻ヅラの列。

スミ、急になつかしい様な気持になり、近附いて内部を覗く。——自分のために売られた子豚達もしまひにはこんな目に会ふのだと思ひ、少し悲しくなりながら更に後部の方へ歩いて行く。

竹の皮包みを貨車の中の豚にポイとはうり込む。そしてヒヨイと目を上げると、列車の最後の車——第三番目の後尾の車掌室（非常に狭い場所）の所に、デクデク肥え、鼻が上を向いた車掌が腰かけて、非常に小さな眼を眠むそうに開けたままウツラウツラとしてゐたのが、ヒヨイと眼を開ける。が再び眠りこけてしまふ。その顔が豚に実によく似

てゐるのである。

前部ー客車の方へ戻りかけるスミ。

○戻りかかって、第二番目の箱の車掌室の前を通りかかり、ヒヨイと覗いたトタンに、その奥でムクムクと動いた黒いものがある。これも豚かと思ってよく見ると人間らしい。勿論車掌ではない。

スミの方を見た顔は、夕方待合室の表でぶっつかった少女ーサーカスのダンサーのユリーである。

無償乗車をしてゐたのである。

スミ驚ろいて、どうしたのかと問ふ。

ユリ「どうか、どうか、此の客車の人達には黙ってゐて下さい」と哀願する。

スミ「あゝ、あんたは、晝間、待合のとこで会ふた人だね。どうしたんです。こんな所に？」

スミとユリの對話。

東京迄逃げて行くのだが、金を持ってゐないユリ。

悲しいユリの切迫した境遇。

（たった一人の兄が東京で急病になり、危篤の通知を受けたけれども自分は曲馬団に雇われてゐる身故、東京へ行かしてくれと頼んでみたけれど、どうしても許してくれないので、心ならずも逃げ出して東京へ向ってゐる）

スミ、同情して自分まで泣き出す。

スミ、再び金をやる。これで父親から持たされた豚代金はおしまいになる。ユリは、初め辞退するが、やがて感謝してそれを貰ふ。

スミ「そいで、どんな風にして東京まで行くだ？」

ユリ「この車で終點まで行き、いたゞいたお金で行ける所まで行って、後は又なんとかして――」

汽罐車の方でシューーッ、シューーッとエキゾーストを吹き出す響。

それに元気を得た楽士達が一言二言喚声を上げて、二三の乗客で楽隊（美しき天然か何か）を奏し出した音。

スミとユリびっくりしてゐる。

やがてそれと悟り、ユリが青くなる。

スミ「あっ！　曲馬とやらの人が四五人乗ってる。あ、さうだ、あの人達、あんたの事話してゐたっけ思ひ出した！　あんでも、あんたを掴めえるために居残りさせられてゐたっていふ人達だ。このまま、これに乗って行けば、いづれは見つかってしまふ。どうしたらよかべ？　どうすんのく、」

困ってウロウロするユリ。窓からデッと前部の方を覗いたりする。スミもうろたへる。

スミは早く此處を降りて、二つ三つ後に通る汽車で逃げろと言ふ。しかし、ユリの身装を見ると異様なダンサー姿である。このままで行けば、又直ぐ見つかってしまふだろう。発車は迫ってゐるし、スミは仕方なく、ユリの洋服を脱がせ、自分の着物をスッカリ脱いでユリに着せる。

発車の汽笛。

泣いて感謝するユリをせき立てて、外へ下ろす。ユリは車の人に見つからぬやうに、這ふやうにして、窓へ。スミの方を向いて伏し拝みながら。

列車は発車する。

○客車内。

やっと発車したので、喜んでゐる乗客達。

楽器を鳴らしてゐる楽士達。

（楽曲の流れを此処でミートさせる）

お君がキヨトキヨトして、スミの行方を捜してゐる。

楽士達の楽隊が止む。

土方もスミの居なくなったのに気附いて、

「あの娘さんは、どうしたのかね？」

お若さへえ、……私もそう思ってー」不安になって立ちかける。

旅商人「なあに、便所だよ。ヘッヘヘヘ…」

○第二番の車の車掌室では。

下着一枚のスミが、洋服を着ようとして苦労してゐる。長いストッキングを引っぱって見たり。恐ろしく短いスカート。ーー引廻しマントが有るので、かろうじて外見だけはごまかせる。

それを覗いてゐる豚達の鼻づら。

外は暗い。

洋服を上手に着ることは諦めて、車掌室の隅に、小さくなり、心細くうづくまるスミ。

列車の進行。

スミがウトウトしてゐる。

不意に停車する列車。

動揺のためにハッと我に返るスミ。

「どうしたんだ？、「どうした？」と客車の方で騒いでゐる声々。

後部の豚に似た顔の車掌が、スミの箱の前をサッと駆け抜けて行く。

驚ろいて、首だけ出してスミが前方を見る。

カッと明るいのは、少し離れた前方の線路の傍に旺んな焚火が燃えてゐる上に、カンテラの光と、列車のヘッドライトが丁度その場を照し出してゐるためである。一人の保線工夫へ丁度見廻りに来て、線路の故障を発見して警報のために焚火をするのと同時に、故障をなほしにかかってゐた者しか、此方に向って両手を振り、怒鳴ってゐる。小さい崖くづれが起きて、線路上にかなり大きな岩が二三個、転がり落ちて来てゐるのである。


列車の運転士をはじめ、火夫、車掌等その方へ走って行く。

乗客達も次々に降りて、ゾロゾロ見に行く。


「今夜あ、悪いことに一人で出て来ましてねえ、此処まで来ると、これだらう！しまったと思って、保線課へ通知しようと思っても、此の辺、電話あ無しさ。弱ってね。いいあんべえに、金テコと鶴ハシはかついで来てゐるんで、小さい奴二つ三つはどけちやったが、あとはどうにも重くつて手に負えねんだ。なあに、線路は大して痛んでおねえから、どけさえすれば、車あ通れねえ事あ無えが、なんして大き過ぎらあ」

運転士「とにかく、君、次の駅まで走ってくれ」

走り去る車掌。

直ぐには修復出来さうも無い。乗客達ボヤく。「おやおや。こんな所で立往生か！」等々々。

刑事「困ったなあ。（運転士と工夫に）とにかく、どけるやうに、やって見てくれないか」

「えゝ、しかしこれだけ大きいんですから」

刑事「ちよつ、しようがねえな、全く……。」

「済みません。一つやって見ませう」云々。


工夫と乗務員達が、金テコを岩の下に差しこみにかかる。

大ボヤヤにボヤいてゐる金持の紳士。

運転士が乗客達にあやまり、とにかく、車室に戻って待ってゐてくれと頼む。

愚痴タラタラで車の方へ歩き出す乗客達。

先頭に進んでゐた楽士の一人が、

「おやっ！」と言って車の方をすかして見る。

。それは車掌室から、様子をうかゞひに這ひ出して、そこでウロウロしつつ此方の方を見てゐるスミの姿である。

楽士「おい、あれは――？」

他の楽士「あゝ、ユリぢや無いかな？」

楽士達バラバラと走って近寄る。スミ逃げ出す。

列車をめぐってにげ廻るスミ。

崖くづれを取りのける仕事に加勢しようともしないで、ノソノソ列車の方に戻って来た土方に逃げて来たスミがぶつかる。

土方はスミを認めて「あゝ、あんた。どうしたんだ？」

追って来た楽士達が追って、やにわにスミを掴み、「ユリ、貴様あ、よくも！」「さあ、もう逃しはしないぞ！」等々言ひながら、こづき廻す。しかし楽士達も直ぐに人が違ってゐることを発見する。身装はユリであるのに人はまるきり違ってゐるので、どう考へてよいか解らず、面喰ってゐるのである。わけがわからず、スミと楽士達を見較べて黙ってヂロヂロ見てゐる土方。

楽士達がスミに、どうしてユリの洋服を着てゐるのかと向ふ。スミそれに答へようとして、しかし答へると事情がわかって再びユリが危くなることに思ひ至り、口ごもり、返事をせぬ。楽士達、詰問する。そして土方に「――いえね、私等あ、昨日までC町で打ってゐた曲馬団の者なんですけどね、十七になるダンサーが一人づらかったんですよ。私等あそれを捜すのを言ひつかって、昨日以来どれだけ骨を折ったか、わからねえんだ。そのユリと言ふ奴の洋服を此の人が着てゐるんで――」

土方「なんだか知らねえが、此の人なら怪しい者ぢや無え。ズーッと俺も道連れをして来た……」

スミ「おスミ……」

土方「おスミさん――だ」

楽士「しかし、ユリの洋服を着てるんだから、係り合ひが無えとは言はせねえ。とにかくE市までは一緒に行って貰ひたいね。警察へ行きや、話して貰へようからね」

哀願するやうに土方を見るスミ。

土方は、「警察」と言った相手の顔をヂロヂロ見てゐるだけでだまってゐる。

楽士「いいね?、又には出しちや、困るよ」

スミ「へえ……」

○崖くづれを取りのける工事をやってゐる一群の方から、烈しい男の悲鳴が聞えて来る。振返ると、その辺、立騒いでゐる人影(乗務員、刑事、青年、お若、その他)

楽士達「あ、どうしたんだ?、」

楽士達の中の三四人はパラパラとそちらへ走って行く。列車に戻ってゐた乗客達も再び現場へ走って行く。

楽士の一人は、スミを見張ってゐなければ再びには出しでもされるかと思って、モヂモヂしてゐるが、現場の方の悲鳴は益々烈しくなるので、二人を振返りながら、現場の方へ走り出す。

土方「ー おスミさん。ー全體どうしたんだ?、」

スミ「へえー そのユリと言ふ人、おら、着物ばやってにかしてやったのです」

土方「……だや、知り合ひなのかい?、」

スミ「いんね。この前の停車場んとこで、コロの箱の方さ行って見たら、そんべ、車賃なくて只乗りしてゐた。可哀そうだで、着物着がへて、銭やって、そいで、あとの軽便乗るようにって、除がして ー」

土方「さうかー」スミの顔を見てゐる。

○現場の人々の騒ぎは止まらぬ。

土方、そちらへ行く。

スミもそれについて行く。

人々の間から覗くと、岩を早くのけようと焦ったために、少しゆるいだ岩に足の先を食はれて倒れて唸り声を立ててゐる保線工夫。

それを囲んで人々の狼狽。

乗務員や乗客中の二三の男（―楽士）や刑事などが、その岩を反對側に動かそうとして岩に取りついて力を入れてゐるが岩は動かぬ。

保線工夫「うーん。向う側の足の下のバラスの所ば掘ってくれ。さうすれば抜けるんだ！うーむ」

運転士はやっきとなって、鶴ハシを取って、工夫の足の横を掘りはじめる。

「そこだっ！」「もう少しだ！」等々。

全員の動き―。（カメラ）

工夫の足が岩の下から抜ける。―トッサに飛び退く工夫。トタンに、下部を掘られたために岩を掘ってゐた人の方へ向ってグラリと動く。岩を押してゐた人々が飛び退く。見てゐる人達（特にお若）の叫び聲。

鶴ハシを打込んだ時に、岩がゆらいだために、退きそこなった火夫が、その先を岩の下にズッと噛まれた鶴ハシの柄を肩にピッタリと附けて、全身の力で以て倒されまいと懸命になってゐる。捨てて置けば力盡きて、倒れ、つぶされさうである。

全員の動揺。

捕縄のままの信太郎が何を考へる暇もなく、飛込んで行かうとした瞬間、

「どけっ！危い！」それを突除けてモヂリ外套をかなぐり捨て乍ら飛び出した男がある。むっつり傍へ立ってゐた土方である。

スミ「あっ！あっ！ 助けてっ！助けてっ」

短い緊張した間。―

パッパッとその邊を見て、やはり側に轉ってゐる手頃の岩を抱えて、鶴ハシの直ぐ側の岩の下の噛ませる。同時に「テコだっ！」

二三人が轉ってゐる金テコを持上げて、土方に渡す。土方

が、それを、大岩と小岩の間にグワッと突込んだのが瞬間である。いきなり中腰になり、金テコの末端を肩に当てて、ウムッ！と力を入れる。

全てが一瞬間の出来事である。

いつ傷ついたのか、レールをガッシリと掴んでゐる右手から、血がタラタラと垂れてゐる。

全身の力で、重みをこらへながら、左手を火夫の方へ振り、

「退いた！退くんだっ！」

息づまる瞬間。——

緊張のあまりシーンとなってしまった人々の中から三四人の男達が、やっと、金テコに取り付く。起き直った信太郎もその中に加ってゐる。はら〳〵するお岩。

土方「いいかっ！そら、ひのふのみっ！」

その掛聲と共に、今度はテコ応用で六七人の男の力が加はる。岩がグラリと傾き、勢ひが付いて轉がる。

線路の外へ出る。

全員の無言の喚聲。——緊張は直ぐには取れず、全員は呆然とした樣に顔を見合せてゐるのである。

不意に泣き聲がするのを見ると、——スミである。

わきに立ったお岩も啜りあげてゐる。信太郎も涙を浮べて笑ってゐる。火夫と工夫とが、土方に禮をする。それらを見廻しながら、黙ってゐる土方。

大岩の取りのけられた後は、線路には三四岩があっても小さな奴なので、取りのけるのに大した手間はかかりそうに無い。

人々の間にやっと喜びの話し聲が起る。

客車の方へ引き上げて行く乗客達。

○客車。

今の騒ぎのことをガヤガヤと喋りながら、席を取る乗客達。

血だらけになった片手を拭きながら戻って来る土方その後ろからスミ。スミの後に引き添って楽士。それからお岩。お岩のそばを離れようとしない旅商人。

皆は、まるで英雄を迎へるようにして土方を迎へるが、土方はムッツリしてゐて、どうしたのか酷く不機嫌である。最後から刑事に附添はれて戻って来た信太郎が心から土方にすみませんと言ふが、土方はプイと横を向いてしまふ。

○金持の紳士が皆を代表したやうな口の利き方で謝意を表し、飲んでゐたウイスキーを土方に差そうとする。
土方、ことわる。

紳士、更にしつこく差す。

土方「いらねえと言ったら」と振った手がウイスキーの瓶とコツンと當って、それが床に落ちて割れる。

そのために何となく恐れをなして、スミに附きまとってゐた楽士が、コソコソ立って仲間の方へ行く。


刑事「どうも御骨折、ありがたう。私はこんな者だが、人命救助として報告したいから、――」

土方、愛想も無く相手にならぬ。

重役が、「会社の方へ申告して、御禮をする手続きをしますから、御名前と御所を――」と言って来る。

「禮が欲しくってやった事ぢや無いんだ」――なんだか怒りを含んだ聲である。

プイと窓の方を向いて相手にならぬ。

○スミが禮を述べる。
スミにだけは返事をする土方。

スミと土方の對話。

「全く馬鹿な話さ。誰だって、人の世話あ焼かねえ方がいいんだ。死ぬ奴あ、死んだ方がいいんだ。馬鹿な―」云々。

何の事だかわからずビックリしてゐるスミ。

時々トンチンカンな問ひをするスミを相手にして土方の迷

懐。

（ダイアローグはコンテイの際に。此のダイアローグは重要である。）

土方の哲学―悪徒のツムヂ曲りの人生観――トッサの間に人命を助けたことに就ては、彼は自分自ら、そんな気持が自分の裡に残存してゐたことに就て、ひどく驚き、且、心外に思ってゐるのである。

且、自分の人生観體系が、こんな事で崩壊したのを見るのが、彼にして見れば悲しくもあれば腹も立つ話である。

（地主邸に放火をしても平然として逃げつつある自分がこんな風にトッサに人間らしい気持から人を救ったことが、彼には自分の敗北の様に意識されるのだ）――

スミ「あんの事だか、おらにゃ、わからねえ」

土方「アハハハ、お前さんにゃ解らなくていいさ。―（急に真面目に）あの男あ東京に居る頃、千圓あまりも俺に借りがあったんだ。金ばかりぢゃ無え。世話だって、どれだけやいてやったか、解らねえ奴だ。ハハ、こう見えても、私あ、元東京で手廣く請負稼業をやってゐた事がある。その頃の話だ。こうして今ぢゃ落ちぶれてしまったがね。通りかかったもんだから、彼奴の事思い出して、どうしてゐるかと思って寄って見りゃ、ユスリにでも来たかと思やがって、十圓パッチの包みを出しやがって追拂ひにかかるんだ。高利の金を貸して、人を泣かした揚句が、今ぢゃ地主か何か知らねえが　へん―あんまり癪に障ったから怒鳴ってやったら、人を呼んで来て叩き出しにかかるんだ。あんまり、ナメた真似をしやがるから、―なあに、あんな奴あ叩き殺せばとて、世間の功徳にゃなっても、悪かあ無え代物さ。腐れ金で建てた百姓家の一軒や二軒灰になった位が何んだ！。」

スミ、びっくりして「へっ！。あんですか？」

土方「いや、さうだやなからうかと言ってゐるんだ。ビックリしなくともいい。アハハ。お前さんは気立てのいい娘だ。お前さんの様に綺麗な人を見るのは、私あ初めてだ。――東京に何をしに行くね？」

スミ「一六さん、待って居ります」

土方「兄さんかね？」

赤くなって、かぶりを振るスミ。

土方「御亭主か？、さうか。だやお前さん嫁入って行くんだね？」

スミ「……（小さい聲で）へい」

土方「さうか、そいつは、めでたい。可愛がって貰ひなよ。お前さんを嫁に持つ男は日本一の仕合せ者だ。さうか！」

スミ「んで、小父さんは、これから、どこへ？」

土方「何處へ？、……さうだ」

考えてゐたが、隅の刑事と信太郎の方を見て、フイと立ち、ヂッと見詰めてゐる。――

再び坐って、お若を眼で探して、少し離れた所に居るお若に、

「あんたあ、町へ身を沈めるのは止しにして、村へ帰って、あの人の帰るのを待ってゐるがよいよ。あの人は二三日したら放免されて戻って来るさ。帰りな」

お若は訳がわからず反向する。

土方「俺がさう言ってゐるんだ。俺の言ふ事が信用ならねえのか！」と怒鳴る。

お若「では帰ることにします」

やっと笑ひ出す土方。

土方の血だらけの手當してやるスミ。

スミに向ってする土方の短い述懐。

　地主邸放火の件を自首して出る気になってる事を短く、鋭く。

　それは悔悟の気持からではない。人生観の自己崩壊からである。――この點を強くダイアローグの中に入れる。

無心にホータイをしつつ聞いてゐるスミの手の甲にポタリと落ちて来たものがある。

びっくりしてスミが見上げると土方の眼に涙が一杯。涙を拭きもしないで、スミを見たまま頬笑んでゐた土方。

○そこへ車掌が来て、線路の岩の取りのけがスッカリ済んだから、直ぐ発車しますと告げる。
喜び湧立つ車室内。

楽士達が、おどり上って楽器を鳴らしはじめる。楽隊。(音楽、楽隊。元気の良い行進曲かなにかを)

○列車動き出す。初め徐行。崖くづれの個所を通り過ぎた後で速力を出す。
客車内は明るい。喜び勇んだ乗客達と、楽隊と、それから、鳴り渡る奏楽を乗せた列車が、暗い夜の中を走る。(朝にすれば変る)

○Ｅ市の警察署(らしい)近くを刑事と信太郎、それに曲馬団の一人に連れられたスミが行く。
少し離れて、お岩が行く。それから土方が附いて行ってゐる。その後からキヨロキヨロと旅商人が追って行く。

警察署の表札の下部が見える。

その門内へ、右の人々が次々に入って行く。土方も入って行く。

門の所に旅商人だけが取残されてポカンとしてゐる。

○髯を生やして眼鏡をかけた制服の人(署長)が何か聴取してゐるらしい顔。
壁の上の八角時計。

○制服を着た右手が、壁につるした大きなメクリ暦を一枚めくり、二枚めくり、三枚めくる。

○朝。

陽がカッと明るく照してゐる。

通用門の外である。代書屋がある。

代書屋の前でシャガンで、人待顔に通用門の方を見てゐるのは旅商人。

通用門から、ニコニコして包みを持った信太郎来る。続いて荷物を持ったスミ。それからお若。三人とも喜色を浮べて。―スミは片手を廻して背をポリポリ掻いてゐる。

信太郎とお若がスミに禮を述べる。

「そしてお若が「私達は真直ぐ村に帰るので、これは要りませんから、どうぞ取って下さい」

と貰った金を返す。

「しかし汽車賃が要るだから」とその中の二三圓をお若にやるスミ。頂いて禮を述べる信太郎とお若。

スミ「(門内を振返って)「んでも、あの小父さんもなるべく軽くて濟めばよい」

三人門内を振返ってゐる。

やがて三人、互ひに旅の無事を祈り合ひ、なつかしそうに涙ぐみつつ振返りつつ別れる。(スミは省線の駅の方へ。信太郎とお若は軽便の始點の方へ)―

ガッカリして見送ってゐる旅商人。

○スタスタ急ぐスミ。

「おすみさん―と言ひましたね」振返ると旅商人だ。「これからどちらへ?」

返事をせず歩き出すスミ。しつこく追って来て色々話しかける旅商人。果ては荷物に手を掛ける。

振返って、いきなりスパッと相手の頬に平手打ちを喰はせるスミ。向直ってトットと歩いて行く。―

毒気を抜かれてポカンと見送る旅商人。

○上野駅のプラットホーム。

心配そうに焦々して待ってゐる楠一六。彼の手に電報。その発信局の名がＥ市の駅。それが彼には駅がわからぬ。

○列車到着。

一六、眼を皿にして捜すがスミの姿無し。箱を次々にあわてゝ捜して行く。

旅客の殆んど降りてしまった降車口から、恐ろしく風変りなツンツルテンの洋装で降りて来る女。

一六には初め、それとわからぬ。やがてスミを認めるが、その変り方の異様さに驚ろき呆れて、口を開けて見てゐる。双方見合って永いこと立ってゐる。

○スミ、聲を上げて泣き出す。一六をつゞき廻すやうにし、しまひに、むしやぶり付いて行くスミ。

（めでたし、めでたし）

（附記）

――これは、久しい前に、こんな風な筋と匂ひを持った話を書き度いと思ってメモして置いた草稿で、不満な點も多いし、それに各所の細部やダイアローグがまだ書いてない。ちゃんと書き改めて発表すれば良いのですが、急な話で今その時間が有りませんので不本意ながら未完成のまま一応読んでいたゞきます。今後出来る丈け早く書き改めやうと思ひます時にもし誰かがこれを映画化して呉れる機会でも有ったら、その際ウンと補筆する豫定です。（三好）

あとがき

昭和十年、當時三十三才。

シナリオライターとしてＰＣＬ（現在の東宝の前身）へ入社。在籍四年。ここに収録した三篇は、その間に書かれたもので、いずれも滝沢英輔監督により映画化された。

底本は、横浜の会員笠原昌氏と、四国の会員赤松襄一氏の寄贈をうけたものを使った。

昭和三十七年三月二十八日 印刷
昭和三十七年三月三十一日 発行

限定版
２１０部
その内の
第 194 番

三好十郎・著作集
第十七巻
（非売品）

著作者 三好十郎
監修者 三好きく江
発行者 三好十郎著作刊行会
代表者 大武正人
東京都大田区北千東町七七四番地
電話 東京（七一七）二三八五番
振替 東京五一七五二

印刷者 株式会社 タイト印刷
東京都中央区八重洲四ノ五梅田ビル内

第十七回配本

三好十郎著作集

第十八巻

三好十郎著作集 第十八巻

監修　三好きく江

編集　大武正人
　　　秋元松代
　　　高橋昇之助
　　　石崎一正

炎の人

1、プチ・ワスムの小屋

ドスぐろく、貧寒なガランとした室の、奥の窓から差し入る日暮れ前の光の中に、四人の人間が押しだまっている……。

アンリ　……ヴエルネ、もうなん時ごろだろう？（こわれかけた椅子にかけている。右腕が肩のつけ根からない）

ヴエルネ　そうさな……（これは中央の板椅子にかけて、火の消えたパイプをくわえている。窓の方を見て）そろそろ五時半と言ふとこかな。

アンリ　だつて、まだこんなに明るいぞ。

ヴエルネ　天気が良いと、こうだ。これで、あと二十分もして、おてんとさんが、ボタ山の向うに入ると、いきなりバタツと真暗になるやつだ。

アンリ　でも、五時の交替のボウは、まだ鳴らねえぜ？

ヴエルネ　二、三日前から、ワイスの奴あ、ボウ鳴らすの、やめてるよ。

アンリ　あ、そうだつけ。畜生め、ボウぐらい鳴らしてくれたつて罰は当るめえ。

ヴエルネ　だけどよ、アンリ、ボウは交替の合図だあ。こうなつて、お前、交替もヘツタクレも無えんだから。

アンリ　そらそうだけどよ、景気が悪くつて、そうで無くても気がめいりそうだからよ。

ヴエルネ　炭車も昇降機も停つちやつてるしな、ボウだけのために釜に火を入れるの無駄だつてバリンゲルさんが言つたそうだ。

アンリ　……ちしようめ。

デニス　たまらねえ！　俺あ、たまらねえ！　俺あ――（これは先程から片隅の床の上にじかに置かれた藁のベッドのはじに腰をおろして、両手で頭をかかえこんでいた男。低い、すゝり泣くような声で言いだす）十日前まで、炭車や昇降機はガラガラ、ガラガラ唸つてた、ボウも鳴つてたし、誰かが怒鳴つたり、歌つたりよ（立ちあがつてイライラと床の上を歩きだす）……それがよ、こうしてみんな声も出さなくなつて、犬も吠えねえんだ。山中がシーンとなつてしまつて、もう十日だ。

ヴェルネ　デニスよ、まあまあ落ちつけ。
デニス　……（ガラリと窓をあける。窓の向うに、黒く静まり返った坑口近くの風景の一部が見える）見ろよ！人っ子一人歩いて無え。あんまり静かで、俺あ耳ん中がワンワン、ワンワン言って、気が変になりそうだ。
アンリ　そりやお前、ストライキだから、しかたが無えよ。
デニス　だからよ、俺の言うのは、そのストライキがよ、こんなザマで、この先きどうなるんだと言ってるんだよ。会社じや、俺たちが黙って言う事を聞かないようなら、四坑とも閉鎖すると言ってるし、今となっちや、ワスム中の百軒あまりの家で十サンチームと金の有るとこは一軒も無えんだよ。食えるものと言えば、木いちごや草の根はおろか、猫や鼠やトカゲからひきがえるまで取って食っているありさまだ。
アンリ　だってお前、そりや、そうなって来たんだから仕方が無えよ。ストライキと言やあ、まあ戦さみてえなもんだ。つまりが戦さなんだから、事と次才に依っちや、ワラジ蟲だって金くそだって食わなくっちやならねえ。それが嫌なら、はなっから戦さあ始めねえこった。
デニス　嫌だと誰が言ってるんだ！俺あ最初からストライキをおっぱじめる事を言い張った人間だ。たかがこれしきの事にヘコタレはしねえ。俺の言うのはな、こんなありさまになって来ているのにだ、こうして俺たちあ、ベンベンとして坐っていていいのかって事だ。いいかよ？ヴェルネは俺たちの坑夫頭で、まあ大将だ。アンリ、お前と俺とは組合の四人の代表の中の二人だ。言って見りや、責任がある。俺たちがここんとこで、どんな手を打つかで、ボリナージュ百二、三十人、家族を合せりや四百人からの人間が、生きるか死ぬか、どっちかに決るんだ。だろう？その三人が、こうしてお前、三時間も四時間も、こんな、宣教師の小屋なんぞに坐ったきりで待っているんだ。これでいいのかよ？それを俺あ──
ヴェルネ　まあまあデニスよ、お前はそう言うが、此處の先生は俺たちの事をしんから心配して掛け合いに行ってくだすってるんだぞ。
アンリ　そうよ！それはまちがい無えぞ！先生の事をお

かしな風に言う奴あ、俺が承知しねえ！　こねえだの爆発の時だって、ここの先生が身の皮あ、はぐようにしてよ、三日三晩いっすいもせず、食うものも食わねえぞ、まっ黒になってケガにんの看病したなあ、デニス、お前だって見ているんだ！

デニス　しかし、そいつは宣教師としての務めとしているまでじゃねえか。ああしてさえ居りゃ、傳道教会からチャンチャンと月給が送って来るんだからな。なんの心配もありゃしねえ。それにとどのつまりが、お坊さんだ。説教は出来るだろうが、会社に行って何が言えるんだな？、今どきお前、坊主の説教ぐれえで、はい左様でございますかと、こっちの言い分を聞いてくれるような支配人かよ、あのバリンゲルの畜生が？

ヴエルネ　そこは何ともわからねえぞデニス。バリンゲルの旦那あ、そんなに話のわからねえ人でも無え。俺あ知ってる。まあま、おっつけ此處の先生も戻って来るよ。萬事はそれからの事だ。

デニス　とっつあんは気が永過ぎるよ。年い取ってすこしボケた。

アンリ　やいやいやい、デニス、お前、まだワッパのくせにとっつあんに向って口がすこし過ぎやしねえか？、お前の考えるぐれえの事、ヴエルネが考えてねえと思うか？、俺たちが、じかにお百度を踏んで掛け合いに行っても会社じゃ、こっちの言い分はまるきり聞いてはくれねえ。この四五日は労務の連中も俺たちに会ってもくれなくなった。それでここの先生が見るに見かねて支配人に会って話してやろうと出かけてくだすったんだ。物には順序と言うものがあらあ。それをよ、そんなにイライラと気を立ててよ、ヒステリイ犬が狂いまわるような事しては、何もかもぶちこわしだと思うから、腹の虫おさえおさえて我慢してるだ。俺にしたってそうだ。見ろこの腕を。（ダラリとさがっている左袖をゆすって見せる）炭車のウインチに持ってかれて、こうだ。俺あ、この腕にかけて言ってるんだぞ。てめえ一人で何もかもひっちょったような事言うのは、なまいきだぞ。

デニス　何がなまいきだ！　へっ、俺だって、ここのへと自分の痩せた胸を叩いて）ヨロケにかけて言ってんだ！毎朝々々吐き出す血ヘドにかけて言ってんだ！これ、誰のせいだ？、え、何のせいだ？、それを——

ヴエルネ　まあまあ、まあまあ、気い立てるな二人とも！わかってるよお前たちの心持あ。なあデニス、俺あ、また、お前が生れねえ前からボリナーヂユで炭い掘ってるんだ。ハハ、百も知ってるよ、そったら事。まあ、いいて。今となっちや、ワスム中の人間、誰彼なしに腹んなかあ同じだ。なあ、このバコウのおっ母あにしたって——（と、片隅の椅子に、三本の大口ドンクと紙包みを大事そうに握って黙々としてかけている老婆をあごでさして）よそ見にヤケロリとして坐っているが、亭主のバコウはヨロケで取られ、上の娘はチフスで取られ、今度は又一人息子のシモンが爆発で死んで、死骸もあがらねえ。そいでも、こうして生きてるんだ。つれえのは自分一人の事じや無えぞ。みんな、泣くにも泣けねえ心持をこらえながら、やってるんだ。（老婆は石っんぼだが、自分の事を言われている事に気づき、三人を見まわしている）

デニス　だからよ、だから、そんな、お前、そんな事が、俺達のせいかよ？こんなひでえ目に逢うのが俺たちの——

ヴエルネ　俺たちのせいじや無えよ。だから、そこんとこをどうやって行けば俺たち坑夫が生きて働らいて行けるか、そいつをしっかりやって見ようと言うのが俺たちの仕事だ。下手にジタバタすると、出来ることも出来そこなって、俺たちみんな死に絶えるぞ。

アンリ　まったくだ。ハッパ、ぶっぱなすなあ、いつでも出来る。大事な事あ、炭の筋に當るように、ハッパをちやんと仕掛けることだ。なあ、そうだろ、バコウのおっ母あ？

老婆　あん？

アンリ（老婆の耳のそばへ）このなあ、ボリナーヂユ中の人間の命がよ、俺たちの肩にかかっているからなあ、めったな事でかんしやくを起しちやいけねえよなあ！そうだろ？

老婆　そうだそうだ。此處の先生におたのみ申そうと思ってよ。町の教会までは、おらの足じや行けねえからなあ。

ヴエルネ　フフ、フフ。

老婆　ここの先生、何も無く帰って来るかね？、
アンリ　まるでこりゃ、いけねえや。
老婆　（二人が笑うので、自分も歯の一本も無い口をあけて
ニコニコして）……やっとまあ、こうしてあちこちから口
ーソク借してもらってなあ。へへ、今日はお前、死んだシ
モンの名附け日のお聖人さまの日だからな、お祈りだけで
もあげてもらおうと思ってね。
デニス　だって、バコウの小母さん、シモンは爆発で死んだ
んだぜ。つまり会社のために殺されたようなもんだよ？、
それを会社じゃ死體を掘り出そうともしねえ、その上、炭
坑を閉鎖して、生き残っている俺たちまで取り殺そうとし
ているんだ。お祈りをあげたからって、どうなると言うん
だい？、
老婆　そうだよ、お祈りをあげてやらねえじゃ、シモンは坑
内に埋まったまゝ、いつまでたっても天国にゃ行けねえか
らね。
デニス　そ、そうじゃ無えってば！（叫ぶ）俺の言うのは
だな、バコウの小母さん！
アンリ　ハハ、駄目だデニス。ソッとして置きなよ。
老婆　ホホ、ホホ、そうだよ、だからね、やっとまあローソ
クが間に合ったでね。見てごらん、こんな大きなローソク
は、死んだ亭主の葬式の時だって使いはしなかっただから
……ホホ。
（ホタホタと喜こんでいる）
デニス　畜生。どうして此の婆さんは笑えるんだ？、
ヴエルネ　お前にゃ、おっ母あが笑っているように見えるか
デニス？、
デニス　だって笑ってら。
ヴエルネ　笑ってる。泣くかわりにな。……こうやってお
前　六十年、笑って、生きて来たんだ。
老婆　そうだとも。やっとまあ、お祈りがあげられるからな
あ。ありがたい事だ。
デニス　……（それを見ているうちに再び頭をかかえこんで
しまう）
アンリ　ハハ、だがそれにしても、あんまり遅すぎるなあ。
此處の生生？、どうにかしたんじゃ無えだろうなあ？、

ヴェルネ　うむ。
アンリ　バリンゲルの方であんまりわからねえ話をするんで、喧嘩にでもなったと言うような――
ヴエルネ　いや、そんな事も無かろう。仮りにもお前、宣教師だ。それにあの人の腹ん中が綺麗だって事は支配人も知ってるよ。
アンリ　そりゃそうだけどさ、あんな一本気の人だ。まるでお前、こうと思い込むと気ちげえみてえになるんだからなあ。今月も先月も、自分の月給が送って来たら、一文残さずそいつでパンを買って、みんなの家い配って歩いたりよ。ベッドはウィルヘルムんちの病気のおっ母あにくれてやっちまって、自分はこうして藁ん中に寝てる。毛布からジャケツまで、お前、ゴッソリ困ってる家にやっちまって、自分は着たきり雀のあのザマだ。たしか此の五、六日は、身になるような物あ何一つ口に入れて無えよ。あんなに痩せこけて、ヒヨロヒヨロして、うまく歩けねえような加減だ。下手あすると、途中でぶっ倒れてやしねえか？
ヴェルネ　そうさ、喧嘩よりは、そっちの方かも知れん。もう少し待って戻らねえようだら、迎えに行って見るか。
アンリ　だけどなんだなあ、ありゃ全體、どう言うじんかねえ？、わからねえ俺なんぞ。善い人で、お坊さんで、人のために盡すのが仕事だと言っても、どうもこのキツ過ぎやしねえかね？、やる事がよ？、自分には三文の得にもならねえ――言って見りゃモグラモチみてえな俺たちのめんどう見るために、お前、この半年の間にまるきり裸かになっちまったぜ、あの人は。住む所だって、こうだ。壁に絵がはりつけてあるから、ちったあごまかせるけど、まるでへえ、なあんにも無えしよ、俺たちのどこの家よりも、ひでえよ、こいじゃ。
ヴエルネ　うむ、変っていると言やあ変ってる。これまで宣教師もいろいろ来たが、あんな人は初めてだ。自分ではなんにも言わねえから、どんな量見だかサッパリわからねえが並大抵の事であんなに夢中になって、お前、俺たち坑夫のために盡すこたあ出来るもんで無え。内のハンナに、いつだったか、エス・キリストさまのしたのと同じ事を自分はするんだと話して、涙あこぼしていたそうだ。

アンリ　へえい、キリストさまと同じ事をね？、

ヴェルネ　そう言ってたそうだ。俺にゃ何の事やらサッパリわかんねえ。なんでもブリュッセルや、そいからロンドンにも居た事があるそうだ。

アンリ　やっぱり宣教師でかね？、

ヴェルネ　いや、なんかこの、親戚の、絵を商ってる店に勤めていたそうだがな、うむ。

アンリ　道理で（壁の上の絵を見まわす）こんな絵を持っているんだなあ。

ヴェルネ　なんしろ、きとくなじんだ。自分の慰さみと言っちゃ、時々鉛筆なんぞで絵を描いてるぐれえで、着る物も食う物もあの調子、酒一滴飲むじゃ無し、何がおもしろくって、こんな所であゝしてるか。

デニス　なあに、そいで自分で良い気持になっているんだい。俺たち労働者を救ってやろうてんで、つまり今言ったキリストと同じ事をして福音をひろめると言うんだろう。汝自らを愛するが如く他人を愛せよか。そいで涙あこぼしたり苦しんで見たりして、良い気持になってるんだ。へっ！

アンリ　また言うかデニス？、

デニス　なん度でも言わあ。世の中にはそういうおかしな人間も居ると言う事よ。當人は大まじめかも知れねえが、ホントウは道楽だ。第一おめえ、救うと言ったって、宗教だとか坊さんの力なんぞで俺たちのこんなありさまが、一體全體、救えるかよ？、冗談も休み休み言うがいいんだ。俺たちを救えるなあ、俺たちだけしきゃ無えんだ。それによ、あの人の言ふ事あ決ってらあ。人はパンだけで生きるものに非ず。貧乏な人間が貧乏の中に福音を信じつつ生きてりゃ、いつかは神の祝福がある。へっ！だから、爆発で人がこんだけ死んでも、たゞ祈ってろ。慰藉料を会社が三十フランずつしきゃ出さなくても、がまんしてろ。日給二フランと五十サンチームを三フランに値上げすることなんぞ要求するな。あべこべに二フランに値下げしようと言う今度の会社のやり方にも、御無理ごもっともで黙って働け！

アンリ　ちがうぞ。ちがわあ！今度の値下げに就て黙っていろなんぞと、此處の先生は言ってねえ。三フランなきゃ

暮しは立たねえとハッキリ言ってたぞ。今日もその事を掛け合って来るんだって出かけたんじゃねえか。
デニス　へへ、今に見な、チャーンとお前、バリンゲルにやりこめられて戻って来るよ。そして、会社の言うなりに、ストライキやめて働きなさいと説教するよ、きまってら。坊主なんてものは、どんな立派な坊主でも一人残らず、会社だとか金持の奴らの手先きになって、俺たちをトコトンまでしぼり上げるための道具だい！
アンリ　デニス、大概にしねえか！（今度は本気に怒って腰かけから立ちあがって、デニスの方へ詰め寄る）いつまでも先生の事をそんな風に言やあがると――
デニス　いくらだって言ってやらあ、俺あな、あんなインチキ坊主なんぞ――
アンリ　ち！（デニスのえりがみをガッと掴む）
ヴエルネ　おいおい！（立って行き、二人の間に割って入ってとめながら）いいかげんにしねえか！　この大事な時に組内の代表のお前たちが、そんな事でどうなるんだ？、いいから、やめろ！
アンリ　言わして置きゃ、ワッパのくせに、あんまり利いたふうな――
ヴエルネ　まあさ！　いいんだ、いいんだってアンリ！
そこへ入口の扉が外から開いて、ヴエルネの娘のハンナ十四、五歳と牧師ヨングが現われる
ハンナ　あら。（びっくりして口の中で言って）……おとっつあん！
ヴエルネ　……（そちらを見る。つかみ合いになりそうだったアンリとデニスも突っ立ったまま、入って来た二人を見る）どうしたんだハンナ？、
ハンナ　あの……こちらの、あの――（とヨングを顧みる。ヨングは肥満した身體に、白い襟に黒の僧服をつけ、自足した落ちついた態度で、室内を見まわしている。三人の男が喧嘩でもしていたらしい事を直ぐに見て取ったのだが、それに対して軽蔑の表情も現わさない程に冷静である）
ヴエルネ　えゝと――（二、三歩出て来る）
ハンナ　あたし、案内して来たの。あの、ブリュッセルからおいでになって、ここの先生に会いたいからって。おっ母

さんが、ご案内しろと言うから――
ヴエルネ　そうか。……（ヨングに）そいつはどうも失禮いたしました。そうでございますか。そりやまあ、遠い所を。まあまあ、おかけんなって。どうぞ。（と椅子をすゝめる）
ヨング　……（僧服のすそをめくって、椅子にかけ）ベルギイ福音傳道教会ブリユッセル委員会から参った者です。ふむ。
ヴエルネ　そりやまあ、ようこそ――この、なんでやす、わしら、こちらの先生からいろいろお世話になっております坑夫でございまして――わしはヴエルネと申しまして、こっちに居ますのは――
ヨング　あゝ、よろしいよろしい、かまわないで下さい。ふむ。（と全く相手にしない）此處が、たしかにヴインセント・ヴァン・ゴッホの住いだな？
ヴエルネ　はい左様で。此處でございます。えゝと、今日は、なんでございます、先生はチヨットこの、よそに――チヨット出かけていられまして――わしらも、こうして待たしてもらっているような譯で――（ヨングの眼がジロリと老婆の方へ行くのを追いかけて）これはバコウと言いまして、亡くなったせがれのために、こちらの先生に御祈禱をあげてもらうために――
ヨング　よろしいよろしい。私も待っていましよう。ふむ。（その癖のふむと言う鼻声が、相手を全く無視して、取りつく島が無い）
　間。――老婆が口ノ中でブツブツ祈っている声。
ヴエルネ　（マジリマジリしていたが、やがて娘に）ハンナ、そいで、なにかな、長屋のみんなは、どうしている？
ハンナ　うん。四十人ばかり、小父さんやおかみさんが、かたまってね、事務所の前に居る。日給は今まで通りでいいから、入坑させてくれって、そう言って。フランシスの小父さんが、みんなを代表して事務所に頼んでいるんだって。
ヴエルネ　そうか。フランシスがか？
アンリ　そいつは、まずい！　まずいぞ、そいつはフランシス！　俺たちが行くまで、どうして待ってくれねえんだ。そんな事すりや、会社の奴あ此方の腹あ見すかしてしまって、出来る話が出来なくならあ！　なんとかしねえじや、そいつは、まずいぞ！

デニス　見ろ、鼻の先から、そう言う奴らが居るんだ。フランシスの裏切野郎！

ヴエルネ　まあまあ待て。（ハンナに）そいで、ほかの連中はどうしている？

ハンナ　うん、ほかの家じや、山へ草の根掘りに出かけたり、そうだわ、十人ばかり、坑口の炭車の所にかたまって、モータアやなんか叩きこわしてしまえだって――

ヴエルネ　え？（立ちあがっている）モータアを叩きこわす？

アンリ　（これもギクンとして立ちあがっている）いけねえ！そいつは、いけねえ！

デニス　やれやれ！叩きこわしてしまえ！こんな腐れ炭坑なんぞ無くなっちまっても、かまやあしねえんだ！

アンリ　デニス、何を言うんだ、きさま！俺たちは此處の炭坑といっしよに永生生きて来てるんだぞ。炭坑がつぶれて、どうして俺達あやって行ける？

デニス　へつへへ、いいじやねえかよ！炭坑が在ったって俺たちは生きては行けねえんだ。同じ事だ。そうじやねえか？どっちに転んだって、俺たちあ、神さまに見離された人間だい。

ヴエルネ　まあ待て。こいつは何とかしなきや、ならねえ。……アンリ、お前、すまんけどな、直ぐに坑口の炭車の所に居る連中の所へ走って行ってくれ。俺も直ぐ行くから。それまで、無茶な事はさせねえようにお前からそう言って。

アンリ　よし、大丈夫だ。

ヴエルネ　そいから、ハンナ、お前な、おっ母あにそう言って、事務所の前に居る連中の所に直ぐ行くようにってな。とにかく、俺が此處の先生の返事を待って、すぐに行くから、それまでフランシスに、そのままで待っていてくれって、そう言うようにな。わかったか？

ハンナ　わかった。お母さんにそう言うだね？

ヴエルネ　そうだ。走って行くんだ。（ハンナとアンリが小走りに扉から出て行く）

デニス　いいじやねえか、ヴエルネのとっつあん。なるようにしかならねえよ。第一、モータア叩きこわすだなんて騒いでいても、どうせそんな事出来るもんか。それだけの元気が有りゃ、とうの昔にストライキだって何とかなっているんだ。ウジ虫だ。ウジ虫が、コエつぼの中でただウジャウジャと騒いでいるだけだ。

ヨング　ふむ。あんたは、この、ずいぶん勇敢な事をおっしゃるが、ふむ――無神論者ですかな？、

デニス　……あっしゃ、炭坑夫でさ。

ヨング　ゴッホ君の説教は聞いておいでだろうね？、

デニス　一度聞いたきりで、それから聞きませんねえ。

ヨング　ふむ……つまり、なにかな、あんたは、神さまは居られないと思っている――？、

デニス　よくわかりませんねえ。居らっしゃっても、俺たちはウジ虫ですからね、神さまは、あっちを向いて、肥え太って、鼻あつまんで――へへ、臭えからね俺たちは――そいで、俺たちが生きようが死のうが御存じ無えらしいでね。

ヨング　恐ろしい事を言う。ふむ。――瀆神と言う事をあんた御存じか？、

デニス　とくしんと言うと――、

ヴエルネ　おいデニス、もう、いいかげんにしねえか！（ヨングに）牧師さん、この男は肺病でしてね、もう始終イライラして、いろんなくだらねえ事ばかり口走る癖がありまして、どうかお聞きのがしくだすって――

デニス　心配してくれなくてもいいよ、とっつあん。俺あ正気で言ってるんだ。だってそうじゃ無えか。神さまがチャンとして居るんだったら、今の俺たちみてえな、ウジ虫以下のこんな有様を、どうして黙って見ていらっしゃる事が出来るんだね？、

ヨング　ふむ。すると、そう言う事をゴッホ君が言って聞かせた事があるんだな？、

ヴエルネ　いいえ、そんなあなた、此処の先生は　そりゃもう福音書通りにですな、エス・キリストさまと同じように自分が成って、この――、

ヨング　なに？、キリストと自分が同じだと？、

ヴエルネ　いえ、そうじゃ無え！　そうじゃ無えんです！こゝの先生は、つまり、わしらの事を心配して下すってです、今日なども、わざわざ、会社の支配人の所へ掛け合い

に行って下さって、この──（このヴェルネの言葉の間に、先程ハンナとアンリが出て行った時に開け放たれたままになっている扉の、暗いガグズチの中に、足音もさせないで戻って来たヴィンセント・ヴァン・ゴッホが、しょんぼりと立つ。皆それに気づかぬ）

ヨング　やっぱり、それでは、あんた方の先頭に立ってナニしているんだな？……

ヴェルネ　いいえ、そんな、そんな事あ無えです。ただ、わしらの者を、この──

デニス　わしらの者を会社に売りつけようとなすっているんでさあ。へへ。

ヨング（相手の言うことは聞かない）ふむ。……キリストと同じ……

その間もヴィンセントは、絶望し疲れ切った姿でボンヤリ立っている。帽子はかむらず、ヨレヨレのナッパ服に、ブリキを巻いて修繕したサボ。ひどく痩せた青い顔。……ヨングの聲で、眼の色が動いて、ユックリそちらを見るがそこに居るのが誰であるかよくわからない。

老婆　……（最初にヴィンセントを見つけて）先生、帰ってござった。

ヴェルネ　あゝ、お帰んなさい。御苦労さまで……（立って、行って迎え入れる。デニスも立つが、これは何も言わない。ヨングは腰かけたまま全く無表情な眼をヴィンセントの姿に注ぐ）

ヴィン　……（ゴトリ、ゴトリと入って来る）

ヴェルネ　こちらは、あの──（と身ぶりでヨングを指して）先程から、待ってござる──

ヨング、ヴァン・ゴッホ君、わたしです。

ヴィン　……（言われてフッと我れに返り、急にキョトキョトと周囲を見まわす。それから改ためてヨングを見て、黙って、ていねいに回禮する。ヨング軽くそれに答える）

老婆　あのな先生、これえだお願いしてやした、シモンの御祈禱を、今日あげていただこうと思ってね、こうして参りましたよ。どうぞまあ──

ヴィン　……（そのすこしトンキョウな調子の声で、そちらを振り向いた拍子に、身體の衰弱のため、フラフラと倒れ

かかる）
ヴェルネ　どうしやした？、（ヴィンセントの肩を支え、椅子にかけさせようとする。ヴィンセントは、もう一度ヨンクに顔を下げてから、椅子にかけ、そのまま言葉を忘れてしまったように、グッタリとなって自分の足元を見ている……）
ヨング　……（しばらく黙っていてから）それで、どうしました、ヴァン・ゴッホ君？、その、支配人との話しは──？、
ヴィン　……（顔をあげてヨングを見るが、すぐに、喰いつくような鋭い目をして自分を見つめているデニスの方に視線を引かれ、次ぎにヴェルネを見上げて、弱々しい、しゃがれた声で）……駄目だった。……朝から今まで、なにしたが、……会社も苦しい。まるで余力がない。そう言うー、バリンゲルさんは、悪い人では無い。会計の帳簿まで見せてくれた。……ボリナーヂュの出炭量は世界中で一番貧弱だと言う。だのに、それを売るのには、ほかと同じ値段で売らなくてはならん。だから、利益は非常に少なくて、株主への配当は僅か三パーセントだし、会社はいつでも破産の瀬戸ぎわに立っている。……坑夫の賃金を一サンチームでも上げれば、会社は確実につぶれる。そう言うんだ。嘘を言っているのでは無い事が私にわかる。……それでは、せめて労働時間を短かくしてくれ、一日十三時間も入坑していたのでは、坑夫はみんな死んでしまう、と言うと……、それは、事実上の賃金値上げと同じことになるから出来ない。……では、坑内の設備をもっとチャンとして、今度の爆発みたいな事の起きないようにしてくれと言うと、その金が無い。それだけの利潤がないし、新株を売り出すことも出来ない。……では、せめて、爆発で生き埋めになった坑夫たちの死體発掘だけでもしてくれと私は言った。……そうです、私もなんとかして、そうしたいと思って重役や技師たちとも、さんざん相談して見たが、どうしても、それが出来ない。会社ではあの坑道は再開する意志がない。して見ても生産費だけの利益があがらない。しかも死體を発掘するには百人の坑夫で一ケ月かかる。その費用は誰が出します？、会社にはそんな力はない。しかもそうして見ても結局なんになる？、坑夫たちの死體を、あの

墓場から、この墓場へ移すだけじゃないか？、
デニス　（低く、歯の間から）ちきしょう！・
ヴィン　……バリンゲルさんも悲しそうな、腹を立てた顔をして……言った。キリのない、絶望的な悪循環だ。わしは、もう何千回もこいつを同って来た。坑夫が悪いのでも、会社が悪いのでも・石炭が悪いのでもない。悪いのは出炭量が少な過ぎることだ。そんな炭坑からまで無理に石炭を掘らなきゃならんと言う事だ。そういう世の中であると言う事だ。しかたがない。……世の中をながめて見ても、どうなります？、すると、こんなみじめな有様については、神さまに責任があるんじゃないでしょうかね？、わしが、カトリック教から、無神論者になってしまったのは、そのためです。神さまは、御自分でこんな状態を作り出して置いて、その中で人間が虫ケラの様に死んで行くのを、見ておでになるんだ。
ヨング　黙りたまい！・恐ろしい事を言う。もう黙りなさい。ゴッホ君！・いいや、そんな恐ろしい瀆神の言葉を吐くとは、仮りにもベルギイ福音傳道教会の宣教師ともあろう者が—
ヴィン　……（びっくりしてヨングを見ていたが・相手がなぜ怒り出したかを理解しないで）はい。……それで、そう言うわけで・坑夫たちがストライキを直ぐにやめて、入坑して仕事を始めてくれなければ・会社では仕方がないから炭坑は永久に閉鎖する。それで、もう既に、レール、ボイラア、炭車・昇降機なぞ・機材の全部を南フランスの鑛山会社に売り渡す交渉まで始めている。
ヴェルネ　え？、そ、そりゃ、ホントかね先生？、
ヴィン　ホントだ。
デニス　人殺しめ！・畜生っ！・だから俺あ言ったんだ—。
ヴェルネ　まあ待て！・そうだとすると、こいつは大事だ。こうっ、と。……（考え込む）
ヴィン　……そんなわけで、あんた方のために、なんとかしてと思って、一所懸命になったが—私には・なんにも出来なかった。……もう、なんにも出来ない。私には力がない……
デニス　だから、—だから俺あ言ったんだ！・坊主に何が出

来る！それを、偉らそうにシャシャリ出やあがって、この―（拳をかためてヴィンセントに詰め寄る）
ヴィン　……どうしてくれてもよい。……私を許してくれ。
（ガクリと頭を垂れる。その打ちくだかれた姿を睨みすえているデニス）
ヨング　よろしい！。もうよろしい！これだけ聞けば、もうたくさんだ！いや、どうも私は、まさか、これほどだとは思っていなかった。いや、いや、いや、もうよろしい！実に、なんともかとも、驚き入りました。わが福音教会の宣教師が、毎月そのために月給を貰って神聖な事業に従事している宣教師が、人々の前で神さまを誹謗している！無神論者になったことを公言している！もうたくさんです！事は既に餘りがある。
ヴェルネ　牧師さん、それは、あの―こちらの先生がおっしやった事は、会社の支配人のバリンゲルさんの話を、この―
ヨング　わかっている！あなた黙っていていただきたい！私はゴッホ君に言っておる。どうかな、君の御意見を伺いたい？神は無いと君も思っているんだな？そうだな？そうでなければ先程のような事が言える道理がない！え？なぜ返事をなさらぬ―
ヴィン　そ、そ……（追いつめられて混乱し、苦しそうに喘いで）いえ、私はそんな、そんな事は思って、おりません。神さまは―バリンゲルさんの―
ヨング　ハッキリ言いたまい。そうだな？え？
ヴィン　（にわとりが、しめ殺される時のように、もがきながら）バリンゲンさんに、そう、言われると、私には、なんとも言えなかったのです。私には力がない。ボリナージユには神さまはいらっしゃらぬ。私には見えない。そう言われると―
ヨング　（ほとんど勝ち誇って）それ見たまい！これで全部かたづいた。よろしい。よろしい、もうよろしい。（急に落ちついた語調になって）あなたも御記憶の通り、これまで教会では、あなたに対して三度も四度も警告を発しておる。二カ月前にはビーテルセン牧師もやって来られてあんたに注意をなさった筈。それをことごとく聞き入れないで、あなたは、このようにけがらわしい所に説教所を設け、教会の威厳を損うような不潔な服装をして、自分自らがキリストの再来であると言うような事を口走り、教会から送る月給は、全部、犬のような労働者に与えて浪費してだな、キチガイじみた事ばかりしておる。しかも、今度は坑夫を煽動して炭坑でストライキを起し、その先頭に立って騒いでいられる。

ヴェルネ　そりゃ、違います！。そんな、いいえ、此処の先生は、ただわしらの事を見るに見かねて——。

ヨング　黙んなさい。あなたに言っているのではない、それで、こちらの炭鑛会社からブリュッセルへ手紙が来て、教会から、あなたに対し厳重警告を与えてくれとあったので、私がこうして出向いて来たのだ。私の考えでは、実状を調査した上で、あなたによく忠告してだな、実は、なんとかしてあなたのために良かれと思って来て見ると、いやどうも、このありさまだ！　すべての事は前よりもひどくなっている。しかもそうして明瞭に、神さまを罵っている！。これでは、もう、なんとしても弁護の余地はない。あなたとしても、そのように考えていられる神や福音のために傳道の仕事をなさる気は、もはや、お有りでなかろうと思う。（椅子から立つ）私はブリュッセルに帰って直ちに、あなたを解職するよう手続きを取ります。さようなら、それでは——（戸口の方へ歩き出す）

デニス　やい、やい、やい！、くそ坊主め、よくも言ったな！、犬のような労働者だと！。おおよ、犬だ俺たちあ！おめえたちから、犬にされてしまった坑夫だ！、犬には教会は要らねえんだ。神も坊主も要らねえんだ。くそでも喰え！、俺たちにゃ、人間が居りゃ、たくさんだ。真人間が居てくれりゃ、たくさんだぞ。此処の先生は、俺たちのために、食うものも食わねえで、何もかも俺たちに投げ出してくれてる、真人間だぞ！。見ろ、この人のザマを！、こんなザマになって俺たちに良くしてくれてんだぞ！　お前みてえに食い太ったインチキ牧師なんかに較べりゃ、先生はキリストだ。へいつくばって、足でも舐めろ、畜生め！

ヴェルネ　デニス！、おい、デニス！

ヨング　（冷笑して）よろしい。それでは、あんた方は、

あんた方のキリストに救ってもらうがよい。（ニックリと戸口から出て行く）

デニス　くそ！（ヴィンセントに）あんたも、あんまりおとなし過ぎるじゃないか、先生？、あんなインチキ野郎もうすこし何とか言ってやりゃいいのに。（ゴッホに対する自分の態度が前と全く矛盾している事に気づかない）

ヴェルネ　さて、そうすると、会社では、そこまでハッキリして来ているとすると、もうこれ、ストライキをやめて、直ぐに入坑するほかに方法はないようだな。

デニス　とっつあん、そいつは駄目だ。それが出来る位なら、お前、こんな所まで——（言っている内に、筋道の通らぬ事を言っている者に気づいて、プツンと言葉を切る）

ヴェルネ　ふむ。……ネッと……（考えている。目が自然にヴィンセントを見ている。デニスも無言でヴィンセントを見つめる。老婆も目をやっている。それらの視線の中でヴィンセントはガクリと、うつ向いている）

ヴェルネ　しかたがない、五百人からの人間が死んでしまうわけにも行かねえ。デニス、行こう。事務所へ行って、みんなに俺から話す。……（ゴッホに）先生、あんたの事は、わしら、忘れねえ。皆になりかわって——ありがとうがした。でも、こうなって、まあ仕方ねえから——（心からの頭を下げてから、戸口から出て行く）

デニス　……（これも続いて行きかけ、ゴッホに向って何か言おうとして、口を開いて言いかけるが、遂に一言も言えず、片手で頭髪を掴み、前こごみにションボリして出て行く）

あとには坐りつくしているゴッホと、そのゴッホを見ている老婆。……夕陽は既に落ち、急にトップリと暗くなって、二人の姿がガラス窓の薄明りに向って、にじんだような墨色のシルエットになって動かない。……遠くで犬が吠えている。……やがて老婆が、マッチをすって、ローソクに火をつけ、それを壁のわきの粗末な小テーブルの端に立てる。ゆっくりと三本のローソクをともし終ると、室内が明るくなり、テーブルの上方の壁にはられた古い銅版のキリスト図が見える。

老婆　……お願い申しますよ先生。

ウイン　う？、
老婆　シモンのためにお祈りをあげて下さいまし。
ヴィン　シモン？、（そのへんをキョトキョト見まわしているうちに不意に思い出して）……あゝ、そうだった。（立つて、ゴトゴトとテーブルの方へ行く）
老婆　お金は一文も無えから、なんにも、へえ、お供えは出来ねえ。ホンの、まあ、わしの心持だけだ。これを、へえ、（と紙包みをガサゴソと開けて、差し出す）たった一つだけんど、粉をお隣りから借りてね、わしが焼いたパン菓子だ。どうかまあ先生、めしあがってくだせえ。
ヴィン　そりゃ、どうも……そう、そいじゃ、お祈りをしようか。えゝと――（ポケットから聖書を出して、ローソクの前に立つが、それでは恰好がつかないので、近くの椅子を引き寄せて掛け、膝の上のパン包みの上に聖書を開くが、ゴロゴロするので、パンだけを取ってローソクのわきに置き、祈りに入るために壁の上のキリスト図に眼をやる）
老婆　……（ヴィンセントのする事を眼で追って、これから祈祷がはじまる事を知って椅子を立ち、ローソクに向って床の上に膝を突き、キリスト図を見て）なあシモンや、お前のために先生とおっ母あがお祈りをしるだよ。ようく聞いとくれ。……（胸のところで両手を合せて眼を閉じる）
ヴィン　……（しばらく眼を閉じていてから、低い声で）天にましますわれらの神よ。願わくば御名をあがめさせたまえ。御國をきたらせたまえ。御心の天に成る如く、地にも成らせたまえ。われらの日日のかてを今日も與えたまえ……このあたりから、祈りの言葉が、非常にユックリになる）われらに罪を犯す者を、われらが、許すごとく……（とぎれとぎれになる）われらの罪をも、ゆ（ープツンと切れる。しばらく、そのままジッとしていてから、再び努力して）われらに罪を犯す者を、われらが許すごとく、われらが罪を許したまえ。われらを試みに、あわせず、悪より救い。いだし（再びとぎれとぎれになって来る）たまえ。國と　栄えとは、かぎり――（プツンと切れる。眼を開き、びっくりしたように四邊を見まわす。そこに、ローソクの光に照らされて膝まずき眼をとじて、ボシャボシャと口の中で祈っている老婆がいる。その姿をしばらく見ていたが、やがて苦しそうに膝の上の聖書を出まかせに開いて・いきなり読みはじめる）その時イエス答えて言いたもう「天地の主なる父よ・われ感謝す、これらの事を・かしこき人・さとき人に隠して・幼な子に現わしたまえり」……（再び語調がノロノロとなり、そして、とぎれてしまう。やがて又）父よ、然りかくの如きは汝の御心に、かなえるなり。……すべての働く者・重荷を負える者は・我れに来れ。……さらば、われ、汝らに安らぎを、あた――（るッンと切れる。そのまましばらくジッとしていたが、やがて、聖書を取って・ソッとパンのわきに置く。すべての力と抵抗を一度に失って、虚脱したような姿。眼は空虚にローソクの灯を見ている。……やがて・老婆に眼を移す。老婆は耳が聞えず、眼は閉じているため、ヴィンセントが祈りを続けていると思いこみ・口の中でボソボソと主の祈りを繰返して余念がない。……それをボンヤリ見守っているヴィンセント。右手が無意識に動いて、テーブルのパンへ行き・撫でる・しかしパンを撫でているとは彼自身は知らない。……次ぎにその手が上着のポケットへ行く。それがポケットから出て膝の上に来た時には、ちびたコンテが握られている。そのコンテをボンヤリ見ている。やがて、パンの包まれていた紙の上に・ほとんど無意識にコンテが行き、線が一本引かれる。それを見ているヴィンセント。……ソッと老婆の方を見る。老婆は膝まずいて身じろぎもしない。ヴィンセントのコントが紙の上で動く。やがて、ハッキリと老婆を見、紙のシワを伸ばして、老婆の姿のりんかくの線を二本三本五本引く。……その、うつけたような、しびれたような、そして次才に熱中の中に入りこんで行きかけた青白い顔）――（暗くなる）

ヌ、ハアグの畫室

すぐに明るくなる――

畫室と言っても・居間も寝室も兼ねた粗末な裏町の一室で・そのガランとしたさまも、廣さも、前のワスムの小屋に似ている。しかも・前に老婆の膝まずいていた場所にモデル女シィヌが裸體で低い台に腰かけているし・ヴインセントが腰かけていた場所には、同じヴィンセントがイーゼルに立てかけた全紙の木炭紙に向ってシイヌを寫生しているので、瞬間、前場の光景とダブる。

ただヴィンセントの絵を描く態度が、前のように弱々しい半ば無意識のものではなく、噛みつくように激しい集中的な描き方。木炭紙が破れるように強く速いタッチ。

シイヌは、前の所だけをチョット着物で蔽うて、ダラリとして掛けている。まだかなり美しいが、どこかくずれた顔や身體、長い葉巻を横ぐわえにしている。

……ヴィンセントの木炭のゴリゴリ言う音。

女の葉巻の先きから煙が、一本になってスーッと立ち昇っている。

シイヌ　……（低く口の中でフンフンと鼻歌。「アヴィニヨンの橋の上で」。やがて歌詞も歌う。葉巻をくわえているので歌詞はハッキリしない）

Sur le pont d'Avignon,
L'on y passe, L'on y danse,
Sur le pont d'Avignon,
L'on y danse tous en rond.

（歌に合せて片足をバタバタやりはじめる）

ヴィン　……（それまで夢中になって描いていたのが、モデルの足が動くのでイライラしはじめ、しまいに我慢できなくなって）シイヌ！　おいシイヌ！（シイヌは耳に入れないで歌いつづける）クリスチイネ！　頼むから、歌うのはやめてくれ。

シイヌ　だってえ、――退屈だもん。

ヴィン　今、大事な所なんだ。

シイヌ　歌ぐらい歌ったって、いいじゃないか。聲まで描くわけじゃ無いだろに。

ヴィン　そりゃそうだけど――なんでもいいから、じっとしていてくれ。

シイヌ　あたしもこれまで、絵かきさんのモデルもずいぶんやって来たけど、あんたのように気むずかしい事を言う人は、まあ無かったわね。ビタースは飲むなって言うし。

ヴィン　それは又別の――いや、だのに、お前はヂンを飲むから――

シイヌ　ピーテルセンの先生がビタースが無い時にはデンだって良いって言ったんだもの、少しなら。　薬なのよ私には。あたいは胃腸が弱いから――。

ヴィン　だから、ビタースなら良いけど――。

シイヌ　じゃ、お金ちょうだいよ。ビタースは、デンの倍も高いんですからね。

ヴィン　今一フランも無いことはお前だって知っているじゃないか。あと二、三日すればテオが送ってくれるから、そしたら――。

シイヌ　一にもテオ、二にもテオだ。飽き飽きしちゃった。なんでもいいから、テオさんもあんたの弟なんだから、それにお金持なんだから、毎月の金を一度に五十フランずつ三度に送るなんてケチケチしてないで、一度に百五十フラン送ってくれたらどうなの？

ヴィン　弟は精一杯の事をしている。グーピル商会につとめて貰っている月給は三百五十フランぐらいなもんだ。その半分近くを僕に送ってくれているんだよ。そんなふうに言うもんじゃない。

シイヌ　へん、それで、じゃ、私たちの暮しはどうなるの？もうパンも無いのよ。ヘルマンのミルクも無いのよ。ここの室代も、もう三月も溜っているのよ。この上、私が入院するような事にでもなると――。

ヴィン　コルの伯父が、良いスケッチが描けたら五枚でも十枚でも送って見ろと言って来てる。テルステーグさんも水彩画なら買ってやろうと言うんだ。良い絵さえ描けるようになりゃ、金はいつでも手に入るんだから――。

シイヌ　だのにあんたは、スケッチや水彩画なんぞサッパリ描こうともしないで、そんな汚ならしい真っ黒な絵ばかり描いているんだもの。

ヴィン　頼むから、クリスチイネ！僕はサロン絵かきになろうとしているんじゃない。僕はホントの人間が描きたい。ホントの自然が描きたい。どんなに真っ黒で汚なくても。ここん所を卒業しないと駄目なんだよ。ね、頼むから、もう少し描かしてくれよ。じゃ、歌は歌ってもいいから、足を動かすのだけでも止めてくれ。

シイヌ　いいわよ、じゃ。早くしてね、すこし寒くなって来ちゃった。
ヴィン　直ぐだ。（再び畫面に向い、喰いつくような眼でシイヌと絵とを見くらべる）
シイヌ　そのパンを少しおくれよ。おなかが空いちゃった。
ヴィン　え、パン？
シイヌ　そのさ、木炭を消すのさ。
ヴィン　あ、これか……そう、じゃ……（と手元のパンのへりの所を割って、シイヌに投げてやる）ほら。
シイヌ　なあんだ、へりの所ばかりじゃないのよ。中の軟かい所、おくれ。
ヴィン　これは消すのに要るから、かんべんしてくれ。その代り僕はひとかけらだって食べはしないから。残ったら、みんなお前にあげる。
シイヌ　しようが無いわねえ。（パンを噛み噛みポーズ）
隣室で幼児が泣き出す。
ヴィン　あゝ、ヘルマンが、眼をさました。チョット行っておやりよ。
シイヌ　なに、いいのよ。近頃、夜と晝をとっちがえてしまって、ゆんべもロクに寝てないから、うっちゃって置けば夕方まで寝てる。
幼児の泣声やむ
ヴィン　……君は、自分の生んだ子に、どうしてそうじゃけんに出来るんだろうな？
シイヌ　フフ、あんたは又、自分とは何の縁も無い私の連れ子を、どうしてそう可愛がれるの？
ヴィン　そうさな、どうしてだか、自分にもわからないね。可愛いんだ。……そういうタチなんだろう。さてと……（絵に没入して行く。ガスガスと木炭の音）
遠くで汽船のボウが鳴る。
シイヌ　あゝ、船が入ったな。
ヴィン　うん？……（うわのそらで描いている）
シイヌ　ハトバじゃ、いっぱい人が出てるよ、きっと。
ヴィン　うん。……（描きながら半ば無意識に）いっぱい、人が、出て……人は、黒く見える。……肌の色は、ここん所がホンの少しカドミュームの混った白で……それから、オリーヴ、ここにオークル。そうさ、着物はブルウ・ブルツスであったり、赤やこげ茶もあるが、……遠くから見ると黒く見える。ボリナーヂユでも黒かった。……黒の中にはすべての色が在る。

シイヌ　あたしの黒のブラウズねえ、今のはもう痛んじやってるから、入院するまでに新しいのを一枚こさえてくれない？、

ヴィン　うん。……こさえては、いけない。（返事ではない）見える通りに、描くんだ。……天使を見たこともないのに、天使を描けるものか。……（夢中で描き進む）

シイヌ（そういう事には馴れているので、勝手にしやべる）だって、あたし、今度のお産では、もしかすると死ぬような気がするの、さんざん無理をした身體ですもん。病院の先生も、今度はちよっとむずかしいかも知れないって。

ヴィン　え、死ぬ？（ヒヨイと呼びさまされて）誰が―？、

シイヌ　ですからさ、ブラウズだけでも新しくなにしたいのよ。せめて死ぬ時ぐらい身ぎれいにしていたいじやないの？、

ヴィン　いや、そんな君、そんな、シイヌ―どうしてそんな事考えるんだ？、（シイヌの所へ行き、肩をつかむ）―僕と言うものが居る。たとえ、どんな事があっても―

シイヌ　だってさ、あたしなんぞ　いっそ、その方が良いかも知れないんだ。小さい時から、腹一杯食べた事もない、大きくなると皿洗いや洗濯で骨がメリメリ言う程働きづめ、そいからモデルになったり、ルノウの小母さんに引きまわしてもらったりしている内に五人も子供が生れちやってさ。それも一人々々父親が誰だか、わかりもしない。……（自分で自分の話で悲しくなって涙を流しながら）せめて、今度の子が、あんたの子だったら、私、よかったと思うけど。

ヴィン　いいよ、いいよ、そんな事、気にしないで良い。生れて来たら、僕は自分のホントの子として育てて行くよ。心配しないでいい、大丈夫だ、ね、シイヌ！（抱きしめて、頬に激しくキスする）僕は君が好きなんだ！

シイヌ　うゝん。（おとなしく、されるままになりながら）ちがう。あんたはホントは私が好きじやないのよ。あんたは、やっぱり、その、よそへお嫁に行っちまったケイさんとか言うライトコの人に惚れてんだわ。

ヴィン　ケイの事は言わないでくれ。
シイス　そらごらんなさい。そうなのよ。
ヴィン　そんな事はないと言ったら。その證據にこうして君と一緒になって暮しているじゃないか。
シイス　ケイさんに失恋しちって、あんたガッカリしてたのよ。そこへ私が現われたのよ。そいで、あたしが、あんまり憐れな有様なもんだから、あんたの気持にピッタリしたんだわ。つまり、憐れんだのよ私を。
ヴィン　ちがう、ちがう。そんな事はないよ。僕は君などよりズットズットみじめな人間だ。神さまからも人々からも見はなされた人間だ。君を憐んだり、どうして出来るものか。
シイス　憐れむと言うのが悪ければ、みじめな者同志が寄り合ったんだわ。たとえて言うと、捨てられた犬同志が寄って来て身體を暖ため合ってるの。
ヴィン　それでもいいじゃないか、だから。人間には、ただ男と女として愛するとか惚れるとか言うのより、もっと深い意味で愛すると言う事もあるんだ。……僕はミレエの描いた畑の絵を見ると、そこの地面に抱きつきたくなる。そこを歩いている貧乏な百姓女の足にキスしたくなる……（シイスの足を見て、いきなりかゞみ込んで足の甲にキスする）こんなふうに。こんなふうに。
シイス　いやあ、くすぐったいよ！フフ！。あたしは百姓女じゃないわよ。
ヴィン　なんでもいいんだ、僕は愛している。
シイス　無理しなくたって、いいの。ねえ、私は五人も父無し子を持ってる悪い女――
ヴィン　悪いのはお前じゃない。まちがっているのは、そんな目に君を逢わせて、どっかへ行ってしまった男どもだ。
シイス　だって、それが男じゃないの。見ていてごらんなさい、あんただって間もなく、あたしなんかうっちゃって、行ってしまうから。
ヴィン　絶対にそんな事はない。誓う。
シイス　誓ったって駄目。いいえ、あんたのそんな気持はうれしいけどさ、男も女も世間も、そんなんじゃないのよ。あんたにゃ、わからない。あんたと言う人は、そう言う人よ。いえさ、聞きなさいよ。あたしは、一口に言うと、淫売婦だ。さっきね、ハトバから汽船のボウが聞えて来たわね？、あん時、あたしが何を考えていたと思う？、フフ、このおなかの子の父親のこと。いいえ、その男だったかどうかハッキリとはわからないけどさ、マルセイユ航路の貨物船の水夫でマルタンてえ名、とっても毛深くって、力が強いの、ギユッとやられると背中が折れそうなの、フフ、去年の秋三、四度ハトバで逢ってさ、そいでなにしてさ、そいから、黙って行っちまった――目を瞑って見ると、そうじゃないかって気がするんだ。その男の事を思い出していたのよ。あんたとこうして居ながらね。そう言う女。だから――

ヴィン　そんな、それは、今までの事はどうでもいいんだ。問題はこれからだよ。ね、頼むから、シイヌ、頼むからもうルノウのおかみさんの所へは行かないと約束してくれ

シイヌ　だって、そんな事言ったって、お金がこんなに無くちゃ――それにおっ母さんの方の仕送りだってどうすればいいの？、あんた、四人の子をおっ母さんにおっつけたま、そんな――

ヴィン　だからさ、それは今に必らず僕が引取って、絶対にチャンとなにするから――大丈夫だ！ね、シイヌ、僕にまかしといてくれ。僕は正式にお前と結婚するつもりだ。

シイヌ　だけどさ――そんな事言ったって――（ヴィンセントを見ている内に、相手を理解出来なくなっている）……変な人だわねえ、あんたって――

ヴィン　ルノウのおかみさん所に又君が行って、変な男なぞとナニしたら、僕あ、殺しちまう。

シイヌ　そりゃ、あんた、……（ヴィンセントからゆすぶられて、されるままに頭や髪をグラグラさせながら、不思議なものを見るように相手を見ている。……互いに全く理解し合えない男と女の抱擁）……痛い。

ヴィン　……うむ？、

その時、ドアが開いて、画家ワイセンブルーフ（五十歳前後）とヴィンセントの義理の従兄で同時に絵の師である画家モーヴ（四十二、三歳）が入って来る。ワイセンブルーフはれい落した天才画家と言ったふうの、極端に

投げやりな身なりの、顔つきも言葉つきもソフィスト流に皮肉で活気がある。モーヴは堂々たる身なりの、落ちついた人柄。――入って来るや、いきなり鼻の先におかしな形の抱擁を見せられて、二人ともあきれて、言葉も出ないで、突っ立って見る。やがてワイセンブルーフは、ニタニタと笑い出す。モーヴが左手のステッキで、戸口の板をコンコンコンと叩く。音に気がついてヴィンセントとシイヌが振り返る。

シイヌ　あら！

ワイセ　（朗唱の調子で）昼は日ねもす、夜は夜もすがらくちづけの、か――さはさりながら、もうそこらでやめんかねえ。

ヴィン　モーヴさんもワイセンブルーフさんも、いつ来たんです？　ちっとも知らなかった。

ワイセ　ちっとも知らないは、ひどかろう。いくらノックしても開けてはくれないじゃないか。

ヴィン　聞えなかった。

ワイセ　ごあいさつだ。ひひ！

シイヌ　…（恥じて、大急ぎで、膝の上の衣類で身體を蔽いながら）いらっしゃい。あたし、ちょっと、あの――（困って、後ろさがりに、直ぐ上手につづいている小部屋寝室」の方へ引っこむ。それを、にがり切って見送っているモーヴ）

ヴィン　どうぞ掛けてください。（二人に椅子をすすめる）

モーヴ　（突っ立ったまま）ヴィンセント、君は絵を描いているのかね、色ごとをしているのかね？

ヴィン　え？　そりゃ――

ワイセ　始まったね、モーヴ先生の訓話が。ハハ、そりゃわかりきっているじゃないかね。絵を描く暇々に色ごとをやっておる。又は、色ごとをする暇々に絵を描いておる。同じだ全く。そして、それで何が悪い、え、モーヴ？（言いながら室内をブラブラ歩いて壁に立てかけてあるカンバスや半出来の素描など一枚々々見て行く）

モーヴ　（それには相手にならないでヴィンセントに）人にはそれぞれのやり方がある。私も画家だ、人のやり方にうるさく干渉しようとは思わない。なんでもいいから、君が絵の勉強を一所懸命にやってさえくれれば、私はなんにも

言わないー

ワイセ　だが、案外に良いからだをしとるじゃないか。第一、ちょっとこう、荒れたような肌がいけるよ。五人からの子持ちとは、思えんな。ゴッホ君の好みもまんざらではない。見直したよ。うむ！そもそもこの、女の身體と言うものはー（フッと言葉が切れてしまう。ちようどヴィンセントが描いていた全紙のシィスの素描に目が行って、口がお留守になったのである。やがて、そのほとんど完成に近い絵の方へ三、四歩近づいて行き、妙な顔をして見ている）

モーヴ（椅子にかけて）しかしねヴィンセント、私は君の従兄だ。それに君の両親やテオから君の絵の勉強の指導をしてくれと頼まれている。つまり私には責任がある。それでこれまで、さんざん、いろんな忠告をしつづけて来た。だのに君は一つも聞いてくれん。石膏像のデッサンをもっとやった方がいいと言うと、アカデミスムはごめんだと言って、私に喧嘩を吹っかけて、石膏像を粉々に叩きこわしたね？、いやいや、喧嘩の話はいいさ、とがめようとしてるんじゃ無い。石膏像だって、それほど惜しいとは思わん。アカデミスムはごめんだと言うのもわかる。君も知っているように私自身アカデミックな絵は描いていない。むしろ反対だ。しかしだな、アカデミスムを、君のような意味で否定していいものかね？、……それを君は考えて見ようとはしない。そしては、こうして、意地になって、あんな女と、くだらない遊びにふけっている。その點を――。

そこへ、なにも知らないシィスが、大急ぎで仕度をしたと見え、来客たちに茶を入れて出すための道具をのせた盆をもって、隣室から戸口に現われるが、話が自分の事なので、立ちどまってしまう。モーヴもヴィンセントもそれに気づかぬ。ワイセンブルーフは無心に絵を見ている）

ヴィン　遊びにふけったりしてやしませんよ。シィスを描いていたんです。第一、あなたは直ぐにあんな女と言うけど、あれのどこがどうだと言うんですか？、女が絵のモデルになるのが、いけないんですか？、

モーヴ　直ぐそれだ。まあ聞きたまい。モデルモデルと言うけどね、なるほど時にはモデルもするにゃするけれど、実

は、ーこの、ハアグ中の絵かきが、あの女の事を何と言っているか、君は知っているのか？、

ヴィン　し、知りません。

モーヴ　じゃ聞かせてあげよう。いいかね？、共ー

ヴィン　黙って下さい！、黙れ！

モーヴ　なんだと―？、

ワイセ　やかましいなあ。

それまでジッと立っていたシイヌが　なんの事もなかったようにスタスタとテーブルの方へ行き、貧しい茶道具を一つ一つテーブルの上に置く。モーヴもヴィンセントも黙ってしまって、彼女の姿を見守っている。……その時、盆の上に最後に一つ残った茶わんが小きざみにカチャカチャカチャと鳴る

シイヌ　（その盆をガチャンとテーブルの上に置く。その拍子に茶わんが床に落ちてパリンと破れる。それを見ながら、しばらく黙っていてから、思いがけなく落ちついたユックリした語調で）そうなんですよ。……みんな、私のことを共同ー、

ヴィン　黙ってくれシイヌ！、だ、だ―

シイヌ　……（言葉を切って、しばらくジッとしていてから、フッと顔を上げてヴィンセントを見、それからモーヴを見、再びヴィンセントを見た時にニヤッと笑い、それから、破れた茶わんのカケラをガリリと踏んでユックリと歩いて戸口から出て行く。それを見送っているモーヴとヴィンセント）

ワイセ　どうしたんだよ？、（しかし直ぐに又、素描の方に注意を惹かれてしまう）

ヴィン　……（急にモーヴに振り向いて）仮りにそうだとしても、悪いのはシイヌじゃ無いんだ。その證據に、仕事さえ有れば、あれは洗濯や掃除に雇われてチャンと稼いで来ているんです。悪いのは、そんな仕事では食べて行けない程どしか賃金をくれないからなんだ。いや、そんな仕事さえも時々無くなってしまう。あれは身體が弱いんです。その病身の、なんにも持たない、教育もない女が、一人っきりでしかも五人の子供と母親を抱えて、やって行かなくちゃならないんですよ！　誰が、あれを、とがめる事が出来るん

です？、人間なら――いや、神さまだって――だのにアントン、あなたはあれを、はずかしめる事が出来るのか？、

モーヴ　私は事実を言っているまでだ。事実を言われて、はずかしめられたと思う者は　先ず自分ではずかしい事をするのをやめたらよい。第一、君がこうして、絵の勉強はそっちのけにして、あんな女に同情したり　同棲したりしているのは愚劣だよ。そいつは、センチメンタルな人道主義遊戯だ。

ヴィン　絵の勉強はやっていますよ！　いや、僕にとってはこれがホントの絵の勉強です。絵を本気になって描いて行けば行くほど、僕はシィスに引きつけられて行くんです。いや、シィスとは限らない、踏みにじられた者　打ちくだかれた者、つまり世の中の不幸な、善良な人間たちに――、

モーヴ　そうそう、君は不幸なと言う言葉の次ぎに必らず善良なとつづける。それさ、甘っちょろい人道主義と言うのは、不幸な人間は善良だと、きめている。へ！　果してそうだろうかね？、　まあいい、まあいい、今にあの女は君に嘘をついて、悪い病気をうつすかもわからないぜ？、酒を呑んで酔っぱらって、君の絵をやぶくかもわからないぜ？、ハハ、君はミレエの絵の感傷的な説教主義にかぶれ過ぎたんだ。ディッケンズやミシュレのお涙ちょうだい小説を読みすぎたんだよ。

ワイセ（先程から二人の議論をよそに、身動きしないで、全紙の素描に見入っていたのが、やっといくらかラクな態度になり、モーヴの言葉をヒョイと耳に入れて）うん、ミシュレか。ここにも書いてある。えゝと、「悲しみ。世の中に弱い女が唯一人、打ち捨てられていて：よいのか？、ミシュレ」

モーヴ　それ見たまい。君はそんなふうな感傷的な文学を絵の中にまで持ちこんでいるんだ。私が心配するのは、それさ。絵は文学とは違う。文学などから切り離して独立させなければ絵は良くならない。人生の意義だとか、人生にわたると言ふか、そう言ったふうの物語を持ちこんじゃならない。絵は専ら美を、美しいものを描くべきだ。

ワイセ　うむ、たしかに、そういう所があるね、これにも。文学が持ちこんである。（言いながら、眼を素描から引き

離そうとしても離せない）……しかしだな、この絵にはだな、そう言う所もあるし、なんと言うか……荒っぽすぎる。だけど、……（ブツブツ言った末に、不意に厳粛な顔になったかと思うと、それまでかぶったままでいた山高帽子をぬいで、心臓のところに当て、片足を後ろに引いて、素描に向ってうやうやしく敬礼をする）

ヴィン（それをチラリと見るが、気が立っているので、その意味がわからない）そ、そりゃ、しかしアントン、あなたの言う通りかもわからないけど、僕は何も人生の意義だとか、文学なんかを持ち込もうとしているんじゃないんです。美しいと思うから―美しいと思えるものを描いているだけです。ただ僕には、ホントに人生に生きている人の姿―なんの飾りもなく、しんから生きている―泥だらけのジャガイモが地面にころがっているように、人生そのものの、どまん中に嘘もかくしもなく生きているものが、美しく見えるんだ。そのままで美しく見える。だから、そいつを描いてるまでなんだ。理窟だとか文学だとか、そんな―

モーヴ　見たまい。ワイセンブルーフが君の絵に脱帽した。飲んだくれの、しようのない男だが、絵の良し悪しだけはわかる男だよ。それがシャッポを脱いでる、ハハ。……ま、とにかく議論は、もうたくさんだ。するだけの忠告はこの半年間、私はしつくした。もう私も飽きた。今日来たのは、こうして―（とポケットから二通の手紙を出して卓上にポイと投げ出して）君のおやじさんと、テオから手紙が来た。テオのは、二、三日前に来ていたんだがね。読んで見たまい。気の毒に、おやじさんもテオも君のことをそいだけ心配している。……（ヴィンセント、手紙を開いて、読みはじめる）私は、自分の責任として、この事を君に伝えてだな、最後の忠告をしたいと思って来たのさ。忠告を聞き入れてあんな女と別れて、気を入れかえて勉強しはじめてくれさえすれば、私の方は、君の従兄だ、家のものめんどうを見てあげる。アリエットも君に対しては好意を持っている、喜んで今後もめんどうを見てあげる。聞いてくれなければ、一切これっきりだ。絵の指導はもちろん、お目にかかるのも、ごめんこうむる。いいかね？、

ワイセ　へへへ、フフ！
モーヴ　どちらが君自身のためになるか、よく考えて決めるがよい。私の言う事は、それだけだ。いずれとも君の好きなように。
ワイセ　ハハ、へへへ！
モーヴ　なにかね、ワイセンブルーフ？、何を笑っている？、
ワイセ　なにね、いや、説教はそれ位にして、ここに来て此の絵を見たまい。
モーヴ　うん？、得意のミシュレかね？、（立って素描の所へ来る）
ワイセ　飲んだくれだけはよけいだが、君は今、絵の良し悪しだけはわかる男だとわしの事を言った。
モーヴ　言ったがどうしたんだ？、
ワイセ　だから、この絵をよく見たまい。なんなら、もう一度シャッポを脱ごうか？、
モーヴ　（それまでニヤニヤしていたのが、素描を見るや、スッと笑顔を引っこめる）……ふん。……（ジッと見ている）
ワイセ　（これも絵を見ながら）手ひどい絵だ・なんともかんとも、ひど過ぎる）
モーヴ　うむ。……（ほとんど嫌悪の表情で絵を見守っている）
ワイセ　美しくもなんともない。むしろ醜悪だ。絵では無い。
モーヴ　絵では無いな。
ワイセ　それでいて、この中には、何かが在る。どんなものが来てもビクともしない、恐ろしいような、何かがある。泥だらけのジャガイモか……ふん、……だから、これで絵なんだ。
モーヴ　ふん。
ワイセ　ゴッホ君の言う事を聞けば、又絵の指導をしてやると言ったが、どっちにしろ、指導などするのはやめたまい。指導してはいかん。又、指導はできないよ君には。
モーヴ　どう言う意味だね、それは？、
ワイセ　君は良い絵かきだ。わしは好きだ、しかし、こんな絵を描く奴には——そいつの将来に就ては——（と、先程から二人の会話を全く耳に入れないでテーブルの所で手紙

に読みふけっているヴィンセントに目をやり、一歩そちらへ進んで、再び山高帽子をぬいで）脱帽！・ヴィンセント・ヴァン・ゴッホ！（ていねいに敬禮する）

ヴィン（気づいて、びっくりして）え？、なんです？、

モーヴ　からかうのも、良いかげんにしたまい。

ワイセ　からかっているのか、わしが？、ハッハ！、モーヴ、君は今までの絵の伝統にとりつかれているために、今の所、わからないような気がしているだけだよ。傳統の久しきにわたれば、すべてそれだ、君の罪では無い。ヴィンセント君はこれでいいんだよ。この調子でグイグイ、ゴッゴッと描きたまい。ほかの絵かきが美しいなどと言うものを信用するな。自分がホントに美しいと思うものだけを、それだけを、描くんだ。

ヴィン（しかし彼はそれまでの話を聞いていなかったのと、父と弟の手紙を読んで非常にガッカリしているために、ワイセンブルーフの言葉の意味がわからない。苦しそうな、シヨンボリした聲で）ありがとうワイセンブルーフさん。しかしまだ僕にはデッサンがチャンとやれないんです。

ワイセ　これでいいんだよ。自分の眼を信用したまい。

ヴィン　……（モーヴに）アントン、それで、僕はどうすればいいんです？―こんなにまで父に心配をかけ―母も僕の事をあんまり考えていたんで病気になったそうだし、それにテオはこうして兄さんの事は、私の力に及ばないような気がしますしと書いて来ているし……まったく、僕はロクでなしの、みんなの重荷だ。どうすればいいか、僕は、それを思うと苦しくって―

モーヴ　だから、私の言う通りだな―。

ワイセ　ゴッホ君、聞くな！、君は絵かきだ。絵かきは絵さえ描いていればいいのだ。その他の事は、どうでも良い！ハタが困ろうと、親兄弟が泣こうと、うっちゃって置け。誰と寝ようと、梅毒になろうと、餓え死にしようと、そんな事はどうでもいい。絵さえ描いて行けばいいんだぞ！

ヴィン　いいえ、僕は、とてもそんな事は出来ません。僕はこんなに弱虫で、みんなに迷惑ばかりかけているのが、とてもたまらないんです。早く、僕の絵が売れるようになれば、少しは―、

モーヴ　だからさ、そんなふうに思っているのが嘘でなかったら話は簡単じゃないかね。おやじさんもテオ君も、君が絵を描いて行くことそのものに反対はしていない。むしろ援助しようとしている。わしも同じだ。だから――、

ヴィン　しかし僕はシィヌと別れるわけには行きません。あれは僕と一緒になってから、やっと変な男たちを相手にしなくなりましたし、酒も飲まなくなった。それを又、僕が突き離すと、どうなると思うんです？

ワィセ　ハハハ、だからそう言うミシュレ好みの感傷主義を捨てろとわしは言っているんだよ。畫家は絵のためには一切のものを踏みにじり、捨てなきゃ、いかん。たかが女一人が何だね？

ヴィン　でも、僕には現在、全世界よりもシィヌ一人の方が大事なんです。僕は何も無くあれと正式に結婚しようと思っています。

モーヴ　結……？……本気で君は、それを、言っているのか？

ヴィン　本気です。

ワィセ　やれやれ。（両肩をすくめる）

そこへゴトゴトと外からサボの音がして、ノックもしないで、ルノウのおかみさんが入って来る。身なりはひどく汚いが、まだどこか綺麗な四十前後の女）

ルノウ　（入って来てキョロキョロ室内を見まわし、モーヴやワィセンブルーフを認めるが、挨拶もしないでヴィンセントに向って、いきなり、まくし立てる）あゝ、やっと居たねゴッホさん？　やれやれ、私は昨日も一昨日も来たのに、絵を描きに寫生に行ってるとかって、たんびに無駄足ばかりさせられて、ホントにまあ、絵だか屁だか知らんけど、ひとを茶にするのもいいかげんにして下さいよ。やれどっこいしよと。（と勝手に椅子に掛ける）

ヴィン　あゝ、ルノウのおかみさん。

ルノウ　ルノウのおかみさんじゃ、ありませんよ！　あんた一體、肉の借金をどうしてくれる気ですよ？　こうして、ツケを持って来たがね、ごらんなさいよ、ミルク、バタ、玉ねぎ、ジャガイモ、それからニシンと、みんな先月から溜っていて、みんなで四十フランあまり、それにパン代の

立て替えが二十フラン、しめて六十フラン。いいかね？、時々クリスチィネがやって来ちゃ引っかけて行くヂンのお代は勘定に入れなくてもですよ。いつ来ても、もう二、三日すれば払うからとか何とか言って、あたしん所だってお前さん、慈善事業で食料品や野菜を扱っているんじゃないんですからね。

ヴィン　わかっている。わかっているから、今度金が来たら必ず――

モーヴ　（椅子からスッと立って）ゴッホ君、これで話は片附いたと言うものだ。君は君の好きにやるさ。たゞ今後、私の所には一切来てくれたもうな。では。（サッサと出て行く）

ヴィン　（それに追いすがって）待って下さい。アントン、待って下さい。（振り切ってモーヴは戸外へ消える）

ルノウ　どうしたんだよう！

ワイセ　（これも立ち去りかけながら）さては、お前さんとこだね、ハトバの近くで、食料品のほかにも色々商なっているルノウと言うのは？、

ルノウ　（ジロジロと相手を見て）そりゃあね、世の中あせチがろうござんすからね。なんでも売りますよ、儲けにさえなりゃ。

ワイセ　帆立貝なども売ってるかね？、

ルノウ　売りますね、注文さえ有れば。へへ。

ワイセ　じゃ、こんだ注文に行くかな。

　言いながら、おかみのふくらんだ尻をキュッとこすって、すまして出て行く）

ルノウ　助平爺いめ。……ねえ、さ、ゴッホさん！どうしてくれるんですかね？、今日は、あたしあ、払いをいただかなきゃ、テコでも帰りやしませんよ。

ヴィン　……（戸のわきにボンヤリと立っていたのが、スックりこちらへ歩いて来ながら）すまない。ホントにすまない。なんとか直に――。

ルノウ　たゞすまないで、すむと思うんですか？、あたしんちだって、あゝしてあんた、露店に毛の生えたような店なんですからね、こんなにカケを溜められたんじゃ立ち行かないんですからね。こちらのクリスチィネが頼むからまあ

ーークリスチイネとはズット以前からナジミですからね、食べるものがないと言って泣き附かれりゃ、うっちゃっても置けないしね。それに、近頃じゃ、あの子のおふくろまで時々やって来ちゃ、バタなんぞ持って行って、あんたんとこの帳面につけといてくれと言うんですよ。しかしそれも無理もないさ、クリスチイネの子供を四人もおっつけられて養ってやってんだからね。とにかく、そんなこんな全部、ゴッホさん、あんたの責任なんだから、たゞそうやって、すまないすまないで、三文にもならない絵ばかり描いていちゃ駄目じゃありませんかね？、こんなザマだと、又クリスチイネは、あたしん所へ金を借りに来ますよ？

ヴィン　ルノウのおかみさん、どうか頼むから、その、あれを引っぱり出すのは、よしてくれ。

ルノウ　引っぱり出す？、あたしが？、冗談言ってくれちゃ困るよう！、なあによーー　これまでだって、いつでもあんた、あの子の方から是非にと言って頼まれてあたしゃ、めんどう見て来たんだよ。これでもあたしゃ、女部屋のやり手婆あじゃないんだからね。シイスの身になって気の毒と思やあこそ、ーーだって、おふくろや子供たちにも、仕送りはしなきゃならない、自分は年中医者にかゝっている、で、あんたはその調子、すると女の身で金え稼がなきゃならないとなると、これで、元手はウスが身體だけだあね。ひひ、そうじゃありませんかね？、そうさせたくなかったら、あんたが奮発して、何か仕事を見つけて稼ぐんだね。

ヴィン　僕にやれるような仕事があるだろうか？、

ルノウ　そりゃね、今こんな不景気だから、割の良い仕事はなかなか無いけど、やる気になりさえすりゃ、ハトバの仲仕だとか道路掃除の人夫など、無いことは無いねえ。

ヴィン　よし、じゃ、それをやって見よう。……だが、すると、絵はいつ描くんです？、

ルノウ　いつ描くんだって、そりゃあんた、仕事をおえて、帰ってから夜でも描きゃいいでしょう。

ヴィン　駄目だ。夜じゃ色が見えない。色が見えなきゃ、ホントはデッサンも出来ないんだ。色彩とデッサンとは別々のものじゃない。僕は早く色を摑まなきゃならない。

ルノウ　へえ、色をね？、（眼をむいている）

ヴィン　それに時間が足りない。そうで無くても、僕はもう
三十だ。始めたのが、ほかの絵かきよりもズッとおそかっ
た。レンブラントもミレエも三十の時には、とうに立派な
仕事を仕上げている。僕は急がなきゃならないんだ。人が
五年かかってやる事を三月でやらなきゃ。急がなきゃなら
ない。
ルノウ　だってあんた　どうせ絵なんて、まあ道楽に描くん
だから　急ぐったって、なにもそんなに血まなこにならな
くたって――
ヴィン　そうじゃないんですよ。そうじゃない。僕は　じゃ
どうしてやって行けばいいんです？、
ルノウ　どうしてって、あんた――そんじゃ　なんじゃない
の、まあ、やって行けるようになるまで当分絵を描くのは、
よしとくんだね。
ヴィン　よす？……すると　僕は、どうして生きて行けば
いいんです？、
ルノウ、え？、……（頭がもつれて）ですからさ　生きて、
この、暮して行くためには、絵を描くのをやめなきゃなら
ないなら、まあ当分がまんしてですよ――
ヴィン　絵を描かないで、どうして僕は生きて行けるんです
？、
ルノウ　だからさあ、いつまでも絵ばかり描いていると、あ
んたもシィスも死んじまうことになるから――
ヴィン　そうです、絵を描かないと、僕は死ぬ。そうなんだ。
ルノウ　……（あきれてしまって、口を開けてヴィンセント
を見ていたが、不意にゲラゲラと椅子の上でひっくり返り
そうに笑い出す）ヒヒ！フフフ　アッハハ、なんてまあ、
ヒヒ！アッハハ、ハハ、アッハ。
ヴィン　……（びっくりして、おかみを見ている）
そこへドアが外から開けて、キチンとした身なりのテオ
ドール・ヴァン・ゴッホが、急いで入って来る
テオ　兄さん。……（ルノウのおかみが、まだ笑っているので、
びっくりして立って見る）……兄さん！
ヴィン　あっ、テオドール！……（かけ寄って抱く）
テオ　どうしたんです？、（おかみの方を気にしている）
ヴィン　（身體を離して）いつ来たんだ、テオ？、

テオ　ヌエネンに行ったんです。パリを一昨日立って。そいで急に、兄さんに逢いたくなったもんだから。

ヴィン　よく来てくれた。よく来てくれた。（言いながら、喜んでソワソワと椅子をすすめ）何かね、お父さんやお母さんは元気かね？、

テオ（ルノウのおかみに、えしゃくをしてから）元気です。……兄さんの事を心配なすってるもんだから、そいで、僕、

ヴィン　あっ――（と先程のモーヴの手紙の事を思い出してテーブルの方をチラリと見て）……するとドそのへんで、モーヴに、君、逢いはしなかった？、

テオ　すると、モーヴが来たんですね？、何か言ったんですか？、手紙のことを言ってやしませんでしたか、お父さんからの――？、

ヴィン　読んだ。君からの手紙も読ましてくれた。

テオ　そうですか。いえ、ヌエネンに行って聞くと、お父さんもこ、三日前にモーヴあてに兄さんの事を書いた手紙を出したと言うでしょう？、僕も実は五、六日前にパリから同じような手紙をモーヴに出してある。もしかすると、その二つを待ってモーヴが此處へ来て、手きびしい事を言やあしないか。……すると、同じような手紙を二通も読まされたら、兄さん、こたえ過ぎやしまいか、こいつは、いけないと思ってね、……実はそれが心配になったもんだから、こっちへ廻る気になって、そいで停車場から馬車を雇って、モーヴの所へも寄らないで、急いで来たんです。

ルノウ　あんたが、するとパリにいらっしゃる弟さんだね？、

テオ　やあ。……（ヴィンセントに）手紙のことは、あんまり気になさらんで下さい。

ヴィン　モーヴは、そして、絶対にシイヌと別れろと言ふんだ。別れなければ今後一切めんどうは見ない。……だけど、テオ、僕として、それをどうしてウンと言えるかね？、そしたら、モーヴは怒って帰ってしまった。そりゃ、お父さんや君に始終心配ばかりかけて、僕はすまないと思う。しかし――

テオ　いいんです、いいんです。お父さんは、とにかく、あゝして牧師なんですからね、手紙に書くと、どうしてもこの、道徳的なむつかしい事になってしまって、この、厳格

な調子になる。そこは兄さんも理解してやらないといけないと思うんだ。僕の手紙は、たゞ兄さんの事をくれぐれもよろしく頼むと言う意味の手紙で、しかし相手があの調子のモーヴだから、こっちの書きようも少しきびしくなるんで——

ヴィン　ありがとうよテオ！（テオの手を何度も握りしめる）ありがとう！。実はあの手紙を読まされて、君から見捨てられやしないかと思った。お父さんは、まあ、仕方が無い。しかし君から見捨てられたら僕はどうしていいかわからなくなる。ありがとう！。（涙声になっている）

テオ　いいんですよ、そんな、——いいんですよ兄さん。（へボロボロ泣いている。それをテレて笑って）馬鹿だなあ、兄さんを僕がどうして見捨てることができるんです？。兄さんは、これから立派な画家になる。そうですよ。そして画家の仕事は戦いだって、ミレエの言葉を、手紙に書いてよこしたのは兄さんだったじゃないですか？。アンダーラインまで引いてね。ハハ。

ルノウ　いいねえ！。兄弟家の仲の良いと言ふもんは！。（彼女流に、しんから感嘆して）そうですよ、此処のゴッホさんは、腹ん中のきれいな、善い人ですからね。弟さんも又良い弟さんだねえ！。

テオ　（ヴィンセントに）こちらは、あのう——？、

ヴィン　食料品屋のルノウと言って、僕がいつも厄介になってる——

テオ　そう。そりゃどうも。どうか一つ、今後ともよろしくおたのみします。

ルノウ　へえい、なにね、大した事は出来ませんですよ。なんしろ、ちっちゃな店でね、カケの二つ三つ倒されりゃ、それでポシャッちまうような身上ですからね、へへ、今もあんた、それなんですよ。待ってあげたいなあヤマヤマだけんどさ、六十フランとなると、わしらの店では大金だからね。それが無えと毎日の仕入れも出来ねえような始末だ

テオ　（聞きとがめて）六十フラン、では、カケが溜っている——？、（兄を見る）

ヴィン　（すまなそうに）そうなんだ。シィヌの母や子供たちの方へも食い物をまわさなきゃならないんで——

ルノウ　（ツケをテオに見せながら）しかしまあ、こちらに無えとあれば仕方が無えから、もう少し待たざあなるめえと思っていたとこでね——

テオ　そう、それはすまなかった。（兄に）ちょうど、送ろうと思ってた五十フランを此処に持って来ています。此處んとこ僕もちよっと苦しくって、今、他に持ち合せが無いんだが、帰ったら都合して残りも直ぐに送ります。（言いながら、五十フランを出して、おかみに渡す）

ルノウ　いんごうな事を言ったようで、すみませんねえ。いいんですかあ？、そんじゃまあ……助かりますよ、こいで。

ヴィン　テオ、すまない。……

テオ　なに、もう少し早くなにすればよかったんだが、なにしろ、僕もこれできまっただけの月給で、目下ギリギリ一杯なもんだから。間もなく、店の支配人にしてくれるらしいから、そうなれば、もう少しなんとか出来るから。

ルノウ　支配人ですって？、結構ですねえ。どんな会社におつとめで？、

テオ　グーピル商会と言って、ギャラリイを開いて、この絵を商なっています。

ルノウ　ギャ、ギャラ——へえ、絵をねえ、どうれで、兄さんが絵かきになろうと言うんですね。兄さんがセッセと描いたのを弟さんがセッセと売るんだね？、へえ！よっぽど、この、絵なんてえものは、利廻りの良いもんですかねえ？、

テオ　（苦笑）いえ、それほど良いわけでも無い——

そこへ、ドアにガタンと音がして、外から、身體ごとぶっつけてドアを開けてフラフラと入って来るシイヌ。片手にヂンの瓶をさげている）

ヴィン　あっ、シイヌ、お前——（相手が足元もきまらぬ程に酔っているのを見てドッキリ言葉を切る）

シイヌ　——Sur le pont d'Avignon

ルノウ　あら帰って来たね。どこへ行っていたんだよ？、

シイヌ　え？、（薄暗い室に、外から、いきなり入ってきたのと酔眼のため、眼を据えて、すかして見て）あらあ、ルノウの小母さん、こんな所に来てたの？、なあんだあ！

ルノウ　どうしたんだよ？、
シイヌ　ハハ、あんたん所へ行ったのよ私。留守だろ？、だから、しかたが無いから、キューペールの酒場に寄って、これ――（デンの瓶を示して）借りてね、フウ！
ルノウ　キューペルで、よく貸してくれたねえ？、
シイヌ　小母さんを訪ねて行って、又なにして稼ぐ気だって、あたいが言ったら、そんならまあ貸してやろうって――へへ！。
ルノウ　又なにするって、お前――（とヴィンセントの方を気にしてジロジロ見る。ヴィンセントは真青になって言葉も無くシイヌを見つめている）――なんせ、いい御きげんだね？、
シイヌ　御きげんだわよう。ラララ、ラ、Sur le pont d'Avignon, L'on y passe, L'on y danse, ――（口もつれのまわらない口調で歌いながら、スカートをつまみ上げてグルグルとワルツのステップ。あげく、スカートを踏みつけて、ヨロヨロと倒れる）
ヴィン　シイヌ――（それを助け起そうとする）そんなにお前――そんなに酔うほど飲むなんて――
シイヌ　酔ってなんか居ませんよう！、薬なんですからね。あたいには、これは薬なんだから――ひっ！。（シャックリをしいしい、やっと助け起こされる）
ヴィン　僕がお前のことを、どれだけ何しているか、それを考えてくれたら、そんな――シイヌ、僕はお前と結婚しようと思っているんだ。だのに又そんな――
シイヌ　結婚？、へへ、結婚なら、してるじゃないのよ！なあによ！　んだからさ、あんたあ、あたいを食べさせてくれて、その代りずうっとタダで私を抱いて寝たじゃないか？、何が不足があるのさ？、そうでしょ？、
ヴィン　僕の言っているのは、正式に式をあげて――
シイヌ　式？、ふん、式かあ。式なら、良いとこの、そこらの紳士がたの――（と酔眼で、先程モーヴやワイセンブルーフの居た辺をキョロキョロとすかして見る。そこにはテオが先程からいたましさに耐えない顔をして立って、そちらを見ている）――お嬢さんと式をあげなさいよ！。どうぞ御勝手に。いいわよう、あたいにかまわなくたって。
ヴィン　シイヌ！、頼むから、お願いだから、少し落ちつい

てくれ！ね、クリスチイネ！

シイヌ　あたしゃ、ハトバへ行って、ルノウの小母さんに頼んで、愉快にやるんですからね！ねえ小母さん！（ルノウのおかみに、かじりついて行く）そんな、紳士がたとのつきあいは、あたいの性に合わないんだ。水夫や荷上人足相手に、ハシケの蔭かなんかで式をあげる方が気楽ですよ。シンキくさい。絵かきだなんて、うすっきたない、子供のラクガキみたいな物描いて、理窟ばっか、こねてさ、シンキくさいったら！やだあ、そんなの、あたいは。もう、フルフル、ごめんだよっ！

ヴィン　頼むから、シイヌ、頼むから——

シイヌ　頼むから、小母さん、ハトバへ連れてってくれよ。頼むわよ。今直ぐ連れてって！（ルノウのおかみを引っぱって戸口へ行きかける）

ルノウ　そりゃね、なんだけどさ、そんなに酔っていたんじゃ——

シイヌ　酔ってなんぞ居ないと言ったら！へ、どんな男だって相手にして見せるわよ。ヘッチヤラよ！

テオ　あのー（見るに見かねて、脇から一歩出て）シイヌさん、私は、あの——

シイヌ　えへ、えへ！（振返ってテオの方を見る、酔眼でテオをモーヴだと思っているのである）どうせ、あたしは共同便所ですからね！臭いでありますよ！紳士さまがたのお歯には合わないでありますよ！ハハハ、へっ！何よう言ってやがるんだ！さ、行こう小母さん！

ルノウ　困るねえ！（シイヌに引っぱられながら）ねえゴッホさん！

ヴィン　お願いだ、シイヌ！シイヌ！（引き戻そうとする）

シイヌ　石炭酸で、ようく洗いなよ。あたいにゃ病気があるんだから。うつってんだよ。お前さんにも。（ヴィンセントの手を振り切って）絵かきがバイドクになったら、なんになるんだっけ？、ハハ、ヒヒ！（笑い捨てて、酔っぱらいのクソぢからで、ルノウのおかみを引っぱって、ドアの外へドタドタと消える）

ヴィン　……（叩きのめされたようにグタリとして、戸口のわきに立ちつくしている）

テオ　……（これも、急に何も言えず、動かない）
──間。遠くで、はしけのホイッスル。
ヴィン　……テオ。（力なく、こちらへ歩いて来る）
テオ　兄さん。……（なんにも言えず、そこの椅子に兄をかけさせる）
ヴィン　……僕は、まちがっているんだろうか？、
テオ　そんな、……兄さんは、まじめに、なにしたんだから
ヴィン　駄目だ俺は。……ただ、可哀そうなんだ僕はシィスが。……先刻ね、モーヴとワイセンブルーフが、あれをぶじよくした。いや、モーヴに別に、そうしようと言う気が有ってした事じゃないけど。……そいで、そのためにシィスは、あゝなったんだ。……僕はどうすればいいんだろう？、
テオ　……私には、なんにも言えない。どうしろと兄さんに言う事は出来ません。……しかし、兄さんが悪いためじゃない。兄さんが悪いんじゃない。
ヴィン　いいや、俺が悪い！……俺は実に、自分のわきの人間を、みんなダメにしてしまう。疫病神のような人間だ俺は。現に、絵を描くために、お前にこんな迷惑をかけたり、──（言っている内に、ちょうど前に置かれた全紙の素描に目が行き）こ、こんな、うすぎたない絵を描くために！。（ガッとその板を掴んで、片手でその木炭紙を引き裂こうとする）
テオ　兄さん、何をするんだ！。（と、そのヴィンセントの手を掴む。その拍子に板が動いて、素描がこちらに向く。シィスの裸體の坐像）
ヴィン　見ろ！。シィスの言う通りだ。子供のラクガキみたいな、うすっきたない──（スーッとあたりが暗くなる）
テオ　そんな事はありませんよ！
ヴィン　（ほとんど泣き声）俺は三十だ。だのに、この通り、まだデッサンひとつ、ちゃんとやれない。……死んだ方がました。どうすればいいんだよ。え、テオ？、
テオ　そんな、そんな、気を落しちゃ、いけない！。兄さんには描けるんだ。よく、ごらんなさい此の絵を。ようく、ごらんなさいよ、この絵を。
既に真暗になってしまって、ヴィンセントの姿もテオの

姿も、室内の影も全部見えなくなり、「悲哀」の素描だけがクッキリと浮びあがって見える。……隣室でヘルマンの又泣き出した聲が弱々しく低く聞え、続く。……）

3、タンギイの店

軽快な浮々とした音楽。

パリの町の、繁華な場所からチヨット引っこんだ、古いクラウゼル街の、ペール・タンギイの絵具屋の店内から街路を見たところ。店と言っても、ごくささやかな、浅い内部で、一番手前に茶テーブルと二、三の椅子、上手は絵具を入れた箱の並んだ棚を背に売台になって居り、下手はガラスの飾窓の中に額を入れた数枚の絵が、裏向きに（つまり奥の街路から通行者が見られるように）並べてあり、開け放たれた正面の入口へ十歩も歩めば、直ぐ外は横町の街路である。

よく晴れた、しかしシットリと明るい秋の午後の、路ばたに一、二本見えるマロニエの葉がすこし黄ばんで、その下を人通りがチラホラ。入口の柱や窓のワクや売台からハメ板まで眼のさめるような碧色に塗られ、その外景の軟かい白や薄黄に対照する。……上手の手前に店の奥への通路。下手の茶テーブルのわきに斜めに片寄せたイーゼルの上に半分描きかけの「タンギイ像」がのっている。壁のあちこちに、フチに入れた浮世絵の版畫が四、五枚と、フチに入れない小さい油絵が二、三枚。

上手の売台の中に立って、下手の「タンギイ像」によく似た、たゞしそれから麦わら帽子だけをぬがせたタンギイが、若いボヘミアン風の畫學生に絵具を売っている。表では通りがかりの娘が一人、めずらしそうに飾窓の中を覗きこんでいる。

學生　オークルを、もう一本。

タン　もうそれでいいでしょう。

學生　又はじまった。僕は風景を描くんだぜ。オークルが無くて、どうして描けるんだい？、

タン　さあ、それは私にはわかりませんな。とにかく、もう絵具は有りません。
学生　小父さんは絵具屋だろう？、
タン　そりや、そうでさ。看板にもチヤンと書いてあります。絵具販売業、タンギイ。
学生　だから業じやないか。業なら客に売らなくちやなるまい？
タン　売りますよ、売るぶんにはいくらでも。
学生　だからオークル一本。
タン　聞きますが、売ると言うのは、品物をお客に渡して、お客から金をもらう事でしょうな？、あなたは、この前の分も、まだ払ってくださらない。
学生　だから、こんだおやじから金が送って来たら、今日の分もいっしょに、くださろうと言ってるじやないか。信用しないかね僕の言うのを？、
タン　信用はしますけどね……困りますねえ、とにかく、家では家内があんた、やかましくって。
学生　はゝん、クサンチッペか——（店内を見まわす）今日は留守かね？、
タン　奥に居ますけどね、とにかく私が後でえらく叱られますから。
学生　クサンチッペとはよく言ったな。ゴーガンが初め言い出したんだって？、
タン　そうですがね、ありや、どう言うわけがあるんですかね？、
学生　へえ、知らないのかい？、ハハハ、こいつは良いや！
タン　どうでゴーガンさんだ、やっぱり悪口でしような？、
学生　いいや、褒めたんだよ。ギリシヤの大哲学者ソクラテスの妻君クサンチツペ。美人でね。たゞ少し、口が悪かった。ハハハ、とにかく、だから小父さんはソクラテスと言う事になるじやないか。
タン　冗談でしよう、へへ。
学生　だから、オークル貸せよ。
タン　困ったなあ。
学生　それに小父さんは、貧乏絵かきのパトロンだろう？、みんなそう言ってる。ペール・タンギイこそ、新らしい。ハ

り畫壇の守り神である！・

タン　おだてたって、その手には乗りません。そいつで今までずいぶん引っかけられて来たんだから。第一あなた、こんなちっぽけな店で、そうそうナニしていたんじゃ、忽ち破産ですからね。せいぜい私らに出来る事は、若い絵かきさん方に時々僅かの融通をしてあげる位のとこでさ。それと言うのが、私あ絵が飯より好きですからな。

學生　その若い絵かきさんじゃ僕はないの？、だからさ　よ！　その僅かの融通を、ね頼むよ。（十字を切って）金が来たらきっと拂う。サン・ラザールのマリヤにかけて！

タン　……どうも、しようが無いなあ。じゃま、こんだ必らず拂って下さいよ。えゝと、二十フランに、今日のぶんが、オークルを加えてと、九フランと、二十サンチームと——（言いながら、棚の箱から絵具のチューブを出して、今までの二本に加える）

學生　ありがたい、助かるよ……（と、ホクホクしながら、そのへんを見まわしていたが、「タンギイ像」に目をとめて）ほう、小父さん描いたの？、似てるなあ。自画像ってわけだね？、

タン　へへへ、やあ、そういうわけでもありませんけどね……ちょっと、その—はい　これ。（とチューズを渡す）

學生　ふむ。……（絵をジロジロと見て）おもしろいじゃないか。思い切って荒っぽい所が良いよ。われわれ玄人にはこうは描けんな。（ニヤニヤ笑ひながら）恐いもの知らずと言う奴だね。ふん。

タン　わしは、それが、気にいっているんですがね。

學生　しかしね、絵を本気でやって行くつもりなら、もう少し絵具を殺して描かないといかんな。これじゃ、みんな生だよ。それに、いくら商売物で絵具はいくらでもあると言ったって、いきなりこんなにどっさり塗っちゃ駄目だよ。まるで、ダブダブに盛り上っているじゃないか。

タン　なるほど、そんなもんですかねえ。

學生　まあ、しっかりやりたまい、じゃ、さいなら。
　手のチューブを振りまわしながら出て行く

タン　へい、ありがとうござ—（途中で言葉を切って、ゴマ塩ひげの頬をガシガシ掻きながら學生を見送っている—、

その學生は、通りすがりに、先程から飾窓を覗いている若い娘をからかう。娘がモジモジした末に、コケットに笑いながら通りを小走りに向うへ逃げて行く。それを追って畫學生も驅け出す。それらが全部見える――パリの裏町の秋の午後のちょっとしたパントマイム）

どこかの教会の鐘が、鳴っている

おかみ　あなた――（言いながら、上手の通路からコトコト出て来る。小柄な五十ぐらいの女）お客さんでしたか？、

タン　うむ、いや、コルモンさんのアトリエに居る、若い絵かきさんで、たしかマルタン――

おかみ　又絵具を貸したりはなさらないでしょうね？、

タン　いや、そりゃお前、そんな――

おかみ　あんたはチヨッとおだてると、良い気になっちまって、ポイポイと貸しちゃ、それなりけりで、代金は持っちゃくれない、そのカタにわけのわからない絵など掴まされてばっかり居なさるだからね。……コーヒイは此處であがるんですか、奥にしますか？、

タン　そうさな、此處でもらうかな。

おかみ　でも、飲んでいる所へ絵かきさんでも来ると、そちらへも出さなきゃならないんだから――ホントに、いくらあんた金が有ったって、こんな調子だと、たまったもんじゃありませんよ。また、絵かきなんて言う人たちは、皆が皆どうしてこう、揃いも揃って、いけずうずうしいと言うか自分勝手と言うか、気ちがいじみて、グウタラなんだろう。困果な事にその絵かきさんが、家のお客なんだからねえ。

タン　じゃ奥へ行って飲むか。

言っている所へ、三人の人が通りの方から来る。エミール・ベルナールとロートレックとベルト・モリソウ。ベルナールは、温和な美貌の青年で絵具箱を肩にさげている。ロートレックは貴族的な黒の礼服を着た小男で、それほどの年でもないのに、一見五十過ぎに見える。ベルト・モリソウは富裕な夫を持った四十四、五歳の女畫家で、ハデで上品な身なりと美しい顔のために、三十歳ぐらいにしか見えない。――三人はこの店に入って来かけて、飾窓の前でチヨッと立ち止る。ロートレックが、ス

テッキで、中の絵の一つを指している

おかみ　そう、おいでだ。ロートレックさんと、ベルナールさんと、あの奥さんは、何とか言ったっけ――

タン　モリソウの奥さんだよ。ベルト・モリソウ。綺麗な絵を描く人だ。……（言っている内に三人が店に入って来る。タンギイ爺の方へ寄って行き）これは、いらっしゃいまし。モリソウの奥さん、良いお天気でございますな。

ベルト（やわらかな会釈をして）モンマルトルの丘の上から見ると、空がルリを溶かしたように見えてよ小父さん。パリは今頃が一番ですわね。

ロート（酔っている。タンギイに）やい、詐欺師！　又うまくやりやがったな。どうして巻きあげた、あれは？

タン（相手の口の悪いのには馴れている。微笑しつつ）なんですかな、ロートレックさん？

ロート　あのマルチニックさ、ゴーガンの。あれは小さいけどポールが手離したがらないでいた奴だ。

タン　良いもんでしょうかね？

ロート　へっへへ、しらっぱくれていやがる。そうだとも、あんな絵は馬鹿か気ちがいで無きゃ描かないんだぞ。ねえベルト。（モリソウは笑っている）ただで貰っても迷惑と言うしろものさ。

タン　そうですかな？　いや、ゴーガンさんの絵具代が二十五フランも溜っていましてね、どうしても払って下さらないもんですから、しかたなしにあの絵を、あゝしてお預りして置いてあるんですが、なかなか売れないんで弱っていますよ。

ロート　どうせ、そんな事だろうと思った。売れるもんかあんな絵が、今どきのパリで。

エミ　二十五フランか。僕なら二百五十フラン出しますよ。ただし、目下一フランも無いけど。

タン（ロートレックの言葉も、ベルナールの言葉も深くは理解できないで）え？　いえね、とにかく、昨日などあなた、立派な紳士が飛びこんで来て、あの絵は逆さまに置いてあると注意してくれましたよ。上の青い所は、あれは空ですからと言いますとな、あんな空が此の世に在る道理がない。あれは海だ。そう言うんですよ、ハハー！

ベルト　ホホ、まあねえ！（他の二人も笑う）
ロート　ハ！　そう言う豚どもだ！
おかみ（ベルトに）いらっしゃいまし、奥さん。どうぞこちらにお掛けんなって。（椅子をすすめる）
ベルト　ありがとう。どうぞお構いにならないで――いえね、これから御一緒にタンボランの展覧会に行くんですの。エミールさんが、御主人の肖像をゴッホさんが描いているから、寄って見て行こうとおっしゃってね――これですわね（タンギイ像Lに目をやる）
ロート　いよう、やったよる。（言いながら、ステッキを突きヨロヨロとびっこ引いて絵の方へ行く）……なんだ、もう出来あがってる。
エミ　一撃で描く。そう言うんですよ。いつも。実際、一昨日は半日かからないで、これだけ描いてしまったんです。筆がまるで刃物みたいだ。見ていて、僕は怖くなる。……
タン　いかがなもんでしょうかな、絵の出来ばえは？、家内は、あんまり私に似ていないと言いますがな……（三人の画家は絵ばかり見て、相手にしない。しかたなしにおかみに）えゝと、お前、お客さま方にコーヒーさしあげてくれ。
おかみ　え？、……（ムッと怒ってタンギイを睨みつける）
ロート　コーヒーなんて、堕落した飲み物を、わしが飲むと思うのか。わしは――（とポケットからブランデイの瓶を出してラッパ飲み。しかし目はタンギイ像Lから離さない）
タン（客の手前、虚勢を張って）では奥さんとベルナールさんにコーヒーを持って来なさい。
おかみ　……（プリッとして、何も言わず上手の通路から奥へ去る）
ベルト　きれいだ！ホントにきれいな色！。ですけど、どうしてこの方は、こんな人の真似をなさるんだろう？。構図はゴーガンさんだし、日本の浮世絵なんぞグルッと描きこんだりしたのは、言わば、まあ、アンリ・ルッソウじゃなくって？、タッチにはスーラさんも取り入れてある。
エミ　僕はそうは思わないですね。なるほど、影響は受けています。非常に素直だから。素直すぎるんです。なにしろ去年、アントワープからパリに出て来て、出しぬけにマネエヤピッサロやゴーガンを見せられて、たまげてしまって、自分も明るい色を手に入れなきやならないと言うんで、一週間ぐらいの内にパレットの絵具をすっかり取り替えてしまった位ですからね。そう言う男ですよ。情ない位に謙遜な、特にゴーガンの前ではまるで卑屈なんです。見ていて泣きたくなる位に気が弱い。

ロート　弱いかねえ？、わしには猛烈すぎるように見えるがねえ。ゴーガンは人間は強引だが、絵では、自然と仲良くやって、つまり自然を撫でたりさすったりしている。こいつは、歯をむいて、噛みつかうとしてる。ふん。……セザンヌが、こなりだ、奴さんの自画像を見て「この人は気ちがいの絵を描いてる」と言ったっけが、フフ、さすがに、うがった事を言う。もっとも、そういう夫子自身、ちやんともう気がちがっているがね、へへー。

そこへ、しかたがないと言ったふくれっ面で、おかみが三人分のコーヒーを盆にのせて持って出て、茶テーブルの上に並べる

エミ　すみませんねえ、おかみさん。（おかみは黙々として、右手の売台の方へ行く。タンギイは立ったまま先程から三人の話にむさぼるように聞き入っている。表の飾窓の所には、着飾った若い夫婦が中の絵をしきりに覗いている）

ベルト　すると、ドゥルーズ、あなた御自身はどうなの？、

ロート　もちろん、気がちがっている。こうして、曲った背中と、なえた足を持って貴族の家にオギアと生れた瞬間からね。（再び瓶から飲む）

ベルト　あなたの言う事を聞いていると、たいがいの人が狂人みたいだわね？、

ロート　そうさ、この世の中は元から気ちがい病院でね。ただ、幸福な気ちがいと不幸な気ちがいが居るだけだ。スーラだとかセザンヌだとかマネエだとかピッサロは幸福な気ちがい、なかんずく、われらが税関吏アンリ・ルッソウは幸福な気ちがいの最たるものだ。そのほかは、みんな不幸なるおヤチさんでね。ああエミール。

エミ　僕は　まだ気ちがいでも無ければ不幸でもありません。これから、どっちかになるんですよ。（飾窓を覗いていた若夫婦が少しオズオズしながら入って来て、売場のおかみ

に、飾窓を指して何か言う。おかみは飾窓の所へ行き、ガラス戸を開いて、フチに入ってない小さい絵を取り出して売台の所へもどって来て、客に見せ、双方で小声で何か掛け合っている）

ベルト　すると私などは、どっち？、

ロート　あなたは幸福なる――いや、あなただけは気ちがいじゃ無いね。まあ、気ちがい病院の看護婦と言う所かな。

ベルト　あら、どうして？、

ロート　あなたは、金持ちの銀行屋の御亭主を持ち、愛し愛され、そしてサロン風のアトリエに至って程よく美しい花の絵などを描いて、そうやって四十過ぎになっても三十前のように綺麗で色っぽくてさ、まだ恋愛の一つや二ついたしましょうと言う――

ベルト　よござんす。たんと皮肉を言って、おからかいなさいまし。

コート　からかうなどとは、とんでもない。うらやんでいるんです。ゴーガンなら皮肉を言うでしょうが、私はうらやましい。ゴーガンは土人だ。私は地獄に落ちたウジ虫でね。このまま、バイドクと脳軟化とアルコールでグジャグジャと腐って行くことが残されているだけだ。「淫婦のごとく、脚空ざまに投げ出して、血にたぎり毒気を放し、しどけなくふてぶてしいサマをして、悪臭みてる腹をひろげて横わる」うまい事を言やあがるボードレールと言ふ奴は。「悪臭みてる腹をひろげて横わる」

おかみ　（売台の所から）ねえお前さん、ちよいと――（声が大きいので、こちらの話はやんでしまう）

タン　……え、なんだね？、

おかみ　このお客さんがねえ、このりんご、一つだけ売れないかとおっしゃっているんですけどねえ？、

タン　うん？、（そちらへ行きながら）りんごを一つと言うと――？、

おかみ　これさ。セザンヌさんの、この――（カンバスをこっちに向けると、りんごが四個描いてある）いくらだとおっしゃるから、二十フランと申し上げたらね、四つは多過ぎる一つだけ欲しいとおっしゃってね。（こちらの三人はびっくりして見ている）

タン　しかし、一つだけと言うのは——

夫　いや、その、なにしろ、あっしの所では今度、スッカリ店の手入れをしましてね、その方にお金をつぎ込んでしまって、このー あっしはラピック通りで八百屋をやっていまして、今度、まあ果物も置くようにしまして、この——いえ、今日は、家内の妹の誕生祝いによばれましてね、その帰りでさあ、そこの窓でチヨットこの、絵を見かけたもんで、家内とも相談しましてね——

婦（まだ二十位の、パリの下町の、あまり教育のない、しかし可愛い嫁。ういういしくはにかんで）とても、あの、良い絵だもんですから、ロベールに私が言ったんですの。果物の店は、あの、綺麗にして、なんですわ、美術的にして置かないとお客さんが寄り附いて下さらないから——

夫　そいでまあ、このりんごの絵なら飾っとくのに打って附けだと思いやしてね。そんで、こんなに絵具がたんと塗ってあるんでやすから、二十フランは別に高いとは言うんじや無えんですけどね、この、店の手入れに、えらい金がかかったんでね、まあ、一個だけ売ってもらえるとありがたいってわけで、なんでさ、四つで二十フランだから一個なら五フラン——

タン　……（さっきから、たまげ切って口だけパクパクさせていたが）だが、一個だけ、この、売ると言っても——そりゃ、せっかくの何だから、なんですけど、とにかく、四つ、こうして描いてあるんだから、それをあんた、どうして——

おかみ　じゃ、これ、ハサミで切り取って差しあげたらどうだろう、一個だけ、ね、そうすりゃ、又残りも売れるんだから。（棚から大鋏を取り出す）

タン　ま。ま。待ってくれ！困ったなあ。いえね、これはあなた、セザンヌと言う、この、まあ天才の絵かきさんの描いた絵でございましてな。

婦　はあ、ホントに立派な絵ですわ。うちのロベールは美術品には、それはもう眼が無いんですの。

タン　ですけどね、この、切って売ったとなりますと、セザンヌさんがガッカリなさるだろうと思いましてな、この——

夫　わたしちなんざあ、どんな果物でも一個売りをことわった番あ無えんですけどねえ。お客有っての商売だからね。

おかみ　いいじゃないかねお前さん、この絵は絵具代のカタにセザンヌさんから取ったもんなんだから、家のもんだろ？、なら売ろうと、どうしようと、こっちの勝手じゃないか。

タン　そりゃそうだが、これ、切ってしまうとなると、いかになんでも、この——（客に）決して売りおしみの何のと言うわけじゃございませんが、どうも都合がございまして、今日の所はまことにすみませんが　どうかまあ、ごかんべん下さいまして——

夫　そうかねえ。（しぶしぶと）無理に買おうと言うんじゃ無え。——（妻の胸を自分のわきに取りながら）なんだな、売られないものは店から引っこめとくんだなあ。シュゾン、行こう。

婦　あら、おじゃまさま。（二人、腕を組んで出て行く）その後姿が見えなくなるまで、見送っていてから、こちらの三人が同時に笑い出している

ロート　ヒッ！、ヒヒ、ヒヒ！

ベルト　ホ、ホ！。

エミ　ハハハ、ハハー！。

ロート　今のを、ヒヒ、今のを、セザンヌに、ヒヒ、聞かせたかった！。ワッハハ。

タン　（これもニヤニヤしながら）どうも、この——

おかみ　（笑っている人々をジロリと尻眼にかけた末にタンギイに）なにが、おかしいんです、又商いをしそこなったんですよ！。こんな絵、切って売って　どこが悪いんです？、

ロート　（テーブルを叩いて喜こんで）まったくだあ、切って売ってどこが悪い！。ねえベルト！。みんな気ちがいだろう？、ハッハハ。（他の三人笑う）

おかみ　（これも笑い出してしまって）気がちがっているのはあんた方だけでございますよ！。

ロート　そうだそうだ、クサンチッペ萬歳！。よし、これを一つ献じよう。（ブランデイの瓶を差し上げてヒヨコヒヨコ歩いて、売台の方へ）

そこへ、表からポール・ゴーガンを先きに、それに後から

追いすがるようにして何か話しかけながらテオドール・ゴッホの二人が入って来る。……ゴーガンはドッシリと重々しい感じの大男で、自我を制御する力を持った人間特有の無表情さで、いくらテオから話しかけられても、すましている。アストラカンの帽子に、濃青色の大きなマントに東洋風のステッキ。テオは例の通りキチンとした黒服で、この前より顔色が青い)

テオ　(語のつづき)そういう訳ですから、ゴーガンさん、お願いです。どうか一つ――兄を説きつける事のできるのは、あなただけなんです。兄はあなたを怖れています。いや怖れているというわけでは無いんですが、つまり尊敬しているのです。一番頼りにしているのです。あなたのおっしゃる事なら、何でも兄は聞きます。忠告してほしいんです。お願いですから――このままで行けば兄の頭はどうにかなってしまいます。兄は病人なんです。どうか、ゴーガンさん、あなたの力で――。

ゴー　フフ。(笑うが、顔は笑わない)私は看護夫じゃないよ。テオドールさん。……(店内を見わたして、ロートレック・ベルナール・ベルト・モリソウ・タンギイなどを目に入れるが、別に目礼もしないで、売台の所のおかみを見て初めて微笑)やあ今日は、クサンチッペ。

おかみ　いらっしゃいまし、ゴーガン先生。(このおかみは、ゴーガンを見ると妙に機嫌が良い)

ロート　そうら、お前の色男が来たぞ!見ろ、トタンにニヤニヤしやあがって。

ゴー　どうしたね、伯爵?

おかみ　いやだと言うのに、どうしても飲めとおっしゃるんですよ、このブランディ。

ゴー　そうかね。(と瓶を取って)のどがかわいた。……

(一息に全部をラッパ飲みに飲みほして平然としてカラの瓶をおかみに返す。酒を飲んだような顔もしていない。その間にテオは、ベルトやベルナールに目礼する)

ロート　たえっ、タヒチの種牛め!(フラフラと元の椅子の方へ)

テオ　(再びゴーガンに)ねえゴーガンさん、お頼みします。この調子でやって行けば、兄は今にどうにかなってしまいます。目に見えているのですそれが。それに、私も、もうたまりません。兄がパリへ出て来てから私は、こうしてあなた、目方が五キロから減りました。たまらないのです。このままで行けば兄も私も共倒れになります。

ゴー　追い出したらいいじゃないか。

テオ　それが、そ、それが出来る位なら、こんなに苦労しやしません。兄は今絵の事で夢中なんです。まるで頭が絵の事だけで燃えるようになっていて、ほかの事を考える者が出来ないんですよ。何か話しても、まるきり相談にはならない。わかってくれようとはしないんです。兄としては、それも無理ないんです。オランダから、いきなり此方へ来て——私がまだ早いからといくら止めても聞き入れないで勝手にいきなり飛び出して来て、そして、あなた方の、この、印象派の皆さんの明るい色の中に叩きこまれて、カーッと昂奮してしまったんですよ。色を掴むんだ、太陽を手に入れるんだと言うので、あなた、がりがりと一日に五枚も六枚も描き上げているんです。見ていると、可哀そうになるんです。……兄の気性を知っているので、無理もないと思えば思うほど、私は兄が可哀そうになるのです。……私は兄を愛しています。

ゴー　（ニヤリと微笑して）そう言う話は好かんな私は。大體、ヨーロッパの此の辺の人間が、愛するなどと言ふと、こっけいでね。人を愛することの出来るのは、まあタヒチの女だけだな。

ロート　それと種牛だけだから、へっ、まったくだ！

ゴー　そうだよ、トゥルーズ。

テオ　いえ、私は、何よりも誰よりも、時によって私自身よりも兄を愛しています。嘘ではありません。

ゴー　じゃ、追い出さないで、一緒に暮すんだな。（アッサリ言い捨ててタンギイ像に目をつけ、ユックリそちらへ行く）

テオ　ですから——いえ、この、そこの所をです、どうしていいかわからないので、お願いしようと思ってあなたにですね——（いくら言ってもゴーガンはタンギイ像を無表情な顔をして見ているだけで、取りつく島がない）

ベルト　まあ、こちらへお掛けなさいな、ゴッホさん、どう

なすったんですの？、
テオ　ありがとうございます。モリソウの奥さん。いえ、この兄の事ではホトホト手を焼いていましてね、どうしようかと思っている所に、ちょうど、タンブランでゴーガンさんに逢ったものですから、お願いしようと思って、こうして――、
ベルト　そうですの、タンブランにいらしったんですの？、私たちは、これから行くんです。どんな具合、といでお客さんは？、ちっとは絵は売れてます？、
テオ　まだ一枚も売れていません。レストランで絵の展覧会は珍らしいので、客はまあ相当来ているようですけど。
エミ　すると兄さんもタンブランですか？、
テオ　いいえ、今日は朝から郊外の方へ写生に出かけて――シニヤックさんと一緒じゃないかと思います。外に描きに行ってくれると、いくらか助かりますけど、帰って来ると怒ったり又、イライライラして、とにかく一日中昂奮しているんですから。夜は夜で私をつかまえて、絵の議論です。私はこの、昼間のつとめで疲れていますし、それに身体もあまり丈夫でないものですから、静かにして早く寝たいと思っても寝せてくれません。寝せてくれと言うと、怒り出すんですよ。徹夜して議論を聞かされるのが二晩も続いたりすると、私はもうフラフラで、頭が変になりそうなんです。それに兄には、物を整頓しようなどと言う気はまるで無いのです。兄と一緒に暮すようになってから私の室は、まるでおもちゃ箱をひっくり返したようにメチャメチャになってしまいました。おまけに、絵具をあちこちに置き放す、それを踏みつぶす、着物にまでベタベタくっつくと言うテイタラクで、もうどうしてよいかわかりません。……私はグービル商会に使われている、平凡な勤め人です。まあ、キチンと生活して、身なりなどもキチンとしていなければならない立場にあります。兄と一緒に住んでいたんでは、到底それが出来ないのです。ホトホト私はもう疲れ果ててしまいました。どうしたらいいでしょうかね、ベルナールさん？、
エミ　……（困って）僕にはよくわかりません。以前から兄さんは、今のような調子だったんですか？、

テオ　そうです。以前から何かに熱中すると、当分カーッとなってしまって、もうまるで夜も寝ないようになるし、ほかの事は忘れてしまうんです。それが続いて、今度はどうにかすると、ガクッと黙りこくってしまって、恐ろしくインウツになるんです。するうちに、又カーッとなる。その変り方が激しいんです。何かの病気じゃないかと言った人もあります。……そういう兄の性質を知らないわけでは無かったんですけど、極く小さい時以来私とヴィンセントは一緒に暮した事がほとんどないものですから、実はこんなだとは知らなかったんですよ。それに、今度パリに来てからの様子は、これまでのそんな調子と又ちがっているような気がするんです。私は心配でたまらないんです。ねえ、タンギイさん、どうしたらいいだろう私は？、

タン　そうですなあ。兄さんと言う人も、あなたも、善い人ですがねえ。

テオ　そうなんだ。私はとにかく、兄が善い人間な事は間違いありません。兄としては悪気が有ってしている事ではないんです。兄にはああしか出来ないのです。兄自身としては、一所懸命に人の事を考えたり人に親切にしたいと思ってそうしている者が、実際は人を苦しめ人に迷惑をかけているという事が兄にはわからないんです。そういう人間です。エゴイスト──まるで、微塵も悪意を持たないエゴイスト──そう言った、わかってもらえるかどうか知りませんが、そう言ったエゴイストなんですよ。兄は実に善良な人間です。それなのに、兄と一緒には誰も三日とは暮せないんです。兄の中には二人の人間が住んでいます。一人はおとなしい、心の弱い、もう一人は粗暴で自分勝手な。その両方がいつも戦っているのです。つまり、兄はいつでも兄自身の敵だと言えます。そのために人を苦しめるのと同時に自分を苦しめているんです。わかっていただけるでしょうかね？、

ベルト　えゝ、えゝ、わかるような気がします。

テオ　兄をパリに来させたのは失敗でした。しかし、兄が一人前の立派な画家になるためには、やっぱりパリに来て、皆さんの絵を見て、皆さんと交際することが必要だったんですよ。そして、その効果は、たしかにあったんです。兄

の絵がこの半年の間に明るくなって、技術的にも進歩しているのは事実です。でしょう、ベルナールさん？、そうですね？、

エミ　そうです、それは確にそうです。

テオ　ですから、兄がパリに来た事は後悔はしていません。それに、あなた方も私の店で御覧くださったナジャガイモを食う人々し――あの絵です。あの絵を兄がオランダから送ってくれた時に、兄さんの絵は暗過ぎる、もっと明るくならなければならない、今パリの印象派のすぐれた画家たちがどんなに明るい絵を描いているか兄さんは早く知らなくてはならない、と言ってやったのは私なんですからね。私には責任があるんです。それだけに私には、どう處置してよいか、わからないんです。

ベルト　それは、部屋を捜して別々にお暮しになればよくはなくって？、

テオ　それも考えました。いえ、結局、そうするより仕方がないだろうと思って、捜してもらってはいますが、でもそうしてもパリに居て今のようにやっている限り、似たような事じゃないだろうかと思うんです。

ロート　じゃ旅行させるんだなあ。

テオ　旅行と言ふと、どこへ？、

ロート　マルセイユかそこらの地中海岸あたりだなあ。ねえ、エミール、いつかそう言ってた事があるね？、

エミ　えゝ。地中海、アフリカ――とにかく、太陽に近ければ近い程良い。そう言ってました。

テオ　それで、一人でですか？、あの兄を、そんな遠くへ一人で行かせるんですか？、そりゃどうも心配で、私――

タン　いっそ、日本へ行ったらどうですかな？、

テオ　へ、日本？、

ベルト　日本と言いますと？、あの――東洋の？、

タン　あの方は、いつも言っていますよ。日本は太陽の国だ。太陽に一番近い。それから、これです。（と壁にかかっている浮世絵をグルリと指し示して）これを見て、日本へ行きたがっています。こんな色とこんな線を生み出した天才たちの居る国へ、そのうちに僕は必らず行く。死んでも行く。

ロート　死んでも行くか。フフ。ヴィンセントだねえ！何かと言うと直ぐに死ぬと言う。ハハ、この人生に耐えきれないんだなあ。自分の与えられたライフを悠々として享受することに耐えきれない。自分の命の財布の中から金をチビリチビリと小出しにして使っていられない。大急ぎで一気に全部をはたかないと我慢が出来ない。ヒヒ、わが輩と同じさ、その點では。たゞ、わが輩には、これを許するに酒がある。ヴィンセントにはカンバスが有るだけだ。然うして、わが輩は酒と心中する。ヴィンセントは間もなくカンバスに頭をぶっつけて死ぬよ。そういう運命だ。心配したもうな。

ゴー　始まった、猿の哲學が。

ロート　うん？、わが輩のが猿の哲學なら、お前さんのは牛の哲學かね？、いや、哲學じゃない、牛の、いちもつだ。（ベルトに）これは失禮。

ゴー　（相手の言葉は歯牙にかけないで）あっの、こっのと諸君はヴィンセントを憐れんだり、心配したりしているが、ふっ！君達にそんな資格が有るのかね？、なるほど、人間としてはあの男はウジウジした、オランダの田舎者だ。キャアキャア騒いだりメソメソしたり、うるさい男だよ、ヨーロッパ文明のオリの中に飼われてヒステリイになっている猿さ。諸君と同じようにね。しかし、これを見ろ。（へと「タンギイ像」を示す）こいつは猿の描いた絵じゃないよ。ウジウジしたりキャアキャア言ったりメソメソなんぞまるきりして無い。惚れ込んで、なんにも疑わないで、ウットリして、堂々と描いてる。色にしたって、そうだ。塗り方にはスーラやピッサロなんぞの點描が入って来ているんで少し気に食わんが、まじりっけなしだ。マルチニックの透き通った海の水の中から太陽を見た時と同じ色だ、こりあ。まるで土人の眼だ、こいつは。

ロート　又土人か。ぜんたい　それはほめてるのかい、くさしているのかい？、

ゴー　黙れ、トゥルーズ！君たちヒステリイ猿どもは、絵を見るには褒めるのとくさすのと二色しかないと思っている。ところが絵は絵だ、マンゴウがマンゴウであるように絵は絵だ。ホンモノとニセモノが有るきりで、理窟はいら

ん。こいつは下手クソだがホンモノだよ。土人の絵だ。真人間の描いた絵だ。これがゴッホの正體だよ。だからあの男は、うわつらはヒステリイ猿だが、シンは真人間だよ。暴れんだりしていると、罰が當るぞ。帽子を脱いで、この絵に敬禮してればそれでいいんだ君たちは。

テオ　（感動して立ち上っている）ほ、ほんとうですかゴーガンさん？、ほんとうにそう思いますか？、すると、兄は、兄は、もう立派な一人前の畫家になったと思ってよいのでしょうか？、

ゴー　なんですか？……（不愉快そうな顔でそちらを見る。テオの感動が、この男には軽薄に見えて、不快なのである）

テオ　いえ、もしそうだとすれば、私は弟としてどんなに嬉しいか！ありがたいのです！兄のことを、めんどう見て来た甲斐があって私は、このーゴーガンさん、ありがたいのです！私は、私は兄のためなら、どんな事でもします！どうか、頼みます、兄のことを、ゴーガンさん、よろしくお願いします！（パラパラと涙を流し、ほとんどオロオロせんばかりに言う）

ゴー　ふむ。……（相手を全く軽蔑して、ムッとして。三、四歩テオを避けながら）どんな事でもしますと言っている人が、ホンの先程までは、一緒に暮すことさえ出来ないと言っていた。

テオ　（相手の言葉を理解しないで）兄のためなら、私は私の持っている一切のもの、血液を全部でも、命でも、やります！どうか頼みますから――

ゴー　（彼は彼で、そう言う矛盾した子供らしいテオの姿の中に在る真情の偉大さを理解せず、テオの涙はただ感傷的な三文芝居のように見えるだけなので、ほとんど怒って）ユーゴー好みの抒情詩か。ふん。そんなふうに、チンコロみたいに騒ぐのは、私は好みませんよ。あんたとヴィンセント君が、そう言う風にもつれ合って、キャンキャン、キューキューやっているのを見ると、両方とも一緒に踏みつぶしてしまいたくなるね私は。

ロート　ハ！正に土人だ。いや蕃人だね。

テオ　え！（けげんそうにゴーガンを見るが、相手が冗談を言っていると思って、モリソウとタンギイと共に笑い出

す）

ベルト　でも、なんじゃありません、テオドールさんのお兄さんに對するお気持は、あたし、わかりますわ。今どき、あなた、兄さんに良い絵を描かせるために、自分を何もかもギセイにしている人なんか、ザラに居るでしょうか？、それは単に兄弟だからとか、センチメンタルな愛と言った事などより偉大な事じゃないかしら？、私はそう思うの。ゴーガンさん、あなたがどんなに賢い方でも、世の中にはあなたにわからない事だって有ってよ。

ゴー　なに、そうじゃ無い。私が賢いから、わからない事があるんですよ。その證據に私は三十過ぎまで證券屋だった。そいつをいっぺんに放り出して絵描きになった。ところがあなたの御主人は現に一流の銀行屋でさ、マネエのモデルをしていたあなたと結婚して、ぜいたくさせて着飾らして、絵を描かして、膝の上にのせて、撫でまわして、ヒユンヒユン言わして、おしあわせそうだ。へっ、そこいらが、私にはわからないですよ。

ベルト　まあ！。（真赤になっている）

ロート　無禮な事を言うと承知しないぞ、蕃人め！

ゴー　無禮じゃなくて賛辞を呈しているんだよ。

ベルト　えゝえゝ、あなたが、私を軽蔑なさっていることは知っていますとも。あなたは、すべての人に軽蔑なさるんです。特に女をね。よござんすとも。しかしお気をつけなさいよ、最後にあなたは、地獄に落ちますよ。

ゴー　地獄じゃなくて極楽に落ちますね。又、女を軽蔑したりもしません。たゞ私の尊敬する女はあなたじゃない。御存じですかね、マルチニックの女の腰ば、あなたの腰の二倍はあります。

ロート　（表の通りに目をやっていたのが）そらそら、チンコロが帰って来た！。（一同がそちらを見る）

奥の、店先から少し離れた明るい通りに七つ道具をさげた二人の畫家が立ちどまって何か語っている。寫生帰りのシニヤックとヴインセントで、シニヤックは普通の畫家らしい身なりだが、ヴインセントは鉛管工夫などの着るナッパ服にあちこちに絵具のくっついたのを着ている。話しているのは主としてヴインセントの方で、それもただの話しようではなく、夢中になって、足を曲げたり、手に持った濡れたカンバスを振りまわしながら何かを説き立てている。それが声が聞えないので、まるでギニヨール芝居を見ているようだ。――語り合いながら、突って来たのが、話に熱中して、立ち止ってしまったのである。

ロート　なるほどキリキリ舞いをしておる。

テオ　あゝなんです。夜まであの調子で――

エミ　金髭、なんの話をしているんだろう？、

ちょうどその時、こちらへ向って又歩き出したシニヤックとヴインセントのわきを通りかかった中年の男が、ヴインセントの振りまわしたカンバスに突き当りそうになって、びっくりして飛びのく

おかみ　あらま！

ロート　へへへ！

ベルト　ホホ、ホホ！

テオ　（哀願するようにゴーガンを顧みて）ね、ゴーガンさん、あの調子なんです。なんとかして、お願いですから、兄が少し落ち着くように仕向けてくださらないでしょうか？、あなたのおっしゃる事なら聞くんです。どうぞ一つト、お金の要る事なら、私何とでもしますから。……（ゴーガンは返事をしないで、壁の浮世絵を見ている）え？と、では、私はこれで失禮します。此処で私に逢うと、兄は又昂奮して、私を離そうとしませんから。これから私また商会の方に仕事が残っているもんで。おかみさん、すみませんが、裏口から出させて下さい。（おかみが売台の所から立って来る）ではみなさん……（とベルトと一同に会釈をし、おかみを先に立てて上手の通路から出て行く）

ロート　どりゃ、われわれも、タンブランの方へ行くか。（言っている所へ、ヴインセントとシニヤックとが店に入って来る）

ヴイン　（話しをつづけながら）いいやシニヤック、君はまだわかっていない！僕の言う事がわかっていないんだ。ギヨーマンは、そりや、すぐれた畫家だ。技術的な點では文句のつけようがないし、もちろん本質的にもすぐれた點を持っている事も確かだ。しかし、絵には、絵となってし

まってからの・いろいろの事の前に、つまり絵畫以前の問題として、もっと大事な事がある。それが一番大切だと僕は思うんだ。どんな風に見て、どんな風に描くか、どんな風に色を塗るか、どんなエフエクトを狙うか――とかなんとか言うのは問題ではないんだ。いやいや、勿論それらも大事ではあるが、それよりも更に大事な事がありはしないか。え、そうじゃないか？、マネエは光それ自體を描く。セザンヌは自然を分光器にかけて描く、ゴーガンは色を追いつめ還元して描く、スーラは分せきして點で描く。どれにも真理はある。しかしだよ、考えて見ると、しようと思えば、そのどれで描くことも出来るじゃないか？、そうだろ？、だから、逆に言うと、どれで描いてもよいのだ。技法はどれを使ってもいいと言える。（熱してしゃべっているので、店内に居る人たちを眼では見ながら見ていない）

シニ　（これは一同を見て、一人々々に黙禮でうなづきながら）しかしね、マチエールは結局、その畫家の本質に根ざしたもの〃なんだから、その畫家の個性そのものだと言えはしないかねえ？、少くとも個性の一部分じゃないかな。

ヴィン　ちがうよ！。ちがうんだ！。いやいや、君の言うのは、それはそうさ。たしかに、マチエールは畫家の個性そのものだ。僕の言うのは、その事じゃないんだ。つまりね、つまり、どう言えばいいのかな？、そうだ、畫家が絵筆を取る前に、その畫家の中に準備され、火をつけられて存在しているものだ。その事なんだ。つまり、畫家の生命そのものだよ。それが、どっちの方向を向いているかと言う事だよ。それが、どんな色で燃えているかと言う事だよ。何を、どんな風に描くかと言う事を、最初に――そして、だから最後にだ、決定して来るものの事だよ。マチエールはその次ぎだ。その一番大事なものの事なんだ。それがギョーマンに缺けている。不足している。僕はそう思うんだ。ギョーマンは良い畫家だけど、それが不足している。すくなくとも、昨日あの人が見せてくれた丁砂利人夫には、それがない！

シニ　しかし、僕にはあの丁砂利人夫は良く描けていると思ったがなあ。

ヴィン　良く描けているよ！。そりゃ、そうだ。それを否定しているんじゃない。そうじゃないんだ。わからんかなあ。僕の言うのが？、つまりね、つまり、ギヨーマンは、労働している、砂利をシャベルでしゃくっている労働者を描いているんだよ。そうだろ？、労働者と言う、この、ホントの人間を描こうとしているんだ。だのに、ギヨーマンは、たゞそれを、花だとか樹だとか言うものと同じようにだな、つまり美の素材、絵の対象としてだけ描いている。それは間違っている。花や樹を描くんだって、実は、そうであってはいけないんだが、人間を描くのに、それでは間違いだ。現に、そのために、あのギヨーマンにして、絵がウソになっている。虚偽だよ。どんな画家だって、美のために虚偽を犯してよいとは言えない。そうじゃないか。だって、あの「砂利夫人」が、シャベルをこう持ってだな、腰をこうして、左足を此処に置いて、こうやっているのは、あれはウソだ。僕は炭坑に居たし、いろんな労働者をよく知っているから、言えるんだ。こうしてだね。シャベルがこうなっていれば、左足はだね、此処まで行っていなければ、砂利は投げられない。つまり、こうして――（手のカンバスを振りまわし、イーベルをシャベルに仕立て、肩からさげた絵具箱をガラガラ鳴らして夢中になって仕方話）

エミ　（驚ろき、微笑しながら聞いていたが、振りまわされるカンバスでなぐられそうなので、わきにのいて）おっと、あぶない！

ヴィン　エミール、ちょっと、これを持っていてくれ！（サッとカンバスをベルナールに渡す。渡す拍子に、カンバスの表がわきにかけていたベルト・モリソウの肩をこする）

ベル　あら！（ヒョイと見ると、その純白の上着の肩から胸へかけて、眼がさめるような原色の油絵具がペタペタと散らし模様のようにくっ附いている）

ベル　まあ！

ロート　わあ、ベルトさんの胸に花が咲いた！

ゴー　ハハ、ハハ！

ヴィン　どうも、これは、失禮しまして、モリソウさん、あの――えゝと――（あわてて、ベルトの肩を掴んで、自分のナッパ服の袖で拭き取ろうとする。すると尚いっそう絵具はひろがってしまう）

ベル　いいんですの、いいんですの。いいえ、ようござんすから。ホホ、まあ！　いいえ、ようござんすから。ホホ、ホホ！

ヴィン　失禮しました。許して下さい。つい、どうも――

ロート　（笑いながら）全體君、なんの話をしているんだ、ヴィンセント？

ヴィン　いや、昨日、シニヤックと一緒にギヨーマンの所へ行って見せてもらったんだ。その「砂利夫人」と言う絵を。良く描けていた。良く描けていたけど、僕に言わせるとだな――

シニ　その人夫がシャベルで砂利をおろしているのが、デッサンがちがっているとゴッホ君が言い出してね――

ヴィン　だから、こうしてだね。これがシャベルだ、砂利は重いんだよ。石炭も重い、石炭よりも砂利は重いんだ。だから、こんな風に足をふん張ってないと、しゃくって投げることは出来ない。それをギヨーマンは、こんな風に、左足をこんな位置に描いている。間違いだ。虚偽だよ。虚偽はどんなに美しく描いてあっても、美ではない。だから、手がこう構えていれば、腰はこうなって、足は――（しきりと仕方話で、イーゼルを振りまわす）

ベル　もう、よして下さいゴッホさん。（笑いながら）ブラウではよごされても結構ですけど、イーゼルで突き殺されたくはないわ。

ヴィン　だって、そうじゃありませんか、ベルトさん。あなたも絵をお描きになるんだ。そんなら、わかって下さるでしよう。畫家には色よりもデッサンの方が大事です。こんな風にしてですね、足をふん張って、こうしていれば――

ゴー　もうやめないか、ヴィンセント君！

ヴィン　あゝ、ゴーガン君？　君もいたんですか。

ゴー　もうよしたまいよ。相変らずの旅団長だなあ。

ヴィン　うん。……（ゴーガンを見ているうちに、燃えていた火に水をかけられたように、不意に静かになってしまう）しかし、……（言葉を切って、落ち物がしたようにそのへんを見まわす。その間にベルナールが、ヴィンセントのカンバスを正面の壁に立てかける。ほとんど完成している「セイヌ河岸」。……一同が自然にそれを見守ることになる）

ベル　……まあ、綺麗！
ロート　……うん、悪くない。だけど、空が、君の空じゃないな。この頃ルノアールでも見たんじゃないかね？
ヴィン　そ、そんな、トゥールズ――
ゴー　ルノアールは、年中自然と野合してイチャついてるよ。だが、ルノアールもルノアールだが、ここん所の（絵を指して）木や土手などの点描が気になる。スーラをこんなに受入れるのは無邪気すぎる。川の水は、シニャック、君じゃないかね？　どれ（とシニャックの手からカンバスを取り、ゴッホの絵と並べて置く。似た構図の絵）ね、どうだい？
シニ　そんな事はない。僕のは僕ので、ヴィンセントのは、あくまでヴィンセントの絵だ。
ゴー　とにかく、ほかからの影響を受け過ぎるんじゃないかなあ。
ヴィン　そんな事はない。僕はただ君たちの色を取り入れ、学んでいるだけだ。僕にはそれが必要なんだ。必要だったんだ。
ゴー　それはいいさ。しかし、もう少し落ちつくことだな。そんなにあわてていると、ロクな事はないよ。第一、君は色を学んでいると言っていながら、先刻は色よりもデッサンの方が大事だと言っている。その時々でああ言ったりこう言ったり　メチャメチャじゃないか。
ヴィン　メチャメチャじゃないよ。だから、必要だった、だったと言っているじゃないか。それを僕はパリへ来て、ピッサロやセザンヌや君や――君たちから学んだ。来て見て、ホントにびっくりしたんだ僕は。一度にグラッグラッとして、まるで立っていられない位に革命が起きちゃった。
ゴー　又、大げさな事を言う。そういうのは僕は嫌いだ。
ヴィン　でも事実そうだったんだもの。そいで、学んだ。僕のパレットの上は、スッカリ変ってしまった。明るくなった僕の絵は。ね、そうだろ？　そうは思わないかねトゥールズ？
ロート　そうだ、そうだ。しかし、もうその話はいいじゃないか。（立つ）
ヴィン　そうだねエミール？

エミ　そうですよ、たしかに。

ベル　さあ、もうタンブランの方へ行かないと、おそくなってしまいますわ。（立つ）シニャックさんも御一緒にいらっしゃいません？

シニ　展覧会ですか。え〻お供しましょう。

ヴィン　（あわてて）ま、待って下さい待って下さい。ねゴーガン！　ところが僕は近頃、気がついたんだ。先刻シニャックにも話したんだが、色彩は大事だ。しかし一番大事なものは色彩じゃない、やっぱりデッサンだ。いや、デッサンと言うと、やっぱり違う。技法としてのデッサンではない。實體のことだ。描こうとする物の、當の実在のことだ。リアリテイの事だ。そこに物が在ると言う事なんだ。セザンヌのリアリザシオンの事じゃない。あれは表現上の方法のことだ。僕の言うのは物自體のことなんだ。これを掴まえる事が畫家の一番大事なことだと言う事に気がついたんだ。勿論色彩は大事だよ。しかし、色彩だけでは片附かない問題がある。それに気がついて僕は——

ゴー　物自體なんてないね。イマジナシオンが在るきりだよ、畫家は、自分のイマージユで、自分の中に在る絵を描くんだ。又、人間にはそれしきゃ出来んよ。

ヴィン　ちがう！　ちがうよ、ポール！　聞いてくれ、それは——

ロート　（ベルトやシニャックやベルナールなどと共に店に出て行きかけながら）物の実在なんて無いぞヴィンセント。人が在ると思っているきりだ。在るのは夢だけだよ。幻だけだよ。君が実在していると思っているのは、君がそう思っているだけだ。フフ、もういいじゃないか、そんな事。いっしょにタンブランへ行って、飲もう。

ヴィン　いや僕は行けない。これから、タンギイを描かなきゃならん。だから、ま、ま、ちょっと、みんな待ってくれ。ね、ゴーガン、僕の言う事をわかってくれ。その——

ゴー　わかったよ。君はたゞ混乱しているだけだよ。忠告して置くが、そんな調子だとロクな事はない。現に、その絵だ。（とタンギイ像を指して）絵として悪くはない。しかし、よく見るとメチヤメチヤだ。トーンがない。アルモニイがない。統一が欠けている。それは君が、グラグラとセンチメンタルにばかりなっているからだよ。（ヴインセント・ギクンとして、石になったように「タンギイ像」を凝視する。その間に、ゴーガンは、その絵を先程テオに向つて褒めたのと今の批評の言葉が矛盾していることに自ら気がついているのかつかないのか平然として、タンギイに）……タンギイ小父さん、十フランだけ貸してくれないかね。昨日の朝から何も食っていない。すこし腹がへった。

タン　……でも、この前にお貸ししたのが、まだ――

ゴー　グービルでテオドール君が一枚売ってくれそうなんだ売れたら、一度に返す。（彼の言い方には妙に壓力がある。タンギイは、それに押されて、しぶしぶながら、ポケットの財布から金を出して、ゴーガンに渡す。……ゴーガンは別に禮を言わず、それをポケットにほうり込んで、出て行きかける。他の四人は入口の所で待っている）

ヴイン　……（絵の凝視から不意に醒めて、あわててゴーガンの前に廻って）ま、待ってくれ。待ってくれ。僕の言っているのはね、いや、いや、この絵はそうかも知れない、メチヤメチヤかも知れない。トーンが無いのは、君の言う通りかも知れない。その事じやないんだ。僕の言いたいのはそれじやないんだよ。わかってくれ、ゴーガン。君は僕の先輩だ。すぐれた畫家だ。頼りにしている僕は。ね、わかつてくれ、僕が実在だと言うのは、この、つまり、タンギイならタンギイの、こう描いてある着物の下にだな――いや、僕でも良い。この、この着物の下に――（と、せき込んで言っている内に気がいらって、いきなりナッパ服を脱いでしまう。下には襟無しのシヤツだけ）こうして、身體がチヤンと在る。こ、これが人間だ。ヴインセント・ヴアン・ゴッホだ。これが実在なんだ。（ズボンまでぬいでしまう。滑稽なズボンした）ね！ね！それを畫家は描かなきやならないんだ。表面の着物だけでなくだ。色だけでなく――それを僕は――わかってくれゴーガン。頼むから！（ゴーガンの膝に取りついて、何度も頭を下げる）

ゴー　僕は君に忠告する。そこをどきたまい。そして、もう少し落ちつきたまい。

ロート　（笑って歩き出しながら）さあ、もう行くぜ。

ヴイン　ま、待って、トゥールズ！ベルナール！どうか

頼むから――(と、そちらへ向ってもお辞儀をする)
ゴー　うるさい。……(すがりついて来るヴィンセントを、いきなり軽々とひっかゝえて、わきの売台の上へヒョイとのせ、サッサと出て行く。ゴーガンを迎えた四人は、こちらを振返って見ながら、向うへ立ち去って行く……)
ふいに店にはヴィンセントとタンギイの二人だけが残されてしまう。……売台の上に滑稽な下着だけで、両足をブラリとさせて、黙りこんでしまってキヨロンと坐ったヴィンセントの寂しい姿。それをタンギイが気の毒そうに眺めている)

間……。どこかで、微かな鐘が鳴る

タン　ゴッホさん。
ヴィン　……。
タン　風を引きますよ。……そんな恰好で、いつまでもいると。
ヴィン　……。
タン　……(奥へ)おい、お前――(おかみは奥で居眠りでもしているか、返事無し。タンギイ、売台の方へ寄って行き落ちているズボンと上着を拾って、台の上におく)さあさ、着なすったら……。
ヴィン　……(唖になったよう。顔も急にいんうつになり、眼の色も暗く鈍くなっている)
タン　……(しかたなく、垂れた足にズボンをはかせる)どうしました?、……なに、ゴーガンさんは善い人でさ。……あんまり、あなたが、昂奮して言いなさるもんだから。つ、そんな、あなた、先きは永いんだから……。
ヴィン　……(人がちがったようにノロノロした動作で売台からおりて、ズボンのボタンをかけ、上着に手を通す)……(非常に沈んだ声で)どうして、こうなんだろう僕は?、……ゴーガンは偉い人間だ、たしかに。……ホントだ。僕は昂奮しすぎる。僕が、悪い。……(言いながらユックリ歩いて「タンギイ像」の前に来て、無意識にそれを見ている)ふん。……先きは永い……先きは永い?、(ヒョイとタンギイを見る)……いや、そうじゃない。僕は急がなきゃならない。……(再び「タンギイ像」に眼をやる。片手を前に出して、畫面をいろいろにさえぎって見ながら）……トーン？、アルモニイか。イマージュ。……（ほとんど無意識に先程投げ出してあった絵具箱の方へ行き、それを抱えて絵の方へ行き、箱を開け、パレットと筆を出して、椅子を引き寄せて絵に向っている）

タン　坐るんですか？、今日は、よしにしといたら、どうですかね？、

ヴィン　……（そう言っているタンギイを、既に畫家の眼でみつめ、筆が知らず知らずパレットに行っている。タンギイは、それから縛られたようになって、一人でに、いつもモデルとして掛けることになっている壁の前の椅子に行って掛けている）

ヴィン　シャッポは？、

タン　あゝ、そうそう。（と、壁の下方にかけてある麦わら帽子をかぶる。「タンギイ像」のタンギイになる）

ヴィン　……（それを見、次ぎにパレットの上で絵具をつけた筆をカンバスに持って行き、塗りかけるが、塗らないで筆を持った手で、自分の顔をつかむ）

タン　どうしました？、

ヴィン　……頭が痛い。

タン　あんまり、この、昂奮なさるから。……いっとき休んでいたらどうですかな。

ヴィン　いや、大した事はない。近頃ちよいちよい、こんな事があるんだ。……痛むと言うよりも、何か鳴るんだ。キューンと鳴って、そこら中がキラキラと白く見える。

タン　あんまり根をつめて描き過ぎるんじゃありませんかねえ。……すこし旅行でもなすったら？、……アルルかニーズあたりに行ったらって、ロートレックさんも、こないだ言ってらしたじゃありませんか？、

ヴィン　ロートレック、……あれは良い男だ。アルル……でも、そんな事をすると、又金がかかる。テオドールに苦労をかけることになる。……そうでなくても、テオは楽ではない。そりゃ、僕の描いた絵はみんなテオの物になると言う約束で金を出してくれていて、嫌な顔などテオはしない。しないけど時々僕はすまなくなる事がある。

タン　テオさんて方は、まったく良い弟さんだ。兄さんのこ

とをあんだけ気にかけている弟と言うのは見たことがありませんね。
ヴィン　僕にはもったいない弟だ。だのに、僕の一生あれの厄介になり、あれを苦しめなけりゃならない。だって、僕の絵はまだ一枚も売れない。
タン　なに、その内に売れますよ。これだけ立派な絵を描いていらっしゃるんだ。そりゃ、みんな、すぐれた絵かきさんは、なかなか認められません。現にピッサロさんやマネエさんなどもう五十過ぎです。それが、やっと売れはじめたのは此の二、三年のこってす。世間と言うものはそんなもんです。目の前で天才が飢えて死んでも知らん顔をしているくせに、ズーッと後になるとヤイヤイもではやす。世間と言うものは、そういう馬鹿でさ、私なんぞ、なんにも深い事はわかりやしませんけど、絵が好きですからね。とにかく良い絵と悪い絵ぐらいはわかりますからね。まあとにかく、すぐれた絵かきさんぞ、世間の馬鹿が認めないために貧乏している皆さんのために、ホンの少しでも役に立てばと思って、こうやって絵具屋をやっていますが――
ヴィン　小父さんには、いつも、ありがたいと思ってる。……でも僕は時々、自分が絵かきになったのは間違っていたんじゃないかと思うことがある。もう、よしちまおうかと思うことがあるんだ。実際、人に厄介をかけるだけだ、こうしていると。……しかし、よせない。絵を描かないではいられない。人から誰一人、認められなくても――
タン　認められないなんて、そんな事はありませんよ。現にロートレックさんもベルナールさんもモリソウさんも、あなたの絵を認めています。たった今さっきも、この絵を、モリソウの奥さんなど、綺麗だって、そりゃあなた――
ヴィン　モリソウさんは、ありゃ君、絵は描くが、結局は金持の奥さんで、僕らの行き方とは違う。それから、ロートレックやベルナールが、そう言ってくれるのは、友達だから、同情すると言うか、憐れんで褒めてくれてるのかも知れない。
タン　そりゃ　疑い深かすぎると言うもんですよ。じゃゴーガンさんは、どうです？、ゴーガンさんは、あなたの来る前には、この絵をえらく褒めていましたよ？、

ヴィン　ゴーガンが褒めた？、ホントかね？、何と言って？、

タン　よく憶えてはいませんが、ゴタゴタして下手な所もあるが、しかし、良い絵であることは間違いない。敬禮しろとか何とかってね。ホントです。

ヴィン　ふうん。……だのに、僕の前で、どうしてあんなにくさすんだろう？、

タン　そこんところは、わかりませんねえ。変りもんですからねえ、なんしろ。

ヴィン　ゴーガンは天才だ。しかし、意地が悪い。あの男の気持は僕にはわからない。しかし見ていると、あの力強い無愛想さに僕は引きつけられる。それでいて時々腹の底から憎くなる。……尊敬している。しかし先刻みたいな事をされると、畜生！　と思う。……あれは小父さん、気ちがいだ。

タン　（笑う。そして笑えるような空気になったことを喜こんで）ハハ、向うでは、あなたの事を気ちがいだと思っているかも知れませんな。

ヴィン　（これもチヨット笑って）……だけど、ゴーガンは小父さんに金を借りて行ったが、昨日から何も食っていないんだって？、ホントにそんなに貧乏なのかな？、

タン　そうらしいですね。食い物がないのはチヨイチヨイらしいですよ。

ヴィン　家の奥さんの方からは、金をよこさないんだろうか？、だって、家は金持なんだろう？、

タン　さあ、金が有ると言っても、奥さんと子供さん達がやって行ける程度じゃないですかねえ。よしんば、家からよこすと言っても、あの気性じゃ受け取りはしないでしよう。

ヴィン　あれだけの偉大な絵かきが、食う物がない。……畜生！　世の中の人間はみんな阿呆だ！　と言っても世の中の人間が急に変ったりはしない。とすると、やっぱり僕が始終言っている貧乏な画家が集まって共同生活をする計畫を一日も早く実行する必要がある。

タン　共産コロニイですか？。そりや出来ればよござんすけどねえ。

ヴィン　出来るとも、皆がその気になれば。そりや初めは理想的には行くまい。だから初めは気の合った者が二人でも

三人でも集まって—そう、パリじゃまずい、田舎へ行く。そこで、みんなセッセと絵を描いて、それをパリへ送ってテオの手で売って貰う。誰の絵が売れても其の金はコロニイ全體の收入として、それで食料や絵の道具を買って、それを皆が入用なだけ使ってやって行く。どうだね？、ゴーガンやベルナールにも話したら、不賛成ではないようだった。

タン　場所は南の明るい所が良いですね。いっそアルルはどうです？、

ヴィン　そうなったら、小父さんも一緒に来ないか？、

タン　行きたいですね。しかし、こう老いぼれては、駄目でさあ。それに店も有るし、第一、家の奴が何と言うか……

（奥の方をうかがう）

ヴィン　コンミューンの勇士が、何といくじのない事を言うんだ？、

タン　それを言わないで下さい。あれも若い時の血気と言うもんで—

ヴィン　だって嘘じゃないんだろ？、普佛戦争終り、パリにコンミューン新政府樹立さる。人はすべて自由に平等の権利を以て生れ、かつ生活す、か。自由、平等、博愛。ガンベッタ萬歳！、共和萬歳！、……ヴェルサイユの軍隊を向うにまわして小父さんは市街戦をやったと言うんだろう？、

タン　なに、市街戦と言っても—私など、遂に人を殺すことは、ようしませんでしたよ。気が弱くって、ハハ。つかまってサトリイに送られ軍法会議にかけられ、ニュー・カレドニヤに流されることになっていたのを、アンリ・ルーアールさんが運動して下さって釈放されたと言うのも、つまりが私が兵隊を殺したりしなかったせいでしょうな。とにかく、今から思うと二十年前、あれもこれも夢でさ。

ヴィン　でも、フランスの飢えた平民のために戦った小父さんの気持は、今でもチャンと残っている。この店だって、これが有るために僕ら貧乏な絵かきが、どれだけ助かっているか知れやしない。僕はそう思うんだ。世の中が、たとえどう変ったって、平民が、つまり貧しく働いている人間が幸福にならなきゃならんと言う事は、いつでも、どこで

でも真理だと言う事だ。僕も貧乏だ。そして貧乏な人間を絵に描く。僕は金持とは縁がない。貧乏人が一人でも食う物が無くて泣いている時に、僕だけが天使の絵など描いて自分だけで良い気持に幸福になってはいられない。（先程のいんうつな、状態から、いつの間にか再び昂奮状態に入っている。その変化の波の激しさ）

タン　そうですとも！全くです！今の世の中で、一日五十サンチーム以上で暮している奴は、みんな悪党ですよ！

ヴィン　それでペール・タンギイだ。よし、描くぞ。（低い鼻歌で「マルセーズ」のメロディを口ずさみながら、カンバスに向う。モデルに坐っているタンギイもそれに和する）……アルモニイ。統一。……トーンがない？……そうか。畜生！……（無意識に独語しながら、眼をギラギラ光らせて、モデルを見ている。モデルは動かないで「マルセーズ」を低くハミングしている）ねえ小父さん、その壁の、こっちのは、ウタマロだったね？、

タン　そうですよ。こっちがウタマロ。ウタマロ。そしてこっちがイロシゲだそうです。

ヴィン　イロシゲ。……うむ。（唸って、その浮世絵を睨んでいる。不意に立ってツカツカと、その縁の前に行き、噛みつくように顔をくっつけて見て）どうしてこんな単純なこんな深い色が出せるんだろう？、え？、この絵具は一體これは何だ？、こんなに明るい、そして落着いた色は？、え？、……日本へ行きたい。俺は日本へ行きたい。……（サッと自分のカンバスの所にもどって来て、自分の絵を睨む）……そう、落ち着きがない！……たしかに、アルモニイがない。（唸っていたが不意に絵具箱から大きなパレット・ナイフを取り上げて、生がわきの畫面をガスガスガスとけずり取ってしまう）

タン　あ！　なにをなさるんだ、ゴッホさん！

ヴィン　フフ、なあに。初めから、やり直すんだ。小父さん動いちゃ、いけない。（手早く、新らしい絵具をパレットにしぼり出し、並べる）

タン　しかしあなた、顎が痛いんじゃありませんかねえ？

ヴィン　セルリアン・ブルー。もっと明るいカドミユームをくれ。そいから、ブルー・ド・ブルッスと。えっい、くそ！

（とパレットの端にこびりついた絵具を指ではじき飛ばし、カンバスとモデルをキッと睨んで、筆をおろす）……フフ。くそ！（ニヤニヤしたり、怒ったり、つかれたように描き進む）

—はじめ遠くから、次第に近く、わき起って来る「パストラール」—（ビゼー「アルルの女」第二組曲・パストラール）が高く鳴る。

4．アルルで

—この場は、最後のくだりをのぞけば全部輝かしい風景だけ。ヴィンセントの声だけが、六つの風景が移り変って行くのを縫って語る。（このヴィンセントの声は、観客の背後、劇場の入口の発声機から流れ出て来なければならない。即ち、われわれは、その風景をヴィンセントが描いたところの、そしてそれは今日残っているヴィンセントのアルルでの作品をそっくり引伸して拡大した風景を、ヴィンセントと共に眺めながら、ヴィンセントの語るのを聞いていることになる。—スライド使用）

—遠ざかり行く「パストラール」のうちに。

「アルルの平野」

この上もなく明るい空の下に拡がっている田畑のじゅうたん模様と、気の遠くなるように快よい地平の曲線。

ヴィンセントの声、（落ちついて快活な）愛するテオよ、俺はやっとアルルに来た。暖かい。明るいアルルに俺は居る。太陽の光と、物の色と、土の匂いの中に立っている。そうだ。あのヴォルテールがコーヒーを飲んでいる間に喉が乾いてしまったと言ったという、実に輝やかしい太陽の光だ。君は到る所で思わず知らずゾラとヴォルテールを感じるだろう。南は実にはつらつと生きている！この土地では農場や村の居酒屋も北フランスほどに物うげでなく、悲劇的でもない。暖かさが貧乏の辛い味と憂うつさを和らげ割引いてくれる。おゝ、これらの百姓家と、その麗わしく深紅の大輪のプロヴァンスの薔薇よ。また葡萄と無花果よ。すべては詩だ！そして永遠に明るい日光もまた—しかもその日光の明るさにもかかわらず、樹々の茂みは常に深々とした緑！

テオよ、俺は堅いパンと牛乳と鶏卵で暮している。暖かさが俺の體力を取りもどしてくれた。俺は他の人たちと同じように丈夫になった。上方やベール・タンギイや、老ミレエや百姓のようになったよ！　あの貧乏で、身體を悪くしているというゴーガンが、早く此處へ来るようにと、いくら俺が手紙を出しても、まだやって来ないのは、なんと残念なことだろう！。此處へ来ればゴーガンは丈夫になる。一緒に安あがりに暮せる。ゴーガンも俺もドンドン絵が描ける。それが売れる。すればテオよ、お前にかける厄介も少しづつ軽くなる。早く来るように、お前からもゴーガンにすゝめてくれ。

「二本の李の樹」

ヴィンセントの声（すこし早口に）テオよ、こちらでは、毎日良い日が続く。と言っても天気の事ではない。天気はアルルでは風のない静かな一日に対して風の日がつゞく。この風を土地の人はミストラルと言う。恐ろしくイライラと神経をかき立てる風だ。だが、花の咲きそろった果樹園は早く描かないと、待ってくれない。だから俺は地面にくいを差して、それにイーゼルを縛りつけて、風の中でも仕事をしている。俺はドンドン、ドンドン描いて行く。ライラック色の耕地、赤い色の葦の垣根、かゞやかしい青と白の空に伸びている二本のローズ色の李の樹。これは恐らく俺の描いた一番良い風景だ。（言葉の調子がシンミリと沈んで来る）……ちようどこの絵を描きあげて、黄色い家に持ち帰ったら、モーヴが死んだことを知らせる妹からの手紙が来ていた。モーヴは最後には俺を突き離した。しかし親切な良い人間だった。何か－それは何だか俺にはわからないが－俺を捕えたものがあって、俺のノドの奥に塊のようなものが、こみあげて来た。俺はこの絵に描き入れた。「モーヴの想い出のために。ヴィンセントとテオ」。もし君が賛成ならば、これを俺たち二人からモーヴ夫人に贈ろう。俺にはモーヴの想い出についてのすべての事は、直ちに和やかな明るいものにならなければならぬ。そして一枚の習作でも墓場の暗い感じを持たせてはならぬと思う。

「死者を死せりと思うなかれ
人々の生ある限り、その中に
死者は生きむ、死者は生きむ。」

「英国橋」

ヴィンセントの声（神経的に快活な）テオよ、今日俺は、青空にクッキリと輪廓を浮べている「はね橋」と、その上を渡りかけている小さな荷馬車との油絵を描き上げて帰った。河水も同じ青、河岸はオレンジ色で、緑の草が繁り、野良着を着て色とりどりの帽子をかぶった洗濯女の一群がいる・女たちの笑いさざめく声が川面にひろがり、橋を渡る馬車のわだちの音がガラガラと鳴り、それらがひびきかわして、絵を描いている俺の所までとどいて来た。あの馬車には、アルルに来てから俺の知り合いになった百姓が乗っているかも知れない。洗濯女の中には、善良な郵便配達ルーランのおかみさんが、まじっているようだ。……俺は筆を使いながら、遅まきながら畫家になった自分をシミジミ幸福だと思った。俺はホントに幸福だ。…… 俺は又もう一枚田舎の小さい橋と、もっと大勢の洗濯女との風景を描いた。駅のそばのプラターヌの並木道も描いた。仕事のための着想は群がるように湧いて来る。だから孤独ではあってもそれを感じている暇もない。俺は蒸気機関車のように描きつづけている。グイグイと仕事が進む。一日に一枚ずつ時によると二枚も仕上げることがある。俺はまるで自分が日本に居るような気がする。俺はここに来てはじめて、自分を発見した。完全に独創的な畫家として自分を打ち立てた。形も色も恐ろしい程にハッキリ見え、見たものを少しの疑いもなく、カンバスに描ける。パリでは、いろいろの刺戟が多すぎたし、他からの影響に動かされ過ぎて、自分を失い、乱れ疲れてばかり居たのだ。それがわかった。もう俺はどんな事があっても自分を取り失いはしないだろう。テオよ、とは言っても俺はゴーマンにはなっていない。俺にはまだ傑作は描けない。俺の技術はまだギクシャクして完全ではない。しかし、独創的な――他人からの借り物でない――これこそヴィンセント・ヴァン・ゴッホであり、ヴィンセント・ヴァン・ゴッホ以外のものではない絵が描けるようになった。これもお前のおかげだ。お前は俺を愛してくれ、尊敬してくれ、俺が絵を描きはじめて以来、一月もかかさずに、自分の働いて得た金の中から、俺の生活費と絵の材料の費用を送ってくれる。何と言うお前は良い弟か。そのお前の愛情と尊敬とギセイに、いくらかふさわしい畫家に、やっと俺はなりかけている。俺がもし立派な絵を描くことが出来れば、その作品は文字通りお前との合作だ。わかるかいテオ？。俺はお前にこう言えることが、こう言えるようになったことが、うれしく、誇らしくてならないのだよ。俺はボリナージュで神を見失った。その後ハーグでヌエネンでもアムステルダムでもパリでも、神は俺には見つからず、現在でもキリストの神がどこに居るのか俺にはわからない。しかしお前がこれほど俺を愛してくれ、俺がこれほどお前を愛し、してまた、俺はゴーガンやベルナールやタンギイや労働者や百姓や、しいたげられた女たちを愛している。そして俺には絵がある。絵を描くための労働がある。それならばもし神が居ないとしても、何かが居るのだ。

「黄色い家」

ヴィンセントの声　テオよ、やっとやっとゴーガンが到着した。彼は元気だ。そして、お前の斡旋で自分の絵の売れたことを喜こんでいるし、こちらでは俺が家や部屋など一切のことを、スッカリととのえて置いたので、直ぐに気持良く仕事が出来るので、ひどく悦んでいる。俺も勿論非常に愉快だ。生活は今までよりも軽くなる。彼はすぐれた畫家だし、面白い人間だ。彼と一緒ならば、俺も彼も共にたくさん仕事が出来るだろう。すべては、実にうまく行きつつある。テオよ、これがゴーガンと俺の住んでいる黄色い家だ。ラマルチーヌ廣場にある右がわの二階家で、ルーランの世話で家賃はたった月に十五フラン。俺は家をペンキで黄色く塗った。部屋が四つ有るから俺とゴーガンは、それぞれ自分の寝室と畫室を持っている。……テオよ、白状すると、しばらく前から俺は身體の調子が悪かった。食事が不規則なために胃が悪いのと時々頭がボンヤリして意識が薄れるような気がする事がある。外で絵を描いていて、倒れた事もある。俺は何か、ひどく身體が悪くなりそうな気がして、不安で不安でたまらなかった。そこへゴーガンが来てくれた。不安は消えた。いまでは無事に切抜けられる自信を持っている。俺たち二人は一カ月二百五十フラン以上は使わない。ゴーガンは料理がうまい。俺も彼から習おうと思っている。こうして安上りに共同生活をしながら、二人でグングンと立派な製作をする！。そのうちに、印象派の畫家たちや若い畫家たちが此處にやって来ていっしょに暮し、いっしょに絵を描いてその指導者にゴーガンがなる！。愉快ではないか。ハハ！。（神経的に、しかし愉快そうに笑って）ゴーガンは早くも、自分のアルルの女を見つけたらしいよ！。俺も、あれ位に恋愛の腕がいいと思うが、しかし俺の手の届くのは風景だけだ。つつ！。俺たちは大いに女郎屋を研究しに行くつもりでいる。毎日、朝から晩まで二人とも仕事仕事で過ぎて行く。夕方になると俺たちはヘトヘトになってカッフエへ行く。そのカッフエの夜の景色をそのうち俺は描こうと思う。ガス燈がきらめき青い夜空に星がまたたく。そのテラスでは、こゝに来て俺が知り合った士官のミリエや、畫家のボッシユや喜劇俳優や、たまにはルーランも寄って、コーヒを飲み、小さいパンを食べ、白葡萄酒に時々はアブサンを飲む。アルルの夜のとばりが、さわやかな物音を沈めて落ちて来る。テオよ、俺は幸福だ。

「夜のカッフエ」

ヴィンセントの声（前とはガラリと変って暗く、ギクシヤクと言葉の調子が乱れている）テオよ、俺は相変らずグングンと製作している。しかし時々頭がグラグラしたり、此處からにげ出して行きたくなる。どうしてか、わからない。俺の頭の中で妙なものが、うごめいている。時時俺は絶望におそわれる。俺は遂に畫家として完成されないだろう。ゴーガンの絵は売れるのに俺の絵は一枚も売れない。俺は部屋の中をカンバスで一杯にしていながら、一枚も送れるものがない。ゴーガンは俺のことを「旅団長、旅団長」と言うが、実際、俺は才能もなんにもない歩兵旅団長かも知れないと思うことがある。……それに較べるとゴーガンは偉大な芸術家だ。彼は「葡萄をもぐ女たち」を完成した。これは「黒人の女」にも劣らぬ見事なものだ。彼は「夜のカッフエ」もほとんど完成し、今は非常に独創的な裸婦を乾草の中に、豚といっしょに描いている。これは非常に立派な、実に特異なものになりそうだ。ゴーガンは、いつでも堂々と自信を持ち、牛のような力で描いて行く。実にうらやましい、見事な態度だ。俺は彼から學ばなければならぬ。しかし、俺はゴーガンのようにユックリ絵具を塗ってはいられない。仕事が間に合わないほどたくさんあるからだ。俺には俺の行き方がある。俺はゴーガンと競争しようとは思わない。しかしゴーガンを見ていると、俺はイライラして、手がふるえ出し、頭がキーンと鳴り出すのだ。俺は又、病気の発作に襲われるのではないかと言う気がする。しかしテオよ、あまり心配しないでくれ。俺は充分気をつけている。ミストラルが吹く時には、屋外の写生には出ないようにして、アトリエで描く。心配しないでくれ。……ゴーガンが昨日、クロード・モネエの「向日葵」の絵を見た話をした。その向日葵は日本製の大きな花瓶にさしてあるそうだ。実に立派な絵だそうだ。しかし、そのモネエよりも俺の「向日葵」の方が好きだとゴーガンは言った。……俺はゴーガンの言葉を信じない。ゴーガンは立派な人間だから嘘を言っているとは思えない。しかし俺は信じない。信じられない。

「向日葵」

ヴィンセントの声（続いてソワソワとした早口）ゴーガンは強い。意地が悪い。絵を描くために罪もない奥さんと子供たちを捨ててしまって平気な男だ。画家としては偉大だが、人間としては悪魔のような男だ。……いやいや、そうではない。彼は実に親切な人間だ。彼はこの間も俺に、あんまり厚く塗った絵具の油を時々拭きとる方法を教えてくれた。そうすると色が鋭く冴えるのだ。ゴーガンに反感を持ったり憎んだりするのは俺が悪い。それは俺が弱くて、イライラばかりしているからだ。……テオよ、これがその描きかけの「向日葵」だ。君は、どう思う。俺は今三十五だ。とにかく、四十歳になるまでに俺は、そのモネエの「向日葵」に匹敵するような人物画を一枚でも描くことが出来たら、俺は芸術の上で誰か――それは誰でもかまわない――誰かの隣りに一つの席を占められるだろう。だから、ヴィンセントよ、忍耐しろ、忍耐しろ！……近頃、ゴーガンは、アルルの町や俺たちの黄色い家や、特に俺に対して機嫌をそこねているように思う。何かと言うとアルルの一切のものを呪い、一日も早く、金の出来次第、南洋群島の方へ行くんだと言う。しかし俺は今、ゴーガンに行ってしまわれるのが恐ろしい。だから行かないように頼んでいる。その事では時々口喧嘩のようになる。それらのホントの原因は外部によりも俺とゴーガンの内部に在る。自分のうちに強烈な創造力を持った人間が二人寄ると、長くは一緒に暮して行けないのだろうか？、ゴーガンと俺とは昨夜、ドラクロアとレムブラントに就て議論した。俺たちの議論は物凄く電気的だ。議論の後では、俺たちの頭は、電池が放電してしまった後のように困憊しつくす。そしたらゴーガンが自分の絵と俺の絵の事を言い出した。やっぱり君は旅団長だ、人の影響を受け過ぎる、現に俺の色の塗り方を真似て、ツーシユの幅が廣くなってるじゃないか、そう言うのだ。俺はグッと来た。しかしジッと我慢した。頭の中が鳴り出したが我慢した。……するとゴーガンが出しぬけにせゝら笑いをしながらラッシエルの事を言い出した。ラシエルと言うのは、はじめ俺と仲好くなり、ゴーガンが来てからはゴーガンと仲好くなった五フラン屋の女だ。――カーッとなってしまった俺は。眼の中から光が飛び散る。ゴーガンの歪んだ鼻！ それを目がけてアブサンのコップをピュッと投げた！。どこかで、チャリンと鳴って、白い炎が立ちあがる、白い炎が――

「製作へ」

アルルの街道をヴィンセントがヒっ道具をかついで寫生に行っている絵。たゞし、この場合は幻燈スライドでは無く、この絵からヴィンセントの姿だけをのぞいて實景大に引き伸ばし、ホリゾントを使って眼もくらめるばかり明るくした装置である。風景の中に人影は無い。

ヴィンセントの声 ……（しばらく沈黙していてから、弱り果てた低い声で）テオよ、これがアルルの街道だ。夏の間は毎日のように俺は此處を通って寫生に出かけた。今は夏も過ぎ、秋も終って、そろそろ冬だ。近ごろではたいがいアトリエで仕事をするが、今日はしばらくぶりで此処へ出かけてスケッチして来た。俺はこの絵のまんなかに、絵の道具をかついで製作に出かけて行っている俺の自畫像を描きこむつもりだ。……ほらほら、向うから俺の仲好しのルーランがやって来た。今日はもう夕方で、配達は全部終ったと見えて、カバンも軽そうだ。良いヒゲだろう？、ね、顔はソクラテスに似ているだろう！（言葉の中に、そのルーランが、青い制服制帽に大きなカバンを肩から斜めにかけて、街道を上手から歩いて来る。一日の働きを終った後の上機嫌で、何かの鼻歌を小声でやりながら）ルーランはこれから家に帰るんだ。気が向くと、途中であのカッフエに寄ってアペリティーフを一杯ひっかける。しかし、深酒はしない。家には人の好いおかみさんと子供たちが、一緒に夕飯を食べようと首を長くして待っているからだ。テオよ、心貧しく、人を憎まず、働いて妻と子を養っている人々の姿の、なんと美しいことだ！　俺は涙が出る！……（ルーランは中央あたりまで来て、道ばたの草むらの中に何かを見出して、ギヨッとして立停る。やがて、怖わ怖わ近より、覗いてそれが人であることに気がつく）

ルー　……これこれ、あんた、（その人の肩に手をかけて）あゝ、ゴッホさんじゃありませんか！　どうなすった、こんな所で眠ったりして？　おやおや、イーゼルも何も、ひっくり返して！（言いながら助け起す。実際の丁製作しの中に描かれているのと同じナッパ服にムギワラ帽のヴィンセント。気を失って倒れていたもの）

ヴィン　うん？……（ボーッとして、自分がどこに居るかわからない様子）……

ルー　どうしました？　気分でも悪いかね？

ヴィン　あゝルーランさんか？　えゝと——

ルー　もう間もなく日が暮れますよ。さあさあ、いっしょに帰りましょう。おやおや、せっかくの絵があなた、砂だらけだ。（くちこごとを言いながら、絵の道具をまとめてくれる）

ヴィン　すまない。つい、寝込んでしまって——（やっと我れに返り、頭をブルブル振り、痛むと見えて額に手を持って行く）

ヴィンセントの声（観客の背後から）眠っていたのでは無い。気を失って倒れていたのだ。……俺はこの風景をセッセと描いていた。ゆうべのアブサンがたたって頭が少し重かったには重かった。しかし、俺はいつもカンバスに向うと、すべてを忘れてしまう。今日も描き進むうちに頭の痛いことは忘れてしまっていた。絵はうまく行きそうな気がした。そのうちに、ヒョッと風が吹いて来た。あっ、ミストラルが来るなと思った。カンバスがゴトゴトした。そのため木立の色を塗りそこなった。それでパレット・ナイフを取ってけずり取ろうとして、ナイフの刃を見た瞬間に、ゴーガンの顔がナイフの向うからヒョイと覗いた。ゆうべ灘からアブサンのコップを投げつけられて、ジロリと此方を見た顔だ。眼が軽蔑で光っている。その青い眼だ。……それを見ているうちに、俺はクラクラとしてあたりがすべて暗くなり、そして、どこに居るかわからなくなった。遠くで、どこかの鐘が鳴りわたっていた。キリン、カン、キリン、カン、キリン、カン、遠い所で……

ルー　さ、これでまとまった。絵具箱は私が持ってあげます。行きましょう。

ヴィン　ありがとう。いいんだ、僕が持つ。（立つが、すこしヨロヨロする）

ルー　大丈夫ですか？、（ヴィンセントの片わきを支える）

ヴィン　大丈夫。（七つ道具をさげて立った姿は「製作へ」の中の自畫像と全く同じである）

ルー　なにしろ、あなたはあんまり詰めて仕事をなさり過ぎる。どうです。一つ、くたびれ直しにジマーのカフェーで一杯ひっかけて行きますかな？、ハハ、なあに、今日は私がおごりますよ。

ヴィン　ルーランさん、ホンにあんたには、アルルに来て以来、ずいぶんお世話になるなあ。

ルー　なあに、――これで私は何にもわかりやしませんがね、それでも絵が好きで、それでまあ、こうしてあなたともナニしてもらって、肖像畫も描いていただいたし、お世話のなんのと、そいつはアベコベでさ。（ゴッホを助けて歩き出す）

ヴィン　いやいや、僕の方が――悪いのは僕の方だ。

ルー　え？、悪いとおっしゃると？、

ヴィン　僕の方なんだ。

ヴィンセントの声　悪いのは俺だ。ゴーガンは悪く無い。ゴーガンはいつでも正しい。ゴーガンは強い。強いと言う事は正しいと言う事だ。しかし、しかし、ゴーガンは、ホントに正しいのか？、そして俺はいつでも旅団長なのか？、耳の長い驢馬なのか？、ゴーガンに俺のことを耳の長い驢馬など言う資格があるのか？、いやいや、いやいや、それでも悪いのは俺だ。あんな偉大な画家で先輩のゴーガンにアブサンぶっかけたりしたのは悪いとも！、今日帰ったらゴーガンに俺はあやまらなければならぬ、そうだとも！

ヴィン　そうだ、あやまる。

ルー　なあに、あなた、あやまるなんて、そんな大げさな事おっしゃらなくたって、ハハ！

ヴィン　ルーラン、君はホントに、ホントに善い人だなあ！

（言いながらルーランの大きな手を取って、その手へ自分の顔を持って行く

ルー　おや！あんた、泣いているね？、

ヴィン　うん、いや。何でも無い。何でも無いんだ。

ヴィンセントの声　そうなんだ。人間はみんなみんな善いんだ。ゴーガンも善い人間だ。人間はお互いにホントにあやまり合って、仲よくやって行くのが本当だ。何を俺は苦しんでいるんだ？、貧しい、打ちくだかれた心で、生きて行けば、すべては明るく、すべては幸福に行く。それに気がつかないとは、何と俺は馬鹿だろう。こんなに明るい空がある。この空を俺は描ける。なにが不足なんだ？、ゴーガンは善い奴だ。俺は帰ったら直ぐに、心からあやまろう……

声がそう言っている間に、ルーランとヴィンセントの姿は街道を下手へ歩み去って消える

5、黄色い家で

「アルルの女」第二組曲4の「ファランドール舞曲」。曲の途中から、それに合せて踊っている小さな靴音がカタコト、カタコトと混る

かなり広い二つの室をぶちぬいてアトリエにしてある。下手にベッドのある小部屋（ゴーガンの寝室）。上手にあまり高くない階段があり、階段の上にベッドのある小部屋（ゴッホの寝室）。正面に入口。アトリエの上手前寄りにスタンドがあり、それに水差しや洗面器、コップなどのせてあり、洗面場になっていると同時に簡単な食

楽の仕度もそこでするらしい。アトリエには中央に寄せた二つのテーブル、四・五の椅子。テーブルの上には壷にさしたままカラカラに枯れた向日葵・ゴーガンのイーゼルとヴィンセントのイーゼルがテーブルの右と左に立っており、ゴーガンのイーゼルには、向日葵を描いているゴッホの肖像の完成に近いのがのっており、ゴッホのイーゼルには、何枚目かの「向日葵」がのっている。壁のわきにはたくさんのカンバスが向う向きに立てかけてある。アトリエも寝室もガランとして貧しい。上手半分がゴッホの領分になっているらしく、床の上にデッサンの紙やチューブやボロ切れがメチャメチャにちらかり、階段には本が開いたまま投げ出してあったり、二階の寝室もひどく取りちらしてある。それに較べるとゴーガンの領分の下手半分と寝室はキチンと整理してある。その對照が一目でハッキリわかる。二つの窓から日暮れ前の廣場の冬ざれた樹立が見える。――ゴーガンが、テーブルの下手の椅子にダラリとかけて、三角パンをムシャムシャやりながら、気のない風に膝の上のスケッチ・ブックにクレヨンを走らせている。

中央の床の上で、十七・八の女ラシエルが、直ぐ裏にあるレストランから聞えて来る「ファランドール舞曲」の笛の音に合せて、手振り足振りスカートをなびかせて、自己流に踊っている。乳房のへんまで切りさげた派手なブラウスに黒いスカートの、言う事もする事もひどく軽くて、五フラン屋の商売女じみた所は無く、すこし馬鹿な小妖精じみた感じの女。……曲が終る。

ラシ　フウ、くたびれた！

ゴー　うまいじゃないか。

ラシ　だって、あたしの村では、春の祭りには毎年これを踊るんだもの。アルルの、このへんでも踊るわ。みんなで廣場に集ってね。（ドサンと椅子の一つに掛けて）そんでもこっちい来て、お店に出るようになったら、もう駄目だな。足のさばきが以前のように早く出来ない。

ゴー　毎晩々々、あんまり足をさばくからな。

ラシ　いやあだ！

ゴー　あの店に来て、君、どれ位になる？
ラシ　この冬でそろそろ一年になるわ。
ゴー　どうだ、田舎に居るのと、今の商売と、どっちが良い？
ラシ　そりゃ、今の方が良いわ。田舎に居ると、おっ母さんには始終ガミガミ言われるし、綺麗な着物一つ着られるじゃなし、第一食物があんた、肉なんぞ一週間にせいぜい一度、チーズも無い時があるのよ。此処だと、肉は毎日、お客さんが葡萄酒は飲ましてくれる――
ゴー　飲ましてくれる代りにゃ、それぞれチャンとお相手をつかまつらなきゃなるまい？
ラシ　それだって、暮しを立てる仕事だと思やあ、それほどつらくも無いわよ。だって、どこに居たって、どっちみち私たちみたいな身分では、自分の身體を使って食べて行かなきゃならないもの。田舎では私もおっ母さんも大百姓の家へ日雇いに出て働いていたのよ。同じ事じゃない？
ゴー　ふん。
ラシ　そりゃ、今のお店、時には、つらく無い事は無いわ。でも仕方が無いでしょ？　だから私、なんにも考えないことにしているの。馬鹿だと思ってんの。人間なんて、自分もお客さんも。だから、いっそ面白いわ。たゞ、兵隊のお客さんだけは嫌だわね。乱暴で。
ゴー　また、よく来るなあ、スワーヴ兵の奴等。中尉のミリエなんぞ近ごろ来るかね？
ラシ　よんべも来たわよ。しかし、あの人は、ローザのお客よ。おたいは、よんべは、お茶引いちゃった。
ゴー　はゝん、そこで今日はお前、ヴィンセントを呼び出しに御出張と来たな？
ラシ　そういう譯では無いのよ。おかみさんに頼まれて、驛んとこまで買物があったんで、どうなすってるかと思ってチョット寄って見たんだわ。
ゴー　しかし呼び出すにしたって、エサがこんな二つや三つの三角パン位じゃ、ごめんだぞ。ゴッホが行くと言ったって、俺がやらない。
ラシ　エサなんて、そんなつもりじゃ無くってよ。あんた方、絵ばかり描いていて、一日中なんにも食べない事がよくあるんでしょ？、可哀そうだと思って、私のおこづかいで買って来てあげたのよ。……だけど、フウ・ルウは、どこへ行ったの、ずいぶん遅いわね？、

ゴー　そら見ろ、ヴィンセントを待ってるくせに。ハハ、なに、もう直ぐ帰って来るよ。だが、どうしてお前たちは、あの男のことをフウ・ルウなんて言うんだい？、

ラシ　町の人がみんなそう言ってるのよ。だって、そうでし、よ、あの人と来たら夏の間じゆう、七つ道具をかつりで、熱病やみのような眼をしてさ、日の出ないうちに町から駆け出して行くんだもの。そうしちゃ、頭のテッペンを生肉のように真赤にして、描きあげた絵をふりまわして、ブツブツひとりごとを言いながら帰って来るのよ。だから、赤毛の馬鹿、フウ・ルウ！。

ゴー　赤毛の馬鹿か。

ラシ　あたしん所へ初めてあの人が来た時、ベッドに入ってから、あたい、そう言ってやった。あんたの事、町の人が何と言ってるか知ってる？、って聞いたら、あの人ったら悲しそうな顔して、何と言ったと思って？、知ってるよ多分俺は赤毛の馬鹿なんだろう。だって俺にはそれをどうしようも無いじゃないか。

ゴー　フフ、フフフ！。

ラシ　あたいも笑っちゃった、しかし、そん時から、あたしあの人と仲好しになっちゃった。ホントに好きになった位よ。

ゴー　すると、お前もあの男も、すっかり御満足になったと言うわけだね？、そいつは結構だ。

ラシ　え、なにさ？、　えっ、えっ、そりやそうだわよ。だから、これからチョイチョイ来てちょうだいと私言ったのよ。そしたらね、来たいには来たいけど、金が無いからそんなには来られないと言うの。だから私、金の無い時はあんたの耳を私んとこに持って来てちょうだいって言ってやった。あの人、とても大きな飛び出した耳をしてるでしょ。ホ、ホ、まるで驢馬の耳みたいな？、

ゴー　そう言やあ、そうだ。（自分の描いたヴィンセントの肖像に眼をやって）フフ、そうさ。

ラシ　ね、ホホ、そしたら、あの人とても喜んで、じやその

うちキット持って来ると言うの。ハハ！うれしくなっちゃった、あたい！。あんな怖い顔をしてるくせに、あんな善い人って無いわよ。

ゴー　そりゃそうだ、たしかに。まあ、せいぜい可愛がってやってくれ。

ラシ　だけど、あの人、ここが少しこれでしょう？（こめかみに指を持って行って廻して見せる）じゃなくって？

ゴー　む、ちょっとね。だが、変だと言や、俺なぞも相当だぞ、わかるかね、だから、こんな所にグズグズして本物の気ちがいにならぬ内に、俺なぞ一日も早く南の天国へ行くよ。

ラシ　え、どこかへ行くの、あんた、よしなさいよ。アルルよか良い所、世界中に無くってよ。第一あんたがどっかへ行っちまうとフウ・ルウ、とても寂しがってよ。

ゴー　そんな事あ無いよ。ゴッホのためにも俺あ早く此処を立ち去った方がいいんだ。俺が居るとあの男は気が立っていけない。

ラシ　そんな事無い！だって此の間あの人言ってたわよ。ポールが行ってしまうと言ってる、ポールが行ってしまうと俺あ一人ぽっちで、どうしてやって行っていいかわからない、そうなると俺は悲しくて絵が描けなくなるかもわからない。俺はポールをホントに尊敬している。ホントに愛している。そりゃ、少し意地の悪い所はある、あるけどそんな事なぞ、どうでもいい。ポールを此処に居させて置くためになら、俺あどんな事でもする。左の手一本ぐらいならローソクで焼いて見せてもいい！

ゴー　ふむ。……（それを言っているのが、子供っぽい売笑婦であるだけに、かえって、強く打たれて、不意に黙ってしまい、眼を据えてヴィンセント像上を見ている）

ラシ　（これは、ただ軽佻に）怖いくらい真剣な顔してそう言ってたわ。よくよくあんたに惚れてんだわ。あたい、少し妬けちゃったな。あんた、一體、あの人の何？兄弟分？それとも絵の先生？先生じゃ無いわね？だって生徒がポールなんて呼び捨てになんぞしないでしょ？

ゴー　（苦しそうに、しかし強く）……友だちだ。……そう、一番仲の良い友だちだ。

ラシ　ホント？、ホントに？、そいじゃ、あの人の言う事聞いてあげなさいよ。寂しい人だわよ、フウ・ルウ！。ね、そしたら、私、あんたにキッスしたげる！。だから、そうしてあげて！。ほら！。（サッとゴーガンの膝に乗り、ゴーガンの頭を手にはさんで、口のわきにキッス）

ゴー　ラシエル、お前は良い子だな。

ラシ　だからね、そうしてよ！（もう一つ、別のがわにキッス）

ゴー　フフ！。

　そこへ音も無くドアが開いて、ヴィンセント。絵の道具をさげ、ルーランと一緒に一杯ひっかけて来たと見え、すこし元気に、何の気も無く入って来たのが、ゴーガンがラシエルを膝の上に抱いているのを見て、サッと顔の色が変り、棒立ちになる。

ヴィン　……。

ラシ　あら、フウ・ルウ！

ヴィンセントの声（観客の背後から、低い早口で）畜生！マルチニックの種牛め！。この女まで俺から取り上げるのか？、この女は俺の女だったんだ。アルルへ来て、絵を描きすぎて疲れてイライラしている俺を最初に慰め落ちつかしてくれたのは此の女だったんだ。この女は俺にとっては、自分の欲情の相手以上の存在だったんだ、俺の焼けてくるめく頭を、この女の乳の上にのせると、熱が引いて静かになりウトウトと眠れた。それを、この畜生は、ただ一時の欲情だけで俺から取り上げるのか？、こいつは俺の作品に一々ケチをつけては、絵を描いて行く落ちついた気分を取り上げた。しょっちゅう議論を吹きかけては、俺の頭をメチャメチャに引っかきまわした。あんまり酒を飲むな、タバコを吸うななどと、したり顔して忠告するようなフリをして俺の生活から空気を取り上げた。まだ取り上げたりないのか？、

ラシ　（立って来て、ヴィンセントの首に手をかけて）どうしたのフウ・ルウ？、又、絵を描きに行ったの？、冬の間ぐらい、ちょっと休みなさいよ。ごらんなさい、こんなに痩せちゃった。今日も又なんにも食べていないんでしょ？、私三角パン買って来たわよ。（テーブルの所へ駆けもど

つてパンを掴んでゴッホの方へ行き、握らせる）お食べなさいよ。
ヴィン　……。
ヴィンセントの声（益々早口で）嘘をつけ、淫売め！今お前はこの男と何をしていたんだ？・俺をナメて馬鹿にしても、その手には乗らないぞ！
ラシ　どうしたの、黙りこくって？、ね、フウ・ルウ、今あたしポールさんに頼んでたのよ、アルルからどっかへ行っちまうの、フウ。ルウのために、よしてくれって、そしたら、行かないと言うのよ。それじゃ、行かないで、あんたとズッと一緒に此處に居るんだって。（ゴーガンに）ねえ、あんた。そうだわね、そうでしょ？、
ゴー　フフ。……（ただ笑っている）
ヴィンセントの声　さては、この女が手に入ったもんだから、大當分この女に飽きるまで此處に居ようと言うのか？、ゴロつきの浮浪人め！
ヴィン　……。
ラシ　だからさ、安心して、このパンお食べよ、ね！
ヴィンセントの声　いや、いや、いや、待て待て。……（同時に舞台のゴッホは無表情のままユックリ上手の階段の下へ行き、さげていた絵の道具を置く）いけない！気をつけろ！俺は、ゴーガンに昨夜の事をあやまって、仲直りをするつもりで帰って来たんじゃないのか？、ルーランと一緒に一杯飲みながらも、俺はその事をルーランに話して、ルーランに約束して来たんじゃないのか？、落ちつけヴィンセント。もっと素直な気持になれ。ゴーガンは、今の俺に取っては唯一人の友だちだ。そして俺よりもすぐれた天才だ。ラシエルは何だ？、たかが一人の淫売だ。ラシエルをゴーガンが取りたければ取ったっていいじゃないか。それ位のことで俺はポールを失ってはならない。失ってはならない。素直に、素直に、素直になって、俺はポールに詫びを言わなければならない。ければならない。
ヴィン（低くつぶやく）ければならない。ければならない。うん。
ラシ　何をブツブツ言ってるのよ、お食べよパンを。
ゴー　どうした、うまく描けたかね？、……風がひどかった

だろう？」
ヴィン　う？、あゝ、いや。
ラシ　ホホ、ぼんやりしちゃ、いやだわよ。ね、フウ・ルウ、今夜お店へ来ない？、いっしよにアブサン飲んで踊りましようよ。そしたら元気が出るわよ。うゝん、お金が無きや、無くともいいわ。その代り、持って来て、ね、これ？、（とヴィンセントの左の耳を引っぱる）ホホ、よくって？、来るわねフウ・ルウ？、（ヴィンセント無言でうなづく）
ヴィンセントの声　この女は何を言っているんだ？、さっきはゴーガンと抱き合っていて、こんどは、こんな事を言っている。こんな無邪気な顔をして、こんな明るい目をしてパンを食えと言って、金が無ければ耳を持って来いと言って、耳？、耳？、耳？、俺にはわけがわからない。どう言うんだ？、どう考えたらいいんだ？、　わけがわからないわからなくなった、わ、わ、わー（言葉の間から裏のレストランからのファランドールの笛が曲の途中から鳴りはじめる）
ラシ　あら、又、裏で笛を吹きはじめた。（踊りの調子に鈴をカタカタ鳴らして）じゃ、あたい帰る。あんまりおそくなると、おかみさんにしかられるから。きっと来てよ今夜。いいわねフウ・ルウ・ポールさんも、どうぞね。さあさ、これチヤンと食べて。（と、ゴッホの手のパンをちぎってその口にねじ込んでから、入口の方へ）さいならあー。ランラ、ラー、ラー、（ファランドールに合せて三つ四つ踊りの身ぶりをして鈴を鳴らしてから、戸を押してサッと出て行く）
取り残されたゴーガンとヴィンセント。ヴィンセントは立ったままで、バラバラの表情で、無意識にパンを噛んでいる。ゴーガンは、こっちからそれをジッと見守って、いる。……鳴りつづけるファランドール。
ヴィン　……（顔が不意にゆがみ、両頬に涙が流れて来ている。自分ではそれを知らない。ファランドールに聞き入っているだけ。ヒョイと右手の三角パンを見る。そのパンを自分が噛んでいる事に気がつく。ビクンとしてゴーガンを見、それからラシエルの立ち去った戸口に目をやる。それから再びパンを見る。見ているうちに急に声をあげて泣き出す。

ファランドールやむ。ヴィンセントのオーオーと犬のほえるような泣声だけが残る）

ゴー　……（びっくりして見ていたが）どうしたんだ？、

ヴィン　……（泣き出した時と同様に出し抜けに泣きやんでボンヤリ立っている）

ゴー　（立って行き）どうしたんだよヴィンセント？、（ゴッホの肩に腕をまわして、テーブルの方へ連れて来ながら）まあ、掛けたらいい。急に泣いたりして？、（ゴッホを椅子にかけさせ、自分もかける）

ヴィン　（いきなり、ゴーガンの手を握って）ポール、俺を許してくれ！、俺が悪かった！　どうか許してくれ！（床にひざまずいてしまう）俺は、たしかにどうにかしているんだ！、たしかに、どうにかしていた！（床に額をすりつける）

ゴー　（びっくりして）どうしたんだよ全體？、そんな――

ヴィンセント？、

ヴィン　俺にはそんな気はちっとも無かったんだ、そんな気はちっとも無いのに俺の手がひとり手に動いちまった。俺はただ、ミレエが偉大な畫家だって事を君にわかってもらいたいと思って話していただけなんだ。それがツイ君から何か言われて、あんな議論になってカッとなってしまった。僕の悪い癖だ。直ぐに後先もわからないようになってしまう。君は冷静だ。僕はまるで子供みたいな人間だ。僕は時々自分でも自分が自由にならなくなってしまう。僕は君にアブサンを投げつける気なんか、その瞬間まで、まるで無かった。

ゴー　ゆうべのカッフェでの事かね？、なに、僕はなんとも思ってやしない。いいよ、いいよ、ハハ、まあ起こよ。

ヴィン　いいや許すと言ってくれ。でなければ僕は起たない。ポール。どうか許してやると言ってくれ。

ゴー　（ゴッホのわきに手を入れて立たせながら）いいじゃないか、そんな事。大した事じゃ無い。じゃまあ、許すよ。ハハ。

ヴィン　（やっと立って）ありがとう。僕はもう今後気をつけて、あんな事は絶対にしない。約束する。

ゴー　（ゴッホの両肩を抱いて）ヴィンセント、君って男は、

いい奴だなあ、

ヴィン　（これもしっかりと相手を抱いて）ありがとう、ありがとう。

ゴー　又泣くのか？（ポケットからハンカチを出して、ヴィンセントに握らせながら）拭けよ、みっともない。そのツラじゃフウ・ルウと言われても不平は言えないよ、ハハ。第一、僕はそんなセンチメンタルなのは、好きで無いね。よしよし、仲直りの祝いに、ゆんべ俺の買って来たアブサンを開けよう。（言いながら、下手の自分の寝室に行き、ベッドの下からアブサンの大瓶を出す）

ヴィン　（ハンカチで顔を拭き、機嫌よく笑いながら）まったく、俺はフウ・ルウだ。ラシエルがねー　いや、ラシエルも君が取りたいと思ったら取っていいよ。あれは良い娘だ。アルルの太陽の光の中からヒョイと生れて来たような女だ。もともと、僕があの女の所に通うようになったのが君が来る前、僕は此處にたった一人ぼっちで居て、とても孤独で寂しかったからなんだよ。寂しくってやりきれなかったためだ。（ゴーガンはその間にノシノシと歩いて上手の洗面台へ行き、コップを二つ持って来てテーブルの上に置き、瓶を開けてアブサンを注いで、コップの一つをヴィンセントに持たせる）ありがとう。（グッと一気に飲む。ゴーガンも飲む）そりゃ俺も唯の人間だ。女が欲しい。女が居なければ俺は凍えてしまう。しかし、それにも、もう馴れた。そう言う意味では俺はもう諦らめている。女には俺は縁が無い。俺の恋人は俺の絵だ。それに、こうして君と一緒に暮しているんだから俺はもう寂しく無い。だから、ラシエルは君にあげるよ。

ゴー　（グイグイとアブサンを飲みながら）ハハ、せっかくだが、いらんねえ、あんな小娘なぞ。そんな事より、問題はそんなふうな君の考え方に附いて廻る、なんと言うか、大げさな禁慾主義的な、福音書風な行き方だなあ。女なんて、君が考えているようなもんじゃ無いよ。欲しくなりゃ、好きなように取ったらいいんだ。女もすべて取られることを望んでいる。アダムとイヴの道だ。女も動物だ。男が動物であるようにね。それ以上、めんだうな事を考えて自分をしばりつける事自體が既にもう一種の墮落だよ。男と女が動物であった時は、墮落なんぞ起きはしなかった。神を創り出したり、道徳を汚え出した時から堕落したんだな。それと、機械だ。機械は今にわれわれ全部を奴れいに引きずりおろしてしまうよ。神と道徳と機械——これがわれわれヨーロッパの文明だ。だから文明は堕落のシノニムだね。今に完全に腐って亡びるよ。特にこのフランスなんて言う所は、もう腐り果ててズルズル溶けかけている。ボードレールはその腐った匂いをかぎ過ぎて、頭が変になった男だし、マラルメはそいつをかぐまいと思って、鼻をつまみすぎたためにフンづまりになった男だ。君も、いいかげんに福音だとか道徳なんぞ、いじくりまわしていると、気違いになるかフンづまりになるのが落ちだぞ。どっちみち、こんな腐った匂いから逃げ出す方法は、一切合切かなぐり捨てて、まっ裸になって海に飛びこむ以外に無いんだからね。

ヴィン　そりゃ、君の言う意味はわかる。わかるけれど、それも結局は一時の逃避だと思うんだ。今は、そりゃ、マルチニックやタヒチへ行けば美しい楽園が在るかもしれない。しかしそこがいつまで楽園であり得るだろう？え？（再びゴーガンのついだアブサンをあおる。そして自分もゴーガンのコップについでやる）しよせんは人間が住んでいる所だ。今のところ原始的で、文明から毒されていないから良いが、やがて、そこも開けて来る。人間は自然に文明の方へ進む。原始の方へ後帰りすることは出来ない。すると早かれおそかれタヒチもパリも変りは無いことになる。だから問題は本当は片づいたんじゃない。たゞ一時、君は逃げ出すだけだ。（もう酔いが廻って、次第々々に早口に昂奮して来ている）

ゴー　（この方は酒に強く、冷静さを失わない）そうだよ、たしかに逃げ出すだけだ。後の事は知らん。ほかの奴等の事は知らん。自分がもうたまらないから逃げ出すのだ。卑怯だの、独善だのと笑えば笑え、問題が片づかなくたって俺の知った事じゃない。俺が確実に持っているのは、この自分だけだからな。しかも俺がこうして生きているのは一遍こっきりなんだからね。俺は来世を信じない。だから、今、現在、自分を大事にするんだ。臭いのをがまんしているのは、御免なんだ。それだけの話だよ。悪いかね、それで？

ヴィン　良い悪いでは無くて、俺の言うのは、こうしてやって行きながら、この腐敗や堕落の中で苦しみながらだな、そのなかに、俺たちは救われる道を見つけ出せないだろうか、と言う事なんだ。又、結局、このなかにしか、救われる道は見出せないんじゃないだろうか、と思うんだ。それに、君は笑うかも知れないが、今現にこうしてゴチャゴチャした不合理な不愉快な世の中に生きていても、正直のところ、俺たちはまだ素朴なやさしい心をお互い同志感ずる事が出来る。真実を与え合う者は出来る。愛はあるのだ。それが在るならば、何がホントに根本的に腐敗しているのかね？、だから、だからさ―だから、例えば―自分の事を言ってなんだけど、僕がね、ベルギイの炭坑で宣教師をしていた時、炭坑が爆発したことがある。死人がたくさん出た。一人の男が死にかかっていた。会社では、どうせどんな手当をしても死ぬものだから打っちゃって置けと言うんだ。僕はその男を見ていて、もしキリストだったら、どうするだろうと考えた。そしてね、僕はその男を自分の室にかついで来て、疵を洗ってやって、つききりで看病した。毎日湯に入れてやった。その男が恢復するにつれて僕は衰えてきた。一カ月して男は助かって、僕の方は病人みたいになった。そしてその男は今ではスッカリ丈夫になって、毎日曜日僕のために神に祈っている。……いや自慢するためにこんな話をしてるんじゃ無いよ。それに僕はとうの昔に神やキリストを見失っている人間だからね。ただそういう者もあると言っているんだ。その男が僕のために死ぬまで祈ってくれていると言う点なんだ。神だか何だか俺は知らない。しかし、もしそれを神だと言えば言えるんじゃないだろうか？、すれば人間はにげないで、このままでやって行っても救われるメドは有るじゃないだろうか？、

ゴー　……（先程から、自分の全く持っていないものを持っている人間に対する驚異と感嘆のために、アブサンを飲むのをやめて、ほとんど厳粛な顔になってヴィンセントを見つめていたが）まったく、君と言う男は、おかしな男だ！。どうも、うむ。聖なる魂か。

ヴィン　聖なる―？、又からかうのかね？、

ゴー　からかっているように見えるかね？、フフ、まったく

君という男はおかしな人間だなあ。どうだい、明日僕に君の肖像を描かしてくれないか？、

ヴィン　僕の？、あゝ、いいとも。そいでね、僕が此處にこの家を借りて、君を呼んでこうしてさ、そして、もっと貧乏で世間から認められない畫家たちをたくさん呼び集めて仲よく共同生活をしながら製作して行こうと思ったのも、結局それなんだよ。俺はやっぱり人間を信ずる。逃げ出そうとは思わない。貧しい心とあたたかい胸を持った人々を捨てない。どんなに苦しくとも、俺は此處で、やる！（ドサン、ドサンとテーブルを叩く）

ゴー　おっと、そんな、なぐりつけるのは、よせ。酒がこぼれる。（コップを取って飲む。以下、話の間に、ついでは飲んで、二人の酔いは深くなる。ヴィンセントよりもゴーガンの方がずっと酒に強いだけで無く、酔い方も違う。ヴィンセントの方はカーッと発揚してイライラと白熱して来る酒で、ゴーガンのはドロンと底に沈んで行って、どこか少し凄味のある酒だ）

ヴィン　だから俺は、君を畫家としてはホントに尊敬しているけど、でも、奥さんや子供さんまで有るチャンとした家庭を、まるで古靴を捨てるようにして捨ててしまって顧みない君の気持が、俺にはわからない。

ゴー　ハッハ、そいつは俺にもわからないさ。たゞ、或る朝ヒヨッと、人間はいつまでも生きてるもんじゃ無いと思った。俺も、だから、自分のホントにしたいと思う事をしなくちやならんと思ったんだ。それまで十五年間俺は證券屋をやって、妻子を養って来た。今後もなんとか困らないだけの金は稼いでやった。だから後は、自分たちで何とかするがいい。これから先きの俺の月日は俺のものだ。自分だけのために使うんだ。だから絵を描くんだ。あとはどうでも良い。俺の知った事じゃ無い。そう思って、そうしたまでさ。ハハ！

ヴィン　そうら、そう言って君は笑う！そんな風にだね。自分の親しい者をギセイにする資格が人間にあるのかね？、しかも君は笑っている！君の奥さんと子供さんは君から捨てられて、今ごろは泣いているかも知れないのに、君は笑うんだ！まるで君は悪魔だ。

ゴー　アッハハ、俺が悪魔なら、君はダニだよ。だってそう言う君自身はどうだい？、弟のテオドールを君はギセイにしくないのか？、もう五年も六年もテオ君は自分の月給の中から毎月百五十フランずつ君に送って来ているが、そのためにテオ君は結婚しようにも、思うように行かないで、行きなやんでいるそうじゃないか？、

ヴィン　そ、そ、それを！。そ、そー（一度に真青になって立ち上っている）き、君は―テオは、テオとは、そう言う約束なんだ！　俺の描き上げた絵はみんなテオに提供する、だから、それはテオの財産であって、それが売れるようになればテオがもうけて―だから、今兄さんに金を出してあげるのは、言わば共同出資の前払いだから、兄さんは安心して、ひけめを感じないで絵を描くようにと言って

皆（異常な酔いのために絶句してしまう）

ゴー　そりゃ、君に気づまりな思いをさせないために、そう言うのさ。人の善い男だからね、あれは。しかし、実はどれだけ君のことを重荷に思っているか知れんよ。パリで僕に何度も愚痴をこぼした事がある。時々兄のことでは耐えきれぬ事がありますと言ってね。

ヴィン　そ、そ、それはテオが俺の事を愛して、俺のためを思ってそう言うんだ。それを君にはわからんのだ。君はそれを反対の意味にしか取れない。そう言う冷血漢だ君は！。

ゴー　現に、君の絵が売れるようになればと言うが、一枚でも売れた事があるかね？、無い。今後も売れる筈はない。つまりテオはボロクズを背負いこんでいるだけだ。それをテオは知ってるよ。知ってるけど、頭の少しおかしい兄を落ちつかせるための気休めに共同出資だなんて言っているのさ。そんな事をちっとも知らないで、たゞいい気になっているのが君だ。いや、ホントは君はそいつを知っている。知ってても、今のようにしているのが自分が得をするから、頬かむりをしているだけだ。実は腹の底では気がとがめているんだ。でなければ、僕からこんな事いわれてそんなに怒るわけは無い。いや、俺がこんな事を言うのは、だから怪しからんと君を非難してるんじゃ無いぜ。たゞ自分の事はタナにあげて人の事ばかり君が言うからさ。人間は結局エゴイストだ。自分を中心に考える以外に無い。人をギセ

イにするのは、やむを得ないさ。弱虫は人をギセイにしているることを認めるだけの勇気が無いもんだから、愛だの友だのと持って来て自分でごまかそうとして――。

ヴィン　だ、だ、黙れっ！（テーブルの上の、あらかた空っぽになったアブサンの瓶を掴んでテーブルにガシャンと叩きつける。瓶は割れて、そのへんに飛び散る）黙らないと――！

ゴー　……（ヴィンセントの調子から殺気のようなものを感じて、いっぺんに黙ってしまう）

間――いつの間にか、室内はすっかり暗くなっている。また少し明るい窓の外の広場にガス燈がポツリポツリとともっている。

ヴィンセントの声　（背後から。死んだように静かな室内に向って、はじめはほとんど聞えない位に低くつぶやくように）いやいや、テオが、あのテオがそんなふうに思っている筈がない。テオは俺を愛している！俺の絵を良い絵だと思ってくれている！結婚のじゃまになるなぞと俺の事を思っている筈は無い！そんな筈は無い！それならば今まで、何かそんな所を俺に示している筈だ。愚痴をこぼしたと云うのは、テオの弱い性質のために、つい、そう言ったのだ。それもヤット俺のために良かれと思って、俺の事をゴーガンに頼むために、つい、そう言ったのだ。それを此の悪魔は　こんなふうに言って、俺に毒気を吹き込むんだ！テオと俺との仲を裂こうとしてるんだ。そうだ、此奴はヤムシだ！……しかし　もしかすると、もしかすると、テオは、もしかすると俺の事をそう思っているのか？重荷だと思っているのか？頭の少し変な兄が、下手の横好きで絵を描いてる。よせばいいに、よせばいいのに、でもソッとして描かして置かないと、いっそう厄介な事になりかねないから、気休めを言って仕送りをして描かして置く。そう思っているのかしら、そう、ちっとでも思っているとなると、俺は俺は俺は――。

ヴィン　（暗い中に立ったままで）俺はどうしたらいいんだ？

ゴーガンがノッソリ立って、ゆっくり歩いて、マッチをすり最初天井からさがっているガス燈に、次ぎに隅の小テーブルの上にのっている石油ランプに火をともす。落ちついているようでも、さすがにマッチを持った手が少しふるえている。室内が明るくなる、石のように突っ立ったままヴィンセントがまだ握っている割れた瓶の首の、割れ目のガラスが宝石のようにキラキラ光る

ゴー　……（それをジロリと横眼で見ながら、元の椅子へ行ってかける）

ヴィン　……（その椅子のきしむ音で、ゴーガンの方へ眼をやり、二人いっとき見つめ合っている。そのうち、手に持った瓶の首が眼に入り、ギクンとして、どうしてそんな物が自分の手に持っているかわからない様子で、それとゴーガンの顔を見くらべていたが、急に恐怖の色を浮べ、キョロキョロとあたりを見まわした末に、上手の洗面台の下に、瓶の首を押しこむ。そして元へ戻ろうとするが、又不安になって、再びそれを取り出し、階段下のカンバスの向う側にかくして、その上に何枚ものカンバスをのせる。そしてゴーガンの方をオズオズと見て）……あの、俺は、何かしたかね？　何か乱暴な事を君に、したんだろうか？　今の、この――

ゴー　……いいよ。別に何もしない。だけど、もう、しゃべるのは、よした方がいい。君は酔ってる。

ヴィン　何か、したんだろう？　悪かった。悪かった。……なんだか、先刻、テオが此処へやって来たような気がしたんだ。そいでつい――

ゴー　来やしないよテオ君なんか。君は昂奮しているんだ。……俺もいけなかった。君があんな事言うもんだから、つい僕もカッとしちまって――

ヴィン　いや、僕がいけないんだ。どうも、この、近頃、時々、頭が妙な風になる。変な声が聞えたり――許してくれ。すまん。（言いながら打ちくだかれた様子でヨロヨロとテーブルの方に戻りかけ、そこのイーゼルに足をけつまずき、イーゼルが倒れそうになったので、それを支えて、元のように直す）

ゴー　僕も酔った。もう寝ようじゃないか。

ヴィン　……（フッとそのイーゼルの上の絵に眼を引かれて、ジッと見ている。自分の「向日葵」である。立っていても、

身體がフラフラとゆれている）
ゴー　（白けきった言い方で）それとも、ローザのおかみの所へ出かけるかく、どうも此の部屋がいけない。どうだい、君はラシエルの所へ行くんだろ？、
ヴィン　え、ラシエルだって？、……（おうむ返しにそう言うが、又直ぐ絵にすいつけられる）
ゴー　ラシエルがあんなに来いって言ったじゃないか。
ヴィン　ラシエル……ふむ。（と無意味に繰返して）この『向日葵』は良いって、君言ったね？、
ゴー　うん？……うむ、よく描けているよ。（気が無い。しかし言い方に気が無いだけに、本心からそう思っている事がわかる）
ヴィン　マネエの『向日葵』より良い？、
ゴー　あゝ良いね。
ヴィン　……すると、テオにはそれがわからないと君は思うかね？、ただ俺が下手の横好きで描いているんじゃ無いと言う事だがね、つまり、ただ俺が重荷だって言う――、
ゴー　しつこいなあ・まだ言っているのか。そんな事どうでもいいじゃないか。とにかくテオはシロウトだからね、ホントの事はわからんよ。とにかく、此の絵は良いよ。俺が言ってるんだから間違い無い。君は僕の描き方をかなり取り入れてるが、しかし君で無きゃ描けんものがある、その絵には。良いよ。僕のこの絵と取り替えっこしないかね？、
ヴィン　ふん。……（ゴーガンのイーゼルの方へ行き、自分と向日葵の描いてあるその絵を見る）うまい。……トーンがある。どうしてこんな色が出るのかなァ、……だけど、ホントに僕の顔はこんなかね？、
ゴー　そうだとも言えるし、そうで無いとも言える。僕は目に見えたものを、そのまま寫生はしない。そんなのは寫眞にまかしとけば良いんだ。僕の絵は頭の中に在る、それをカンバスに一つの装飾として描き出すだけだ。
ヴィン　すると君の頭の中の僕という人間は、こんな顔をしているんだね？、つまり、僕と言う人間を君はこんなふうに見ているんだね？、
ゴー　まあ、そうだね。
ヴィン　すると、君はやっぱり僕を気ちがいだと思っている

んだ。だって、この絵の僕の顔は、これは狂人の顔だ。

ゴー　そう取りたければ取ってもいいが、僕はそうは思わない。

ヴイン　そうか。……せっかくだが、「向日葵」と取り替えるのは、ごめんだ！。（再びイライラしはじめている。ツカッカと自分の絵の方へ戻って来てそれを睨みながら）ふむ。君は今、俺が描き方を取り入れていると言ったがそれはどう言う點かね？、

ゴー　いいじゃないか、もう。取り入れたっていいし、そんなもの以上に君独特の所が出ているんだから。

ヴィン　嘘をつけ！、君はこれを模倣だと思っているんだ。自分の技法を模倣しているんだと言いたいんだ。そうだろう、そう言う傲慢な人間だ君と言う男は！、なるほど君は俺なんかよりすぐれた畫家だ。それは認める。しかし俺にだって、いくらまずい絵かきの俺にだって、俺にしきゃ描けないものはあるんだ。

ゴー　だから、それはそれでいいじゃないか。

ヴイン　言ってみろ、卑劣野郎！。どこがどんな風に模倣なんだ？、言え！

ゴー　（ムカッとして）そうか。そんなら言う。模倣だって言うんじゃ無いぜ、影響だ。聞きちがえてもらいたく無いよ。この、こゝん所のエロみだとか、もちろん全體の構図も、特にバックの効果、それから、この壷のカドミユームの輪廓など、君はどっから持って来たんだ？、え？、みんな僕の理論からの影響だ。そうじゃないか。

ヴイン　……（全く蒼白になり、卒倒する直前のような姿で石のように立っている）

ゴー　非難してるんじゃ無い。誰だって人の影響は受ける。現に僕だって、（肖像畫を指して）向日葵の描き方は君の行き方で行ってる。だから、それはそれでいいんだ。たゞ僕が言いたいのは、君は人からの影響に對してあまりにスナオ過ぎる。無抵抗すぎる。もう、そんな必要は無いのに、つまりもう既に君は独自の芸術家になっているのに、あんまり正直に他からの――

ヴイン　（ゴーガンの言葉を全く聞いていない）……（無言で眼を据えて、スーッと洗面台の方へ行き、その隅にのせて

あったカミソリを掴んで戻って来て、水を出すや、いきなり十何日發山のカンバスをガスガス、ガスガスと切り裂く）

ゴー　な、何をするんだ！　こら！（ヴィンセントに飛びかかって、その腕を掴む）ホントに気が狂ったのか！

ヴィン　離してくれ！　この絵は、君になぞ渡さないぞ！

（カミソリを持った手を振りまわす）

ゴー　あぶない！（その手をピシッと打つ。カミソリは室の隅へ飛んで行く。尚もあばれようとするヴィンセントを背後から羽がいじめにする）落ちつけ、ヴィンセント！馬鹿！

ヴィン（酔いと昂奮としめ上げられているため、既に言う若に脈絡が無い）くしよう！　俺は駄目だ！　ダニだ！　テオに厄介になっている価値が無い！　そうだ、へへ。人真似なんだ！　俺の絵は人真似だ！　そうだよ、そうだよ。ポール！　お前さんは偉大な畫家だ。天才だよ、畜生！　離せ！　俺はな、もう絵なんか描くのよして、ラジエルの所へ行くんだ、耳を持って行ってやる！　離せと言ったら！（しきりともがくが、ゴーガンの強い腕でしめられているので動けない。そのうち體力が盡きたのか不意にクタッとなってウウ、ウウと泣くような唸り声を出す。口からヨダレをたらしている）

ゴー（抵抗が無くなったので、びっくりして）どうした？　おい！

ヴィン（ほとんど失神している。ゴーガンの足元にクタクタとくず折れそうになりながら、うわごと）うゝ、うゝ……テオ、許してくれ。許してくれテオ！　うゝん。

ゴー　しっかりするんだ！（相手が発作のような事を起しているのを見て取り、倒れこみそうなヴィンセントの身體をグッと抱えあげ、どうしようかと、あちこち見まわした末に、階上の寝室を見上げ、やがてヴィンセントを抱えて階段の方へ行き、ゆっくりそれを昇って、寝室に入り、ヴィンセントをベッドに寝せる。ヴィンセントはグッタリして意識がないらしい。……それをジッと見おろしていたが、やがてその額に手を当てて、そのまま眠るらしいのを見すましてから、寝室を出て、いったんドアをしめるが、又開け放って、階段をおりて来る。室の中央まで来て、階上をヴィンセントが寝ているのでホッとして、しばらくジッと立っている。切られた「向日葵」のカンバス。……気がついて、カミソリの飛んだあたりへ行き、床の上を見まわすが、見つからぬ。尚もその辺を捜すが無いので、あきらめて、テーブルの所へ来て、椅子にドッカリと腰をおろし、再び階上を見る。……それから目の前の壺にさした向日葵を見るともなく見ていたが、やがてテーブルに両肱を突き、両手で顔を掩うて、動かなくなる。……間。どこかで何の音かわからない、非常に低い、ほとんど聞えるか聞えないほどに微かな唸り声のようなものが流れて来る――（三十人位の低いハミング）……。やがて身を起したゴーガン、ゆっくり立って階上を見あげた顔が涙に光っている。……気を変えて、ゆっくりした動作で、ガス燈の紐を引いて消す。そして、片隅の小テーブルの上のランプを取り、下手の自分の寝室に入り、ランプを枕元の台の上に置き、上着だけを脱いで、ベッドに横たわる。……しばらくして、首だけあげて階上の寝室の方の気配をうかがうが、なんの物音もしないので、枕元のランプを吹き消して横になる。……室内も二つの寝室も真暗になり、窓をすけて見える公園のガス燈だけが、ボンヤリと瞬りながらともっているだけ）……。

闇の中にハミングだけが、低く、底深く流れる。……

間。

ハミングの波の上に、チラホラと極く低く、少し調子の歪んだ、そして時々とぎれながら「ファランドール舞曲」が浮びあがって来る。

その最後の音と共に、人にうなされているような「ヒイィ」と言う声がして、階上の暗い寝室のベッドの上にヴィンセントが起きあがった姿が、戸外からの微かなガス燈の光で見られる。それがしばらく、ジッとして動かない。……ハミングは既にやんでおり、やがてファランドールもやむ。……間……そのうちに、遠い所でミサでもあるが、キリンカン、キリンカン、キリンカンと微かな鐘の音。それが次第に急調になって来る。

ムックリ起き出したヴィンセントの姿が、しばらく突っ立つたままでいる。その黒いシルエット。

シルエットが不意に動き出し、スッスッスッと寝室を出て階段を下りアトリエの中央に立つ。ベッドに寝かされる時に靴はぬがされているので、ほとんど足音はしない。……遠い鐘の音が益々急調と同時に、乱調になる。

ヴィンセント、自分の寝室に引き返すように、階段の方へ戻りかけ、再び立ち停り、無意識にポケットに入れた手が掴んだものを鼻の先きへ持って来て見ている。（マッチとクレヨン）……マッチをする。その光で真青な彼の顔と、身のまわりだけが照らされる。その光の中の壁ぎわの低い台の上に、ランプが一つのっている。ヴィンセントはそれに目をつけ、かがみこんで火をつける。その明りに下から照らされたヴィンセントの顔の錯乱。

……ランプを持って身を起こそうとした彼の眼に、そのランプの光を反射してギラリと光って、先程飛ばされた裸かのカミソリが床の隅に落ちているのが見える。ヴィンセントそれを拾いあげ、いぶかしそうに見ていてからゴーガンの寝室の方に眼をやり、再びカミソリを見る。何かを思い出せそうでいて思い出せないイライラしたものが彼の顔に現われる。……


ヴィンセントの声（背後から、低くささやくように）なんだ、これは？、どうしたんだろう？、うん？、こんな所に裸のままで置いといてはあぶないじゃないか？、ゴーガンが置いたのか？、ゴーガン、ゴーガン、……ゴーガンは、どうしたんだ？、もう寝たのか？、

ヴィン……（ヒョッと何かを思い出すが、自分でも何を思い出したのかわからないで、妙な表情をしている）

ヴィンセントの声　いけない。あぶない！。あぶない、こんな所に置いといては

ヴィン……（恐怖の顔。遠くの鐘の音にはじめて気づき、ビクンとして聞き入る）

ヴィンセントの声　なんだ、あれは？、今ごろ、今ごろミサがあるのか？、いやいや、あれは俺の心臓の音だ。いや、違う、あれは俺の頭の中で鳴ってるんだ！。……俺は気が狂ったのか、すると？、　どうして俺はこんな所に立って

立っているんだ？ いや、いや、いや、今は、夜だ。俺はこれから寝るんだ。そうだ、俺は気が狂っているんじゃ無い！ 正気だ、チャンとしている！ 俺は正しい！ なあに、俺の精神は、カンカラン、カン、カラン、え、なに？、俺の精神は、俺は―、

ヴィン ……（カミソリをランプを持った左手に持ち添え、ポケットから出したクレヨンで、直ぐそばの正面の壁に、ブルブルふるえる手で急いで大きく書く。「おれは聖なる魂なり。おれの精神は、健全なりし……。」その自分の書いた字を見ている。遠くから潮が寄せるように再び起るハミング。鐘の音はやんでいる）

ヴィンセントの声 さあ、もう寝ないと！。明日は又早く起きて描かなきゃならない。よく寝て置かないと、又頭が痛んで、うまく描けないぞ。向日葵を仕上げるんだ。明日は向日葵を仕上げるんだ。早く仕上げてテオに送ってやらなくちゃ。あれを見たらテオは、きっと喜んでくれる！。テオ、テオ、テオ、テオは向日葵を見れば、テオは立派な兄を持ったと思って、テオはよろこんで、テオは今迄仕送りをした甲斐があったと思って、テオは、テオ、テオ、テオ、向日葵、向日葵、向日葵……

ヴィン ……（キョロキョロとそのへんを見まわし、自分のイーゼルの方へ行き、ランプをかざしてカンバスを見る。むざんに切り裂かれた画面）

ヴィンセントの声 なんだこれは！ これはどうしたんだ？

ヴィン ……（ランプに持ち添えたカミソリが眼にとまり、右手に持ちかえて改めてそれを見、それから画面を見、何かを思い出し、それから、ゴーガンのイーゼルの方へランプをかざして、「肖像」が何ともなっていないのを見調べ、いぶかしそうな顔をして、しばらくジッとしていたが、やがてグッタリとなり、カミソリを持った手の空いた指で右のコメカミをおさえながら、ユックリ歩いて自分の寝室への階段の方へ行く。ハミングは消えており、あたりは全く静かである。……自然と足が停り、ボンヤリ前を見て立っていたが、不意にスッスッとすべるように急に歩いて下手のゴーガンの寝室の所へ来て、ドアを開けて入って行き、左手のランプを差しつけて、ゴーガンの寝室をジッと見る。

ゴーガンは全く動かないで寝ている。……間、……ゴーガンの身體がビクンと動いて、眼を開く。ヴィンセントは動かないで、うつけたように、それを見ている。ゴーガン、少つくり起きあがる。ヴィンセントの右手のカミソリを見る。……しばらくそうして、息づまる睨み合いが続く。）

ゴー　……（押し殺した、シッカリした声で）ヴィンセント、どうしたんだ今じぶん？、

ヴィン　……（ボンヤリ立って返事をしない）

ゴー　どうしたんだよ？、

ヴィン　……。

ゴー　……（ヴィンセントの顔から視線を離さないままで、ベッドの上の上着に手を通し靴を突っかけて床に立ち、ヴィンセントのわきをすり抜けてアトリエの方へ出て行く。ヴィンセントは無感覚になったように、その後からノロノロとついて出る。彼の手にあるランプの光が、二人の影を大きくいろいろに壁に動かす。そのランプをテーブルの上に置く）

ゴー　……（しばらく、ヴィンセントを睨んで立っていてから）やっぱり、僕は出て行く。此處に居ると君のためにも、僕のためにも良くない。

ヴィン　え？、出て行く？、どうして？、どうしたんだ急に？、

ゴー　そのカミソリはどうしたんだ？

ヴィン　え？、こ、これは、これは、―（カミソリを見て非常にびっくりして）どう、どうしたんだろう？、

ゴー　君も、もう少し気を静めるんだな。僕あ今夜は、どっかその邊の宿屋か、ラシエルの所にでも泊めてもらう。

ヴィン　え、ラシエル？、すると、すると今夜直ぐ君は行ってしまう？、

ゴー　どうせ間もなく俺はタヒチへ渡るつもりで居たんだ。

ヴィン　（事態を急に理解して、ギクンとして）え！、行くんだって？、ゴーガン、ホントに行くんだって？、そんな、そんな君、どうしてそんなに―行かないでくれ！頼むから行かないで、ポール！。君が行ってしまったら、俺はどうなるんだ？、どうすればいいんだ？、頼む！お願いだから！。何か俺が悪いことをしたんだったら、あ

やまるかい！俺には君だけしか居ないんだ！ね！君だけしか無い。テオは間も無く結婚する。俺は一人ぼっちになる。居てくれよ、ポール！俺は寂しいんだ！君に行ってしまわれたら、どうなるんだ俺は？、ゴーガン、どうか、どうか、俺を助けてくれ！

ゴー ……（相手の必死の姿も既に彼を動かさない。ヴィンセントの言葉の内に、ドアの方へ歩き出しながら、フト壁の上の「おれは聖なる――」の文句を目にしてチヨット足を止めるが、表情を変えず）……さようならヴィンセント。

（ドアを開けて大股に出て行く）

ヴィン 待ってくれ！待ってくれポール！待って！（追いすがって、ドアを再び開くが、既にゴーガンの姿は見えず。……ガックリして、ノロノロと歩きテーブルの方へ）

ヴィンセントの声 ゴーガン。ポール。ゴーガン。行ってしまった。畜生、畜生、行ってしまった。テオ、来てくれ。どうしたんだお前は、テオ、テオ、テオ、兄さんは気が狂いそうになってるよおう！よおう！助けて、兄さん助けて！ラシエル、ラシエル、ピジョン！可愛いラシエル！え、なに？、ゴーガンはラシエルの所に行って寝るのか？、畜生、ゴーガン、ちく！

ヴィン ……（テーブルのわきにフラリと立った、その眼が次第に光り、再び錯乱に落ちて行くらしい）

ヴィンセントの声 ラシエル、ラシエル！ケイ！可愛いケイ！シイヌ！クリスチイネ！ラシエル、ラシエル、ラ、ラ、ラ、ラア、ラアア……（その声に混って、遠くでカタカタ、カタカタと床を踏む踊りの足拍子。やがて、それにダブって、狂うように追って来る「ファランドール」）

ヴィン ……（それらを聞きすまして、ジッとしていたが、不意にチヨトキヨトと周囲を見まわしてから）よし俺も行くぞ、ラシエル。行くぞ。ラシエル。待っていろ、待っていろ。耳を持って行ってやるからな。フフ！待ってろ。（へカミソリを見て、左手で左の耳を掴み、引っぱって、ゆっくりと右手のカミソリをその方へ持って行く。眼は正面をカッと見ている。……）

不意に暗くなって、何も見えなくなる。

潮が寄せるように、深いハミングが起る。

ハミングは嘆き唸るように次第に強くなる。

その中に――

エピローグ

スポットの中に白い小さい室が、夢のように浮びあがり、そこに四人の人間がいる。

室は病院の一室だという事がわかる。

四人の人は、ヴィンセントとテオとルーランと若い看護婦。ヴィンセントは、一八八九年冬作の、毛帽をかぶり、耳にホウタイをしてパイプをくわえた「自画像」の身なりをして、鐵のベッドに腰かけ、前にすえられたイーゼルのカンバスと、並べてすえられた大鏡とを等分に見くらべながら、パレットにチューブから絵具を並べている。痩せて鋭くなった顔だが、機嫌が良い。テオはホッと安心して疲れが一度に出て来た様子でグッタリと、しかしまだ心配そうな眼つきで兄を見守りながら、片隅の椅子にかけている。ルーランはカバンこそさげていないが、これから仕事に出かける途中に寄ったと言った制服姿で入口近くに立ってニコニコして眺めている。看護婦は、白衣の少女で、ベッドのわきに身を曲げて、ベッドの上の絵具箱から絵具を出してヴィンセントに渡している。

ハミングは、続いている。

ヴィンセントはパレットに絵具を並べ終り、パレットと持ち添えた筆の中から一本の右手で抜きとり、鏡とカンバスを見くらべてから、眼をテオに移す。テオがうなづいて見せる。次ぎにヴィンセントの眼がルーランへ行く。ルーランうれしそうにニッコリして、制帽のひさしに右手をチョットあげる。次ぎに、絵具を渡しおえてキチンと直立して、びっくりしたようなきまじめな顔をしてヴィンセントを見ている看護婦に眼をやると、その少女がヴィンセントの眼の中を覗くように見ていた末に、思いがけ無くニコッと笑う。

ヴィンセント、筆でパレットの絵具をスッとさらって、鏡を見、描きはじめる。
―以下、朗読の間、ヴィンセントの右手がユックリ動き、眼が動くだけで、四人とも、ほとんど動かぬ。
深く沈んで続くハミング。
そのハミングのバックの前で男声ソロの朗読（薄暗い袖に朗読者を出し、マイクロフォン使用）――

男（ボキボキした調子で、早く）
それから四日たって精神状態が完全にもどった。
ゴーガンは去り、テオが駆けつけて来、ルーランは毎日花を持って見舞に来る。二週間たつと、医者は絵を描くことを許した。そして又描き出した。
それから二年、
又病気が出て
二度三度と入院し、
少し良くなっては退院するが、
又自ら望んでサン・レミイの脳病院の三等に入院し、
やがてオーヴェルの医師ガッシェのもとに移り、
一八九〇年、明治二十三年七月、
オーヴェルの丘で自ら自分の腹に、
ピストルの弾をうちこむまで
あなたは描きつづける。

あなたの頭は時々狂ったが、
あなたの絵は最後まで狂わない。
脳病院の庭で、発作の翌日描いた絵でも線と色はたしかだ。
絵はあなたの理性であり、
絵はあなたの運命であった。
運命のままに、あなたは燃えて白熱し、飛び散り、完全に燃えつきた。
最後の時にあなたはテオの手を摑んで
もう俺は死にたいと言った。
もう俺は死にたいと……

ヴィンセントよ
貧しい貧しい心のヴィンセントよ、

今こゝに、あなたが来たい来たいと言っていた日本で、
同じように貧しい心を持った日本人が、
あなたに、ささやかな花束をささげる。
飛んで来て、取れ。

苦しみの中からあなたは生れ、
苦しみと共にあなたは生き
苦しみの果てにあなたは死んだ。
三十七年の生涯をかけて
人々を強く強く愛したが、
やさしい心の弟のテオをのぞいては、
誰一人あなたを理解せず、愛さなかった
あなたはたゞ数百枚の光り輝くあなたの絵を、
世界の人々にえがき贈るだけのために、
大急ぎに急いで仕事をして
生涯を使い果たした。
絵を描く時の歓喜だけがあなたの生甲斐で
あとは餓えと孤独と苦痛ばかりであった。

そして、あなたの絵は
今われわれの前にある。
これらはわれわれに、いつも新らしい美と
新らしい命への目を開いてくれ、
貧しく素朴なる人々に
けなげに生きる勇気を与える。
このような絵を
あなたが生きている間に、
一枚も買おうとしなかった
フランス人やオランダ人やベルギイ人を
私はほとんど憎む。
ことには又、こんなに弱い、やさしい心と
こんなに可哀そうに傷つきやすい魂を
あなたが生きている間に、
愛そうとしなかったフランスの女とオランダの女とベルギイの女とを、
私はほとんど憎む。
ほとんど憎む！

日本にもあなたに似た絵かきが居た。
長谷川利行や佐伯祐三や村山槐多や
さかのぼれば青木繁に至るまでの
たくさんの天才たちが居た。
今でも居る。
そういう絵かきたちを、
ひどい目にあわせたり、
それらの人々にふさわしいように遇さなかった
日本の男や女を私は憎む。
ヴィンセントよ！
あなたを通して私は憎む。

さもあらばあれ、ヴィンセントよ！
あなたの絵は今われわれの中にある。
貧乏と病気と、世の冷遇と孤独とから
あなたが命をかけて、もぎとって
われわれの所に持って来てくれた
あなたの絵は、われわれの中にある。

それならば、われわれも、もう不平は言うまい。
それならば、あなたも、笑って眠れ。

あなたは英雄では無かった。
あなたは、ただの人間であった。
人間の中でも一番人間くさい弱さと欲望を持ち
それらを全部ひきずりながら
けだかく戦い
戦い抜いた。
だから、あなたこそ
ホントの英雄だ！

貧しい貧しい心のヴィンセントよ！
同じ貧しい心の日本人が今、
小さな花束をあなたにささげて
人間にして英雄
炎の人、ヴィンセント。ヴィン。ゴッホに
拍手をおくる！

飛んで来て、開け
拍手をおくる！
（唸り、どよもすハミングの中に、拍手）

一九五一年七月初旬

あとがき

私には、急に思いついて、すぐに書いたと言う作品は一つも無い。書きたいと思ってから半年たっぷり一年たつたり、中には五年も十年もたつてから書く。というよりも、書ける。その間、その主題や素材を自分の内に、いろいろに反すうしているようだ。反すうに耐えない主題や素材は、ひとりでに自分のアミの目から抜け落ちて行く。残ったものだけが、自分と言う人間にとって、抜き差しのならぬ重要なものになっている。だから、それだけは作品に書くことに依って ハッキリと掴みとり消化しないと、自分の足は一歩も前へ進めなくなり、息苦しくなって呼吸が自由にできなくなる。そういう関係から言うならば、私は大概の場合にやむを得ずし作品を書いているようだ。

これが良いことか悪いことか、私は知らない。いずれにせよ、作家としての自分のタチによる事だろう。

この「炎の人」も、そのような作品である。

直接のキッカケは、半年前に劇団民芸の諸君と雑誌「群像」が、書くことをすすめてくれた事に在る。しかし、すすめられて書く気になったのは、それよりもはるかに以前から、思いをひそめていた主題であり素材であったからである。

私がゴッホに引かれたのは、早く十代の頃からであった。その頃は、オリヂナルなゴッホの作品を見る便宜は無く、複製で見ていただけであるし、傳記などもくわしい物は手に入らないのでゴッホに就ての知識はあまり無かった。にもかかわらず、自分という人間の或る重大な個所を決定的に作り変えてしまう位の、強い刺戟を受けた。現に二十歳前後の自分が、ひたすらに畫家になる気でいた事なども、その一つであるが、実はそんな事よりも、もっと根深い所で、影響を受けたようだ。現在でも受けている。

これ又、良かつたか悪かつたか、わからない。そのために、不必要にそして無駄に苦しんだり、している最中には、その筆を呪うような気持になったりしているのだから。しかし、ハッキリ言える事は、その筆を自分は後悔だけはしていない。

ゴッホが持っていなかったもので、唯一つ私の持っているものがある。「幸福の意識」だ。ホンの時々であるが、私は自分のことを幸福だと感ずることができる。そう言う意味でも私は深い深い心持の所で、ゴッホが、かわいそうになる。」

この作品は、書いてからまだ間が無いので、出来ばえの程は自分にはハッキリとはわからない。又、西洋人の画家ゴッホその人が、どの程度まで真実に描けているかに就ても大した自信はない。しかし、私に出来る限りの調査や追及はした。又、私がこうではないかと思っているゴッホと言う人間の、生きた血肉の中に入りこんで行く努力もした。それらの點では、私は今自分に満足している。

これを書くにあたって、すぐれたゴッホ研究者である式場隆三郎博士の御忠言や著書から非常に助けられた。及び劇團民藝の諸氏と、雑誌「群像」編集者諸氏からの御厚意に激励された。ここに感謝する。

一九五一年・八月

三好十郎

ゴオホの三本の柱

ゴオホの人間及び仕事を支へてゐた三本の大きな柱として、私は次ぎの三つのものを考へた。これは私がゴオホを好きで彼からの強い影響を受けて来た十代の頃から半ば無意識のうちに掴んで来たものであるが、この春ごろから、いよいよ戯曲に書くために改めて彼の事を考へたり、式場さんその他の研究書を調べたりした結果、さらにハッキリと確認したものである。劇を見てくれる人たちの参考になるかも知れないので、それを簡単に書く。

第一に、言ふまでも無く、彼の持ってゐた高度に純粋な創造的な性格である。「あまりに純粋な」と言ふべきかもしれない。生涯が、ほとんど燃えた生涯であった。生んで生んで、更に生んで生んで、「燃焼」は常に白熱を帯びる。多分、彼の生活には、強度の藝術的昂奮と深い疲労しか無かった。ゆるやかな、中等度の気分や生活――普通の人々の「幸福」を作り上げるために必要なアヴェレッヂな要素は、極度に少なかった。彼に於ては走ってゐるか倒れてゐるかの二つの姿しか無かったとも言へよう。創造的性格と云ふものは、いつでも多かれ少なかれそのやうなものらしいが、ゴオホに於けるほど極端に純粋な例は、他に多く見られない。それは刻々に火が燃えてゐるのと同じだ。美しいのと同時に、あぶないやうな、怖ろしいやうな、感じで附きまとふ。

ゴオホの生涯を見てゐると、セツなくなり、少し息苦しくなって来るのは、たしかにそのセイである。私は彼を、普通言ふところの精神病者としては見ないのだが、右に述べたやうな意味でならば、彼の性格全體の中には「狂」に近いものがあった。そして、それが、非常に強い美と真実の感じで、われわれを打つ。

第二の事は、ゴオホが徹頭徹尾「貧乏人の畫家」であったこと。言ふところのプロレタリヤ畫家の意では必らずしもない。貧乏に生れ、貧乏人の中に在り、貧乏人の気持で絵を描いたと言ふ事だ。サロンのためや、特権者たちのためには一枚も描いてゐない。しかもそれが、特に意気張った態度や、特定の思想體系から来たもので無く、きはめて自然なナイーヴなものとして出て来てゐる。それだけに又、どんな場合にどんな目に逢っても取変へやうのない根深い態度になってゐる。これが又、私には、しんから美しく貴い姿に見える。

第三に、彼の中に生きてゐたクリスト教だ。ゴオホを、正當な意味でクリスト者と呼び得るかどうかに就ては議論が有らう。又、現に、キリスト教の教師の家に生れ育って青年時代に宣教師になって後しばらくしてキリスト教を捨ててゐるのだから、「ゴオホの持ってゐたキリスト教」と言ふのは、當らぬとも言へる。私の言ふのは、キリスト教を彼が捨ててからさへも、彼の血肉の中に生き残りつづけた宗教性のことである。一般にキリスト教的傳統を持たない日本人がヨーロッパ人を理解しようとする時に最も大きな障害になるのは、この點である。それも、一つの理論乃至は觀念としてならば或る程度まで理解出来ないことはないが、理論や觀念の域を脱した宗教の血肉の世界や日常の空気の中にまでにじみこんでゐるキリスト教的実體となると、摑まへる事がほとんど不可能な位に困難である。私がゴオホをとらへるのに一番困難を感じたのも此の點であった。しかも、たしかにゴオホの人间には終生を通じてキリスト教的血肉を除外しては理解出来ないものの在るのを私は感じる。實は彼の絵にも根幹の所にそれがあると思ふ。そして其の點が彼をして他の後期印象派の畫家たちから、又はその後の近代畫家たちから区別してゐる最も大きな要素のやうな気がする。

以上三つの事が、私がゴオホを摑まへようとした追求の結果であるのと同時に、ゴオホを摑まへるための重要な據り所でもあった。

私の戯曲にそれらがどの程度にまで生きたものとして実現されてゐるか、今のところ私自身にはハッキリわからない。ただそのために出来るだけの努力はした。後はさしあたり、戯曲をよんでくれ、劇を見てくれる人々の批判に、素直に耳を傾けたいと思ふ。

（一九五一年八月末）

人生画家ゴッホ

画家は即ち画家とだけでたくさんで、それ以外の形容詞は要らないのだが、仮りに人生の画家という言葉が在るとするなら、ゴッホほどこれにふさわしい画家はいないであろう。理屈ではない。また彼の生がいの歴史を調べたうえでの結語のようなものでもない。ゴッホの絵を見て、ジカにわれわれの感ずるものとしてである。作品が彼の人生そのものとピッタリと一本になっている実感を持っていること。つまり「絵を生きている」ことと彼の如く素朴にして強烈な画家は他にあまりない。一枚のタブロウ全体でも、ひとタッチずつの中でも彼は生きている。

生きるということは、意識と無意識とを一度に働かして物にぶちあたることだ。行動の唯中にキチガイになるということだ。そのことの唯中に燃え、燃えつきるということだ。

画作十年の全作品を通じてそうであるが、特に完全に自己の独創に立って矢つぎ早やに傑作を描いた晩年三、四年間の作品には、近代画家の大概にあるところの、自然を三段論法風に「解釈」した跡が、ほとんどない。無邪気に、無雑にただセッセと描いているだけ。自然や人間をながめ、ながめたものを「それ自体」と信じ切って、それに筆を従わせているだけのようだ。絵を見る人の受け取り方まで計算に入れて、それに対応する「手」としての理論や構築や作為はないように見える。

「解釈」から絵を描けば、一方において唯美主義やデカダンスが生れ、一方においてキュービズム、アブストラクト、シュールその他が生れる。そのような絵になれた人たちが、ゴッホの絵に物たりなさを感ずるのも、いくらか当然ともいえよう。しかし、ゴッホの良さと強固さも実はその点に在る。

他の文化文物におけると同様に、絵も絵だけとして発達しらん熟すると、ライフから浮き上り、離れてしまい、そして衰弱する。それを時々、人生画家が出て来て救い、本道に立ちもどらせる。現在、パリその他に、アブストラクトやシュールを批判し否定して、もう一度強固な人生と実在を踏んまえて立とうとしつつある素朴なリアリストたちの動きが現われて来つつあるのはそれだろう。そして、それらがいろいろの意味でゴッホに血脈を引いていることは疑いのない所だろう。

美が美だけとしてライフから切り離されて追求された所で絵が描かれればれば手品上になる。西洋にも日本にも現在手品じみた絵が多過ぎる。そのことを反省する意味でもゴッホの絵は、今、丹念に振返って見られる必要があると思う。

毎日新聞（昭和26年9月5日）

炎の人（作品集より）

私がゴッホの絵に引きつけられ、彼の一生の足跡から強く動かされたのは、早く十代の中學の一二年からのことである。もともと絵がひどく好きで、青年時代まで畫家になるつもりでいた。青年時代に、絵を描くだけではどうしても満たされない飢えのようなものから促されて詩を書き出し、それが発展してやがて創作に移って行き今日に至っているが、その間も絵を描くことはやめない。時間が充分でないので持続的に描かないため上達はしない。それに一枚の絵を永くつつくタチなので完成した絵は極く僅かしかない。現在も描いている。原稿を書くために二時間も机に坐っていると頭が痛くなってくるが、頭の痛い時でさえイーゼルに向って絵具をいじっていると三時間ぐらいは夢中に過ぎてしまう。絵畫は主として感覚中心の仕事ゆえ、人を酔わせる作用があるからとも思うが、それよりも私という人間が本来ひどく感覚的な人間のためではないかという気がする。五官が過敏すぎるのである。とくに嗅覚と視覚がそうだ。物の匂いがあまり鼻に来るので、まるで犬のようだと人からいわれたことがなんどもある。また初夏の林の道などを歩いていると、あまりに多種多様の緑色が見えすぎて、その刺戟のために目まいを起して倒れることがある。私が神経衰弱になりやすいのは、これらの感覚過敏のためらしい。時にそれが呪わしいような気がすることがある。しかし、次第に、それも自分に生れついたものだとあきらめるようになって来た。あきらめるというよりも、これが自分というものだ。これらの過敏さを抜きにしては自分というものは存在し得なかったのだ、これは自分に与えられたものだ、してみれば自分にとってかけがえがないという意味で貴重なものであると考えるようになった。

私がゴッホに本能的に引きつけられることの理由に右のようなこともあるかも知れない。ゴッホの絵が唯単に良い絵として私に受け取られたのではない。実にゴッホの絵を「うまい」と思ったり、「美しい」と思ったりした事は、ほとんどないのである。ただドヤンとするような感じがこちらに来るだけなのだ。彼の絵を貫いている根源的なイノチのようなものが、他人のもののようでないジカな感じでこちらの内部に入りこんでしまった。だから私がゴッホから受けたものは影響とはいいにくいかもしれない。もっと中心的なところを動かされてしまったらしい。いわば、私はゴッホを食ったらしいのである。それが私の薬になったか毒になったか私は知らない。しかし、どうも食ったらしい。良かれ悪しかれ食ったものは自分の血肉の一部分になってしまっているのだろう。

私が時々ゴッホの絵の「ヘタさ」かげんが鼻について「なんとまあ小学生のようなヘタさだ」と、まるで自分の作品のアラを見つけて嫌になった時と同じ気持に襲われたりするのも、そのためかもしれない。又、ゴッホと同じ血液を持ちながらゴッホの持たなかった静けさを持っていたジオットや、近代ではゴッホから出発してクラシックな安定の中に腰をすえたドランなどに強く引かれるのもそのためらしいし、又、ルオウに敬禮しながらも彼の絵を永く見ている事に飽きてしまって「わかった、わかった、もうたくさんだ」といいたくなるのもそのためらしい。それから又、小林秀雄などが「麦畑の上を飛ぶ烏」などを褒めちぎったりすると「じょうだんいってもらっては困る。あれは私の頭の調子が変になりきった時の、落ちついて絵具をしっかりカンバスに塗っていられなかった時の絵で、絵そのものが少し狂っている。異様なのは当然だろう。第一、あんたが打たれたという空のコバルトは、私の塗った時とは恐ろしく黒っぽく変色しているんだ。褒めるなら、せめてそれ位のことはわかった上で、もっとマシな絵を褒めなさい」とつぶやいて見たくなるのも、そのためかもしれないのである。

――それほど私にとって親しいものになってしまっていたゴッホではあるが、そのゴッホの事を自分が戯曲に書くことがあろうなどとは想ってみたこともなかった。だから去年のはじめ劇団民芸の諸君からそれをすすめられた時には二重にギクリとした。一つはとんでもないことをいわれた気持と、一つは何か道具はずれを鋭どく刺されたような気持だった。いずれにしろ自分の力に及びそうには思われないので再三辞退したが、どうしても書けという。時に瀧澤修君の熱意は烈しかった。それで、いろいろ考えたり調べたりしているうちに、自分に書けるだろうとは思えなかったが、これほど少年時代からゴッホに動かされて来ている人間だからゴッホの事を書く資格だけは有るのではないかと思った。するとパッと視界開けて書く気になった。

書くのはかなり苦しかった。畫家の肉感を自分のうちにとらまえて離さないようにするため、原稿紙ののっている机のわきに常にイーゼルを立てて置き、時々カンバスに油絵具をつけては、指の先で伸ばしてみたりしながら書き進んだ。ゴッホが狂乱状態になって行く所を書いている時など、私の眼までチラチラと白い火花を見たりした。書きながら、だから、ゴッホが錯乱して行く、行かざるを得ない必然性が、はじめてマザマザと私にわかった。そして今更ながら戯曲を書く仕者の良さと、それから怖ろしさが身にしみた。だからこの作品を書いてはじめて私はゴッホを私なりに真に理解し得たといえる。

この作品で、かってオランダに生きていたゴッホという畫家がチャンと書けているとは私は思っていない。それはとても書けるものではない。先ず西洋人である。西洋人には東洋人にはどうしてもよくわからない何かがある。次ぎにゴッホの人間を深いところで決定づけていたクリスト教の實體がわれわれにはなかなか掴めない。この二つを掴むため私は私に出来る限りの努力はした。しかしこれでよいという気にはどうしてもなれなかった。

せいぜい寸私がこんな人ではなかったろうかと思っているゴッホという人間しの姿の一部というところだろう。芝居としても上手に書けたという気にはどうもなれない。しかしゴッホという人間畫家の一角に僅かながら爪を立てることだけは出来たと思う。

ゴッホとのめぐりあい

言うまでもなくこの人は私にとって見も知らぬ外国人なのに、それに対して実に強い親近感を懐いている。それは非常に近しいイトコのことでも考えるように強いもので、しかもそれがごく自然だ。この感じは「炎の人」を書くためにゴッホのことを調べたりしたために生れたものではなくて、ずっと以前からだ。

なぜだろうと考えても理由はよくわからない。第一ゴッホの絵を複製で見たり生涯のことを知ったのがいつだったか覚えていない。もともと総てのことについての年月日についての記憶力が薄弱な人間だが、それにしてもこれほど強い影響を自分に及ぼしたゴッホとの最初のめぐりあいのことをこれほど忘れてしまっているのはチヨット不思議だ。そうしてそのことが又、ヒヨイと気がついてみたら自分のイトコがすぐそこに立っていたのに気がつきでもしたように、ゴッホへの親近感への深さや自然さの証拠になるかもしれない。

私は少年時代から青年時代へかけて非常に絵が好きで、人のかいた絵をみるのを好み自分でも水彩画を描いた。ことに中学の一年二年三年あたりの時代では夢中になって絵をかいた。主として自分の身辺の自然を写生した。今思い出してみると面白いことに私が生れて初めてまとまった金をかせいだのはその当時で、自分のかいた絵によってである。私はひどく貧乏で中学の学費だけは親戚の者たちからわずかづつ支給してもらっていたが、いつもほとんど金は持っていない。それが書店の店頭で雑誌を見ている間に、その当時あった雑誌の一つで確か武侠世界という雑誌で表紙の絵を懸賞募集していることを知ったので急いで描いて送ったが、まさかと思っていると次の月のその雑誌の表紙にどこかで見たような絵がのっていると思ったらそれが自分の絵で、びっくりしていると賞金が送ってきた。当時の金としては多額のものでそれに十八金製のエバーシャープの副賞がついていたように覚えている。その金でかねてほしいと思っていた書物や絵具などを買いこんだ上に、かねておごってもらうばかりの友達たちに今度はこちらがチヤンポンやまんじゆうなどをふんだんにおごってやって一週間位で金の方は使ってしまった。当時中学の絵画の先生から愛されて私だけはクラス中で特別に優遇され、年一回県庁で催される大人の画家たちに交って私一人が作品を出品する資格を与えられたりした・その時代の大人の画家たちとも二三知り合いになったりして、いずれそういう人たちからゴッホの話を聞いたり画集を見せてもらったに違いない。ゴッホの絵を初めて見た時分は非常に驚いたに違いないが、今からそれを思ってみても格別それほどいちじるしいことが起きたようには感じない。まるで水が低い方に流れるように、自分がゴッホを知ったということが自然に思われるのである。

思い返してみると私の青少年時代は普通の人に比べてびっくりする位変化の多い生活であったが、ことに中学の一二三年ぐらい私の上には境遇の点でも又私という人間形成の点でも言ってみればシュトルム・ウント・ドラングの時代であって混乱と動ように満ち満ちた月日であった。そうだ、当時の私がおそろしく貧乏で孤独でそして絵が好きであったという点ではゴッホとの類似があるかもしれない。食べる物も学資も着るものもいっさいがっさいが気まぐれな叔父や叔母のめぐみによるものであって、学年末に至るまで教科書がそろわないことが常例であった。それに両親の味を知らない孤児で自分を育ててくれた祖母は十二才の時にすでに亡くなっていた。親戚や友達は多かったが心はいつでも肉親の愛に飢えていた。絵は前述の通り何よりも好きであったが、その水彩画を描く画用紙や絵具が完全にそろっていたということはめったになかった。それでいながら私の性格にはどこかしらのん気な所があって、そういうことをさまで苦にやんでいなかった点はゴッホの若いころとはだいぶ違うようだが、しかし貧乏で孤独であったという点では似ていたと言えよう。貧しい人間は本能的に貧しい人がわかるものだ。孤独な人間はこれ又本能的に孤独な人をかぎわける。そうだ、私のゴッホに対する強い親近感はあるいはそのようなところにも根ざしているかとも思う。

しかしもっと根本的にはゴッホの絵の本質に私が強く強く自分の内部を動かされたからだという気がする。彼の絵をじっと見ていると私の内部の、ほとんど自分にも気がつかないような深いところが刺戟され、そこがうずき走るように快よい。私は一般に絵画が好きだからどのような画家の絵も喜んで見るが、ゴッホの絵を見て感じを与えられる画家は他に幾人もいないのである。この感じは私に非常に親しいものであるのと同時にいつでも新鮮なものだ。言葉でも文章でもこれは説明ができない。しかしゴッホの絵を見ていると、それがそこに実在しているということをなんの疑いもなく私は感じる。そしてゴッホのことを「真の画家である」と思うのである。

（一九五八年　九月上旬）

あとがき

（炎の人）

昭和二十六年、著者四十九才。

「群像」昭和二十六年九月号に発表された。後に河出市民文庫の一巻として刊行。翌二十七年五月。

著者はこの作品「炎の人」その他により、第三回読売文学賞を受賞した。

初演（26年9月）　新橋演舞場

演出　岡倉士郎

出演者　滝沢修

宇野重吉

清水将夫

山内明

細川ちか子

小夜福子

昭和三十七年四月二十八日 印刷
昭和三十七年四月三十日 発行

限定版
２１０部
その内の
第　　　　番

三好十郎著作集 第十八巻
（非売品）

著作者 三好十郎
監修者 三好きく江
発行者 三好十郎著作刊行会
代表者 大武正人
東京都大田区北千束町七七四番地
電話 東京（七一七）二三八五番
振替 東京五一七五二
印刷者 株式会社 タイト印刷
東京都中央区八重洲四ノ五梅田ビル内

三好十郎著作集

第十九巻

三好十郎著作集

第十九巻

監修　三好きく江

編集　大武正人
秋元松代
高橋昇之助
石崎一正

大きい車輪

（一）

K市T鉄工場にて

私は、ズッと以前に、あなたがかう言ったのを覚えてゐます。

「人間は自分が、かうでありたい者に、今直ぐになれるもんぢゃ無い。そして、今のところ僕は一つの組織の中に居る一個の弱い（文筆の士）であるに過ぎない。僕は人々の中に居て、人々と同じく生き、人々と同じ考へを考へ、人々の苦しみを苦しみ、人々の怒りを怒る。この事実を土台にして僕は自分がかうでありたい者に、なるだけ早くなって行きたい」

この、あなたの言葉が今私によくわかる。私が此の鉄工場の仕上課の婦人部にもぐり込んでから、丁度四ヶ月になります。四ヶ月と言ふのは、あまり短い時間では無い。それでも私はまだ今の所、どんな風な見方をしても「前衛」でも無ければ「闘士」でも無ければ、まして「オルグ」でもありません。一人の未熟練婦人仕上工であるに過ぎません。それでよいのです。

私は人々と一緒に鉄の中に生活する。しんの底まで冷え切った鉄の中に。熔鉱爐に入れなければ温かくならうとしない鉄の中に。機械の中に。ベルトの響きの中に。車輪達の歯の中に。冷たいハンドルを握って。黙って。いつまで？　それは、私の呼吸が、金クソ臭くなる時まで。それから、私の手が鉄粉のために青黒くなり、顔と首も同じ様に青黒くなり、その次に、私の乳房の所までが錆で汚れる時まで。

又、実際、此の種の鉄工場を全体として理解するのは大変むづかしい仕事です。トラスト風に作り上げられた工業都市。そこに三十以上に有る鉄工場。その中の一つ、従業員四百五十人の此処では、鉄工場全体が既に一つの分業をやってゐる。その又、第一工場と第二工場が各分業で、その各課が又分業だし、その下の各部が又々分業だから、職工の一人々々は、自分の造ってゐるのがどんな機械のどんな部分だか知ってゐるのは一人だって居やしません。まして私など、ホンの手のとゞく所に有る機械を指して「これは何だ？」と聞かれても、大概返事は出来ません。

だから、あなたに鉄工場内のいろんな事を書いてやる事は私には今出来ない。その代りに今日は、此の鉄工場の一人の旋工の話をします。それは、ひどく特色のある変った男で、その男を見てゐると、実にいろんな気持がする。一番初めに、こはい様に思はれる。それから、おかしくてたまらなくなる。次に悲しくなる。その次に大変頼もしい気がする。それから馬鹿に愉快になるのです。先づ以上の通りです。そんな労働者です。

〔二〕

私が此処に入ってから、まだ一ケ月も経たぬ或る日の退け時に、カニエに逢ふと、

「あたし、今夜は研究会は欠席だ」と言ふ。カニエは私と小学校の同窓で、私が此処に入るについても主となって運動をしてくれた仕上女工で、まあ此処での急進分子の一人です。

「どうして?」と訊ねると、

「絹子が病気で死にさうだから、行ってやらなきゃ」

「絹子さんて言ふと、こないだ研究会に一二度来た事のある、あの綺麗な人なの?」

「さうよ、四五日前から肺炎でね、今夜あたり、もう死んぢまってゐるかも知れない。チヨイと行ってやりたいの。その後で研究会にも出れるかも知れないけど」

「ぢや私も一緒にお見舞に行かうチヨイトだけなら会には間に合ふわ」

で、カニエと私は、合宿に戻って夕飯を食べるのを止して、工場のトタン塀に添って、もう灯のともった町の方へ出る。

バラバラ霰が降って来た。「あゝお腹が空いた」とカニエが独言を言ふ。ガマグチを捜すと私に六銭ある。それを出したら、カニエはニッコリして「うまいな、私にも五銭あるわ」と言った。途中で買った焼大福の甘さが二人の舌にしみる。食ひ入ってカニエの肩の辺を見ながら歩いてゐると、カニエが立停って、「此処だよ」と言った。

薄暗い露路の奥の、きたならしい家の構へでした。奥で誰か泣いてゐるらしい。案内も乞はずに、あがり込んで行くカニエの後について入って行った私の眼に最初に映ったのは、畳の上から此方を振仰いだ土気色をした老婆の顔だ。初め私は、死ぬ様な病気だと言ふと、人間の顔はこんなに老けるも

のか、とビックリした。しかし、それは、実は絹子に非常に似た顔をした、絹子の母親だった。当の絹子はその向ふ側に臥てもう殆んど呼吸をしてゐなかった。妹達だらう、まだ小さな二人の少女が、絹子の両脚をオロオロしながら懸命に撫でゝゐる。だんだん冷めたくなって行くその脚のぬくみを取戻さうとする様に。

皆がもう黙ってゐました。

「お医者は来たの、お母さん？」とカニヱが低い声で言ふと、

「……」と老婆は、何か返事をしたらしいが、言葉は出ず、口が、パクパクしただけだった。私は見てゐて、どうしてだか、大きな魚が息をついた様に思へた。それ位に、老婆の顔は無表情で、悲しみなんど少しも浮べて居ぬ。今度はその両眼から、ひどく出し抜けに、パラパラパラと涙がこぼれた。

又、皆がだまり込んでしまった。

〔三〕

「きぬ、カニヱさんが来て下さったよ、きぬ」

しばらくしてから母親が病人の耳元で言ふと、まだ仲々美しい顔をした絹子はボンヤリ開いた眼を此方へ向けて「あゝ、カニヱさん、ありがたう……」と、まだ何か言ひたさうにしたが、息がゼイゼイして言へない。

「ねえカニヱさん、どうしたもんだらう、先刻から此の子は二度も三度も、清太郎さんの事を言ふけど、あの人、一目逢っちゃくれまいかね？」

「ズクさんに？」

「さうだよ、先生がお気の毒ですがって言って先刻帰っていらっしゃってからでも二度程それを口走るんだよ、あたしにして見りゃ、先生はサンソ何とかの道具を取りにとおっしゃったけど、……もうあきらめてゐるんだ、だから一目でもいゝから清太郎さんに……」

「ぢゃ私達が呼んで来よう」さう言ってカニヱが立上ったので、私も続いて表に出た。二人共口一つ利かずに急いだ。死が二人を黙らせてゐた。カニヱが口を切ったのは七八丁も歩いてからだった。

「なにね、無理も無いのよ。あれぢゃ今夜はもう駄目らしい

ね。清太郎と言ふのは、あんた未だ知るまいけど、第二工場の方でズク、ズクって言はれてゐる変り者で、以前に絹子さんと仲の好かった人だわ。明日になったら見せてあげるけど、ふき出さずには居れぬ男なのよ。お互に惚れちまった訳なの。それが、私にもよくはわからないけどチヨイとした行き違ひでさうき〱行かなくなった。意地になってヒネクレてしまったのよ、絹子さんの方が。あげくが、自暴を起して絹さんは第二の監長の妾みたいになっちまった。そんな女なの絹さんは。ヒヨイと横道にそれてしまったが最後、どこまでもグングンおっこちて行くの、そんな女なの。それに、一つは、今居たお母さんと二人の妹を食はして行かなきゃならないんだもの、やっぱり妾でもしなきゃ、給料なんかぢゃ追付かなかったこともあるわね。その上に、一昨年の組合結成の時にスパイ行為が有ったとかで、皆さのけものにした。それで尚更ヤケになった。清太郎さんは、まるで半馬鹿なんだから何と思ってゐるか知らないけど、別にそれだからって嫌ふつもりは無いかも知れないけど、清太郎さんの弟に、やっぱり仕上部に居る次郎と言ふのが居て、それが恐ろしいサンシャク持ちなもんだから、絹さんを兄貴に寄せつけさせないの。そんなこんなで……」

向も無く、清太郎の家の前に来る。どうしたのか表戸がピッシリ締ってゐる。いつでもさうらしい。カニ工は平気で裏に廻って「清太郎さん帰ったの？居るのかい、次郎さん？」と言った。

〔四〕

「誰だ！」内から怒ってゐる様な声がして、私も顔だけなら知ってゐる、その次郎が硝子戸を開けた。

「研究会だろ。行くよ。行く積りで今飯の仕度をしてるんだ。兄きも俺も今帰って来たばかりだ」

「いゝえ、私、清太郎さんを呼びに来たんだよ。居るの？」

「居る。だけど、兄きを何しに？」

「絹子さんが、悪いんでね。それで」

「お絹の野郎がだって！病気にだって何だって勝手になるがいゝぢゃないか！兄きの知った事ぢゃねえさ。兄きは行かねえよ。俺がやらねえ……」急にいきり立って怒鳴り出した十七八の青年を相手にカニエが押問答をしてゐる間に、私が覗いて見ると、その家の中が、これは又洗った様に何も無い。此の辺特有の、土間を広く取った二室きりの、その土間とカマチとの境の天井から十燭の電燈がブラ下って、如何にも男兄弟二人の世帯らしい荒れたその辺を照してゐた。しかも二室の内の一つには畳も敷いて無くて根太板が黒い。そして畳の敷いてある方に、大きな男が、ゴロリと横になってゐた。

「……だからさ、お願ひだから次郎さんは今夜だけは默ってゐて頂戴よ。絹子が是非逢ひたいと言ってるのよ。もう駄目だってさ。今夜は死ぬんだって医者も言ったんだから。もう今頃は死んぢまってるかも知れない……」

それまで、まるで石の様に、身じろぎ一つしなかった大きな男が「死ぬ」と言ったカニエの言葉を聞くと、ノソリと起き上った。此方を向いた。私はビックリした。あんまり、その男は大き過ぎた。実際はそれほどでも無いだろうけれど、見た感じが、普通の大人の二倍近い。私はこれまで、こんな巨大きな男を餘り見たことが無かった。それが、ズクと言はれてゐる清太郎だった。ズクは私達に附いて行くらしい、立って下駄を穿いた。

「行くのか、兄き」次郎がビックリした顔で言った。「もう直ぐだから飯食ってから行け」

ウム、ウムと口の中で返事をした様なしない様な清太郎がノソノソ私達の前に立って絹子の家の方へ歩いた。カニエが何と話しかけてもハッキリした返事をせぬ。非常にノロイ歩き方で、しかも少しヨタヨタした歩き方で、私達よりも乳の上だけ大きい身体を少し前屈みにして行く後姿が、まるでゴリラか何かの様で、それだけに、何と無く頼り無げで、変だ。私は思はずフキ出しかけた。

絹子は、私達三人が行ってやってから、三十分もしない間に、死んだ。

〔五〕

ズクは、やはり默ったまゝ絹子の枕許にすわったきり、しまひまで、殆どハッキリした口は一つも利かなかった。青い二の腕をむき出しにして、医者の吸入のマスクを押しのけざまに、絹子が、苦しさうに自分の胸をかき毟しる様にした時も、ズクは初めからのにぶい顔のまゝで、ボンヤリ見てゐた。をかしな程に異様に発達した両腕の先に付いた、これも馬鹿々々しく大きな掌で、両の膝をパクリとかぶせてすわったまゝ、彼は絹子の息の無くなるのを見てゐた。

× × ×

翌日、午の休みを早めにしたカニエが、「オ二の方へ清太さんを見に行かう」といふので裏門から入って行くと、鋳物場の裏で、彼は仕事のズクを割ってゐた。昨日ビックリした私は、今日も驚いた。これはまるで機械だ。この寒いのにズクは胸の開いたシャツを一枚着たぎり、ドロドロによごれた長い前垂れをフンドシの上にして、ハンマを揮ってゐた。ふみはだかった膝の間へ一度素振をくれて、次に右から真向へ回転したハンマがピシリと銑鉄棒に打下される。棒は二つに割れる。その一つが又二つに割れる。彼の両腕から肩、胸から腿への鉄の様な断肉が調子をつけてグリグリとふくれ上り、のびちゞみする。子供っぽく、頼り無げであった昨夜の彼の姿は無くなって、恐ろしく整って自信を持った鉄製の機械だ。

「ほ、ズクの野郎め、今日はどうにかしてゐやがる。ハンマが早いや！」昼休みで通りかゝった鋳物工の中の一人が声をあげて笑った。

「だらうと思った」カニエが私に言った「いえね、ズクさんは、本当は絹子の死んだことを誰よりも一番悲しがってゐるのよ。何か自分の気持に変ったことがあると、ズクの割り方が、早く荒くなるのよ。あんまり永い事ズク割りばかりやって来たんで、ズクを割ってゐなきゃ自分の気持も外に出せなくなっちまった」カニエはさう言って笑った。私は笑へなかった。昨夜平気だった私の眼に涙が出て来さうになった。私は彼の鉄板の様な胸を見た。そこに、焼ける様な苦しみが一杯になっても、ハンマと銑鉄でしか、その自分の感情を現せない此の労仂者を見た。其処に、弁当箱を持った次郎が、やって来て、ズクを見物してゐる人達を、怒った眼で睨めまはした後で今度は悲しさうな眼で兄を見て「兄き、めしだ！」と言った。

ウンと言ったぎり、ズクはまだズクを割ってゐた。——

ズクは小さい時、熱病を患った。チブスだったらしい。それ以来ボンヤリしてしまった。殆んど口が利けない。十年近くズクを割ってゐるが、「阿呆」だと言ふ事になってゐる。会社では一度、ズク割りの機械を据付けようとした事があるが、ソロバンをはじいて見ると、これ位の鉄工場の旧式な熔炉三本では、清太郎の日給二円の方がズッと安上りで、しかも結構間に合ふので、機械は止した。

〔六〕

こんな風にして私はズク兄弟と仲好しになった。兄弟はいつも研究会に出た。もっとも次郎が兄を引っぱって来たと言ふのが当ってゐる。ズクは会に出ても、いつも口を利かず、人の言ふ事を聞くばかりだ。それも解るのか解らないのか、例の両手を膝の上に置いて、頼りなささうにボンヤリしてゐた。次郎の方は、実にスバラシイ旋工だ。鉄砲玉の様に、気が荒くてカンシャク持ちで、命知らずで、兄思ひで、兄のために、兄を馬鹿にする世の人間に向って、いつも歯をむいてゐる。そして、仕上部の少年工達を組織したオルグの下で火の様に働いてゐる。絹子がチヨイとした行き違ひからこぢれ出して第二の職長の妾になった時（さうにでもしなければ三人の家族が彼女には養へなかった、清太郎との恋が順調に運んでゐる間は、彼女はその苦しさをこらへてやって行けた）に、兄を叱りつけて絹子の所にフッツリ行かせない様にしたのも次郎だ。又、此の次郎は、三年前の組合結成の時の騒動の時に、反動派のチヨイとしたやり口に腹を立てゝ、旋盤の方を襲って、まだグングン運転してゐるベルトの、その自分の背の二倍もある車輪に「喧嘩を吹きかけた」話を持ってゐる男だ。以来、次郎は「車輪」と言ふアダナを持った。兄がズクで弟が車輪だ。車輪はいつでも、恐ろしい勢で廻転してゐる。

× × × ×

そして、一ヶ月半して、あのサボ事件だ。

事件はこないだ、くはしく、あなたに書いてやった通り。

だから今度は、はぶくけど、私はあの時、横に次郎と手をつなぎ、縦にカニエと組んで、レポとビラの謄写の二つの仕事を当てがはれた。工場占領のサボタージが開始されて三日もすると、左右の対立が、益々はげしくなったこと、そこへ、その時迄組合の所属してゐた××党の争議指導部から幹部が派遣されて来たり、会社の切りくづし策が攻勢を取ったりしたゝめに組合の常任に指導されてゐる右翼の多数派がゾロゾロ転場を引揚げたり、引っこ抜かれたりした事なども報告の通り。その四回目の晝、××からの指令に依るビラを刷るために、私と次郎とは、次郎の家の畳の敷いてない室で謄写版にしがみついてゐた。

「クソッ！まだ仲々かい？」

「二百あがり。後百枚だわ」次郎がローラーで私が紙をめくる役。戦争だ。「あと十分。それから工場まで行くのが八分と見て、エーと今十二時二十分だから半迄にゃ大丈夫よ。車輪さん、もっと早く廻れ」

「て！馬鹿にするない！そら来た、もっと紙を早くめんんな！」

〔七〕

「兄さん、どうしたの、工場？」

「オ二の方に行ってら。もしかすりゃ、今日も彼奴ズク割りやらかしてゐるかも知れん。いやさ、それでチャンと自分もサボに参加してゐるんだ。何しろ、一日だってズク割らねえと身体のあんべえが悪くなるんだから。俺あ悲しくなっちまうんだ。まるで機械だからな。しかし、あれで何でも知ってゐるんだ。こなひだ、綱子の奴がくたばってから兄きあ、メッキリ気が荒くなりやがった。」

二人とも暫らく黙った。あと五十枚。

「ねえ次郎さん、あんたどう考へる？こんだのサボ？」

「どう考へるって、どうさ？」

「うまく行くかしら？」

「勝つさ。勝たなくってさ！オ一の方で二本、オ二で一本、熔鉱炉が占領組の手に有る内あ、万才だい！」

「そいでも、ゆんべ組合の幹部派と××党の応援リーダの連中、会社の松木なんぞと秘密に逢ったって言ふわよ。今朝レポが入ったって、カニエさんから聞いた。」

「勝手にしやがれ！そんな手には乗るもんかい。だってさうだらう、いくら幹部派の奴等が多数派だからって、俺達の方で占領してりや、どうにもなるめえ。社会民主々義者なんていつでもそんなもんさ、お天気を見てゐやがるんだ。俺達の方ぢや数にすりや三分の一の百人余りだが命がけだぜ。××党リーダなんかゞ何かぬかした位で炉を明け渡すこっちや無え。ヘゝんだ！そして会社ぢや炉を冷たくさせられることを一番こはがってゐるんだ。今日二時、最後の回答だ！あとで行ってごらんよ、凄いぜ炉の近辺。ごつい連中が詰まり返ってビッシリがんばってゐるよ。クソッ！」

「仕上部少年団は大丈夫？」

「大丈夫？言ってくれるなよ、そんな事。此の次郎さんが班責任者でがんばってら。ハハハハ。そりや冗談だけど、樋口さんも居りや辰公も居らあ。走り廻ってらレポタで。オット仕事だ、馬力をかけようぜ」

バタリ、ミリミリ、バタリ……謄写版が、熱くなって来さうだった。家の側で人の足音が止った。次郎がフッと聞き耳を立てた。ソッと手を出して傍に置いてあった木剣を握って戸口へ抜き足。彼の眼がギラギラ光ってゐた。「畜生、来やがったな」ガラリと明けて「誰だ！」と怒鳴って、直ぐ「なあんだ辰公か」と言った。やはり少年部の辰二がニコニコして息を切らしながら立ってゐた。

「まだかい、ビラ？俺、取りに来た」

「もう直ぐだ。しかし、お前の分は有るから持ってけ。第二の方だな、ぢやこれ、七十枚位有るだろ、サルマタの前んとこに入れてけ！」

辰二はビラ束を懐へグイと突込むと、バタバタと駆出してしまった。

【八】

それから二人とも無言。スッカリ刷り上げて、私が第一と婦人班へ持って行く分を取り、次郎が組合と家族への分をワシ掴みにした。其時だった。相変らず大戸をおろしたまゝの家の前を工場の方へ向って、何か叫びながら走って行く大勢の男達の足音がした。私と次郎は、顔を見合せて棒立ちになった。何か起ったのだらう？其処へ又、家の横で足音がした。「こんだ、野郎」次郎は再び木剣を掴んで戸を睨んだ。戸が外から用いて指令部の樋口さんが入って来た。

「どうしたの樋口さん、今の？」

「いけねえ、右の連中が熔鉱炉取戻しに押して行くんだ。それが組合の者ばかりならいゝが、ゴロや反動の奴等が大分混ってゐら。××党の奴等がケシカケた。どうだビラ出来ちまったか？・出来た、よし、ぢやそれ持って、二人とも走ってくれ。あんたは才一、次郎公は糸山んとこに居る金森へ、此の事を知らせろ。才二へは俺が行く。今の奴等よりも先に着かなくっちゃいけねえ」

返事もせずに三人が、駆け出した。私はそれが早道なので戸口で二人に別れて、左手へ、裏通りへ！下駄も穿かない八ダシの指が石か何かを蹴飛ばしてキリキリ痛んだけど、下を見る暇も有りはしない。風の様に、家々の軒をかすめて、家並を走り過ぎるとコークスのガスが足の裏を咬む工場裏道のトタン塀、柵柵柵柵、材料置場、才一工場裏門！

私が息をゼイゼイ言はせながら、ピケにレポをやっとすませてから、五分もしないで、表門の辺で、占領組の警備の人達と、押して来た連中とのひしめき合ってゐる声が起った。

私は柵にもたれて少し休んだ。

「死んでも炉を渡すな！いざとなりゃクレーンおっぴらいて、バラス叩きこめ！」と誰かゞ怒鳴って、四十人ばかりの男達が二本の炉のグルリに、まるで鎧を着こんだ様に立ちはだかった姿が、私の眼には小さく黒く見えた。そこへ、私の知らない伝令がタタタと走り込んで来て、

「おゝ、才二へも押して来やがったぞ！あっちの方が一足早かったんだ！ズクの野郎、すごいぞ！ハンマ振廻して奴等を蹴散らしてる！清太郎のズクがあばれてら！」と言った。

私はその瞬間に、身内がふるへる様な、それで、をかしくてたまらぬ様な、実に何とも言ひ様の無い気がした。そして、そんな場合にかゝはらず、あの絹子の死んだ晩の小児の様にボッとして頼り無げなズクの姿や顔をハッキリ思ひ出した。

私はその次に、懐中のビラの事を思ひ出したので、才二工場の方へ又走り出した。今度は近い。が、もう混乱のために柵から内へは入れない。ビラだけを、やっと占領組の木工の人に手渡して、わきにかくれて、内部をソッと覗いた。

そしたらズクがあばれてゐた！

〔九〕

しかし、最初は、それも見えはしなかった。

オ二の方はオ一に較べて建物も小さいし、ひどく採光が悪いので、外から覗くと、芸暗がりの中で、押し合ひへし合ひをしてゐる黒い人影が、鉄機の間にボンヤリ見える程度だ。それに、いつもなら此処の小さい熔鉱炉の火口やなんかが開けてあるので相当見通しが利くけど、占領以来そんなもの閉ぢたっきりだから、尚のこと暗い。誰だか知らないが、側面の出入口から巡査に羽がひじめに合って引ずり出されて行くのが見えた。グワーン、パシッ！と、機械の部分品か何かを、鉄板のハメ板に投げ付けた音。それから、チヨイとの間、静かになった。又、ワヤワヤと人々の罵声。それが続いて、又それが少し静まる。今度は急にワッと喊声の様などよめき。黒い人影がダダダと入口近くへ開いた。

そして、その時に、私は、あばれてゐる清太郎の姿を認めた。

先刻の伝令はハンマ持ってあばれてゐると言ったけど、その時、ズクはもうハンマ持ってゐなかった。何か黒いものを両腕で差上げてゐる。

「危ねえっ！危ねえっ！」

「何をするんだ、ズク、何をするんだっ！」

その時、誰がしたのか炉の口の一つがパッと真赤に開いたので、少しハッキリ見る事が出来た。そして私はビックリした。ズクの両腕に差上げてゐるのは人間だ。炉を取戻しに押して来たゴロか組合の連中の一人らしい。その男は差し上げられて手や足をモガモガさせてゐる。ズクはと言へば、遠くてハッキリは見えぬけれど、男を差し上げはしたもの丶、それをどうするか決心がつかぬ様子で、身体をあっちへねぢったり、こっちへねぢったりしてゐる。人々は遠巻きにして声を上げた。する内に、そのズクの姿は機械の蔭になって見えなくなった。ワーッ、ワーッと人々の声が渦を巻いて耳を打った。私は、気が附いて見ると、脇の下にビッショリ汗をかいてゐた。

後で聞くと、そのゴロを差し上げたまゝその辺をノソノソ歩き廻ったズクは、二度三度それを押し寄せて来た組合の連中の頭の上にほり投げようとしたが、それをせず、しまひに、熔鉱炉の火口を足の先で蹴開けて、そのゴロを真赤な火口に投げ込まうとしたさうだ。

占領組のピケの同志に止められて、投込みはしなかったが、見てゐた一同が、そのトッサにシーンとなって息をつかなくなった。

結局、炉は明渡さずに済んだ。

そして争議がすんでから後は、今迄の様にズクを馬鹿にする者は居なくなった。

ズクは相変らずボッとした顔をして、毎日ズクを割ってゐる。

〔十〕

どんな原因が、いつもボンヤリしてゐるズクを、あの時に限ってあんなにハッキリした、思ひがけない行動をさせたか？

それは、解ったやうで、ハッキリとは私にもわかりません。カニアも不思議がってゐる。第一弟の次郎が「兄きと言ふ男は、わからねえ男だ」と言ってゐる。

しかし、実は、私達みんなに、それは、よくわかってゐる事なのです。人間は、いつ迄も機械では無い。クソ力のクソ魂のズクの腹に、非常にユックリとではあるけど、自分のやらなければならぬ事に就ての考へが、それこそ非常にユックリとだけど、積み重ねられて行ったまでの話です。弟の次郎が恐ろしく早く廻転してゐる小さな車輪ならば、兄のズクは、重く廻ってゐる大きな車輪ちやありませんか？大きな車輪は仲々動かうとしない、動き出してもノロノロしか廻転しないけど、しかしいざ廻転し出したら最後、チットやソットでは廻転を止めはしないでせう。

事実、その後のズクは、その大きな車輪なのです。彼は毎日ズクを割ります。

×　×　×　×

今度の争議が私達の側から見て戦術上、又結果の上から成功だったか、不成功だったか、それ等の事に就ては私にはハッキリ言へないし、此処では言ふ必要も無いし、折があれば又他の時に述べます。しかし今度の事が、契機となって、此処の組合支部内に於ける左翼の基礎が、かなり強化され、此の次の機会に於ける本当の意味の対立闘争に耐へ得る位には組織が、固まった事は事実です。

こなひだ、研究会主催で開かれた批判と懇親の会には、ズクも次郎も、カニエも私も、出席しました。ズクは、例の通りニコニコ頼り無さそうな笑顔をして、時々思ひ出した様に、あの恐ろしく大きい掌をソロソロ伸して、自分の前に積んであるカキ餅を取っては、ポリポリ食って默ってゐた。

「おゝ、一つ、ズク公に、あん時の感想を喋って貰はうぢゃ無えか！」誰かゞ言った。二三人が笑って拍手した。ズクさんは、聞えたのか聞えないのかポリポリやってゐました。

「おい、ズクさん、感想やってくれ！」

それで、次郎が兄の尻を、ゲンコで、こづきました。「兄き、何か喋れ！」

ズクは立たない。それで、又拍手。次郎が、ヂレヂレしてゲンコで兄の横腹を突いた。「立て、兄き！立て！立って何か喋れ！」

あんまり弟にこづかれて、ズクはモソモソ立ち上ったけど、何も言はない。「ワーイ、何か言へ！」と言はれても、笑ひ顔で口をモガモガさせ皆を見廻してゐるきり。

「何とか言ってくんなよ、兄きー」

次郎が、フクラハギを又、こづいた。

ズクさんはやっと口を開いた。が、ウン、ウンと言った様な声を少し出したっきり、モソモソ坐ってしまひました。

「異議無し！」

「異議無し！」

それで、皆が感情のこもった笑声を一度に揚げて、拍手をして、そして次の日程に入りました。

私の話は、今日はこれでおしまひ。

（一九三一、二月）

女ごころ

（一）

曽根子は、告知板の方ばかり見てゐた。

寒い。

駅の巨大な建物が、丁度風洞の様な作用を起すのか、しめっぽい風が絶えず顔にあたる。三方にある入口から流れ込んで来る人達は、眼を据ゑるやうにして改札口の方へ行く。地下道から改札口へ吐き出された人達は、これも同じやうに、明るい出口の方ばかりを見詰めながら、潮が引くやうに歩み去る。立ちどまって居る者には、誰も目を呉れないのである。

曽根子は、待合室の入口の大きな柱の蔭にかくれるやうに立ち、ショールで眼の辺まで蔽うて、もう三十分近くも動かずに居た。

『さうさのう、あんだけキッパリ言ってゐたんだから、来ねえ筈は無えよ。もう少し待ちなよ』

『でも、来なきや来ねえで、もういゝんだがなあ』

すぐ耳の傍で声がするので、ヒヨイと見ると、カーキー色の服を着た青年と、その母親らしい女が、曽根子と殆んど並ぶやうにして立って、入口の方ばかり見てゐた。二人はズッとさうしてゐたらしい。今迄告知板の方へばかり気を取られてゐた曽根子の眼には入らずにゐたのだった。

（あゝ、この人も行くんだわ）

引きしまった美しい横顔だった。

兵種も階級も、曽根子には解らなかった。これまでどんな職業に従ってゐた人かも見当が附かない。顔付きや、言葉使ひだけで推せば、ズッと郊外か府下で小さい商売でもやってゐたと言った風だった。青年の身体は強い線でピンとそり返るやうにして直立し、視線は焼け付くやうな鋭どさで入口の方を見守ってゐた。その息子の顔を見上げるやうにして、母親のショボショボした眼があった。

口にしてゐる言葉とは反対に、その最後に逢はなければならぬ人が此処にやって来るのを、母親の方はもう既に諦らめて居り、息子はまだ待ってゐる――曽根子にはそれが解った。

『……シゲ子の家ぢや、あんな事言って無理やりシゲ子を引戻して置きながら、まるで自家で進出してしまったやうに言ってるさうだから、仲々よこして呉れないのだらうかな。しかし、それも事が事だから今日は出してくれると思ふがねえ……』

『うん……』

二人の姿を見てゐる内に曽根子は引き込まれるやうに、何か事情が有って実家にでも帰ってゐるらしい、そのシゲ子と言ふ青年の妻（?・）が、早く来てくれるやうに早く来て呉れるやうにと、何かに祈るやうな気持ちだった。

青年が、大時計を見上げた。

釣られて曽根子も時計を見た。十一時を十分過ぎてゐる。ああ、私も人を待ってゐるんだと思ひ出し、少し眼をキヨロキヨロさせて告知板の方を覗いた。信らしい男は立ってゐなかった。（では、もう来ないんだ）と思ふ。それで良いやうな気もする。ガッカリ失望してしまったやうな、ホッと安心したやうな、自分にもハッキリしない気持だった。

知らぬ間に、右手にシッカリと握りしめてゐた速達を、肩掛けの間から覗き込むやうにして、もう一度読んで見た。

――

君は多分知るまいと思ふが僕は予備役伍長です。任地へ出発する期日は松本へ行ってからでなければ、わからないけれど、可成り早急に現地へ輸送されることになるらしいです。松本へは明後日朝早く出発します。

僕はかならずしも死ぬとは思ってゐません。然し死ぬかもわからない。覚悟はしてゐます。いづれにしても自分の全力を尽して任務を果さうと決心してゐます。

僕はこんなこと永久に言はない決心でゐました。しかし人間は結局自分の素直な気持ちを表現しないですますことは出来ないものゝやうです。こんなに臆病で、こんなに気の弱い僕でも、今となってはこのことを一言だけでも君に打明けないでは、松本へ出発できない気持ちになったのです。

僕に最後に会ってサヨナラを云はして下さい。

明日午前十時から十一時まで新宿駅告知板の傍で待ちます。どうかやって来て下さい。但し君がやってきて呉れても、僕は君と北條君の幸福を乱すやうなことは絶対にしないことを約束して置きます。

信

才賀信のもの優しい顔がフッと浮んで来る。曽根子は、急いで書いたらしい走り書きの文面から目を離さず、一年前に別れたきり一度も逢はない信のことを、もう取返しのつかない夢を思ひ出すやうに思ひ出してゐる。手紙を握った指の爪に昨日の白粉が蒼白く遺ってゐる。昨夕は一時過ぎに店を閉めアパートへ帰ったが、北條は例の通りに酔ってゐて、又ネチネチと曽根子を虐め出し、やっと寝たのは明け方の四時頃だった。今朝は、まだ眠ってゐる北條の目を覚さないやうに抜け出して来たのだった。化粧を落してゐる暇はなかった。……すべてが忙しく、切なかった。

『あゝ来た！　おいシゲ子、シゲ子！』

傍の青年が云ふなり一直線に歩き出して行った。その歩るいて行く方向の入口に、たった今円タクから飛び降りたらしい、洗ひ髮の若い女が真蒼な顔をうろうろと動かして立ってゐた。彼女は軍服の青年を発見して『あゝ』と短い叫び声をあげたやうだった。

曽根子は見てゐて急に泪が込みあげてきさうになった。（自分は逢へなかったけれど、その代りにこの人達は逢へた。これでいゝんだわ）気持ちの和むのを感じた。思ひきりの悪い自分の心にピリオドを打つやうに、歩み出してゐた。

小さな出口の方へ二間ばかり行き、歩るきながらもう一度告知板のところを振返ってみた。黒いオーバーの男が向ふむきに立ってゐる。何か見覚えがあるので伸びあがるやうにして見てゐるまに、ハツとした。

信は、前かゞみになって告知板に何か書いてゐた。

（二）

走り出さうとして二三歩前へ出た曽根子の足が釘付けになった。

今迄、これほど待ってゐたくせに、曽根子は急に、こゝで信に逢へば、何かとり返しのつかないことが起りさうに思へる。北條の鋭い目も何処からか光ってゐるやうな気がする。

信は書き終へたらしく、手にチョークを持ったまゝあたりを見廻してゐる。曽根子はショールで目の辺まで隠すやうにしてそれを見てゐた。昨日お店の方へ速達を貰って以来、いつの間にか今日ここへ来る信のことを軍服姿で想像してゐたので、今見覚えのある背広にオーバー姿を、却って珍らしいものゝやうに眺めてゐるのである。

信は何か思ひ決したやうな面持ちで、もう一度その辺を見廻してから、スタスタと正面の出口の方へ歩み去って行った。相変らず痩せた右肩を少しあげるやうな後姿だった。

曽根子は何かなしホッとしたやうな気持ちで、ソロソロと告知板へ近づいて行った。最後の行に小さい字で、

曽根サン、アナタハ来テクレナカッタ、ソレデ良イカモシレヌ、シカシ僕ハ、アイシテヰル、サヨナラ、　S生

だしぬけに熱いものを胸の中へ注ぎ込まれたやうな気がした。『僕ハ、アイシテヰル』と言ふ文字が、眼の前で弾けて飛ぶやうに見えた。何を考へてゐる餘裕もなく、駅の外へ駆け出してゐた。

信の姿はまだ駅前のポストの傍に立って、どちらへ行かうと考へ迷ってゐるらしかった。曽根子は何んと呼び掛けてよいかわからず口籠ってゐる間に、体はポストの反対側を廻って信の前に立ってゐた。

『あゝ……』信の目はピタリと吸ひつくやうに曽根子の方へ来た。『来て呉れたんですか？　僕は始めから手紙がうまく着いて呉れないやうな気がしてゐた。着いてゐても、逢ふ間に合はないやうな気がしてゐたんだ』

一年前と少しも変らない表情と声だった。顔色こそ少し蒼いが、意外に落着いてゐる。

『さっきから五十分ばかり待ってゐたけど、もう諦らめて帰らうとしてゐました。どうしたの、寒い？』

云はれて気がついてみると、仕舞ふのを忘れて手に持ってゐた速達がブルブル震へてゐる。

『いゝえ。……あたしも一時間ばかり待ってゐたけど』

普段の声とは違ったヒエーと響く声が出た。それが急に自分にも可笑しいやうに思へ、フッと笑ひ顔が出ると、今まで固くなってゐた体が解れたやうに感じ、久しぶりの男の顔をシミジミと見上げてゐる曽根子だった。

『さう？　変だなあ。ぢゃあ、お互ひに全然見えない場所に立ってゐたのかな。……どう、元気？』

『えっ、明日出発なさるんですって？』
『うん。……北條君は？』
『相変らずよ。……まだ今日は、寐てるわ』曽根子は色々の意味を込めて弱々しく笑った。笑ふと昔の通りに左の目の下に小さな靨が出来る。男はそれを眺めながら、古い陰影のやうなものが心に倒れこんで来るのを感ずる。いとしいと思ふのだ。

自然に、二人は舗道を四谷の方へ向って歩るいてゐた。
『お茶でも飲みましょうか？』

（三）

『随分久しぶりだなあ。然し曽根さん、ちっとも変ってゐない。でも前より瘠せたやうだな』
『あの頃から見ると二貫目近くも瘠せたわ。道子さんと一緒に銭へ行ってカンカンで計ったことがあるのよ。あたしが十四貫近くで、道子さんが十三貫と一寸あったわ』

道子と云ふのは三年前に死んだ信の妹で、その当時曽根子も通ってゐた夜間の洋裁学校で同じクラスになり、非常に親しい友達になった。勝気で、いつも不思議な位ゐ元気のいゝ少女だった。何処にゐても目立たず、たよりない位ゐに弱々しい曽根子の性格と合ったのかも知れない。曽根子よりも二才年下のくせに、まるで男のやうに曽根子を叱り飛ばしたり、虐め抜いて泣かしたりした。兄の信と男と女の性質が入れ替りになって生れついてきたやうな兄妹だった。

道子が急性肺炎で亡くなった時、曽根子は身も世もなく二日も三日も泣き明かして、目をすっかり泣き腫らした。

信の曽根子を見る気持ちが、単なる死んだ妹の友達に対するものだけではなくなって来たのは、その頃だった。しかし彼は何も言はず、いつも寂しげな目をあげて曽根子を見た。気が弱いせゐもあった。しかしそれだけではない。信には生れつき、自分の感情を積極的に人に示すことの出来ない臆病な性癖があった。単に恋愛だけに就いてではない。他人から愛されることや好意を持たれることで全く自信を持たないのだ。

そのうちに、曽根子は拳闘選手あがりの北條五郎と知り合ひになり、殆んど跪づくと云ってよいくらゐの激しさで同棲してしまひ、生活に困るまゝに、五郎の知人の紹介で、大塚の方のカフエーとも酒場ともつかぬ小さな店に女給に出るやうになってゐた。信はハラハラしながら悲しげな眼色で傍観してゐたが、例の通り何も言はず静かに身をひいて曽根子の前には姿を見せなくなってゐた。

『雑誌の方のお仕事は、忙しい？』

『えゝ。……昨夜社の連中が送別会をしてくれました』

さうだ、この人は戦地へ行くのだった、とまたしても曽根子はコーヒーのスプーンを弄くってゐる指の先から血が引いてゆくやうに感じた。予想してゐたのとは全く違ふ平静な信が其処にゐる。何か不思議でならないのだ。

『……お支度が大変でしよ？』

『いやもう済みました。たったひとりだし、前から覚悟はしてゐたんで。これで明日早く立って松本へ帰って母に逢へばもういゝんです。下宿も昨日すっかり引拂ってしまって今夜は社の同僚の家へ泊らして貰ふことになってゐるんだ。……実は、それで今日はこれから夜まで全然暇なんだけど、若し君に差支へがなかったら一緒に散歩でもして貰はうかと思って……』

それだけを言ふのに信は目を外らし、耳のつけ根を紅くした。曽根子はそれを見ながら口の中で『えゝ』と呟いた。

『しかし、お店があるんだなあ……』

『いゝのよ。今日はおそ番だから』

『でも北條君に悪くはないかな』

『いゝの！』

曽根子の方が先きに椅子をたってゐた。信は吃驚りした目をあげて、ドンドン先きにたって階段を降りて行く彼女の背中を見ながら、席を立った。

（四）

外へ出たものゝ、二人には別に何処と言って行くべき目当ては無い。

街は、歳の暮に近い雑沓だった。

『君、御飯はすんだの？』

『まだなの。起きて直ぐ出かけて来たから』

『ぢや、どっかで何か食べようか？』

『さうね、でも私、なんだかチットモ食べたく無いけど』

『さう。実は僕もホンの先刻食べたばかりなんだ。ぢや、それは後にしよう。……映画でも見ますか？』

『たいして見たくも無いわ。でも、どっちでも』

本当に、特に何がしたいとか何処へ行って見たいと言ふ事が何も無かった。疲れてゐるせゐだけでは無い。今日限りで、もう会へぬかも解らない男と、かうして一緒に歩いてゐるだけで、他に何も考へる事が無くなってゐる。

信も、途方に暮れた顔で立停ってゐた。

『お伴していゝわ。行きませう』

『……ぢや「真珠夫人」でも見ますか？　そこにかゝってゐるんだ』

『なあに、「真珠夫人」って？』

『アメリカ映画ですよ。ズッと先に社の連中が皆で試写を見たことが有るんだけど、僕は出張中で見はぐってしまった。是非見て置きたいんだ』

雑沓を抜け出して二人は、あまり遠く無いその洋画専門のセカンドラン劇場の方へ歩いて行った。信の背中を見ながら歩く曽根子は、北條五郎と一緒になってからこっち、芝居も映画も殆んど全く見て居ない事を、今更のやうに思ひ出してゐた。店と、五郎の待ってゐるアパートの間を往復する以外に何の生活も無いやうな一年間だった。五郎は曽根子の店が看板になる時間を正確に知って居り、そこからアパートの在る池袋まで帰って来るのに要する時間を計ってゐて、彼女の帰りが少しでも遅れると、一晩中眠らせないでいぢめ抜くのだった。曽根子は反抗して行く力は全く無かった。彼女が泣き出すと、五郎は、

『俺がこんな事を言ふのは、お前を俺がホントに愛してゐるからだ』

と言って、しまひに自分も泣き出すのだった。……

二人が二階の席に並んで掛けると、既にその映画は始まって居た。画面は近代的な広々としたサロンで、中年過ぎの、しぶい味の有る顔をした男が、肩と背をまる出しにした美しい妻に向って、

『旅行だ。俺は、今迄仕事ばかりをして来たから、これから

「生き」るんだ。俺の生活は今日から始まるんだよ』

と言って眼を輝かしてゐた。

どういふ映画なのか、曽根子には、よく解らない。なんでも、事業家の男が、仕事全部を他へ譲り渡してしまって、妻と一緒にヨーロッパへの旅行へ出て行くのだった。豪華な船中の生活。やがてヨーロッパの美しい都市が次々と展開されて行く。妻の方は浮気で利己的で、次から次と色々の男を拵へては夫を苦しめ、そしてその尻拭ひは全部夫にさせる。少し意地が悪いと思へるほど、その様な女の弱点が、これでもかこれでもかと追求されてゐた。西洋にはこんな女が沢山居るのかしら？　曽根子には、何か本当のやうには思へない。

信は、前から話の筋だけは知ってゐるので直ぐに画面に入り込んで行けるらしい。曽根子がソッと彼の顔を見ると、闇の中に浮び上った信の横顔が、喰ひ入るやうに画面の方を見入って居る。今日と言ふ日に、自身とは何の関係も無いこんな映画を、こんなに真剣な顔をして見てゐる男の心が曽根子には不思議になって来る。それだからこそ男だと頼もしい気もする一方に、なにかつれ無く扱はれてゐるやうな寂しさだ。

その内に彼女は少しドキッとした。視線を据ゑた信の顔が、映画を観てゐる人の顔では無い様な気がしたのだった。銀幕の反射で、顔全体が妙に鉛色に真青だった。曽根子は、

（この人は、今度死ぬんぢやないだらうか）

フッとそんな気がした。眼の前が不意に暗くなり、思はず『あゝ』と低い声を出してゐた。

『どうしたの？』

『……』

『どうしたの？』と信は、闇をすかすやうにして『面白く無い？』

『うゝん』

信の手が彼女の肩に来た。

『気分でも悪いんぢや無いの？　なんなら、此処を出てもいいんだ』

『うゝん、何でも無いのよ。いゝの。しまひ迄見ませうよ』

（五）

何か言って置かなければならぬ事が有る。しかし何を言ってよいか解らない。――曽根子は次才にジレジレして来る自分を持てあましてゐた。

信の方が却って落着いてゐる。映画館を出るとタキシーを拾って銀座裏に来て、社の者と二三度来て知ってゐると言ふ小さい料理屋の二階の室に落着いて飲み食ひをしはじめてからも、子供の様にニコニコと明るい顔だった。輪廓のハッキリしない蒼色の花のやうな曽根子の顔を目のあたりに見ながら、少しばかりのビールなどを飲むのが、しんから嬉しいらしい。曽根子はそれを見てゐる内に、泣けて来さうになってゐた。

『なんで、そんな妙な顔をしてゐるの、曽根ちゃん？ もっと食べたらいゝ。これ、なかなか甘味いよ』と信は手元に有る生ウニの皿を曽根子の方へすべらしてやりながら、

『僕は本当に嬉しいんだ。君にもかうして会へたし、もうこれでいゝんだ。それにね、こんな事言っても君にはよく解らないかも知れないが、僕は今度行くのが、実は嬉しいんだ。嬉しいと言ふと少し言葉が違ふかもわからないけれど、何と言ったらよいかな、今度こそは自分も相手も嘘や偽りや遠慮や気兼ね無しにぶつつかり合へる所へ行ける。生れてはじめて地面の上にシッカリと足で立てると言ふ気がするんだ。自分に安心が持てる感じなんだ。……国家と言ふ事や祖国と言ふ事を僕は殆んど初めて自分にヂカなものとして考へた。単に国家と言ふ事だけでは無い、自分自身の事だって実は初めて考へたやうなものだ。正直言ふと二つともまだハッキリと掴めては居ない。しかし、掴みかけてゐるとは言へる。その證據に……』

信はそこでニコニコと頬笑んで、

『その證據に、こんなに意気地の無い僕が、昨日君に速達を出したりしてゐるもの』とふざけた口調で言って、ビールをガブッと飲んだ。

『……さうね、私も昨日はビックリしたわ』

『さうだらう？ 乱暴になったと思ったゞらう？ さうなんだ、今迄の僕は、人間として男として半端者だったよ。気が弱いなどと言ふのは単なる辯解に過ぎない。自分の意志や感情に忠実でさへあれば、人間には気が弱いと云ふ事は有り得

ないんだ。良い例が、一年前、君に対して僕が抱いてゐた感情——』

言ひかけてヒヨツと黙ってしまった。先程から曇ってゐた空が氷雨になったらしく、腰高障子にはめられた硝子越しに、白いものが時折見えた。戸外はもう宵闇が濃かった。スツ、スツと呼吸をつくやうに障子が明るくなったり暗くなったりするのは、どこか近所のカフエーのネオンが明滅するのだらう。

曽根子は、信の話の途中から、障子の方を向いたまゝ顔も身体も動かさずに、タラタラと涙が流れ出るのに委せてゐた。

『……いや、こんな話は止さう』

『いゝのよ……』

『北條君は近頃どんな事やってゐる?』

『たまに拳闘の方のマネージヤアの仕事やなんかで忙しくなる事あるけど、それもメッタに無いから大概遊んでゐるわ』

『それで、生活はうまく行ってゐる?』

『……。私が稼いで来るだけだから、とても苦しいの。事変からこっち、お店も不景気なので、私なぞどんなに一生懸命になっても月にせいぜい六十円位しか収入が無いの。北條は酒ばかり飲んでゐるし』

『でも、北條君は、良くして呉れる?』

『……なんでそんな事を訊くの?』

怨むやうな眼付きで、信を正面から見てゐた。

信が静かに言った。

『……ハッキリ知って、君の事を安心して行きたいから』

始終私を殴るわ、と口から出さうになったが、どうしてだか、さうは言へなかった。

『……さうねえ。でも機嫌買ひな人だから色々になる』

『いやそれでいゝんだよ。人間の生活なんてゴテゴテと愉快な事や不愉快な事が入り混って、精一杯にやって行ければ、それでいゝんだ。それでいゝんだと思ふよ。理想的な事を言って見たって始まらない。もともと北條君はあんな人なんだ。する事はどんな事をしても、君を愛してゐるさ。少し位の事で、北條君との事を後悔なんかしちゃ駄目だよ。後悔なんかしちゃ駄目だ。ショゲないで、しっかりやるんだな』

心からさう言ってゐる信の気持が、ヒシヒシとしみ込むやうに感じられる。曽根子は又泣き出してゐた。

信がズッと寄って来て、涙で濡れたまゝの曽根子の頬に唇を近づけた。

『君、幸福だね?。』

曽根子は、コックリをする。今かうして信と一緒に居ることがさうなのか、五郎との生活がさうなのか、どっちの事でコックリをしたのか頭がボーッとなって自分にも解らなかった。

（六）

外に出ると、信は妙にムッツリと黙りがちになってゐた。機嫌を悪くしてゐるのでは無かった。何か、自分の裡に湧き起って来るものを自分で押へつける努力のために唇を固く結んでゐるのである。銀座通りの方へは出ず、日比谷の方へ抜ける裏通りを傍見をしないでスタスタと歩いて行く後を、曽根子は小走りに附いて行った。

氷雨は細かい霧になってゐて、濡れて歩いても大して気にはならなかった。

『あゝ、君は寒いだらう』信は、明るい洋品店の飾窓の前で立停って振返った。『僕の外套、あげようか?。』

『いゝのよ、寒くは無いわ。それよりも、もう少しユックリ歩いて頂戴』

『あ、さうか』

信が軽く笑った。曽根子も笑ひ出してゐた。

それから二人は肩を並べて、ユックリ歩いた。

『寒いでせうね、あちらは?。』

『しかし、それだけの設備や防寒具はチャンとして呉れるんだらうから、大した事も無いだらう』

『風邪を引かないやうになさらないと』

『ありがたう……』

『お帰りは、いつ頃になるかしら?。』

信は、何か理解の出来ない事を問はれたやうに、返事をせずにマジマジと女の眼を見た……。

曽根子は、不意に、眼の前に居る男に一気に何処かへ引さらって行って貰ひたいやうな衝動を覚えた。イライラと歯がゆい様な感覚が、身体を小さく顫へさせて来るのである。……

……

『君は店に行かなくちや、いけないだらう？ その辺で失敬するかな』

『いゝの。今夜は休んぢまふから』

『しかし、それはいけない』

『いゝのよ。休んでもいゝの』

『でも、それにしても北條君にいけない』

『いゝったら。今夜はあなたのお伴するわ』

いつの間にか口論してゐるやうな調子になって、二人は黙意識に立止ってゐた。帝国ホテルの横へ抜けるガードの手前の橋の上だった。黒い水がドロリと光って延び、その水面に粉雪がスッと消え、又、スッと消えた。

曽根子は、欄干の傍に両足を踏ん張るやうな気味で立って、信の顔を見上げながら、心の中で相手をなじってゐるのだ。先刻はあんな事を言って居ながら、なんだ臆病者と非難してゐるのである。今夜一晩のことで、五郎との間の事が一度に壊れてしまふものなら、それでもいいと、自分でも気が附かぬ間に激しい気持になってゐた。

『いや、もう別れた方がいゝ。だって、いつまで一緒に居ても同じ事だもの』さう言ひながら、信も、何かと闘ってゐるのだった。

『もっと一緒に居たいの』

『よさう。もうかなり遅い』わざと冷たく怒ったやうな調子だった。

『ぢや、元気で』

そのまゝ、橋を渡りかけた。曽根子にはもう何も出来ず、何も言へなかった。すべてが、手の中からすべり抜けて、どこかへ行ってしまふ――。

信は橋のたもとで振返ってチヨット此方を見てゐたが、やがてスタスタ戻って来て、曽根子の両肩を両手で掴んで顔を覗き込みながら、

『さやうなら』と言った。明るい、しっかりした笑顔であった。

『悲しい事ぢや無いんだよ。……曽根ちゃん、万才と言ってくんないか？ 僕の為めに。バ、ン、ザ、イ』

しかし曽根子には言へなかった。黙って頷へてゐた。信は、強ひて万丈を求めず、肩に置いてゐた手を女の両わきの下に廻すと、グッと力をこめて曽根子の身体を軽々と抱き上げた。男の匂ひが曽根子の顔を襲った。次に信はストンと曽根子をおろし、笑顔のまゝクルリと踵を返すと、一気にトットとガードの方へ歩み去って行った。

ボンヤリと曽根子はそれを見送ってゐた。もう涙も出なかった。曲り角で最後にチラリと此方に振返ったらしい男の姿に、ハッとして、『バンザイ』と口の中で言って見た。

ガーッと省線が通り過ぎて行った。

（七）

『今頃まで、何処をほっつき歩いてゐたんだ！　知ってゐるぞ俺は！　宵の内に店へ行って来たんだ。今日はまるっきり顔も出さないさうぢゃ無いか？　何処に行ってゐたい、曽根？、え？　言へよ。言はなきゃ――』

五郎は、もう酔ってゐた。酔へば酔ふほど青くなるたちで、眼が鋭どく血走って見える。

戻って来てから一時間近く、曽根子がいくら詫っても耳に入れようとしないのである。

才賀信と曽根子の昔の関係は、五郎もよく知ってゐるので、うっかりした事は喋れなかった。それかと言って曽根子には出まかせの嘘はつけない。嘘どころか、次にどんな事が起るかを知ってゐる曽根子は、舌がこはばった様になってしまってゐる。

『ようし、言はねえな！　野郎！』

机の前に立上ってゐた。

ビユッと何かゞ飛んで来さうな気がして、思はず曽根子は右の腕で顔をかばふ姿勢になった。五郎は、しかし、殴っては来ず、自分の威嚇が効を奏したのを楽しむやうに、ニヤリとしたが、次の瞬間には笑ひを急に引込め、前よりも更に狂暴な表情をこはばらしたと思ふと、女の腕と帯に手をかけて、グッと引ずり倒してゐた。

『お前は、俺の事を、ヒモだと思ってゐるんだらう！　いゝや、さうだ！　うるさいヒモだと思って居ればこそ、これだけ俺が何処へ行ったと訊ねてゐるのにハッキリ返事が出来ねえんだ。ふん！　さうさ、俺あお前のヒモかも解らねえさ。さう思って居ろ、いつ迄経ったって俺あお前の側は離れてやらねえからな。しかしな、俺が何時、働くのを嫌がった？　仕事が有りさへすれば、俺がいくらでも稼いで、お前ぐらゐ食べさせて見せるんだ。その仕事が無えぢゃねえか！　俺のせゐかよ！　どんな仕事でも良いからつと、いくら捜したって、仕事は無えんだぞ。馬鹿にするな、こんちきしやう！』

支離滅裂な罵声だった。喋り立てながら、強い腕が曽根子の胸倉を押しもむやうに、こづき廻した。

『……こりゃ何だ？』

曽根子の袖から畳の上に落ちた紙を拾ひ上げてゐた。一目見て曽根子はハッと身体の核心まで青くなるやうな気がした。才賀信の呉れた速達だった。無意識の裡に袖の中にしまひ忘れてゐたものらしい。あっと口の中で言ったが、取返す隙は無かった。

五郎は速達を読んでゐる。初めは訳が解らなさうな表情だったが、中頃から急に真剣な顔になり、最後まで読み通してから、今度は最初からもう一度読み返してゐる。

読み了ると、フーンと軽い鼻声を出して、眼の前をヂッと見詰めてゐたが、フッと振返ると、壁の方へにじり寄って小さくなってゐた曽根子の顔を見て、

『……それで、才賀と会ってゐたのか？』

と言った。今迄と全く違った静かな声だった。

曽根子は、急には返事が出来ず、コックリをして見せた。

それから、永い永い時間が過ぎて行った。五郎は速達を掴んで坐ったまゝ少しも動かなかった。……曽根子だけの気持では、殆んど一時間近くも経ったやうに思はれた。

『さうか……』ポツンと五郎が呟いた。『兵隊か。……俺も行くかも知れない』

そして曽根子の方を振返り、いつもと全く違った表情でマジマジと見詰めて、永い事黙ってゐたが、

『そんなら、なぜ、もっとユックリ才賀の所に居てやらないんだ！』

と大きな声だった。

思はず曽根子は又、肱を顔の前に持って来た。しかし五郎

は立上らうとはせず、やがて、やさしい声で、

『いゝよ、いゝよ』

と言ふと、ゴロリと仰向けに倒れて、窓硝子の方へ顔を向けた。

ホツとして、身体中の筋が一度にゆるんでしまった旅になった曽根子の耳に、パラパラと窓硝子を叩く微かな音が入って来た。外のうす雪は霰をまじへたらしかった。


（終）

妙な女

○

　下から上へ向って飛びついた血しぶきだった。

　ちょうど又その椅子席がロビイの隅になっていて、直角の壁に抱かれた場所。塗り直したばかりの壁が真白なので、花のようだと言った者があるけど、私にはただ赤インクのビンを叩きつけたように見えた。

　その椅子にかけてビール飲んでいた中年の男が、だしぬけにカミソリで頸を切った。ヂッとしていればよいのに切ってから立ちあがってあばれた。自殺する人間には、とても芝居気があるものだ。私はこれまで目の前で人が自殺するのを二三度見たことがあるが、自殺というものはもしかすると人間の一世一代の演技ではないかしら。とにかく、頸動脈から吹きあげる血の勢いと言うものは、えらいもので下から上へ一間半ぐらいの所まで飛びついていた。

　あのキャバレー――キャバレと言うけど実は高級パンの溜り場みたいな、私がダンサアーになって三度目に出た所、これでも私はハルビンでダンスは本式に習っているから、そう言った所では一番か二番。まだ宵の口で、バンドの音も堅く、そこらがシーンとして夜更けよりも電燈の光など暗く見える、そういう時間がどこの盛り場にもある。その中年の客は五六度遊びに寄ったことのある、身なりの良いしかし目立たない人柄で、あの晩もそれまで誰一人注意していた者が無い。死んでいるのを最初に発見したのはテルミで、はじめ何の気も無く足を運んで、テーブルにその男が突っぷしているのを見ても酔って眠っていると思った。壁の血はチャンと見えていた筈なのに、目に入ってしまったとでも言うか、血だなんて思わず、するうち、ホールへ戻ろうと足を返しかけて不意にいっぺんに気が附いて、フワアと、当人は叫んだらしいけど、おかしな声を出したので、三四人の人が行って見て、それとわかった。マネージャや用心棒など駆けつけ、ゴタゴタしたけど、その頃そういう所では毎晩のように変った事が起きたし商売がらもあり、騒ぎと言っても大した事にはならず、死骸は運び去られ、隅には血をかくすためのカーテンが張られ、三十分後には再びバンドが鳴り出し、踊りがはじまっていた。でも人一人が鼻の先で死んだという事で、ダンサアたちも客たちも、なんとなく昂奮している。私は昂奮などしない。でもあれでやっぱり少しは気が立っていたのかしら。と言うのは、それから間も無くあなたと牛島が入って来たのに向って、それまで牛島は一人で来ることもあるし、あなたのお供で来ることも時々あっても、ただ目礼する程度で過していたのが、その晩はこちらから話しかけたりしたと言うのが、やっぱりいつもと調子がちがっていたのか。あなたと牛島はそれぞれのダンサアを抱えて踊っていたが、するうち、すぐそばで踊っていたテルミが急にヒーッと叫んでから、すゝり泣きをはじめた。周囲のものが、びっくりして振り返っても泣きやまぬ。ふだんから少しヒステリックな子で、さっき見た血と死骸からの刺戟をそれまで我慢していたのが、踊っているうちに抑えきれなくなった。しまいに人をかきわけてトイレットの方へ駆け出して行った。事情を知らない人は、よくある何か思いきったイタズラでもされたんだろうと思ったらしい。そのうちに、牛島がパアトナアの子からでも聞いたのか、あなたに話したと見え、踊りをやめて事件の事を私に聞く。現場を見せろと言うので二人をソッとカーテンの所へ連れて行き見せてやった。戻って来るとあなたはノボセたような顔で「どんな男かね？ 君知っているの？ 原因は何だね？」ときく。牛島は「するとテルミとその男と関係があるんだね？」と言う。知らないから知らないと言うと「口どめされているの？ 君に迷惑はかけないから話してくれ」礼はする。シツコイ。私はめんどくさくなり、いゝかげんの事を答えているうちに、誘導尋問と言うのか、あなたがたの方で自殺男とテルミの関係をいろいろに想像して問いかけてくるので、私の方では質問を逆に取って口から出まかせをしゃべる。小説の材料にするのらしいと思ったので、どうせ小説だ、かまうものかと、ありもしない事を後から後から　しゃべった。自分でもビックリするようなホントらしい嘘がスラスラ出る。嘘と言うより頭のどこか妙な所がヒヨッとくずれると、それにつながって連鎖反応みたいにズルズル、ズルズル物語が生れてくる。しまいに自分にもそれが面白くなってくる。子供の無責任な遊戯。だから何をしゃべったのか自分でも憶えていない。

　二カ月後、この事件を書いたあなたの小説を牛島が持って来たので読んだら、自殺男とテルミは恋人で、男は変態性欲で、承知の上で他の男と関係させ金を巻きあげていた。しかし過度な麻薬の使用のため実際はインポテントになっている。もと海軍の士官、旧華族からもらった貞しゅくな妻あり、二人の娘は次々と外人の恋人を持ち、等々々。……そうそう、そんな事も私が話したんだっけと思い出せる所もあり、初耳のところもある、そういう所はあなたが書く時に拵えたのだろう。よいかげん面白い読物になっていた。しかし実際の事は、あの自殺男は、私もべつに調べたわけではないから深いことは知らないが、小さい商事会社の社長で、商売の方がうまく行かず、税金が溜り、困った末に発作的に自殺したもの。テルミとは何の関係もない。家に娘二人いるのだけが偶然に一致している。これには私はふきだしてしまった。小説家の想像力も捨てたもので無い。いやいや、そんなデタラメしゃべったのは私だったかな。

それは後の話で、その晩は三人で話がはずんで、あなたは急に私に興味を持ちはじめ、ほかへ行こうとすゝめ、車で郊外の温泉旅館へ行き、酒を飲み、飲んでいるうちに牛島の姿が見えなくなる。あなたは白壁の血しぶきを見た時からひどく興奮していて、酒ぐらいではオサマリつかない。獣のような勢いで私に迫った。しかしズボンをぬぎかけて、フイとキツネが落ちたような顔をして「君……病気は無いだろ？」と聞いた。私はプーッと吹き出しそうになったが、こらえて、はずかしそうなシナを作り、頭を微かに横に振った。

これがあなたと私の最初。金は相当もらった。その後ズーッとこんな関係がつゞいた。私は間もなくそのキャバレをやめ、あちこち移って、仕事はしたりしなかったり、あなたに取っては助手のようなメカケのような。あなたの小説はあまり読まぬけど、たまに読んで見ると、私が話したデタラメ物語がそのまゝ出て来たり、少し変えられて出て来たりしているのがある。

だからあなたは私のことは何から何まで知っています。私の身体の深い所にあるホクロまであなたは御存じ。女として十人並みの顔つきと身体つき。もしかすると十人並み以上かもわからない。キレイだと言う人もある。とにかく、どこへ出しても近代のマドマゼルで通る。特に肌は悪くない。スベりとした小麦色。身長五尺一寸、体重十二貫五百。標準型。それでいて、あなた気が附いたかどうか、どこと無くヘンテコ。オチチがこんなに大きいのに腰は少年のように小さい。メンスは三月に一度ぐらいしか無い。ナリにしても、割に豪しゃなナリしているけれど——この指輪だって、これで小さいけれどホンモノのダイヤです、だのにハンドバックは犬の皮です。スーツは向うの最上等のフラノだけれど、下に着ているブラウスは背中がすこしやぶけています。朝起きて爪をマニキュアしてピンクに塗るのに三十分位かゝります。のに、ズロースはかないで外を歩きまわったりします。わけがあってそうするのではありません。自然にそうなるのです。何もかもチグハグで釣合いがとれません。まあ平凡なグウタラ女と言うところでしょう。しかし人は私をそう見ません。あなたもそうだと思います。それは私がたいへん無口で、用事以外のことはほとんどしゃべらず、動作もしとやかで猫のように音をたてないからだろうと思います。猫っかぶりでそうなのではありません。小さい時分からこうなのです。

牛島は私のことを「君という人は現代の妖怪だよ」と言いました。キビが悪いそうです私を見ていると。そのくせ、牛島はもう私から離れる事は出来ないでしょう。ゲレツきわまる虫ケラ、ウジ虫。そのウジ虫が腐った肉から湧いて、そしていつまでもその肉にかじり附いているように、私から離れないでしょう。

最初あなたに私を売りつけたのは牛島です。牛島はその事を「紹介した」と言います。

はじめ私が一人ぼっちでハルビンから引上げて来て——そうです、私は東京でD学院を中途までやって、それから叔母に連れられて満洲に渡り、終戦後帰って来て、その途中で叔母が死んで私には親戚もなんにもありません。その時分のことを書けば私という人間の成りたちがわかってもらえるかも知れないけど忘れてしまった事の方が多いのです。それに私という女の成りたちなどわかって見たって、なんのタシにもなりません。ものごとを理解するなんていう事ほど馬鹿げた事は無いのです。たゞ向うで終戦の時に、人が殺されるのを算えきれないほど見ました。それから真っ昼間、自分の鼻の先、そこの所の毛が一本々々かぞえられるほどの近さで女が手ごめにされるのを何度も見ました。——半分死にかけながら、その満洲から引上げて来て、福岡にしばらく居た頃、食べる物も無く、名も知らない荒れた公園のような所のベンチでウツラウツラしていたら、復員服に髪もひげもボウボウの男がそばへ来て、ブツブツひとりごとを言っていたが、そのうち「これ食わないか」と、光るように白いニギリめしを一つくれました。私は礼も言わずそれにかぶりついたが、飯つぶが口にヒヤリと冷たく、味はわかりませんでした。男はニヤニヤ笑いながら血の筋の浮いた鼠のような目で私を見守っていました。身体から腐ったニシンのような臭いがして来ました。食い終るとキットこの男はその辺の橋の下か木立の中へ私を連れて行き、あおのけに寝せるのだろう。そう思っていました。しかし男はそうせず、晩になって別の男を連れて来て私を渡しました。別の男は、自分だけ唸り声を出して私の身体を何度もひっくり返したり自由にして、金をくれました。金を復員服に見せると、その半分を自分で取って「紹介してあげたんだから、もらっとく」と言った。その時からの「紹介」です。

そういう事を半月つづけ、金が出来たので私と男は東京に出て来た。列車が品川に着くと男は「やあ」と一言いったきりでヨタヨタと降りて行き、それきり半年ばかり逢わないでいたが、その後私がダンサアになってすこし暮しが楽になった頃、銀座裏でまた「やあ」と、聞いたような声だと振返るとチャンとした和服にハカマをはいた牛島が立って笑っている。まるで昨日も逢ったという顔。二人ばかりの男の連れ。その中の一人があなたでした。牛島はハデな洋装の私の姿を包みこむようにニコニコしているだけで何もきかない。それからチヨイチヨイ私の所に来るようになった。

○

書くのがめんどくさくなって来ました。すこし駆け出します。

あなたと言う流行小説家が日常している事を、その代表的な一晩のことをザーッと書いて、あなたの正体をあなたに見せてあげましょう。

一日の仕事をすました後の、豪華な夕食の卓。湯からあがってユッタリ着物姿の作家と、匂うような厚化粧の妻。来合せた雑誌記者の加藤と私と牛島。私はこんな席では一言も言わないことにしている。牛島は白いものゝ目立つ長髪が額に垂れてくるのを爪の黒い指でかきあげかきあげ、唇をふるわしている。

ですけどねえ、あたしは伊志井さん夫婦にはもう半年以上も逢っていないんですよ僕はこうして此処の一門みたいにですね出入りさせてもらっているんですからして宜い事と悪い事は知っているつもりです公人として伊志井さんと会う必要があれば堂々と会いに行きます暮夜ひそかに行くなんてそんな僕はですあなたと伊志井さんとの間が例のモデル問題以来あんな事になっているんですからそう言っちゃなんですが逢うのをこっちで避けるようにしているんですあなたのおっしゃるのは誰か為にする所のあるデマです。ハハ私だって作家だよデマかデマでないか位見ぬけない事もないだろうじゃないか。そんなに信用してもらえないと僕はどうすればいゝんです。いゝじゃないかどうせ作家なんて孤獨だどんな仲の良い友だち同志だっていつなんどきシノギをけずる敵にならんとも限らんだから君を深くとがめようと言う気は無いよただ話がさ。そんなあなたお知りあいになってから十年以上の仲じゃありませんか戦争中僕は九州くんだりをウロウロしていてその間は打ち絶えてはいたんですけどとにかく十年ですよあなたは立派な作品お書きになって第一線に立っていられる僕は四十ヅラさげて作品も発表できないザマですからなんですけど。よせよそんな言い方おれは一番きらいだ。いえですから一昨年またお宅へ来はじめた時に申し上げたようにですねあらためてお弟子にしてもらうつもりなんですから。なあに文壇なんて所もどうせ弱肉強食、げんにおれなども文壇に出るためにや泣くにも泣けない屈辱を我慢して来たしどんな真似して泳ぎ出してもいゝさしかしコウモリみたいにあっちに附いたりこっちに附いたりして歩くのだけは困るんだ。すするとすると僕がそんなふうに、そんなふうにこの言われるのはそりゃあんまりねえ小夜子さんいえ奥さんあんまり可哀そうじゃありませんか。さあ私にはそんな事はよくわかりませんわ。おいおい小夜子まで、この諍に引っぱりこむのはやめろよ。――

牛島ガクンと頭をさげ、しばらく黙っていてからフラリと立ちあがると襖をあけて出て行く。昨年の春たてた本建築七室の家、便所へでも行くのだろうが、あなたの好みで蔵丈な板廊下で足音もきこえない。演技満点。それでいて、牛島にはそれが正直な姿。あなたはあなたで不快そうにしているが実は良い気持。夕食の膳は牛島の存在で味を附けられ、あなたは食慾を増し、小夜子は作家の妻として華やいだ気持になる。牛島を軽蔑しながらホントは彼を必要としている。――だけど牛島君はホントに伊志井さんとこに行ったりしているんですかね?・黙々とウイスキイを舐めていた加藤。――なにそれもいゝさ実は僕の書いた伊志井夫妻の争ねえ性的なことまで書いたろあれに牛島が聞き出して来たことを使ったとこがチョットあるしねたゞチラクラしてうるさいしね根は罪の無い文学青年じゃ無い老年か。

笑いになり小夜子が食卓越しに光るようなツヤの腕をツイと伸して加藤のコップとついでに私のにウイスキイをつぐ。それから加藤が小説執筆依頼を又言い出すと、書間はことわりつゞけていたあなたが意外にアッサリ書こうと答え、加藤ひどく喜ぶ、そうと決ったら息抜きにチョットぶらついて来て明日一日で書きあげようと言うので、立って帯をしめ直すと小夜子が二重まわしを着せかけながら、牛島さん便所の中で泣いていらしたようですよ。そうかハハハ。私たちが玄関へ出た所へ牛島もウッソリ現われショボショボの目。ハハ、君も一緒に来たまい。笑いながら作家が真新らしい駒下駄に足をおろす。

ダンスホールF。まだあまり立てこんでいない。フロアをすべって来るダンサアの、まだ酒や踊りでもまれていない身体の線が女学生じみ、ドレスからツルリと抜け出した肩や胸がびっくりするほど白い。作家はそういう時間を好いている。マネエヂヤや古株のダンサア達が挨拶に来て洋酒が運ばれ、あなたのナジミの春緒。去年まで赤坂で芸者に出ていた、深紅のサティンのドレスのツマを取ってスラスラと泳いで来て、ひどく肉の芸いクナリとした身体つきニッと微笑して四人を見る。バンドが静かなブルース。あなたが黙って立って女の眼の中を覗き、春緒の細い身体があなたの和服の胸へスルリとはまりこみ踊り出す。あなたの踊りはスヰングを附けないで腰で歩くと言った式だが、かなりうまい。
　瘦せた女はワイセツだとは、うまい事言ったもんだ、へへ。牛島が加藤に言って、ニヤリと私に目を移す。今夜はじめてのこの男の笑い顔。加藤もカクテールをふくみながら、しかしえらいもんだなあ、あんなヒトが幾人ぐらい有るんです？　四人か五人、今のがあれが一種のアペリチーフと言ったとこで今夜は先生荒れそうだな。大したもんだな、精力も精力だが金もかゝるだろうな。でも毎月きまったものを届けているのは一人も居ないんですよ、それもその時々でね、一文だって無駄はしない人だ。へえ、しかしそれでよく先方が納まっているもんだなあ。そりゃこの手の女はみんな有名病だからね、流行作家の愛人と言うんで、仲間うちでハバがきくしね、女の方としてもその方が気楽じゃないかな、Sにバアを出さしているのなど先生のほかに二三人パトロン持ってるんだ。へえ、すると先生それを承知で？・知らんでしょうね、へへへ、これが全部承知の上でそんな女たちを相手にしているんだったら先生と言う作家も偉いですがね。だけどそれは知らん方が幸福じゃないかな。だから幸福ですよ、ぜんぜん幸福な作家ですよ内の先生は、ねえ君。――ヒヒヒと笑って私に言うが、私は返事をする気にならず。牛島は酔っている。あなたの家で飲んだ酒が此処へ来て急に出た。あなたと春緒の姿を赤い眼で追い、どうも性交そのものよりもイカン、船のへさきにクラゲがひっかゝってユラユラしてる、フツ、あたしたちも踊ろう君。――両手を宙に浮かして私に近寄って来る。ニシンの匂い。福岡時分とは身なりはスッカリ良くなったが、この匂いだけは元のまゝ。

　次ぎに、時間がちょうど良いので昼間私一人で行って置いたAへ車を飛ばし、S劇場のわきのコーヒー店にあなた・牛島・加藤を待たせて私だけ楽屋へ行きH子を連れ出す。洋服を着ていると、ハダカになって舞台に立っている時のこの女のすばらしい身体、特にプリッと三角円筒形に突き出した乳房など、どこに有るのかと思われるほど、平凡に見える。コーヒー店での会見は牛島と加藤に遠慮してもらって、作家とH子と私の三人で三十分ばかり。作家は眼を輝かして、いろいろと訊ねるが、H子はごく簡単にポツリポツリと答えるだけ。最初から最後までニコリともせず。——新聞にのっていた記事は大体ホントですかね？ つまり岩之沢と言う人の性格だとか、そう言った点ですよ？ そうですわね、大体まあ、あの通りですわ。すると、あの人が残した借金が六千万以上と言ったような事や、関係の有った女が十人ぐらいあったと言うような事も？ 借金の事は私はよく知りません、女はもっと有ったんじゃないかしら。そうですか、それを知っていて、なんですか、失礼だけどあなたは、この、平気だったんですかね？ だって私は岩之沢をはじめから好きじゃ無いんです。そうですか、それは、しかしどう言う、どう言うワケ、と言うか理由ですね？——作家はシツコく訊くがH子は暫時許ばかり見る。しまいに、メンドくさくなったのか、そうですわね、岩之沢はいつもピストルを持っていて、女をそれでおどかすんです、いえ、初めての女だけで無く、もう関係のある女でこっちで別に拒みもなんにもしなくても、おどかすんです。えゝ、最後に自殺した、あのピストルです。そして五分ぐらいで済んでしまいます、そして直ぐ次ぎの女の所へ行きます、隣りの室に次ぎのヒトを待たしたりして、次ぎから次ぎと、ひどい時には五六人のヒト全部と一時間位の間に逢って、その後、自分は真青になってしまって証券会社の事務所のテーブルの上に伸びちゃっているの。——へえ、すると一種のこの生理的な故障が有るとか言った？ そんな事無いでしょう。五分位で一々しまいまでナニするんですから。だから、しまいにゲッソリ痩せてしまうんです。一種のリレー競走みたいぢゃないかしら？ 次ぎ次ぎと相手を取っ代え引き代えして行って、それが段々あの人を刺戟するらしいの、段々テンポが早くなる、そしてどこまで行っても満足しない、しまいに自分の中がカラッポになってしまってゲッソリなって、キチガイになる、そして死んだんじゃないかしら。だから可哀そうな人だったわね。でも女の側から言えばケダモノよ。岩之沢のことをケイベツしてなかった女は一人も居なかったと思うわ。

　そう言ったような話。あなたは細かい事を根ほり葉ほり訊いかけるがH子はそれ以上の細かい事をどう話せばよいか話し方を知らないらしい。時間がありませんから、と立ちあがる。私はあなたから受取った金を持って表まで送り、途中でのサツの中から一枚ぬき取って自分のポケットに入れ、残りをＨ子に出すと、算えもしないでアッサリ受け取って去った。
　間も無く、席をはずしていた牛島と加藤が帰って来て、加藤が、どうでした？　やあ、大変なもんだよヤッパリ。書けますか？　書けるだんじゃ無い、ねえ君！　私は笑って答えない。すると牛島がひどく昂奮してチキシヨ、チキシヨと言う。

　それから飲屋のスミモト。劇作家Ｋ、小説家Ｎ、映画プロデユサアなどの先客。カギの手になった台にズラリと並んで飲んでいたのが、私たちを見るとヤアヤアと迎え、雑誌と論争。あなたはあまり飲まぬ。あなたはどんな晩でも向う見ずにグイグイ飲むことは無く、此処で一合かしこで二杯、そして合計が自分の酒量一杯になるよう計算してスケヂユールを立てゝいるのではないかと思う。それでいて、その席にいる時は、しんから愉快らしく機嫌よく他の人と談笑するので、はたから見ると相当飲んで酔っているように見える。私は飲みたい時は飲むし飲みたくない時は飲まない。あなたの倍も酒は強く、酔っても顔にはあまり出ない。牛島と加藤は相当酔っていて議論をつゞけている。今現に朝鮮では何万と言う人間が死につゝあるんだ、それを思い出すがいゝんだ、一冊や二冊の文芸雑誌や、ヘン、食いつかれたのホしたのハしたのと言ったふうの風俗小説の十や二十が、なあんですか君。と牛島が加藤にカラんでいたがしまいにあなたに向って変なふうにカラミはじめ、シツコイので怒って、牛島の胸をドンと突くと、牛島は腰かけからひっくり返って、ころげ落ちた。いつもの事なので、それを見てみんなゲラゲラ笑い、そのうちに、プロデユサアのＴがあなたに、映画原作の事で良いお知恵を拝借したいので近く一度お伺いいたしたいんですが。ああどうぞいらして下さい。○○映画のＭ（女優の名）君元気でやっていますか？　はあ、なんだったら今度お伺いする時にＭちゃん一緒に連れて行きましょうか、ちかごろ色気が出て実に良くなりましたよ。フフ、そうさね、逢いたくない事もないねえ。そこへ、たしか新聞記者をしている男があなたの名を呼び伊志井さんが今度あなたに復讐するといきまいていましたよ。そうかね、復讐とはすごいね、したければするさ、しかし何の復讐だろう?・　そりゃあなたわかってるじゃありませんか、あなたの此の間の作品だよ、あんなあなた、ケイボウの中の事までだな、見て来たように書かれちゃ。そうかな僕はあれでも好意的に書いているんだがな、とにかく伊志井も作家なんだから作品で復讐したらい〻望むところだな、ハハハ。

外へ出て、場所を変えようと作家が言うので、牛島がブラフラしながら車を拾いに通りの方へ行き、私たち三人がユックリそちらへ歩いてしばらく行った曲り角の薄くらがりから、スッと出て来て、オイと言った男。ギャバジンの背広のすこし大き過ぎるのをシワくちゃに着て、まだ若い、顔がほとんど土気色、寄って来た右手に、ワザとグナリとした持ち方さジャック・ナイフを持っている。一目見て、あなたがサッと顔の色を変え、でもさすがに、乱暴してはいけないよ、金ならあげるから、と言いながら、タモトから飲み屋での払いの釣りのサツをひとつかみ出して渡す。若者は何も言わずスッとそれを取り、薄くニヤリとして闇の中に消える。車に乗ってからも、その事であなたはまだ気が落ちつかないようだったが、わざと太っ腹に笑いまぎらし、どうだい君今夜はすこし刺戟の強い所へ連れて行けよと言う。牛島は、ちきしょう、あたしが居合せれば、そんなチンピラなど簡単に追っぱらってやったのにと、何度も何度もいきまいている。

若い男は私のよく知っているヒロポン中毒の、映画の助監督くずれの男で、ヒロポン代ほしさにいつもあのへんでケチなタカリなどを働らいていて、その晩も私たちがあの飲み屋の横町へ入って行く所ですれちがって私と眼が合ったら、妙な目まぜをしたが、私は全然表情を現わさず黙って過ぎたのだ。言わば作家へタカルのを私が黙認したようなもの。その事を実は牛島も知っている。明日になると、崎山と言うあの青年の所へ、作家から取った金の割を出させに行く。

それからSに行き、作家のメカケの一人の加代子が出ているバアに、ちょっと寄ったが、加代は店に出ていない。二三日旅行に出た由。あなた不快そうに、飲み物も取らず、しばらく考えていたが、出ようと言って、それからズシ屋でズシをつまんで外に出ると、既にグデグデになっていた加藤を、三人で抱えるようにして省線の駅まで送り、切符を買って持たせ別れて、作家と私と牛島の三人で駅の外に出て、サテと時計を見ると十二時近い。さすがに作家も酔っていて、おい君、どっかへ連れて行け、なんとかしてくれ、このまゝでは俺は帰らないぞと叫ぶ。そこに居た顔見知りのリンタクに話して、三人合乗り、Sの裏町をグルグルまわり、どのへんを走っているかわからなくなった頃、おろされてリンタク屋に案内されて入ったのが、あまりキレイでない社交喫茶。作家は店に入ってその辺を一眼見るや、今さらこんな所へと不平らしくブツブツ言う。狭い店内は薄暗くしてあり、客は四組ばかり、電チクからヴォリユームを小さくしたルンバが、ダルく流れて平凡な夜ふけの室。ボックスやテーブルは壁に添ってグルリと十二三あり、まんなかは開いている。客たちはそれぞれ酒を前に控えているが、酔った声も聞えない。妙にシーンとして眠くなるよう。私たちが来たと言うのに、しばらくは女給も寄って来ない。そのうち、あたりの客をジロジロ見まわしていた牛島が不意に目をキラキラさせ、ウッ！と唸る。それに作家も気が附き、あたりを見まわしている間に、何も言わなくなった。他の客たちの様子があまり静かすぎると思っていたのが、全部が男と女の一組ずつで、もちろん女の方は女給か商売女だろう、それが深いボックスに並んでかけたり、もつれるようにひとかたまりになって掛けて、ヂーッとしている。男女の眼つきと、それからお互いの手の先の行き場所。シワシワと身体を動かしているのもある。ちょうどカイコが桑を食っているよう。隅の方の一組は両方とも女で、両方から互いの身体の前に、十字にぶっちがいに伸ばした腕を互いの下腹部にもぐらせたまゝ死んだようになっている。男たちの大部分は、あまり若くない。禿げてしまった頭も見える。音はしている、ルンバの音楽だとか、そのシワシワシワと言ったような七八人の息使いだとか。耳鳴りが聞えて来るように静かだ。……表は狭い横町だが、とにかく誰が通ってもよい場所で、そこからスイング・ドア一枚押せば入って来られる店の、その鼻の先き。そこで、そんな事があっている。そのへんに秘密らしいものは、なんにも無く、そして現に誰かゞドアから入って来ても、ヒョイと誰かゞ合図でもすれば、一瞬間の後には、みんな居ずまいを直して、すましていれば普通の夜中の喫茶室になるのだろう。とがめられるべき点は一つも無い。変な映画会だとか、おかしな見世物だとか、又、バクチ場だとか、今まで見たそう言ったものは、みんなひどくわかりにくい秘密の場所にあった。そんなものゝいくつかは、私や牛島が案内したり逆に私たちが案内されて、あなたはこれまでに見て来ている。そんな時の秘密らしさが又、見ものゝ味を一層濃くした。しかし、此処のこれは、あんまり手軽で、浅い。それが却って異様。あまりになんでも無い事の様なので、初めはポカンとしていて、段段に妙な、しばり附けられるような感じがして来る。あなたがシビレたようになっているのはそれだ。牛島までがシーンと動かなくなったのは、芝居。だって此処は最初牛島が見つけ出して、私を連れて来てくれたのは彼なんだから。しかし、女の私――私のような女が受ける刺戟と、男の牛島が受ける刺戟は違うらしい。だから何度来ても、おかしな感じがするのかも知れない。するとと芝居だと言いきれないのかも知れない。現に、酔って血走った眼で、部屋の隅の一組を見つめている牛島の口が開けっぱなしなのを彼は気が附かない。……

どれ位の時間が経ったか、わからない。不意に、左側の真中へんのボックスに居た一組が、固く組み合ったまゝ、わざとか、自然にそうなったのかわからないが、ゴトンとボックスからこぼれ落ちて、その勢いで、ゴロゴロと二つばかり転がるようにして、テーブルの置いて無い中央の空いた床の上に、とび出した。そのまゝヂッとしている。そこは、まわりに蔽いをかけたシャンデリヤの真下なので、円形にボヤーッと明るい。その光の中で、からみ合った二匹の蛇のように、動かない。男は三十七八の上品な顔をした、女は二十四五、これは何か動物的な荒い顔で、たゞ肌は抜けるようにマシマロみたい。眼をつぶって、身体を思いきりちゞめている。男は眼を開いているが、周囲の事は見も聞きもしないようだ。気が附くと、まわりの全部の組の者が、そのまゝの姿勢で、この中央の景色を見ている。私たち三人もその方に目を吸い取られた。あなたが手に持ったまゝ吸うのを忘れているタバコの煙が、ピリピリピリとふるえながら、やがてスーッと棒になって暗い天井の方へ立ち昇っている。……シーンとして、厳粛みたいな、みんな、恐ろしくきまじめな顔をしていて、ニヤニヤしている人間など一人も無かった。……するうち、男が低く何か言ったようで、同時にそこらが揺れる。そして女が顔をしかめ身体を突っ張らすようにしたかと思うと、フッと電燈が消えて、真っ暗になった。気が附くとレコードのルンバが止んでいた。しばらくして、奥から極くあたりまえの、眠むそうな女の声で「……もう今晩はカンバンにいたしますから、どうぞ皆さん」と言う・まるで興ざめな声でそれまでの事がまるでバカバカしい夢を見ていたような、味気なくなってしまった。作家と牛島と私は黙って立って外へ出る。金は、と言うから片手を出すと、直ぐ出してくれたので、私だけ小走りに戻り、マダムに三枚渡し、私が二枚しまい込み、取って返して、夜更けの大通りへ出る露路を三人でグルグルと歩いて行く。大通りに出ると、ウソのように明るく、人通りは絶えてしまって、風が出ていた。コンクリートの上を大きな紙くずがキキキと音を立てゝ駆け出して行く。お宅へお帰りになりますか？・ と牛島が言うと、う？・ と作家は眼がさめたようね、やあ、いや、もちろん、そうさな君たちは？・ 僕らは帰ります。君は？・ 私はどうでもいゝの。そいじゃ……と、そこに立ってタキシイを待っている間に、作家がヒヨイと私を見て、今のは、ありゃシバイだろ？・ と言った。さあ、どうだか、だけど、あの二人は、あれは、たしかホントの夫婦よ。と言ってしまった。しかしそれ以上言わないうちに、タキシイが来て、作家だけ乗り、行ってしまった。それを見送って立っていた牛島が、しばらくしてから、小説家だって、ヒッ！・ フーケモンが！・ と大声でどなり、ノドが変になったのかゲエと吐くような声を出したが、吐きはしないで、生まつばをベッと吐いた。でも私は牛島のそんな調子には乗らない。センチメンタルすぎる。私は金のうちから一枚だけを彼に渡し、サッサと別れて、その近くの知り合いの商易旅舘に泊った。

あなたは三十分後に家に着くと、奥さんの小夜子がまた起きていて、イソイソと迎える。あなたは直ぐに洗面所に行き、何ばいも何ばいも水を取りかえさせて、シャボンでゴシゴシと手を洗う。外から帰って来ると、そうする癖がある。外出先で手に附いたいろいろのヨゴレを一気に洗い落さなければ気がすまないらしい。それから寝室へ行き、子供たちの事を小夜子にたずねる。それから寝巻に着かえる。着がえながら、手がツイと小夜子の胸へ行く。小夜子がシュッと言わしてダテマキを解く。濡れているような餅肌。見てヒョッと、今夜の最後の、シャンデリヤの下の一組の女の身体つきを思い出し、――すると不意に、自分と小夜子の姿が、多勢の人たちから見られているような気がする。薄暗い寝室をグルリと見まわしてみる。急にその辺の空気がよごれて、ドロドロにきたなくなったような気がする。不快な、絶望的な、やりきれない気持がこみあげて来て、駄目だ、もう！と思う。すると、イライラと捨てばちな気持の底から、変に兇暴な欲望がふきあげて来て、荒々しく小夜子の身体に手をかける。小夜子は馴れているし、よろこんでいる。その微笑している顔が、一瞬間、無智な、よごれ切った淫売よりもきたならしいものと写る。それでいて、小夜子が全く純潔で貞しゅくで自分だけしか男を知らない事をあなたは知っている。そういう安心の上にあなたの欲望は守られ、遂行される。やがて安らかな眠り。あなたはイビキも立てない。あなたの唇の端から少しヨダレが垂れている。

○

これがあなたの或る一晩のことです。

こんなふうにあなたは暮しているのです。お読みの通り、あまり面白くありません。こんなふうにあなたは暮し、そこからエロティックな小説をどしどし書きます。自分だけでうまい筋が考え附かない時は私に聞くので、私は一緒に見聞きした右のような事を手がゝりにしてデタラメ話を作り上げて話します。それをあなたは色々に又変えて書き月々五六篇の作品を発表します。私以外の四五人の愛人やメカケのような女たちも代る代る私と同じような役目をあなたのために果しています。

――でも私はこんな事をダラダラとなぜ書いているのでしょう？ あなたを憎んでいるためだろうか？ いえ、そんな事は無い。あなたに対する憎しみのカケラさえも無い。だってあなたは善人です。アッケない程に善良な市民で、高等学校生徒のような正義派。肉慾一方の悪魔ぶった小説書いたりしていても小説だからそんなふうに書いているだけ。だからホントに憎んでなぞいません。ただ飽きただけです。飽きてあなたから立去って行くのです。黙って立去ってもよいけれど、二三時間ハンパな時間が有ったので、こんな手紙でもなければ論文でも無いものを書いたゞけです。牛島は私よりマシです。なぜなら牛島はハッキリあなたを憎んでいるのですから。

　牛島は十三四年前に作家志望で、あなたと交際して、競争相手だった。その頃二人が師事していた大家Ｙは牛島の方にショク望していた。そのまゝで進んで行けば、現在のあなたなど及びもつかぬ位のすぐれた作家になるだろうと思われていたらしい。――これは極く最近牛島の口から聞いた事ですから、本当かどうか。しかし私には本当のような気もします。それが途中から恋愛問題か何かでグレはじめ、あちこちウロウロしてスッカリ落ちぶれ、どうにも仕方なくなり、そしてヒョイと目をあげて見ると昔自分よりも劣っていたあなたが流行作家として立っていた。それに牛島はかじり附いた。ペコペコと取り入り、ツバを吐きかけられながら、ヒーヒー言って喜こんでいる。取り返しの附かない青春の夢、こわれてしまった可能性、そんなものが、ゴーゼンと立っているあなたの上に凝りかたまっていて、立ち去ろうと思ってもあなたのそばから離れられない。

　あんな奴の小説がなんだよ？、ウソッパチだみんな。ダンサアにダンスホールにバアにアパートに芸者に酒にベッドにノゾキ。へっ、ほとんどみんな君や俺や四五人のメカケ、その他あちこちから聞きかじった話々、俺たちがデッチあげた「現代世相」さ。彼奴にはいつまでたっても人生のホントの事はわかりっこ無えよ。たとえばだ、性的な事をよく書くけど、彼奴の性慾なんて馬の性慾みてえなもんで、なあんにもわかっちゃいないよ。第一きみ、バイドクにもリン病にもかかった事の無いエロ作家なんてあるかってんだ、ちっとモーパッサンでも見て見ろい。だからさ、彼奴の性慾描写は、ただ、のたうちまわってヒーッと叫んだ式の紋切型で終始しているきりじゃないか。知っているのは小夜子との閨房の事だけで、君にしたって四五人のメカケにしたって、あんな奴を相手にホントにナニしてやしないんだ。そうだろ?・そうなんだよ。スマタをくらわしているだけだよ。そうだろう?・言えよホントの事を。へへ、あんな野郎は、つまり人生からスマタをくらわされてるのにだな、それがホントの人生だと思ってデロデロにションベン垂れ流している野郎さ。メデタシ、メデタシ、垂れろ垂れろ。

だから私が、それはそうかもしれないけれど、あの人はあれで成功しているのよ、そして私もあなたもあの人の取巻きになって材料提供したりなんかして金貰っている。つまり鮫の尾に取りついて食物のオコボレ食べさしてもらっているコバンザメよ、つまりザコだわよと言いますと、ザコはザコでも毒のあるザコだぞ、今に見ろ彼奴に取り附いて生血をすゝってやるからと怒鳴るので、でも実は逆じゃないの、だってあなたや私が話を仕組んでやったり材料を掴ましたりすると、それをセッセと書いて金もうけるのはあの人で、あなたの方はシテヤッタリざまを見ろと思っても、そんな事している間に自分の書こうと思うもの迄何もかもあの人に差し出してしまって、気が附いた時はカラッポになってんじゃない?現にあなたは小説書く書くと言ってゝも何一つ書けないじゃないの。結局生血をすゝられてるのはあなたで、勝負はあの人の勝ちであんたの負け。と言うと牛島はオイオイ声あげて泣きだし、勝ちか負けか今に見ていろ、俺はあくまで獅子身中の虫になって、彼奴の内側から食い殺してやる。ヂャンヂャンと嘘八百の材料デッチあげて彼奴に書きまくらせ彼奴の作品を根こそぎ台なしにしてやる、カラッポのガランドウのマヤカシモノの、つまり虚妄のスッテンテンにしてしまってやるぞ——お!・と叫んでダラダラ涙を流した。

そんな話をしたのが一カ月前で、その頃から牛島はまるで眠れなくなり、薬をのんでも酒を飲んでも五日も六日も一睡もできなくなり、頭がすこし変になりました。ズット前からコカインの量が、どうにもしようの無い程にふえていて、本当は頭はズッと前からこわれていたと言います。現在はスッカリ本物の狂人に近く、私がチヨットでも目を離すと、あばれ出します。

私はこれから牛島に附き添って、遠い所にある精神病院に入院させに連れて行くのです。入院させたら私はその町で何でもして働きながら牛島のめんどうを見てやろうと思っています。同情のためではありません。私には人に同情するなど言う気持は、まるでなくなっています。もちろん愛情のためでもありません。いや、愛情とは言えるかもしれません。女が男に対する愛情なんかでは無いけれど、発狂した牛島は、この狂人のする事は、私には一番正直で信頼できるのです。一番マトモな人間のような気がする。時々牛島は私を押し倒して性交を要求しますが、私はスナヲにそれを許してやることが出来るのです。幸福な、なにか清潔な事に感じられます。牛島も、発狂してから、それまでのインポテントが治ったのです。とにかく、すくなくとも、あなたなどより、牛島の方がホントの人間に近いことは事実です。同情など微塵もしないで下さい。私はこんな狂人を抱えて、この七八年の間見失っていた生甲斐を見つけたのですから。

間も無く自動車が来ます。もう時間がありません。

○

私はあなた様を憎みません。しかしケイベツいたします。こんなに長々と書いたのも、それだけをあなたに伝えるためでした。それだけの目的でした。

私はもともと、とても平凡な女で、アクビの出るような平凡な女です。そして大変な嘘つきです。デタラメ話を作り上げる事にかけては、ほとんど天才。それがあなたのために今まで役に立って来た。はじめは嘘をつく気でやりはじめるが、途中からトメドが無くなり、自分でも本当のような気がしはじめ、涙を流したりしました。特に恋愛の作り話をしていて男と女のそういう場面の話をしている最中にヒョイと気が附くと身体がうずき出し濡れて来るような事がありました。私がこれまで書き溜めて来た百篇以上の小説には性的な描写が非常に多かった。それを書いている時の自分はそんなような一種のオルガニズムの状態でした。そういう女。私がこれまで男に興味を持たなかった事に、これは関係があるかもしれません。

しかし今はもうそうではありません。発狂した牛島の「男」に私は女としての興味を感じているのです。私は久しぶりでホントの女になったと言えるかもしれません。あなたから下手に同情されるのを願い下げるために、こんな事まで書くのです。――もっとも、こんな話も例の私の嘘つきの作り話の一つかも知れませんね。そう思って下さっても結構です。どう思われても私は全く平気です。

あなたは、幸福にいつまでも小説や戯曲を書きつづけて行きなさい。それはキザで鼻もちのならない不潔なことです。まともな人間にそんなに書くことが有る道理がありません。あなたはたゞ良い気になって、無反省に、たゞ傲慢な習慣で書いているだけです。作中の人物が生きようと死のうと、そんな事はあなたに取ってどうでもよいのです。たゞズルズルと、ちようど慢性鼻カタルの患者がズルズルと鼻しるを垂らすように小説を書くだけです。軽蔑するしかない病気です。そういう点では、あなたが自分のお手本にしているバルザックなども、私は軽蔑します。一人の作家があんなにたくさんの小説を書くなんて、なんと言うバカバカしいことでしょう。ほかにする事は無かったのですか。恋愛だとか決闘だとかバクチだとか、そのほか、つまり生きる事が無かったのか。まるでそう言う方面がカラッポだったから、醜い女にバルザックは小説を書きちらしたのではないかしら。それは恋人を持たない人間が、電車の中で見た異性を頭に描いてオナニイをするようなもの。不潔。あなたなどは、虫けらがオナニイをしているのです。しかもそれを人に見せびらかして気持良がっています。それが私にわからないと思いますか。わかってわかり過ぎるのです。なぜなら私自身、少女時代からズーッとあなたと同じだったからです。それはこの世の中で一番下劣な病気。ライ病よりもバイ毒よりもイヤラシイ。その事がわかったのは私があなたを知り、あなたの「助手」になってからです。イヤラシイ病人が同じ病人に触れて見て、やっとそのイヤラシさがわかった。

さようなら。御幸福を祈ります。しかしホントは、きたならしい虫けらは一日も早く死んだ方がよいのでございます。

おわかりになりましたか。

ワタシワ、アナタヲ、ケイベツ、スルヨ。

昭和二十七年四月　別冊文芸春秋第二十七号

撮影所の幽霊

1

話せと言うなら、まあ話しますがね、映画の撮影所なんて、おかしな所ですよ。

——とWが語りはじめた。

永らく方々の撮影所や劇場の裏方で働いて来て、現在は映画館の映写技師をしている男で、もう若くはない。血の気のまるで無い白ちゃけた顔をしている。ふだん人とあまり口をきかない人の癖で、ほとんど唇を動かさないで物を言うので、言葉つきがボソボソ眠むたげで、それでいて時々ケイレンを起したように調子が急に激しくなったり、話の脈絡が妙な所へ飛んでしまって、ついて行けなくなる事がある。でも当人は平然としている。相手に自分の話をわからせようと言う気は無いらしい——

実際、妙な所だ。それ以外に言いようが無い。

ちかごろ小説家などで、映画撮影所や、芝居の内幕、それも主として女優を中心にして書いているのが、よく有るが、これが、実際とは、かなり違う。たいがい、薄っぺらな想像や、チョットした又聞き程度でデッチあげてある。そう言うのは、知り合いの映画人や芝居関係の連中、たとえばプロデューサアなどから、酒の席か何かで、その世界の話を聞いて、トタンに書くのではないかと思うなあ。

もっとも、流行の小説屋は、なにしろ、あんなにたくさん書くのだから、忙しくて、自分でそんな事を調べたりしている暇は無いだろうから、そうする以外にしかたが無いわけか。

とにかく、小説屋のペンにかかると、たとえば映画女優と来ると、たいがい先ず、美人で身体がキレイで——これはまあ当然だろうが——虚栄心が強くて物欲が盛んでオシャレで浮気で御乱行、つまり高級Pに似たり寄ったりの女、と言う事になるのが多い。まあ小説なんだから、そうした方が一番おもしろいわけなのだろうが、実際は、それほどの事は無い。なるほど、そう言ったふうの女優も居るには居るが、数から言えば極く少い。大部分は普通の女で、中にはびっくりする位にスナオで素っ堅気の女が居る。

また、数は少いけど、そういう高級P式の女優が居るとなると、これまた小説屋の書くようなもんじゃ無い。もうちっとスゴい。もうすこし当の女の量見かたにも、する事にもシンが入っていると言うか。いや、全部が全部自分が直接ぶつかって知っているわけでは無いから、あまり大きな事は言えないが、まあとにかく、あんなにプワプワとしたもんじゃ無いようだ。

要するに、私に言わせると、小説の中の女優は悪い女でも善良な女でも、あんまり女優女優し過ぎていて、実際の女優からは遠いのが多い。

その実例に――と言うのもなんだけど、撮影所時代に私の知っていた二人の女優の話をして見よう。

この話には幽霊が出る。いやいや、怪談では無いのだ。それに、これこれこういう事があって、最後にその二人の女優さんの両方なり一方なりが死んで幽霊になって出たと言ったような話では無い。そんな意味で期待されてもムダだ。

そういう意味でならば、出せとあらば、最初に幽霊を出してもよい。と言うのは、撮影所と言う所は、近代の産業の中でも一番近代的で科学的なものから成り立っている場所でありながら、ひどく迷信のさかんな場所だ。たいがいの撮影所に二つや三つの怪談は附きものである。一例をあげると現に、△△のY撮影所の第二ステージの奥の、テックスの胸壁が、夜中の一時になると、急にホッと明るくなって、そのまん中に人間の五倍ぐらいの大きさの人影が立つ話だとか、K撮影所の俳優部屋の女便所の一つに夜間に女優さんが入ると、時時妙な足拍子を踏む音が聞える。それは、昔、大部屋女優の一人で非常に芸熱心な女が、便所の裏にある練習所で踊りの稽古をしている最中に大喀血を起して死んだ、その時の思いが残って、今でも夜になると足拍子が聞えると言われていて、現にその便所だけは使用する者が無く、釘付けになっている。嘘だと思ったら行ってしらべて見てごらん。その他、これに類する話はずいぶん多い。知っている者は知っている筈。言わば撮影所という所は幽霊話に不自由はしていないわけで、今さらそんな話をしても仕方がない。私の幽霊はそれとは少し違う。怖くは無くて、滑稽なやつだ。

2

二人の女優。

一人は国立龍子（仮名）。もう一人は阿蘇ユキ（これは本名）。子を附けるのは本人が嫌っていて、所内ではアソユキと棒読みに呼ばれ、アソベエとも言われていた。

龍子の方は、ひところ相当鳴らしたスタア女優で、細かく話せば、あゝあれかと思い当る人もあろう。ユキの方はニユーフェイス、と言えばテイサイが良いが、つまり以前はワンサと言った女優で、そして遂にそのまゝで有名にはならずじまいだった。

私は「知っていた」と言ったが、その知り方は二人それぞれ違う。龍子の方は、とにかくスタア級の女優だから、たかだか一人の電気屋——当時私はその撮影所で照明係で働いていた——に対等の附き合いが出来る道理は無い。主として仕事の上で、知っていただけだ。もっとも、後になって、この女の全裸体を見たり、閨房の事まで知ってしまったのだが、いずれにしろ主に私の側からだけの話だ。ところが、アソユキを知るようになったのは、それとは違う。

或る晩、夜間撮影がすんで、人気の無くなったステージの棚の上——と私たちは言っていた。ステージの内側のそゝり立った壁に、床から七間位の高さ、ちょうど地面と天井とのまん中へんにグルリと取り附けられた狭い廻り廊下みたいな物で、セットを作ったり電気照明の足場を組む時の足がゝりになる。これの無いステージもある——その隅っこに坐りこんで、私とベトやんが将棋を差していた。

ベトやんと言うのは当時私が一番親しくしていた照明係で、本名は戸部だったが、それを逆さまにしてベトやんで通っていた。私より五六才若いが、将棋は私よりすこし強い。それが、

「行きはよいよい、帰りが怖いと。そうござったら、チクと、こう行ったら、どんなもんじやろ」と言ったような事を大きなマスクの中でブツブツ言いながら、ピシリと——いや音はしない、紙の盤だから——駒を置いてから、

「お！ なんだろ、あれや？」と言って、聞き耳を立てゝいる。ふだんから非常に耳ざとい男だった。

「なんだよ？」

「……下の、向うの隅のへんだ」

「だって、みんな帰ったじゃないか。鼠だよ」

「いや、ちがう。人が泣いてるんだ」

耳を澄しても私には何も聞えない。

「ソラ耳だよ」

「そんな事ありません。……あ、泣きやんじゃった」

何を言うやらと思っていると、ちょっと考えるようにしていたが、黙ってズッと立って、ハシゴの方へ歩いて行き、タタタタと駆けおりた。ゴム底の運動靴の足音はせず、猿のように敏捷だ。しかたが無いので私もそれに続いた。明りは全部消して、広いステージ内に僅かに三四カ所に小さい赤ランプの残置燈が残してあるだけなので、ほとんど真暗に近い中の、ゴタゴタと建てこんだセットの間だが、馴れ切っているので早い。ベトやんは、セットの隅まで行って立停っている。追いついた私が、どうしたんだよと声をかけようとすると、シッと言う風にそれをさえぎって置いて、三四歩進んで行って、パッと携帯電燈をつけた。

そこは、今日の昼間も五六カット撮影された場所なので憶えがある、中流の邸宅が丸ごと建てられたセットの隅に出来た女中部屋の二畳だ。まるで箱のような室。その畳の上にコートをかぶって誰か寝ている。

「誰だよ?」とベトが言っても、しばらくそれは動かないでいたが、やがて、電燈の丸い光の中でムクリとコートが動いて、上半身を起したのはアソユキだった。

「なんだ、アソちゃんか」

「だあれ!」と、まぶしそうな眼でこちらをすかして見た。撮影の時に塗ったドーランをよく落さないのか、テラリとした銅色の顔をしている。

「どうしたんだよ?」

「あら、ベトやん? そっちは――?」

「Wさんだよ。どうしたんだい、今じぶん、こんな所で?」

「……寝るのよ」

「帰って寝たら、よかと」

「ばってん、まあだ電車の無かですけん」

「そんないば、俳優部屋で寝んしゃいよ」

「ダメあすこは。あすこよりゃ、ここがヌクか」

そんな風な方言で、あとしばらく二人が押問答をしたが、私にはチヨツト真似が出来ない。早口だし、怒ったような調子だ——が怒っているのでは無くて、そんな風に聞こえる方言なのだ。ベトもエキも同じ北九州の出身で、エキが試験を受けて入社してから間も無く、何かの機会にベトが北九州出身である事を知って、エキがなつかしがって、しきりと、ベトやんに話しかけて来るが、ベトの方がそれを避けるようにしているために、特に親くはならないが、所内での行きずりに出会うと九州弁で口をきゝ合う。荒々しいような所のある女で、身体つきだけはスラリと良く伸びているが、たいして美しくは無い。夜業の後で寝るのに、俳優部屋よりも暖かいと言う理由だけで人気の無い、真暗なセットの中で——たしかに、あまり気持の良い場所では無い——若い娘が寝ると言うのは、少し変り過ぎている。

　こんな事がチヨイチヨイあるらしい。どうして俳優部屋はイヤだと問い詰めると、しまいに、

「エスか」と云う。

「エスか？　なんがかい？　あの部屋がかい？」

「うゝん」

「そんじや、なんがエスかな？　エスかと言やあ、此処の方がよっぽどエスかろたい」

「そりや、ちったエスかばってん、此処の方が、あたしや、よかとですもん」

　そんな事を言っている。「エスか」と言うのは「怖い」の意味。それ以上いくら聞いても、要領を得ない。

　しかたが無いので、どうせベトと私はステージの中で夜明けまで、過すつもりなので、エキをそばに居させる事にした。棚の上から将棋盤などをおろして来て、その二畳でベトと私は将棋をさし、エキは壁に寄りかゝって、眠る気らしかったが、とうとう眠りはしなかったようだ。黙って、スッポリと身体を被うたコートの上から眼だけを出して、将棋を指している私たちの方を見ているのだが、私にはほとんど目をくれないで、大型マスクで半面を被うたベトの方ばかり見ているようだった。

　それきり、互いにほとんど口はきかなかったが、夜明けに別れる前に、ベトが「君の住居は、どこなの？」と訊ねると、「国立龍子さんの家に居る」とエキが言った。「居る」と言

ったが、龍子は大スタアだし、どういう意味なのか、なにかアイマイだったが、ベトは突込んで聞く気も無いらしく、ユキもそれ以上説明しないで、急にベソをかいたような顔になって、ステージを出て行った。

3

「いやあ、たまげました。イキナリやって来て、置いてくれと言うんだ。俺んとこにさ。この、俺んとこにだよ。テッ！オドロキ、かっ恐れました。フウ！」

ベトやんは言って、例の道化た調子ながら、どこかホントにびっくりしているようで、唸り声を出して見せた。それから二三日後、やっぱり同じステージの仕事で一緒になって、撮影がすんで、いつもの隅で腰をおろして直ぐである。アソユキの事だ。

「俺あ、女あニガ手だからねえ。だから、これまでそりゃ国が近いからね、たまにゃ、もうすこしいろんな事話して見たいと思わない事あ無いけど、そいつを逃げるように逃げるようにして来たんだ。だから、あの女の事、なんにも知らなかったんだよ。それがイキナリ、置いてくれと言って来られたんだもの。たいがい、あんた、タマゲらあ。へゝ！ 国立龍子の所に一二ヵ月前から、内弟子みたいにして――いや、実はテイの良い女中みたいにして、コキ使われてるらしいがね、居るんだが、どうしてもそれがイヤだと言うんだ。だって君だって大部屋にしろ会社に雇われている女優なんだから、自分の月給でどっか部屋を借りて暮せばいゝじゃないかと俺が言ったら、なんと、会社からは三千円とチョットしか貰ってない。まだ見習いで本雇いにはなっていないから、月給では無くて手当てなんだって。なるほど、それでは部屋はおろか、食えもしない。じゃ、ほかの同じような連中はどうしてやって行ってるかって言うと、たいがい親がゝりか何かで東京に家がある。ユキには、それが無い。しかも、国の自分の家が貧乏で仕送りをしなければならんそうだ。そこへね、東京に一人、イトコが居てね、これが東京に居るたった一人のユキの身寄りだそうで、それをたよって上京して来たわけなんだが、こいつが渋谷へんのゴロツキ――と言っても、聞いて見ると、学生映画研究会あがりの軟派師、まあインテリ・ヨタに毛が生えた位の所らしいが、こいつが、何かの関係で国立龍子を知っている——と言うが、なんでも龍子の何か一身上の弱い尻を握っているかなんかで案外に懇意にしている。ユキが会社の入社試験にパスしたのも、そういう関係らしいんだが、こいつが、ユキを女中に入れると言う事で龍子から相当の金を引き出したらしいんだ。それでイヤオウ無しに、表向きは内弟子と言う事で、龍子の家にズッと居るんだが、それが、どうしてもイヤだと言うんだな。はじめ、しばらくはガマン出来たけど、一カ月ばかり前からイヤでイヤで一日も一晩もガマン出来ないと言うんだ。急に、また、どうしてそうなったの？　と聞いても、ワケは言わない。時々、セットの中で寝て帰ったりするのも、そのためらしいんだ。そいで、どうぞ俺ん所に置いてくれと言うんだ。すると、炊事や洗たくはしてあげるし、それに生活費の足りない所は、会社の仕事の暇々に、トーシャ版のガリ版切りのアルバイトをするから、決して迷惑はかけない。そう言うんだ。泣くんだあ、そう言ってね。弱った、よう！」

「で、置いてやる事にしたのか？」

「じょ、じょうだん言っちゃ、いけねえ！　俺は、女あ、ごめんだ。モチ、ことわり。泣きながら帰ったがね」

「……だけど、どう言うんだね、その、国立龍子の家に居られないと言うワケは？」

「わからん。聞いても言わねえんだもん。……しかし、なんだねWちゃん、俺あ今度、ビックラしちゃったなあ。俺たちはこうしてカツドウ屋のハシクレで仂いていながら、そのカンジンの撮影所の内のことだって何一つ知らねえんだねえ？。アソユキの話を聞いただけでも、およそビックリした。なんでも、こないだの「銀座〇〇〇」（実際の映画の題名）で、国立龍子のダンサアが屋根から屋根へ飛んで逃げる時のロングは、あれはアソユキだったってさ。そのほか、アソユキは龍子のフキカエに時々使われているんだってよ。知らなかったなあ。もっとも、たいがいそんなシーンはロケで片附けるんだから、俺やあんたみたいなステージ組は、メッタ行かないにゃ行かないけど、とにかく、俺たちは、なんにも知らねえんだなあ」

実際それはそうだった。撮影所マンの撮影所知らずと言うか、それも照明課の上の方の、映画全体や各シーンの照明の責任をとる役付き級ならともかく、やっと一人が食って行けるか行けないかの安月給で、やれ何キロの奴をそっちへ持って行け、あっちへ持ち上げろ、タンサン紙をもう一枚かぶせろ、スモークをもっとイブせ等と追い使われて、居る場所もたいがい暗い足場やブリッジの上で、所内の人間でも少し部署が違うと名前も知られない、下っぱの照明係となると、現在自分たちがライトを当てゝ撮影しているのが全体としてどんな筋の作品であるかさえ、往々にして知らないまゝに過ぎる事がある。ひどい時には、完成した映画の試写も見ない。忙しいセイもあるが、そういう下積みの生活に馴れてしまうと、神経がドロンと、牛がノロノロ荷車を引いてるとも思わないで引いて歩いているようになって、案外平気になってしまうのだ。

ことに、私とベトやんの場合はそれが極端だった。それには理由がある。

私の方は甚だ簡単だ。この世の中を積極的に生きて行こうとする気を失っているからだ。生活力が無いと言うのか、脳も弱いし、すべて面白く無い。人間はなんのために生れて来たのか、まるきり意味がわからない。ただ、死ぬことだけは確かで、だから、死ぬために生れて来たようなもの。それまでは、すべての事が、あゝであってもよいし、こうであってもよい。何をしても苦しいばかりだから、なるべくジタバタしないで、すこしでも苦しく無いようにしてやって行くこと。……一種のニヒリズムみたいなものだが、しかしこれは私が人生について一所懸命に考えて行き着いた思想なぞでは無い。そんな事を私はした事が無いのだ。生れてズーッとフラフラ今までやって来た間に、自然にそんな風になっただけだ。だから今さらどうしようも無い。だから私は、明るい所よりも暗い所が好きだ。撮影所の照明係になったのもそれだし、現在、映画館の映写技術などしているのも、それだ。一日の大半を暗い所に居られ、人まじわりをしないでもよいからである。だから、撮影所で働いていても、独身のアパートと撮影所の間をボトボトと行ったり来たりして、暗い所を這いまわり、時々酒を飲んだり、バクチを打ったりして居られゝばよい。出世しようと言う気も無いし、今どんな映画が作られているのか、又、誰と誰とがどんな関係になっているのか等等、映画会社内部のナマグサイような一切の事については完全に馬耳東風。ただ、いつもステージのブリッジや足場の上の、ライトのそばにボンヤリとしゃがみこんで、ズット下の撮影現場でワヤワヤとやかましく動いている監督部や大道具小道具、俳優、製作係、会社の重役や見学の連中などを、蟻の世界の騒動を見ているように軽蔑しきって見おろしていた。

ベトやんの理由は、チヨット違う。私のより、ハッキリしている。戦争に行って、顔にひどい負傷をして、治るには治ったが、まるでバケモノのような顔になった。鼻からアゴへかけて、造作がガタガタになり皮膚はツルツルにちぢくれ、ことに唇が上下ともスッカリ形がこわれて両端が耳の方へ釣り上って、前歯がむき出しになっているものだから、顔全体の表情が始終笑っているように見える。正視するに耐えないほど不気味に、滑稽に見える。整形外科などで追い附けるものでは無い。出征前には監督部に籍が在ったのを、復員するや照明部に移してもらって、ステージの暗い闇の中にもぐり込んでしまったのも、眼から下をスッポリ被うマスクを常した事が無いのもその顔を人に見られたく無いためだ。当人は語りたがらないが、出征前互いに好き合っていた女があったが、復員して来た彼の顔を見て何も無く、彼には何も言わないで他へ嫁入って行ってしまったそうで、つまり捨てられたわけ。それ以来、すべての女を避けるようになり、ステージの暗闇の中に益々深くもぐり込んで、以前の仲間とも交際をしなくなって、親しい友だちは私一人だけ、酒を飲みバクチを打ち将棋を指しては、バカ話をして暮す。私と違う点は、非常に本を読む。主として文学と哲学方面だが、自然科学の本も読むようだった。彼のアパートの室は、半分位、本で埋まっている。電気の知識が相当有って、それに身体が敏捷であの高いブリッジの上を、一気に向うの端まで走り渡ったり出来るものだから、照明係としては重宝がられていたが、それで出世しようと言う気は無い。その辺が私と非常に気が合った。

加うるに、そう言う私とベトに共通した事がもう一つあった。それは、撮影所の人間、それも下級の活動屋の多くに取り附いて離れないフザケ癖と言うか、いや癖などと言うような浅いものでは無く、その人間の生活も性格もスッカリ染めぬいてしまう皮肉癖――ソフィストケーションと言うか。何もかも一切合切、自分の事も人の事も嘲り捨て、シャレのめし、滑稽化してしまって、ニヤニヤ笑っていると言う習慣。すべての事を、マトモには受けないで、「タ！　イカレですわ」などゝ言ってすます。それが永い間つゞくと、今度はマトモな気持になろうと思っても、出来なくなる。事実、冗談半分に自殺してしまったりする者がいたりする位で、一種の言わば三枚目地獄なのだが、そう言う人間が活動屋には、かなり多いのだ。どう言うわけだか、よくわからない。私もベトも、それに完全に侵されていた。現に、戸部と言う本名が有るのに、ベトと言うアダ名を附けたのは、実は戸部自身だった。

フランス映画の「美女と野獣」、つまり、あれのラ・ベル・エ・ベートのベートだ。あの野獣の顔に自分の顔が似ていると言う。人から「ベトやん！」と言われても「おい！」と答えてニヤニヤしている。ソフィストケーションと言うものは、そこまで行ってしまう。もっとも、ベトにして見れば、そこまで自分をザンコクに滑稽化しないでは、自分の顔のみにくさとそれから起きている失恋その他の辛い事に耐え切れなかったのかも知れない。しかし、そう言ったような、腹の中の言わば深刻みたいな所は、絶対に見せない。最後まで完全な三枚目の調子で、バカな事を言って、ゲラゲラ笑ってばかり居た。

そんなわけで、ベトやんと私とは、撮影所に居ながら、その中で行われている事や人に就いて、細かい事は何一つ知らないでも平気で、それこそ山中の仙人みたいになってしまっていた。その事に気が附いたのがアソエキの一件からだ。つまりアソエキは、寝た子を叩き起すようにベトと私のモウロウとした神経を掻き立てゝくれたわけ。その事が良かったか悪かったかは、後の話になる。

とにかく、いったん叩き起されて眼がパッチリしたとなると、ベトも私も別に白痴では無いから、いろんな事が見えて来る。周囲に対する無関心が、幕を切って落したように拭い去られた。人の一生のうちには時々こういう事が有るようだ。自分の置かれた境遇に馴れっこになってボーッとして暮している内に、不意に何かのキッカケからビクンと周囲が新らしく見え、強い興味を感じると言う事が。

ベトやんが、心の中でホントにアソユキを恋するようになったのも、丁度その時期ではなかったかと思う。――いや、これはもうすこし先きの話だが。

そういう訳で、ベトと私は自然に、アソユキと国立龍子の事について、調べることになった。いや、調べるとまで行かなくても、いったん、そういう風に眼や耳を働かせはじめたとなると、撮影所というものは便利なもので、人は多いし、ワヤワヤと混乱しているだけに、裏に廻ると会社の事も個人の事も一切筒抜けになっていて、たいがいの事は知ることが出来るのだ。ほんの五六日の間に、いろんな事がわかった。もちろん、ウソもマコトも取り混ぜての話だ。

オ一は、国立龍子の御乱行の実状。しかも性的に変態であること。

4

国立龍子は、もともとエロを売り物で僅かの間に押し出して来た女優で、最初は、たしかミス何とかと言う事で、どこかのキャバレに居た女だ。既に映画に出演する際から、新興成金のパトロンや、大家文学の方で人気のある小説家や映画プロデューサアなど々関係が有って、それらの男たちを踏台にして映画スタアに成りすましてからも、金と地位の有る男を次ぎ次ぎと身辺に引きつけて、有利な取引きをしている由。現に現在出演している此の撮影所の親会社になっている××映画の本社に、金融関係から輸入されて権力をふるっている重役金本(仮名)は、最近のパトロンの一人だそうで、一週一度は龍子の家に泊っている。美しい女だが、荒淫のため肌が荒れ、時に依って恐ろしく醜い顔になるので、撮影できない事がある。

この最後の事は、ベトや私も撮影の仕事の上で実際に知っていた。強いライトで照すと、この女の顔や肩などの肌が、変にザラザラと黒ずんで見える事があるのだ。そういう時に一度、カメラマンが「よんべはテキさん、寝てねえんだよ。あちこちと紫色になってるぜえ。チエッ!」とつぶやいていたのを小耳にはさんだ事がある。

そう言う点でも、龍子には一人代役が、つまりスタンド・インの女優が必要だったわけ。それにアソユキがねらいを附けられた。身体つきも顔つきも、大体似ている。カメラを少し引いて後向きにでもすれば、ほとんど見分けが附かないのだ。で、かなり前から、ロケやオープンセットでは、龍子の代役をつとめていたのを、私たちだけが、知らないでいたのだ。一つは、スタアのスタンド・インの事は外部へ洩れると商策上おもしろく無いので、所内でもなるべく秘密にするようになっているし、ユキが龍子の家に内弟子に住み込まされているのも、その理由だろう。

ところで、そのへんまでわかって来た時に、ベトやんが顔色を変えて「ア！」と言うので、「何だよ？」と訊ねると、「ユキが龍子の家に居るのを特に嫌い出してセットで寝たりしはじめたのが二カ月前で、その金本重役が龍子の家に泊るようになったのが、やっぱり二カ月ばかり前からだ。しかも普通はそれほどでは無い、夜龍子の家に寝るのがイヤだってユキは言ってる。すると、なんじゃねえかな、もしかすると、この、龍子と金本とのナニさ、「残業」がだね、ユキが龍子の家を嫌うことに関係が有るんじゃないか？」と言う。探偵ゴッコみたいになって来た。

そのへんを、もう少し確かめて見ようと思ってユキを問い詰めても、なかなか言わない。ユキはその後も時々ベトのアパートへ訪ねて来る。置いてくれとは、もうあまり言わなくなったが。私も一二度、ベトの部屋でユキに行き合わせたことがある。ベトは、ユキが訪ねて来ると、非常に困って、どうしてよいかわからないらしかった。口だけは例の道化きった軽口をペラペラと叩いているが、眼をオドオドさせて、すっかりアガッてしまうのだ。そう言う時のベトは、バケモノのような顔が急に赤黒くなったり、真青になったり色が変って、見ていられない。でも、それを悲惨だと見るのは、ベトと言う人間の腹の中を多少知っている私だからそう見るのであって、知らない人が見ると、年中笑っているような彼の顔は、ただ滑稽な漫画のようにしか見えない。多分、アソユキもそう見ていたと思う。だからこそ、ただもう、若い娘のエゴイズムで、自分の事だけしか考えず、ベトに頼り切って、自分のあらゆる所をサラケ出して見せたのだろう。それが又、ベトが彼女を益々深く恋する原因にもなったらしい。
そうだ、ベトは――あの野獣は、アソエキをホントに恋したのだ。いくら隠しても――現に彼は一所懸命でその事を隠そうとしたが――私だけには、それがわかった。どう言うわけか、ベトと私とが、どこか同種類の人間だったセイかもしれない。

そのうちに、こう言う事があった。いやいや、実は、それから不意に急転直下に、事は一切片附いてしまったのだから、それほどメンドウな長話にはならない。

「〇〇〇の花嫁」――もう記憶している人は居ないかも知れない。見おわって外に出れば、すぐに忘れてしまうような愚にもつかぬ作品で、国立龍子の裸体を見せようと言うだけのエロ映画。監督はYと言って、映画の監督と言うよりも土方の現場監督に近い、ただ作品を早く撮り上げるという事をトリエにノシて来た男だ。――これの製作中の話だ。

温泉場の浴室の場面をフンダンに使って、国立龍子を何度も何度も湯に入れたり出したり、あらゆる角度から裸かにして、写して見せようと言うのがネライで、ステージの中に本物の浴室を作って、撮影が始まった。たいがいの事に馴れっこになっている撮影所マンたちも、こう言う時には、やっぱり、わき立つ。みんな平気な顔はしているが、女の裸かがフンダンに見られる「眼の正月」と言うわけで、腹の中ではウズウズしている男が多い。もちろん、こう言う際には、さすがにスタッフ以外の者のステージへの出入は厳禁されるし、そのスタッフも、必要最少限に限られる。幸か不幸か、ベトと私は、そのY組の照明責任者の下でスタッフに加えられて、最初から国立龍子はじめ数人の女優や、龍子の代役としてのアソエキの裸体を見飽きるほど見させられる事になった。もっとも、たいがい高さ六七間もある足場の上から、本当にわかした湯の湯気の立ち昇る中で見るのだから、それほどの実感は来ない。それに、これが仕事となると、案外に変な気持にはならないもので、画家や彫刻家が裸体モデルを見るのも、こんなものだろうかと思った。

しかし、もちろん、こちらも男だ。正直のところ、悪く無い。それはもう、毎日カタズを呑みこみ呑みこみ、仕事にはげんだ。それに、ライトマンと言うものは有利である。いつでも強いライトの横や後ろに立っているのが商売だが、ライトの真ぐ横や後ろと言うものは、ひどく暗いもので、そこに立っていると、ライトに照らされている物を見たいだけ遠慮なしに見ておれる。監督部やカメラ係の連中は、自分たちも他から見られているために、目の前にアカラサマに在る女の裸かを、かえってマジマジとは見られないものだ。そんなわけで、

「テヘヽ！ 今度だけは月給こっちから出したろか、のうWちゃん？」などとベトが言ったりした位。

「だけど、お互い、チヨンガアにゃ、これ、毒だぜ」

「まったくだあ！ うっかりコーコツになって、フラフラッと、この足場から落っこちでもしたら、下はタイルだ、先ずザ・エンドです」

暗い足場の上で小さい声でそんな軽口を叩いていた。シエートに入って三四日目、いよいよ国立龍子が最初に全裸体になるシーンに入る。予期していた通りアソエキも、スタンド・インとして来ていた。

5

国立龍子は、さすがに見事なカラダだった。外見よりも肥えていて、V型のへんから腿へかけてなぞ、横巾よりもタテに深いように盛り上って、そのくせ、腰は小さい。胴か、おかしい程くびれ込んでいる。肌は粗く、割に毛深い。おどろいたのは、カラダの形よりも、その動作だ。いや、動作のうちに感じられる全身の柔軟性と言うか――性的な訓練を散々に積んで、しかもまだ消費されない精力を充分に貯えている身体の、ナメシ皮の持っているようなシナヤカさ。白い豹、と言うよりも白い蛇。しかも、粗い肌で毛が深い。美しい感じよりも、何かイヤラしい「道具」と言った感じ。

最初、浴室に入って来た龍子が、着ているものを脱いで裸かになるカットを、カメラを床に低く下げ、腰から上をアヲって撮る事になり、ベトも私も下へ呼びおろされて、カメラわきのライトに附いていたから、よく見える。いよいよとなって、スラリと着物を脱いだ龍子の真白な背中に、白粉でごまかしてあるが、タテに三筋ばかり、ムチでゝもなぐりつけ

たらしい血アザの跡があった。

もっとも初めしばらく誰もそれに気附かなかった。スタッフ一同、白い背に眼がくらんだようになっているし、又、ライトを直角に当てゝさえ居れば、殆んど見えない。一番最初に認めたのは、さすがにカメラのチーフで、監督のYにチラリと目くばせをしたので、Yも居合せた四五人のスタッフも、それから立合っていたプロデューサアも次々と気附いて、息を呑むようにした。しばらく誰も何とも言えない。また言えるものでは無いのだ。そのシーンとしてしまった空気を龍子は本番シュート前の緊張のためと思ったようで、向う向きのまゝ胴まで肌ぬぎになった胸の所を、両手で蔽うてシナを作りながら、

「これで、よろしい?……おゝ、気まりが悪い」

笑っているようだ。気まりが悪いのも悪いらしいが、シンは嬉しくもあるらしい調子である。或いは、自分の背中に血アザの跡が残っている事など忘れてしまっているのか?

カメラマンと眼で相談していたYは、次ぎにわきのプロデューサアに二言三言耳打ちしていたが、やがて、機嫌の良い声で、

「そうだな、国立さん、せっかくナニして貰ったけど、ここんとこ、後ろから撮るぶんは、アソベえにしましょうか。カメラはこんだけ引いてあるし、顔は見えないしね、第一すこし長いから、あんたに風邪でも引かれちゃ、なんだから。まだ今日はおぶうの中のカットがどっさり有るからなあ」

その調子が、さすがに能率一方の監督で、スタア女優のした手にうまく出ながら、否やを言わせない。

「そう?そいじゃ……」と龍子は肌を入れて、こっちを向いてくずれるようにニッコリして見せてから、ソソクサとセットを出て行った。誰も何も言わない。こう言う時には、たいがい現場では一切ムダ口を利かないものだ。

直ぐに段取りが附いて、アソユキが龍子の衣装を着せられ、アクションを附けられ、背中をむき出しにして立つ。自分ではモジモジしていて着物を脱がないので、Y監督、ぢきぢき、ツカツカと寄って行き、でもさすがに「ごめんね」と言いながら襟に手をかけて、ズーッと引きさげ、そのまゝカメラの所へ戻って来て、そちらを見て「うん!」と言った。「すば

らしい」と言う眼顔をプロデューサアとカメラマンにして見せて、

「テスト一二回やって、直ぐに行くよ。水口の音だけで、ダイヤ無し。いゝね?」と叫び、直ぐに撮影開始。

アソユキの身体の美しさ。これは口ではチヨット言えない。背恰好は龍子に非常に似ているが、似ていればいるほど、同じような女の身体がこんなにも違った印象を与えるものかと驚ろかれる。あちらは豆腐のようで、こちらは彫刻のようだ。あちらは平面で、くずれかけている。こちらは立体で、固くプリット引きしまっている。肌の色も、こちらの方がすこし黒い。と言っても、小麦色の、キメが細かくて、底の方からほのかに光り出して来るようなツヤを帯びている。どこか、健康な少年の身体に似ている。普通の意味で色情を刺戟するところは、あまり無い。動きは固い。……見たばかりで、男を知らない身体だ。いや、そんな事を誰もハッキリ考えたりはしないのだが、一人手に、スタッフ全員がそう思ったようだ。みんな何か尊敬したような、思いがけなく優れたものゝ前にいるような良い気持で、仕事がドシドシ運んだ。ふだん猥雑な空気の中にばかり居る活動屋に、妙に純粋な子供らしいそう言った気持がある。思いがけない場所で「処女」を発見して、それをみんなで崇拝——と言うと言い過ぎるが、まあそれに近い気持になると言う——。

ベトが、妙な具合だった。ズッと私と並んで、ライトの蔭にしゃがんでいたが、最初Y監督がユキの肩から着物を剥いで戻って来て、シンとしてスタッフ一同がユキの半裸に見入っていた時、口の中で微かにシュウと言うような声をさせたので、ベトを見ると、殆んど狂人のような眼の色で、ユキの背の方を見詰めながら、荒い呼吸をしている。時々シュウと言うのは、例の釣り上った唇でマスクの中で歯を喰いしばって喰っているらしい。私の事も、周囲の一切の事も、忘れてしまっているようだった。……私はドキンとした。そして、それまで、そうでは無いだろうかと思っていた事が、ハッキリそうだとわかった。

可哀そうなような、浅ましいような、滑稽なような気が一度にして、私は彼の顔を見ていられなかった。……

アソユキを代役にしての十数カットが順調に進行して、次ぎのシーンへ移るまでの一と休けいになり、いったんスタッフ全員がステージを出て行った後、私とベトは、セットの蔭の暗い所に並んで腰をおろして、私はタバコをつけたが、ベトはタバコはおろか、いつもの軽口も出ない。青い顔をして自分の前ばかり見ている。

「どうしたい?」と言っても、返事しない。そのうち、私たちの坐っている直ぐ近くの壁の向う側、と言っても急造のセットの事でベニヤ板一枚をへだてた所で、Y監督の低い声がした。相手はプロデューサア。打合せる事でも有って残っていたらしい。

「やるねえ、龍子嬢。変態と言うのはホントなんだな」

「いやあ、僕もちょっと、おどろいた。あのキズはひどい。だけど、もしかすると当人、あんなキズが残っているのなんか、忘れちゃってるんじゃないかな?」

「いやあ、そうも取れるが、もしかすると承知で、着物を脱いだね。露出症と言うやつ。サカナになったのは俺たちの方かも知れん」

「そうだろうか?そうだとすると、怖いね」

「とにかく、あれで見ると、相当のマゾヒズムだよ。やりきれねえなあ。すると相手は、本社の金本重役と言う事になるんだが、これ、いかゞなもんだろう?」

「うん、そういう事になるが……まあなんだ、そりゃ御当人たちが、火箸かなんかで焼きを入れたり入れられたりして、嬉しがってる分には、御当人たちの御自由だけどさ、重役さんの圧力が僕らの方へかゝって来て、龍子の売り出し方がまだ手ぬるいなぞと言われて、製作のギャラをへずったりされちゃ、たまらんよ、まったく!」

「そんなに金本と言うのは、押えているの、本社では?」

「うん。いや、銀行屋の方から送り込まれて来た重役で、カツドウの事は、まるでわかりやしないんだから、どうせ、ここん所いっときの天下だろうがね、とにかく目下の所、大口の水の手はほとんど、あいつが握ってるんだからねえ」

「しようが無えなあ。まあ、でも仕方が無いから、こんだの絵は龍子嬢でやってのけるが、しかし、あのアソユキて子、イケルぞ、ありゃ!」

「僕も、たまげた。良いカラダだ。まるで後光が差すみたいだ」

「スタンド・インなんかにして置くのは惜しい。それに今日見ていると演技力も相当ある。すこし叩けば龍子以上に売れるね。どうだね、あんた、いっちょう乗らんかね？」

「そう。まあ、急には考えられないが、行けるには行ける子だな」

「行くんだったら、早いとこ行くんだな。第一、龍子なんて重役のオメカケなんぞに、あんなに威張らしとくのはシャクだ。それに、なんだぜ、アソユキは、ありゃ、まだ手附かずだよ」

「フフ、そこいらがYちゃんのホントのネライじゃ無いのかあ？」

あとは笑い声になって、二人は話しながらステージを出て行った。始終はベトも聞いていたのだが、それについて何も言おうとせず、暗い方へ鼻を突っ込むようにして坐りこんで、石のように動かなかった。

間も無く、次のシーンの撮影が始まった。

6

その夜は、途中で電圧が落ち、続行不可能になったので、割に早く撮影は打ち切られ、みんな帰る。ベトは珍らしく将棋を指そうとも言い出さないでスタスタとアパートへ。私もそれについて行った。ベトのアパートは撮影所から七八丁で、私の室は電車で戻らなければならないので、時間がおそくなったりした時は、それまでもよくそうしたが、その晩は特にベトの様子が気になって私は一人で自分の室へは帰られなかった。

ベトも私も一言も物言わず、茶を入れかけた所へ、後を追いかけて来たような感じでアソユキが入って来た。青い引きつったような顔をしている。仕事の疲れだけで無く、非常に昂奮しているようだ。

ベトは珍らしく坐れとも言わないで、女の顔を見るのを避けている。ユキは、黙ってそこに散らかっていた本の四五冊を取り、別の堆積の上に重ねてトンと置くや、かすれた声でしゃべりはじめた。

「……もう私、死んじまおうと思うの。あんな恥かしい思いを、なぜ私がしなきゃならないのかしら？ イヤだ、もう！ ツクヅク私、イヤになったんです」

そんな調子で、あと、しばらくしゃべっていた。何を言っているのかハッキリしなかった。ベトも私も問い返す気分にはなれないので黙って聞いているうちに、ユキの言葉は一人ごとになってしまい、低い押えつけたような調子で、いつまでも続く。キリが無いので私が、

「今日の撮影の事かね？」とヒョイと口をはさむと、ギクンとして、チョット黙っていたが、改ためて私の顔を見た。どう言うのか、出しぬけに、耳の附け根まで赤くなっている。

「そう！ そうだわ、今日の裸かの事も裸かの事なんですけど、それよりも私、もうトテモたまらないの！ 今まで恥かしくて言えなかったけど、もう言ってしまう！ ね、Wさん、国立龍子さんて、とってもヒドイ人よ。蛇だわ！ 男の人とナニしている所を、私に無理やり、見せるのよ！ いえ、夜なの。自分の家で」

そしてその事を話したが、大体次の通り。

最初―― ユキが、イトコの口きゝで龍子の家に内弟子に住み込んでから十日ばかり経った頃、夜になり、重役の金本が自動車で乗りつけて来て、酒の仕度を命じられたので、もう一人居る女中に加勢してチャンと仕度をして、料理や酒を龍子の室――洋室で一隅に豪華なベッドが置いてある――へ運んだ。金本と言うのは四十四五の上品な紳士で、機嫌良く龍子に酌をさせ、龍子にも酌をしてやったりしていたが、「どう、君も一つ」とユキにもすゝめるので辞退すると「酒の一つや二つは、いけなくちゃ、これからの女優さんにはなれない」などゝ言い、龍子もすゝめるので盃を受けて二つばかり飲んだ。その時、龍子は素肌の上に燃えるようなナイトガウンを一枚着ていただけ。そんな景色だし、いくらユキが年が若くても大体の察しは附くので、なるべく早く引きさがって、自分の当てがわれている室へ行こうとするが、金本と龍子は何のかのと言って引きとめる。そのうちに、ユキの見ている前で、金本が龍子の首にキッスをしたりしはじめたので、ビックリして、逃げ出すようにして自分の室にさがった。

そのあと、龍子の室では酒もりが続いているようだったが、

十一時ごろになり、酔った龍子がフラリとユキの室の前に来て、もうあと五十分ばかりしてから、つまり十二時十分前になったら、自分の室まで水を持って来てくれるようにと言った。「杉やには時間がチヤンと守れないから、すまないけど、あんた持って来てよ。金さんは酒を飲むと、あと、眠る前にトテモのどをかわかす癖があるの。世話が焼けるったら」

「じや、今直ぐ持って行きます」とユキが立ちかけると
「いいえ、今はチヨット困るのよ。ププ。それに、井戸水の汲み立てで無きや、気に入らないからね」

すこし変だと思ったが、そう言ってテレたように笑っている龍子の調子に、何かワケが有るようにも取れたのだ。「はい、そうします」と答えてしまった。

「キチンと十二時十分前よ。そこにある時計でね。早くても遅くても困るの。頼むわね」

そう言って龍子は去り、ユキはそのまゝ時計の針を気にしながら本を読んでいたが、言われた通り十一時四十七分ごろ、台所に行き（女中は眠ってしまったのか、女中部屋はシンとして暗かった）、内井戸から水を汲み、お盆に水差しと、コツプを二つのせ、十一時五十分キッカリに、龍子の室のドアの所へ行き、ノックしたが返事がないので、チヨットためらったが、あらかじめそう言われているのだからと思い、そのまゝドアを押して室に入り、ベッドわきのテーブルの方へ行った。天井のシャンデリヤは消えていて、ベッドの頭のスタンドだけが附いていた。金本と龍子はベッドに寝ている。そこまでは、よかった。ユキはお盆をテーブルに置いた。

ベッドの掛けぶとんが、モクモクと動いて、不意に、龍子がすゝり泣くような声を出した。ヒヨイと見ると、龍子の裸かになった上半身が、ベッドの向う側に、ずり落ちそうになり、その上から、これも、ほとんど裸かの金本が、おさえ附けるようにしている。……龍子が何かの病気の発作でも起して、引きつけたのを、金本がおさえてやっている所かと、チヨット、ユキは思ったと言う。

それが、そうでは無い事が直ぐわかった。

龍子と金本の身体が動き、かけぶとんがめくれて、ほの暗い奥でチラチラとうごめく二人の手足の恰好が、どんな無邪気な者が眺めても思い違えようの無いものだった。こちらか

うは逆さに見える龍子の顔が、歯ぎしりしているような表情で、白眼ばかりになっていた。

ユキは、雷に打たれたように、動けなくなってしまった。眼も、ほかを見ようとしても思うようにならない。棒のように立ちつくして、ベッドの上を見ている以外は出来なかった。そうして、どれ位の時間が経ったか。……釜本が妙な恰好で横に倒れ込んで行きながら、笑うような唸るような声を出したので、ユキはハッとし、思い切って後しざりにドアの所まで行った。気配でそれを知ったか、釜本がユキの方を見て、ニヤニヤと笑った。

無我夢中でユキは自分の室へ戻った。龍子の室の方へ耳をすますと、シーンとしている。ユキは急に胸もとがムカムカして、吐いた。

何か非常に奇怪な夢でも見たような、これきり世の中が腐れ落ちて、おしまいになるような気がした。又、吐いた。

翌朝は、起きようとしても、頭をあげるとクラクラとして起きられないので、寝て過した。女中の杉やに聞くと、龍子は朝早く釜本と一緒に自動車で出かけたと言う。夜になって帰って来た龍子は、ユキの寝ている所へ見舞いに来た。「どんな具合？　風邪でも引いたんじゃない？　大事にしてユックリ寝ていらっしゃい」とニコニコと機嫌が良い。ユキはその龍子の平気な顔を見ていて、昨夜の事はホントでは無くて、やっぱり自分が夢でも見たのかと思った。そんなユキの思惑など頭に無いようで龍子は、ぜいたくな菓子のみやげを出し、それに、「これ、釜さんから、あんたにプレゼント」と言って立派なナイロンのハンドバッグをくれた。媚びるような調子があった。それで又、いやいや、あれは夢では無かったと思った。……

それから、時々そういう目に逢った。一回ごとに龍子と釜本の態度は露骨になる。最近では、宵の内にやって来た釜本が、入って来るやイキナリ、龍子とユキを前に置いて、ズボンを脱ぎ捨てたりする。

イヤでイヤで、しようが無いから、釜本の来そうな日は、残業を口実に撮影所に泊って帰ったりするようになった。しかし、それが度重なると貞介へこれがユキのイトコで、龍子と釜本の用心棒を兼ねたような事をしている。もしかすると、龍子と関係があり、これが又、釜本と龍子の間で、おかしな役割を果しているようにも見えるし――が、わざわざ撮影所までユキを捜しに来て、無理に連れて帰る。すると、龍子と釜本は非常に喜こんで、下にも置かぬようにユキを扱い、見えすいたオベッカをする。他に友達でも居れば泊めて貰えるが、ユキは東京に、それほど親しい友達は居ない。しかた無く、いよいよ我慢が出来なくなると、ステージの中のセットの片隅で寝ることを憶えた。

でも、もう我慢している事が出来ない。イヤでイヤで気が狂いそうだ。それに、今まで、そんな変な事をしながらも釜本はユキに対して直接手を出した事は一度も無く、龍子と自分との間の刺戟の役にしていただけだったのが、極く最近では、龍子の居ない時に時々妙なことを言うようになって来た。釜本にとって龍子とユキの地位が逆転して来たような、又、逆転させたいような所が見える。もう、たまらない。私はどうしたらいいだろう?・助けてちょうだい。どうしたらいいの?・――

ザッと、そう言ったような話だった。ベトは終始石のように黙りこくっていて受け答えもしないので、聞き役は私だった。語り終って、アソユキは、昂奮のためか恐怖のためかブルブルふるえている。しばらくは三人とも口が利けなかった。

「……なぜ、そぎゃん事ば、今まで黙っていたとな……?・」

ベトが不意に言った。

「……はずかしかったもん」

ユキは言って、ヒーと低く泣き出した。

しばらく又黙っていてからベトが、

「逃げ出しんさい! 龍子だって、逃げ出してしまやあ、追いかけては来んじゃろ」

「追っかけて来っとです。いんにゃ、龍子さん自分じゃ無か、貞介にそう言って、貞介がつかまえに来っとです!」

これまで二度ばかり逃げ出した事がある。二度とも貞介に追われ、連れ戻された。貞介だけならば、学生あがりの軟派で大した事は無いが、龍子と釜本の方から、かなり多額の金が出るらしく、その金がいつでも貞介の手足になって付く、ゴロツキみたいなゼゲンみたいな男が二三人居て、それらが刃を突きつけたりして脅かす。とても逃げられるものでは無い。それに、そうしている貞介の方では、ヨタになり切っている男の事で、自分ではイトコのユキのために(――もっとも、イトコはイトコでも、実は義理のイトコで、血はつながっていない由)している事だと思っているらしい。つまり、撮影所に入って女優になるからには、スタアに出世しなければ意味をなさない。それには何でもよいから幸い金本や龍子との関係を利用するのが一番利巧じゃないか、絶好なチャンスだ、と言うそうだ。そういう考え方も在り得ない事も無い。だから、貞介としてはユキに対して悪い事をしているとは思っていないらしい。……

どうしたらよいかと言われても、私にもベトにも、差し当り言葉が無かった。そのまゝで、終電間近かになり、ユキは帰ると言う。

「二月前に金本が泊ったばかりだから、今夜は来ない」と言う。

それで、ベトと私が電車の駅まで送って行った。ユキはションボリして、すこしフラフラしながら歩いた。

「とにかく、なんとか出来るように、僕らが考えてあげるから――」と私は二三度言ったが、ハッキリした考えが有るわけでは無かった。

ユキが電車に乗るのを見とどけた後、私とベトはしばらくそうして、駅の外の暗い所に立っていた。私はその足で自分のアパートに帰るつもりだった。ベトの室は狭くて二人は寝られないのである。

「気違ねえのう、Wさん」

「うん、気違ねえね」

「どう言うんだろ、そ言った変態ちうもん……」

「そうさ、それほど珍らしい事じゃ無いけどね。アソベえにはコタエるんだな」

「だけんど、俺も見てえなあ、そいった風景。これ、チョイとしたスリラアだぞう!」

そう言って、ベトはエヘラエヘラと笑い出した。いつもと違った調子が少しウワずっているが、でも、例の通りの人を小馬鹿にしたような冗談口である。

「じゃ、さいなら、おやすみ」

言ってベトはスタスタと元来た方へ立ち去って行く。私はそれを見送って立っていた。するうち、半丁ばかり離れた電車の踏切りの所で、こちらを振向いたと見えて、白いマスクが見えた。手をあげているようだ。こちらも手をあげて、駅に入って行こうとしかけると、向うのベトがオーッと変な声をあげた。どうしたのかと思って見ているうちに、それが泣いているのだと、わかった。ウーツ、ウーツと三声ばかり吠えるような声を出し、声だけを残して、アパートの方へ向って駆け出して行った。その野獣の、ただ一度あげた吠えるような泣き声。夜の闇の中での、その絶え入るような声を、私はいつまでも忘れないだろう。

7

それから三四日、セットの都合で撮影は休み。ベトと私は毎日逢い、ユキを助け出す方法は無いかと相談した。その間、幸い龍子の所へ金本は現われないと見えて、ユキは来なかった。

先ず、北九州のユキの家へ手紙を出し、こちらの事情を知らせた上、ユキを引取ってもらうように言ってやるか? しかし、こんな事情を言ってやるわけにも行くまいし、言ってやっても田舎の人は理解しまい。第一、ユキの家から仕送りをしなければならぬ程に窮迫した一家のありさまでは、引取って貰うことは先ず絶望だろう。ならば、手紙を出して心配させるだけが無駄だ。次ぎに考えたことは、誰か会社の有力な人に話して、ユキを龍子や金本の手から切り離してもらう事。しかしこれも、金本と龍子の会社に於ける地位を考えるど不可能であろう。すると、警察に訴えるか、新聞社にでも話して、これを明るみに出して解決するか? しかし、だんだん調べて見ると金本と言うのは、△△映画本社の重役と言うのは、融資関係から一時的の監視役に送りこまれて重役になっているだけであって、元来二つも三つもの重工業関係の重役の方が本業で、言わば映画会社の重役は当人に取ってはチヨットした兼務。それほど有力な存在であるとすれば、こちらで警察に訴えたり新聞社に話して見たところで、力の関係で、事件にはしてくれまい。ことに、事が個人間の性的関係の事で、警察も新聞もタッチすることを躊躇するだろう。新聞に依っては、逆にこれをセンセイショナルに扱うために乗り出して来る手合いも有るかも知れぬが、そうなればその結果エキも共に傷づく事になって、なんにもならぬ。残る所は、龍子と金本の二人にジカにぶち当って頼んで見る事だが、二人が虚心に聞いてくれようとは到底思えない。すると、差し当り、その貞介と言うイトコに会って、エキから手を離してくれるように話して見る以外に無いか。しかしこれとても、望みが有りそうには無い。すると、どうすればよいか？

いくら相談しても、私とベトの頭では良い智恵は浮んで来ない。イライラするばかりだった。それに困った事に、例の活動屋のソフィスティケーション。腹の中は真剣に、一所懸命になっているクセに、直ぐに口先は皮肉と自嘲のデタラメを口走る。すると今度は逆に頭の中までが軽芸な考え方に支配されて、するともう後はデンヤワンヤで、まともな事は考えられなくなってしまう。それで更にイライラする。イライラすると益々アチャラカな事を吐き散らす。ベトなどは、眼からボロボロ涙を流しながら、声をあげてゲラゲラ笑ったりする。……正に地獄だ。

「とにかく、しかし、俺がその男に一度会って見るよ」とベトが最後に言った。自分ながら心もとない調子だった。でも、その顔を人から見られる事のあれ程嫌いなベトにしては、それがどれ程に懸命な覚悟であるか、私にわかった。——それが二日目の夜の事で、次の日一日、ベトはアパートに帰らず、貞介と言う男を捜して会えたのか会えなかったのか、私にはわからないまゝ四日目の朝から、撮影再開で、例のステージへ行くと、ベトも来ていた。

直ぐに先日の浴室のシーンの続きで、三四日が中抜きになったゝめにバタバタと忙しくて、話をしている暇も無い。

撮影の手順がヤットついて、私とベトが足場の上のライトのそばで一緒にしゃがみ込んだのは、もう昼前頃だった。

「どうしたい？　貞介と言うのに、会えたのか？」

「うん？　いや……」

「会ったのか？」

「いや……」

「どうしたんだよ？」

いくら聞いてもベトはハッキリ返事をしない。陰うつに黙りこんで、暗い目つきで下の明るいセットの方ばかり見ている。

セットの中ではクランク開始直前で、既に国立龍子もアソユキも、スタッフ全員も位置に附き、わき立った浴槽からモウモウと湯気が立っていた。カメラは浴槽の前三間位の所に進み、龍子とユキは帯をほどいて待っていた。

「会えなかったのか?」

「うん……いや」

アソユキにばかり注がれているベトの眼は飛び出しそうになっている。私に答えている餘裕は無いらしい。——後でわかった話だが、たとえその時餘裕が有っても、ベトは私の問いには答えられなかったのだ。と言うのは彼はその前夜、貞介と言う男に会っていたのである。そして、貞介をナイフで刺していた。

その前後の事情はベトから直接には遂に聞けなかったから、詳しい事はわからない。だから想像するだけだが、貞介と言う男に会ってベトはユキの事から手を引いてくれるように頼んだに違い無い。それを貞介は聞き入れず、反対にイキリ立ったか、逆にベトを脅かしたか? もしかすると、ムキになって頼むベトの顔、あのグロテスクな顔を貞介の方で、ひどく兇悪なものに受け取ってしまったのではあるまいか? よく知らぬ人が見れば、そう見えない顔では無いのである。一所懸命になれば尚更そうだったろうと思われる。それで益々話がモツレた。しまいに貞介の方でナイフを出した。気が立っている。いろいろしている内に、あやまって、そのナイフでベトが貞介を刺す。……そうとしか思われない。なぜなら、他の人は知らないが、ベトがその顔つきに似ず、非常に柔和な、ほとんど臆病と言ってもよい位におとなしい性質を持っている事を私だけは知っているのだ。第一、人を刺すようなナイフなどベトが持っていた事は無い。

胸を刺され、出血多量で貞介は一時失神した。貞介のアパートの部屋で二人きりで話をしていた。ベトは、それを殺してしまったものと思ったらしい形跡がある。間も無くその部屋を逃げ出し、夜明けまで方々をウロウロして歩き、しまいに殆んど無意識に撮影所にたどり着き、そのまゝ撮影開始の騒ぎの中に巻きこまれたものらしい。……ところが、貞介の方は、しばらくして息を吹き返し、自分で歩いて近くの医院へ行って疵の手当をしてもらって、助かっていた。ベトはその事を知らずに、殺してしまったものとばかり思っていたらしい。不運な人間と言うものは、最後の所まで不運に追い込まれて行くものだ。

――それらは後でわかった話なり私の想像で、その時は、ベトの様子から昨日何か容易ならぬ事が起きたような気はしたが、まさかそんな事があったとは思わなかった。

そうして足場の上で私がベトを見ているうちに、下のセットでは、何か故障が起きて、Y監督の声が大きくなっていた。

「ダメだよ！　ことわってくれ！　いくら本社のオエラガタだって、セットの中あ、テメエんちのベッド・ルームたあ違うんだ！」

ノーリツ監督が珍らしく怒っているようである。相手になって、なだめているのはプロデューサアだった。プロデューサアの声は低くて聞き取れない。その日の私たちの足場は、照明の都合から、ふだんの足場と違って、天井のブリッジの真下に急造されたもので、セットの床から十間以上の高さの所だった。ガンガンと音だけは響くが、一つ一つの言葉は聞きとりにくいのである。Y監督は、本社から撮影を見に来た誰かをステージに入れるのをことわっているらしい。

「わざわざ今日に限って、現場を視察に来たなんて、ウソだよ！　ここのシーンを見たいんだ。わかってるよ！　そりゃね、僕あエロシーンをオハコにしているアチャラカ監督かも知れんさ。しかし、仕事だぜ、こいつ！　見そこなって貰いたく無いんだ。トウシロが助平半分で、ナニしているのとは、ワケが違うんだよ。そう言ってくれ。監督は女部屋の床廻しとは違うんだ。女の裸が、そんなに見たきゃ、スタジオなんか来ないで、湯屋の三助になるか、テメンチのおかみさんでも相手にするがいゝんだ。ダメだよ。入れちゃ、いかん！　ねえ、龍子さん！」

皮肉な調子で、そう言いかけられて、国立龍子が非常に困っている様子だった。そのわけは直ぐ後でわかった。

スタッフの連中は監督のけんまくに驚ろいてシーンとして見守っている。たいがいの者がY監督と同じような職人気質を持っているので、腹の中でYの拒絶を痛快に思っている事が、気配で察しられた。たしかに、ふだん世の中をシャレノメしたような事ばかり言い放って暮しているだけ、それだけ余計にイザとなると、現場の人間としての誇りと言うか、これでも芸術のハシクレをやっているんだと言った根性が飛び出して来るのである。みんなが、対会社の利害の打算ばかりで動いているのでは無い。そこの所をY監督がチラッと見せてくれたので、一同は溜飲を下げているのだ。私にしても足場の上から見おろしていて、悪い気持では無かった。

もっとも私は、それで溜飲の下げっぱなしでいるほど甘くは無い。Y監督のタンカは、半分はスタッフ全員に対するスタンド・プレイだと見た。つまりダブル・プレイだ。会社の重役など、斗うと見せて、それを所内の人心しうらんに利用するやり口は、Y監督だけで無く、かなり多くの監督が使う手だ。案の条、いったん休けいして、プロデューサアと第一助監を連れてステージを出て行ったY監督は、どんなふうに説き付けられたのか、二十分もして戻って来た時には、視察を承諾したばかりで無く、その当の視察に来た二人の紳士を案内して来ていて、ひどくニコニコしながらセットの説明などはじめた。

その間、ベトは私と並んで足場のフチにジッとしゃがみこんで、何も言わなかった。視線を追うと、セットの浴槽の裏、脱衣場になった所に、いったんほどいた帯を、腰に半分だけ巻きつけて、シヨンボリと腰をかけて、シュートを待っているアソユキの姿が有った。その姿ばかりを見ているのだ。何かにミイられたような眼つきだった。龍子はすこし離れた所に自分専用のボックスを持っている。

そのうち、ベトがフッと何か言ったように思った。

「え？　なんだよ？」と私が言う。

ベトは、それでも黙っていたが、しばらくして、私の方は見ないで、低い声で、

「ねえWちゃん、俺ね、ホント言うと……」

そこまで、殆んど無意識のうちに、マジメに言ったが、あとを忽ち例の嘲けるような調子になり、

「アソベえに、惚れちゃったんだよ。ヘッ！　正に、これ、美女と野獣の実演ですな。ケ！」

そしてノドの奥でケヽと、笑ったつもりなのだろうが、そうは聞こえなかった。そして、こっちを向き、マスクをわ

きにずらして、「このツラを見よ」と言うシグサをして見せた。たしかに、彼はフザケテ見せるつもりだったに違い無い。しかし私には、そうは取れなかった。いや、それがフザケであればあるほど、そこからムキダシに私に来たのは、すさまじいような絶望した人間の慟哭のようなものだった。……私は胸がつぶれるような眼がまわるような感じがした。

ちょうど、その時、下では、セットの中で本社から来た二人の紳士に龍子が挨拶をしていた。すこし馴れ馴れしすぎる態度だと思い、気が附くと、二人の中の一人が釜本重役だった。一度所員全部に講話をした事があるので知っている。先程龍子がバツが悪そうにしたわけだ。これが、そんな変態性慾者などと聞いても到底信じられないほど健康な感じの、頭髪にすこし白い物の混りはじめた柔和で端正な紳士である。始終ニコニコして、もう一人の、これも本社の重役か何かだろう男に話しかけ、龍子に対する態度も、会社のスタア女優に対する敬意と親しみを半々にして、しかも、龍子が自分の情婦である事を知っている人々に対しても、それほどソラゾラしくは見えない程度の明けひろげたサバケた取りなしが、何の苦も無く出来るのだ。それが自然で上品で、ほとんど抵抗出来ない位に高級に見える。此奴は多分、本社の重役としての役目がら、撮影現場の視察という事に名を借りて、多くの男性の前で、裸になる龍子を見て楽しむために来ている。しかも、そこにアソユキが居るアソユキも裸になる。かねて龍子からアソユキに乗りかえようと彼が思っているとすれば、最初にアソユキの裸体を目で楽しむのに、これ以上のチャンスは無い。露出症の二重三重の快楽。

暗い足場の上から見ていて、私はそのような釜本を醜悪なものと見ようといくら思っても、いや、醜悪なものと見ながら、しかも自分たちの世界が、こんな男のそれに較べると、絶望的に低級な世界のように感じられた。回復しようの無い劣等感とでも言うか。

ベトも釜本を認めたようだった。そして彼が何を感じたのか、私にはわからないが、大体私が感じたものと同じような、それのもっと激しいものではなかったか。……撮影開始。

さすがに浴槽をスクリーンでスッポリと蔽い、その中で龍子とユキともう一人のNと言う女優が素早く着物を脱いで、浴槽につかる。Nは独立した別の登場人物で、ユキは龍子の代役である。三人が湯の中に首までつかり終った所を、「ようござんすか？」でスクリーンを取りのぞくと、カメラマンがカメラにかじり附いて、テキパキと位置をきめる。カメラの後ろでは監督が、

「すぐにホンバン、行きます。N君、君はこっち向いて、首まで、つかったまゝ。龍子さん、すみません。肩の所をすこし出して下さい。そう！　アソ君、君も、どうぞ！　いえ、もうすこし。すまない！　いっぺんに二人とも撮ってしまいます」と言う。

その後ろで釜本ともう一人の重役はタバコを吸いながら浴槽の方を見ている。二人ともニコニコした余裕のある態度で、これ位の見ものに特にカタズをのんでいると言う様子は、微塵も無い。

二回ばかりのテスト。Y監督の注文で、龍子とアソユキの身体は、七三の向う向きながら、ほとんど腰のあたりまで水面上にある。二人とも顔は見えないが、アソユキの方は恥かしそうに、うなだれ切っており、龍子の方は全く平気。むしろ得意になっているように見える。

「湯のチャプチャプという音があるからね。エフェクト、オーケイだったら、ブザアください！」直ぐにミキサア・ボックスからジージーと言う合図が来て、

「はいっ！」と監督が叫んで、一瞬ステージ内がシーンとなり、パタンとカチンコが響いて、カメラが動きはじめた。

その時、私は足場がすこし揺れたように感じ、振り返ると、隣りのベトがスーッと立ちあがった所だった。下の方のアソユキの背中に吸いつけられたまゝの彼の眼が、チラッと釜本たちの方を見たようだった。その次ぎに、ヒヨイとあげた右足が足場の端になっている三寸丸太を踏むような恰好で、それよりも二寸ばかり前の空間をストンと踏み——それなりクラリとベトの身体は逆さまになって、ウァーッ！　と言う声と共に、両脚がピラピラと二三度空を蹴って、ハッと思った時にはセットの浴室の隅カメラから斜めに三間ばかりのタイルの上にグシャリと、ベトの身体は動かなくなっていた。

何が起きたのか、しばらく理解できなかった。セットの中の一同も同様らしく、シーンとして、誰も動かなかった。浴

槽の中では、胸から上を水面上にむき出しにした三人の女優が、ポカンとした顔で、そのちょうど古着のタバのようになったベトの方を見ていた。

騒ぎになったのは十四五秒も経ってからである。

ベトは、頭を打ったらしく、即死していた。出血はほとんど無し。コロンとして、疲れ切って眠っているように見えた。ただ例の顔が歯をむき出して、ヘラリとした笑いを浮べたまゝ動かないのが、気味が悪いよりも、何か滑稽だった。人が死んだと言う厳粛な気がちっともしないのである。冗談半分に落っこって見たと言う感じ、現に、誰一人泣き出す者は居なかったし、私にしてからが、涙一滴こぼれなかった。

ただ一人、浴槽のアソユキだけが「ヒッ！」と叫んで湯から飛び出し、タイルの上に立って、ベトの身体を、いつまでも見おろしていた。その全裸体の姿に、隅に立った金本がチラリチラリと眼をやっていたのを私は憶えている。

8

ベトの墜落死が、過失か故意か遂にわからなかった。

アソユキに対する望みの無い恋慕。前夜貞介を刺し、それを自分では殺してしまったと思っていたらしい事。どんな理由にしろ人を殺したのだから、自分も生きては居られないと思う可能性が強かった点。そこへ、そのアソユキの裸体を、金本が公然と見ると言う場面にぶっつかってしまった。刺戟は余りに強く、彼に耐え切れなかった。――あれやこれやを考え合わせてみてもやっぱり、いずれとも解釈できる遺書も日記も無かった。

撮影所では、ただ何となく「助平な照明係が女優の裸体に見とれ過ぎて、足を踏みすべらして落ちて死んだ」と言う風になった。それ以上の興味は誰一人持とうとしなかった。事実、ベト一人が居なくなっても、仕事の上でも附き合いの点でも、ほとんど何一つ影響は無かったのだ。

半月後には、ベトと言う男が、そこで付いていたと言う事を憶えている人間は一人も居なくなった。

私は間も無く、何もかもイヤになって撮影所をやめてしまった。

ベトが死んで一カ月たって私の所へ訪ねて来たアソユキと

話しをしている時に、何かのツイデに、

「ベトやんは、君を好きだったから——」と私が言いかけると、ユキは、

「ヘッ?」と叫んで聞きとがめた。

「それ、ホント?」

「ホント、とは?」

「私の事、ベトちゃん好きだったって?」

「ホントだよ。惚れたって言ってた——」

「ホント、それ?」顔が真青になっている。

「そうだよ。知らなかったのか君?」

「知らなかった、夢にも。ベトちゃん、そんな事一度も言わない。フーム……」

「言わなくたって、わかりそうなもんだが」

「だって、気ぶりにも、そんな所ベトちゃん見せやしない」

「……とにかく、好いていたようだね」

　私も実はすこしびっくりしていた。ユキは、眼を据えて、しばらく黙っていたが、急に声をあげて泣き出した。非常に永いこと、ひどく泣いた。しまいに、低い声で「そりば、チヤンと言てくうだしやんしやったら、あたしや、あんたのお嫁さんになっとったこれえ、ねえ」とつぶやいて、又、しばらく泣いていたが、しまいにムッと怒ったような顔になって、さよならとも言わずに立去って行った。


　私の話は、これでおしまいだ。

　幽霊は出ないのかって?

　そうだ、その後はあの撮影所のあのステージにベトやんの幽霊でも出てくれゝば少しは頼もしい(?)けれど、幽霊はおろか、幽霊が出ると言う噂さえ立たないのだから、ベトなんて言う人間は、よくよく屁のようにアッケ無く出来た人間だったのだろう。

　これで、アソユキがベトの後追心中でもしたとなると、チョイト、ロマンチックになるんだけど。

　それほどでは無くても、その後、アソユキが女優として名を成し、国立龍子や金本が没落したと言う事にでもなれば、話は多少面白いが、事実はそうで無く、アソユキは何も無く、龍子の家を飛び出して、そのあとI東隈の社交喫茶か何かに

出て、怪しげな商売をするようになったそうだし、今は、どこでどうしているか。金本は、案の通り何も無く映画界を去ったが、今でも重工業方面では重役業で巾を利かしているらしいし、国立龍子はあの頃から見ると人気は落ちるには落ちたが、バイプレイヤア女優として相当の羽振りで、男出入りも相変らず、ハデな生活を続けているのだから、どうも世の中は、小説みたいには行かんものらしい。

すべてなるようになるのだろう。勝手にするがよい。

そうさ、ベトやんの声だけは、私の所に残っている。彼の最後の叫び声だ。と言うのは、奴さんが足場から落ちる際に叫んだ声が、そのまゝ――つまり、ミキサアがその時びっくりしたゝめにスイッチを切らずに置いたゝめ、ソックリ、フィルムに録音されちまってた事が、ほかのフィルムと一緒に現像した後でわかり、そこの所だけを切り捨てたやつを、私がミキサアを拝みたおして貰って置いた。ホンの五十尺あるか無しの、しかもサウンド・トラックだけで絵は無しだから、変なものだけど、私にして見ればあの男の唯一のカタミだから、大事に取ってある。映画がハネて、客が帰ってしまった後、時々、こいつを機械にかけて見るが、すると、暗いエクランから、人気の無い客席一杯に、あの何とも附かない断末魔の声がグワアと吠えひろがって、その間一杯にあのベトのバケモノが笑っているような顔が見えて来る。すると、こちらの気分次第で、どうかすると、なつかしいような気がして、ヒヨッと涙が出たりする事がある。

まあ、それが、ベトの幽霊と言えば言えようか。

なんだったら、夜の十時頃、ウチの小屋に来て下されば、あのフィルムを掛けて、ベトの声を聞かせてあげてもよろしい。

26年3月号
「オール読物」

美しい手紙

(一) あいさつ

今晩は、ようこそおいで下さいました。

私は手紙の朗読をしたいと思ひます。どうぞしばらく聴いて下さい。

此の手紙は、或る女の人が、自分の夫に書き送ってやったものです。その女の人は私の友達のお友達でございまして、私も一度その友達に連れられて、お訪ねしてお目にかかった事がございます。この間、私の友達がその人の家に遊びに行った時にフトした事で手紙の下書きの帳面を見せて貰って、たいへん心を打たれて、それをソックリ自分でも写し取りたくなったので、その方が、はずかしがって嫌がるのを、無理やりに頼んで借りて来たものださうです。それを私も読ませて貰ひました。

そして、美しい手紙だと思ひました。特別に立派なと言ふのでは無いかも知れません。お聞き下さいます通り、特別に変った事や珍しい事は何一つ書いてない極く極く平凡なものでございます。この中にどんな意義が有るのか、この中からどんな意義を汲み出せばよいのか、その辺のところは私にはよくわからないのでございます。しかし、此処に書いてあることが平凡な日常の小さな事であればあるほど、繰り返し繰り返し読んでゐる間に、私はシミジミと幸福で頼もしい気持がしました。それも、その女の方が幸福で頼もしいのか、読んでゐる自分が幸福で頼もしいのか、どっちともわかりません。その人も私自身もいっしょくたにして、そんな気がするのです。

こんな事を申しますと生意気にきこへるかも知れませんけれど、一言に言ひますと、日本に生れたことの幸せをシンから感じたのでございます。そして、日本が、それから日本の兵士が、なぜに強いかと言ふことのホントのわけがわかった様な気がしました。ありがたいと思ひました。そして私のやうな者でさえもこの様な人達と同じ所で、この様な人達と同じ時に、同じ日本人の一人として、ここにこうして生きてゐるのだと言ふ自信のやうなものを持つことが出来ました。

それでこんな手紙を自分一人だけで読んでゐるのは、なんとしても残念なので、皆さんにも御披露したいと思ったのです。

　もしかしますと、私の感じ方は、なにか大げさ過ぎて見当ちがいをしてゐるかも知れません。実はやっぱり極くありふれた、どこと言って別に取柄の無い手紙かもわかりません、ただ、しかし、もしそうでありましても、これには、こしらえ事で飾り立てたり、お芝居らしく面白くしようとして持ってまわったりした所は、まるきりございません。事実ありのままの実際の手紙だけですから、どうぞ、それに免じてお許し下さいますよう、前以ておことわりいたして置きます。

　でも全部は、とても此処では読みきれませんので、この中のホンの五六通だけを読んで見ます。申すまでも無く、これを書いた御当人は、私がこんな所でこんなよけいな事をしてゐる事など夢にも御存知なく、今頃はキット、井口りばたで夜なべ仕事でもなすってゐることでしょう。この事を知ったら、或ひは怒られるかも知れません。怒られても仕方が無いと思ひます。その責任は全部この私に在ります。

　せめて御本人や此の中に出て来る人達に万一にも御迷惑をかけては相済みませんので、人の名前と土地の名だけは書き変へて置きました。

　それでは、読んで見ます。

(二)　帰宅

「おなつかしい健二郎様。静より。

　その後、出発の準備で忙しがってゐられる事と存じます。

　おとといは門の所でお別れしてから、房子様と一所にしばらくボンヤリして歩いてゐましたが、房子様がもう遅いから、これから秩父の方まで帰るのはどうしても無理だからアパートに泊って行けと何度もすすめて下さいますので、喜代子の事は気にかかりましたが、泊らせて貰ひました。しかしアパートなど言ふ所は、私は生れてはじめてなので、なんだか落ちつかず、よく眠れませんでした。ナガシなどまで部屋の中に有って、寝ながら煮たきが出来る程です。ガスも十銭入れれば十銭分だけ出るのです。なんだか便利過ぎて窮屈なような、とても変な気持でした。房子様は魚を煮て御馳走して下さいました。しかし私は、たった今別れて来たあなたの事ばかり眼の先にチラツイて、たくさんは食べられませんでした。

なんだか変でしょうが無いのです。

よく眠れなかったのは、アパートのせいではありません。房子様と二人で、と言っても、私は言葉がうまく東京言葉が話せないので、はづかしいから、私の方はたいてい黙ってゐましたけれど、今後の行く末のことや、房子様は太田さんのこと私はあなたの事や子供の事など話して、これからお互ひに力になり合って行きませう、つらい事など有った時は互ひに助け合って行きませうと誓ひました。そして二人とも泣き出してしまひました。それでよく眠れなかったのです。房子様はホントに良い方です。それに教育はおありだし、しっかりなさってゐるので感心しました。お互ひに力にならうと言っても、私はこんな教育の無い馬鹿だし、今後、私の方だけがお世話になることは、今からわかってゐます。

房子様には、あなたと太田様の縁で、ホンの三四度会ったきりですけど、ズッと昔からの友達の様に打開けられます。あんなにリハツな都会の女の方と、こんな私の様な田舎者とが、どうして気が合うのか不思議だわね。なんでも、房子様と太田様とは、なにかお家の方にめんどうな事情が有って、まだ籍も入れてなくて、房子様の方はやっぱり塚崎と言ふ姓を名乗ってゐられます。失礼なのでくわしい事は聞きませんでしたけれど、よほどめんどうな家のような話でした。それにくらべると、私などはホントに幸せな身分だと思ひました。家で農業さえしてゐれば、こうして誰に何を言はれる事も無く、ただあなたの無事でお帰りを一日千秋で待ってゐれば、それで何の苦労も無いのですからね。でも房子様は、あんなアパートで、女一人で暮しながら、そんなめんどうな苦労をした上に、チャンと事務員のつとめに出てゐらっしゃるのは、ホントに偉い方です。ツクヅク感心しました。私もこれから房子様に教はって少しは本など読むようにして、手紙ぐらいチャンと書けるやうにならないと、はづかしいとツクヅク考へました。』

――途中でございますが、この房子と言ふ人が、先程申した私の友人でございます。

『そろそろ、又、書く順序がちがってしまひました。かんじんの事は書かないで、いらぬ事ばかりをクドクド書きやがってと、又、あなた怒るんでせう。でも、心がまだ落着かないで、チャンと書けないのだから、ごめんなさいね。いよいよ出発の前にもう一度あなたには会えるか会えるかと思っていた望みが、ヤットかなって、なつかしいなつかしいあなたに一昨日会って帰って来たばかりですものね。どうか、あとさきになるのは、大目に見て許して下さい。私だって一刻も早く落着こうとはしているのですよ。

昨日は、丁度午前だけ休んで芳子様は晝からつとめに行くとの事で、私を送りかたがたアパートを一所に出て、渋谷と言ふ所で、喜代子におみやげだと言ってお菓子を買って下さいました。それからお別れして、私は池袋でチヨット時間が有りましたので、お父さんの酒の肴にミガキニシンを少しと、松代さんのガマグチ（一円六十銭）を買って、家に着いたのは夕方でした。

お父さんは井ロリのそばに坐ってボンヤリなさってゐました。コップは出ていましたが、どうしたのか、まだ飲んではいらっしゃらないので、お父さん、肴に少し買って来ましたと言ってニシンを出したら「健二郎は元気だったか」と言ふので、元気だったと言ふと、それから、黙って何か考へ考へ焼酎を飲みはじめられました。あなたが家を出かけてから、お父さんは何か調子が変って、考へ考へなさる事が多くなりました。酒を飲んでも酔って歌を歌ったりすることもすくなくなったようです。しかし、畑仕事にこれだけ精を出して下さるし、それに小西の健造爺さんは酒樽から生れたんだと言はれる位に好きなものだもの、晩に一合位の焼酎は、却って身体に薬ですからね。あなたの留居の間中、たとえどんな事があっても、これだけは欠かさないようにしようと私は決心してゐるんですよ。

喜代子は、おぢいさんの膝のわきに居ましたが、私が帰ったら、しばらくしてワーワー泣き出しました。悲しいのではなくて、うれしくて、あまったれて泣くのですよ。なんでも私の留居の間、とてもおとなしくて一度も泣いたりはしなかったそうです。それが、私の顔を見ると急に泣くのです。それでも、あまえてゐる事がわかるので私がうっちゃって夕飯の仕度をしてゐると、「母ちゃんだけ、お父ちゃんに会って来てコスイぢやねえか」と言って、私の背中にたゝきかゝって来るんですよ。おかしな子ではありませんか。でも、それほど夕ちゃんに会ひたいのかと思って、昨晩は抱いて寝てから、いぢらしくなって、つい涙が出るのを止めることが出来なかったの。それは、喜代子だか自分のことだか、どっちかわかりません。でも、私だって、いゝわね。私だって、人の前では強い女で居るのです。他人様には涙一つ見せた事はありません。あなたのおそばに寄ると弱くなるのです。ほんとうに済みません。許して下さい。もうスッカリ気持も落着いたし、今日から笑って暮します。どうか安心して軍務にシッカリとはげんで下さい。ゴタゴタと書きましたが、これから段々畑の方へ草取りに出かけますから、これで筆止めます。チョットの間もあなたの事は忘れず、シッカリ留守は守りますから、家の事は心配なく働いて下さい。

それから、一昨日はミヤコを済みません。私の身体の事まで心配していたゞくと思うと又、涙がほゝを流れます。あんな大きな包みを、なんだと思って房子様も聞いてゐましたよ。こんなミヤコなど買ったりしている所を、ほかの人に見つかりでもしたら、あなたがひやかされますから、これから、あんな心配はしないで下さい。喜代子の時だって私のお産は軽いのですから心配ないのです。それに、まだまだズット先きの事ですからね。安心していて下さい。それでもおかげでこの冬はあたたかく過せるだろうと思っています。

いよいよ出発の時は、ハガキでよいから、チョット知らせるように、お父さんがおっしゃってゐます。庭の柿の木に旗をあげて、家中にバンザイをとなえるそうです。それでは、おからだに気を附けてね。出発の時は金はかかっても寒くないように充分に仕度をしてね。くれぐれも立派な働きをして下さい。

それから、昨日村の後援会から慰問金五円いただきました。暇な時に礼状を出して置いて下さい。

二伸。和田のおぢさんに話を聞いたことでせうが、三十一日に好《よし》平さんに余りのコンニャクを掘って荷造りをして出していたゞきました。一俵、米だわらで、余りはカマスでした。（受取りを同封します。）章ちゃんに出したのは受取りの通りです。新さんにキゴを九〆五〇匁やりました。全部で六円五十銭になりました。章ちゃんにも聞いて、無理のない値だそうです。コンニャク全部が二十二円四十四銭になったわけです。お父さんが、余分の金を持ってゐると出しやすいから、貯金にしてやると言っています。要る金はいつでも下げてやるとおっしゃってゐますから、私もそう頼みました。それから一昨々日私の留守に健一郎さんが来て、十円貸してくれと言ったそうです。お父さんはあんな奴に出してやる事は無いと言っていますが、でも私はコンニャクの金の中から五円でも出してあげようと思っています。又、下《しも》の家のおばあさんにでも言ひつけられると、めんどうになりますから。お父さんと新さんで、麦まきも近い内に、まいて呉れるそうです。ではお身体に気を附けてね。あなたの無事を神かけてお祈りして居ります。おぢいさんも喜代子も変りありません。松代さんのリューマチも良いそうです。

それから、今日、さっき、自転車の税金の割もどしを一円四十一銭役場から小使さんが持って来てくれました。又、お知らせします。それでは出発のハガキを忘れないで下さいね。』

(三) 郵便屋

『そちらは寒いことでせうね。あなたの身が案じられてなりません。でもお手紙を読んで、いくらか安心しました。ロッカンシンケイツウは今年はまだ出ないんですってね。そんな寒いところで持病が出ると、ホントに困るね。私がおそばに居ると、いつもの様にタオルでむしたりサロメチールを塗ったりしてあげられるのにと思ふと、心配で私の小さい胸が痛みます。この冬はなんとかして、出ないでゐてくれるよう、神様にお祈りします。それには、タバコをあまりたくさんのみ過ぎないようにして下さい。役場の正木さんのお話では、タバコをあんまりのむと、やっぱりシンケイツウもよくないそうです。

この間送った品物は着いたそうですね。安心しました。品物は皆そまつな物ばかりですが、私の心のこめた精一杯のものですから、どうか、私の気持をわかって下さいね。ヨーカンは、少しカビが生えているかも知れませんが、でも悪くなるような事は無いそうです。太田屋では、いつも上にヌレブキンがかけてあるので、シメッタ所がかびるので、ヨーカンから出たカビでは無いから、拭いて食べるとよいそうです。大丈夫だそうですからね。あて名は、出浦の店の武八さんが書いて下さいました。それから、シャツは、あなたの行きつけの三千三店で買ひました。袖が長くてはいやだろうが、長い方があたたかでよいだらうかとサンザン迷ひました。そしたら、三千三のおかみさんが、健二郎さんなら、長い方がよいでせうと言ってくれたので、その方に決めたのです。でもあなたの事を健二郎さん健二郎さんと、まるで自分の主人の様に言ふので、私はイリイリして、しまひに少し腹が立ちましたよ。シットでは無いわよ。親切にしてくれようとしているお神さんの心持はよくわかるんです。それでも、あんまり馴れ馴れしく言ふものだから、ツイ気をまわしてしまうのよ。やっぱり、お神さんは良い人だと思います。シャツを着ながら、あなたも、あのふとった綺麗なお神さんが目に浮ぶでせう。

　こんな事書いてごめんなさいね。内は皆変りありません。防空演習も無事に済みました。村の婦人防護団はすばらしい物でしたよ。みんなモンペをはいて、バケツを持って子供は家に置くのです。一人も子供を行く者も無く、火の見の所に、集れの号令で、せいの順に列んで、色々の行事を行ひました。二日前出たのです。そして最後に加藤先生が写真をとりました。戦地の兵隊さんに送るそうです。兵隊さん達も、ひとまし、竹くの＃力が附くことでせうね。私達も留守はシッカリ守りますよ。

　家では毎日々々お手紙の来るのを待ってゐます。今度の便は、どうしたらう、もしかすると嬉しい便りではないかしらと、毎日々々十一時が打つと、庭へ出て、柿の木の所で、下の火の見の道を眺めて待ってゐます。五分ばかり待ってゐると必らず、あの松の石出の郵便屋の姿が、大きなカバンを重そうに少し前こごみに腰を曲げて、下《も》の家の水田の角を曲って此方にやって来ます。あの人は私の実家の松の石の人だし、私の娘の頃から知ってゐるので、石垣の所からヒヨッコリ首を出して、「静ちゃん、今日は来ないよ」なんて言葉をかけてくれるのです。子供の様でせう。でも郵便屋さんが通るのを見きわめてからで無いと、気がすまないのですよ。今日はまだ十時だから来ません。

待つ文の味知らざれば筆鈍る、あなたの唄のようなわけでは、けっして無いのです、悪く思はないで、文やさしいお便り下さいね。私も書ける限り書きますからね、でも私は手紙書くの下手なので、いつもあなたに送った後で、あなたに心配かけるやうな事を書いてしまったような気がして、ハッと思ひます。が後のまつりです。なんだかとても心配になってしまうのですよ。あなたから、何もかくさず、ありのまゝに書くのが一番安心するからと何度も言はれてゐるので、その通りにしてゐるのに、つい、やっぱりあなたに、よけいな心配をかけるような事を書いてしまひはしないかと気になります。

私の今のたのしみは、あなたから来るお手紙だけですよ。それをお忘れなく、一日も早く、やさしいお便り下さいね。お待ちして居ります、虫が良いと怒らないで下さいね。

昨日も郵便屋さんが「静ちゃんは、健二郎さんが行ってから、少し痩せやしないか」と言ひますから、私が黙って笑ってゐると、「へえ、心配する事、なにがあるもんけい。ノンキにやるんだ。オ一、健二郎さんの留守に恋女房の静ちゃんを痩せさせるような事があっちゃ、おら達が相済まねえかんな」と言って笑ひました。でも私が痩せたと言ふのは嘘ですよ。頭髪を近頃、キュッと引っ詰めにしてゐるものですから、チョット痩せたやうに見えるだけです。どうぞ心配なさらないようにね。近頃では喜代子までが、十一時になると、石垣の所まで出かけて行って待ってゐます。あぶないからと私がいくら言ってもききません。へえ母ちゃんだって郵便屋さん待ってるだやねえかと口答へをするんです。二人でよくそれでケンカをするんですよ。」

——御参考までにチョット説明して置きます。此の村は或る私設電車の駅から二キロばかり歩いて行った山の中にありまして、小さい川をはさんでさゝやかな盆地が開けてゐる所に戸数八十戸ばかりの此の部落があります。盆地は東が開けて西が山にさえ切られてゐますので、朝陽に明けるのは早く、夜の来るのも早い所です。たゞ見る眼には、なにごとも有りそうには思へぬ位に、気の沈む程におだやかな、水の美しい山かげでございます。大事そうに小さく綺麗に区切られた水田が、川の両側に僅かばかり拡がってゐるだけで、あとは全部傾斜になった畑地でございまして、その段々畑の彼方に一軒、此方に二軒と、家々が建ってゐます。その中の西のはずれに近く、曲りくねって続いてゐる村道が、川を離れ水車の傍を通って火の見の前を過ぎ、やがて、つま先き登りになって三丁ばかり、私達の足で、春秋の季節にはチョット汗ばむ程度に歩いて、ヒョイと左手を見ると、二間ばかりの高さの石垣があって、その上から柿の木が覗いてゐます。それが普通部落の人達から西山の新家と言はれてゐるお静さんの家です。従って道からは、かなりの高みに建ってゐるわけでして、此の家を訪ねて来る人の姿は、下手奥の村道の方から、頭・肩・胸・腰と次才に見えて来るわけでございまして、坂道を登り切ってホットして平地に立つと、そこが此の家の庭場になってゐて、そこに大きな柿の木があります。

——（語りながら、朗読者は次才に舞台の袖に寄る。同時に幕があがり、舞台には高みに建った農家と庭場と柿の木と石垣の一部。村は奥へ行くほど低くなってゐて見えず、石垣のはずれから眺められるのは、附近のあまり高くない山々。

庭場の上手をふさいでクスブリ返った粗末な農家。その母屋によろけかかる様にして、上手の袖から奥へ、カギの手に馬小舎と物置き。庭場から家に入ると右手が、直ぐ板の間になってゐて、そこに大きな井ロリが切ってある。従って井ロリばたが一番とっつきの手前になるわけで、その次ぎに順に上手の方へならんで佛壇のある室と、納戸部屋。別に座敷と言ったやうな室は無い。土間の手前の所は、夜なべの藁仕事の座。土間の奥の炊事場の辺は暗くてよく見えぬ。庭の柿の木の幹にしばりつけられて、その下半分をのぞかせてゐる大形の国旗。人の姿無し。四辺の静けさの中に、上手奥の馬小舎の方から、馬が鼻息を吹いたり足踏みをする音。……説明はズッとつづいてゐる。朗読者の立ってゐる袖の所は既に暗くなってゐて、姿は見えず、声だけ）

此の家で作ってゐる田畑は、私も詳しい正確なことは聞きませんでしたが、水田が四段余り、畑が陸穂や野菜の所を全部ひっくるめて一町歩足らず、それに草場と山が少しあるようです。水田の半分と畑の一部が小作になってゐるとかでした。ですから勿論、くらしは楽なことは無く、チョット油断してゐると、何から何まで後から追ひかけられるとの事でした。

申し遅れましたが此の家の家族は、お静さんと、御亭主の健二郎と言ふ方、つまりこれが此の家の若主人でございますが、今留居中です。それから健二郎さんのお父さんでお静さんのシウトの健造さん（六十三才）、健二郎さんの妹の松代さん（二十五才）、それにお静さんの長女の喜代子ちゃん（七才）、ほかに、健二郎さんには兄さんにあたる健一郎と言ふ人がゐるそうですが、この人は何かわけが有ってふだんは町の方に住んでゐて、たまに帰って来ても、此の家にはチョット寄るだけで、大概、お静さんが下《も》の家と言ってゐる此の家の本家、つまり此処の健造さんの兄さんの家の方に寝泊りするらしい様子でした。ですから、現在の家族は四人なわけです。

お静さんと言ふ人は、手紙の中ではかなり雄弁ですけど、実際はどっちかと言ふと口数の少ない方で、いかにもお百姓の若いおかみさんらしくキリリとした中に、いくらか身体が弱いせいか、シットリと落着いておだやかな、情の厚いそうな人柄です。自分でも痩せたとか痩せぬとか書いてゐられますが、どちらかと言へば、小ぶとりの身体つきで、顔はどこにでもある平凡な十人並みですけど、眼もとにチョットしたの有るのが、時々感情が高ぶったりすると、とても綺麗な表情になる人です。歳はたしか廿六です。長女の喜代子ちゃんと言ふ子は、――

――（朗読中に、佛間にあるらしい柱時計がユックリと十一時を打つ。それが打ってゐる間に、その当の喜代子がモンペ姿でチョコチョコと上手奥の馬小舎の横から出て来て、土間を抜けながら、片手の指を折って「五ッ六ッ、七ッ……」と口の中で勘定しつゝ、庭に出て来る。時計が十一を打ち終ったのを勘定してから、炊事場の奥の方

喜代　寄って行け！

を覗いて見て、誰も居ないらしいので安心した様子で、まじめな顔をして柿の木の方へ歩いて行き、石垣の上に立って眼をこらして、奥の道の方を見おろしてゐる。……朗読者を照してゐたスポットは既に消えて、雨。馬の音。小鳥の声。明かるい陽光）

喜代……（下の道に何か見つけたらしく、ニコニコして片手を振って呼ぶ）

よーい！　よーい！……よーい！

（奥、下の方から、それに応じて男の呼び声が次第に近づいて来る）

喜代　よーい！……

声　おいよう……

喜代　よーい！

声　おいよう……（益々近づく）

喜代　寄って行かんかえ。おらちに寄って行かんかえ！

声　（石垣の下あたりで）ハハ、お前にあっちや、かなわんなあ。

（未完）

あとがき

〈大きい車輪〉

　昭和六年、著者二十九才。

　掲載された新聞紙名不詳。


〈女ごころ〉

　昭和十三年、著者三十六才。

　雑誌「雄弁」十三年四月号に発表。題名の上に〝恋愛小説〟とあり、田代光の挿画五枚が添えられてある。


〈撮影所の幽霊〉

　昭和二十六年、著者四十九才。

　同年「オール読物」三月号に発表。


〈妙な女〉

　昭和二十七年、著者五十才。

　「別冊文芸春秋」二十七号、二十七年四月号に発表。


〈美しい手紙〉

　先生の死後見つけだされた未定稿の一つ。正確な執筆年月を知ることはできないのである。

昭和三十七年五月二十四日印刷
昭和三十七年五月二十六日発行

三好十郎著作集 第十九巻
（非売品）

著作者 三好十郎
監修者 三好きく江
発行者 三好十郎著作刊行会
代表者 大武正人
東京都大田区北千束町七七四番地
電話 東京（七一七）二三八五番
振替 東京五一七五二
印刷者 株式会社タイト印刷
東京都中央区八重洲四ノ五 梅田ビル内

限定版
210部
その内の
第 191 番

第十九回配本

三好十郎著作集

第二十巻

三好十郎著作集　第二十巻

監修　三好きく江

編集　大武正人
秋元松代
高橋昇之助
石崎一正

胎内

1、

暗い。

右手の奥のほうに一カ所かすかに明るいところがある。遠くでかみなりが鳴っている。雨もふっているらしい。それらの音が、ここにこもって、低い反響をおこしている。

…………

ながいことたってから、かすかに明るいへんの、さらに奥のあたりで人のケハイと足音。

それから、にぶいドシンという音がする。その方から、とぎれとぎれの人声。

男の声　うんと！　……（イキンでいる）ちきしよう！　この……！

女の声　どうするの？　え？　……どうなさるのよ？

男の声　うん、いや……（ドシンと音）こうして、しまるはずなんだ。ここんとこを、こうすれば……

女の声　だって、しめたりしないでも、いいじゃないの。

男の声　ふん。……この、ワクやなんかが、すこし腐っちまった、ふん。……（またドシンという音）

（声がフッととだえる……間）

男の声　（足音が近づいて、不意に間近かなところで）ここだここだ。

女の声　どこよ？　……どうすんの、そんな奥の方へ入ってって？（言いながら近づいてくる。その足音）なんにも見えやしないわ

男の声　あちこち、掘りちらしてあるからなあ、ウッカリすると、まちがえる。

女の声　ちよいとライタアつけてよ。

男の声　火をつけると外から見える。

女の声　かまわないじゃないの見えたって？

男の声　……いいよ。

女の声　だって、こわいわ。……ぜんたいこれ、なんの穴だろ？

男の声　戦争中、兵隊が掘りやがった――

女の声　兵隊が、どうしてさ？　こんな山ん中に、まさか、

バクダンなんかおっことすバカはないだろうに――？

男の声　立てこもるつもりだったんだな。本土決戦……ムダなことをしたもんさ。

女の声　くさいわ、なんかしら。（鼻をクンクンいわす）……

……ジメジメして、――

男の声　ツワモノどもの夢のあとか。

女の声　なまぐさい……ケダモノのくさったみたいな……

男の声　穴熊ぐらい、ここいらにゃいるからね、はいりこんで死んじまって、どっかで腐っているか。

女の声　イヤだあ！

男の声　（女からすがりつかれたらしい）おっとと！　それに、どんな奴が入りこんで、なにをしたか……げんに、こうして――

女の声　（男からなにかされたらしく、鼻声で）アラ！　バカ！

男の声　ふ！　人間が一番ケダモノくさい。

女の声　だってほんとに、くさいわー。出ましょう早く。（遠くで雨の音が強くなる）

男の声　うむ……また、ふってきやあがった。

女の声　あんた、前にもここに、はいったことがあるのね？、でしょう？、

男の声　……去年、いや、この春だったかな、ブラブラここいらへ来て――

女の声　あの、湯元館のおツヤさんあたりと、いっしょじゃない？、

男の声　へ！

女の声　女中さんといっても、小麦色の肌をして、ベッピンですもん一種の。こんな山ん中の女中さんにしとくのは惜しいわ。毛がすこしちぢれているとこなんぞも中年向きだな。

男の声　なんのこといってんだ？、

女の声　んだからさあ、あれなら悪くないといってんのよ。だもんだから思い出しちゃって……ホラ穴や――

男の声、じょうだんもんだ。

女の声　ホラ穴――だからそうじゃないの――ツワモノどもが夢のあと。

男の声　ヤクのかい、こんな暗いなかで？、
女の声　まるで、フフ、一人もんが停電のなかでモチでも焼いてるみたい。
男の声　ふ！
女の声　さ、行きましょうよ。こんなところでグズグズしていると、日暮れまでに、その澤下こかって温泉までつけないわよ。
男の声　なに、あと、たかが一里と半というとこだ。道はよし、二時間もありゃヘッチャラだ。
女の声　でも、こんだけの荷物があるのに、雨よ、あんた。
男の声　だからさ、やむまで——
女の声　とにかく、入口のとこに行きましょうよ。チットは明るいわ。
男の声　あのへんは、てんじょうから水がたれる。
女の声　あんまり暗くて、目がへんになっちまった。ライタア貸して。
男の声　どうすんだい？
女の声　タバコ。
男の声　まあ、いいよ。
女の声　吸いたいの。
男の声　いっときさ、がまんしろよ。
女の声　どうしてさ？、
男の声　いえさ……
女の声　どうしたの？、……どうかしたの、あんた？、
男の声　う？……
女の声　この五六日、こんだの旅行に出てからこっち、へんよ。まるで、ふだんのあんたのようじゃないわ。湯元館でも、夜おそくならなきゃ、湯へはいろうとしないし、ほかの客がなんだとか、かんだとか……どうしたのよ、ぜんたい？
男の声　フフ……
女の声　水くさいのねえ。……あんたの商売もチャンとなにしてるんだもの私。たいがい察しはついてる。
男の声　……商売か。
女の声　だって商売じゃないの。……追っかけてくるの、誰か？、

男の声　……まあ、いいやな。
女の声　小田切さんの方の関係？
男の声　……知ってるのか？
女の声　ううん、くわしいことは知らないけどさ。小田切さん、つかまったんでしょ？　センイ局収賄容疑拡大──新聞にそう書いて小田切さんの名が出てる。──そいで、それから二三日たったら、温泉めぐりに連れてってやろう……
……いくら私がボンヤリだって──
男の声　……なあに、俺あ──俺一人のことならタカが知れてるから、てめえの方から出頭してもいいぐらいだ。うすみっともねえ、きれえだ俺あ、こんなこと。だけど、こんどは、こいつ、小田切の手足になって動いてやったなあ、おもに俺だなあ、俺がなにするとズルズルと芋づる式に方々にケガニンが出る。そんで、まあ、……ま、いわば、義理だ。
女の声　……いいわよ。
男の声　……ゆんべ、おそくなってから、十號室に泊りこんだ二人づれの男と、そいから、六號に前の日から泊ってて、部屋の外へちっとも出なかった背廣の男なあ。
女の声　ちがう。あんたの気のせいよ。だって、私たちが立つ時だって、二人づれの方は、なんか笑いながら、これからお湯に入るところだったわ。あんなノンキそうに──
男の声　ゆだんをさせるんだ。
女の声　だって、そんなら、一本道だもの、振りかえればチラリとぐらい、姿が見えないはずない。
男の声　商売人だあ、そんなヘマあ、しねえよ。──やっこさんたちのやりくちを、知らねえんだ、君は。
女の声　だって、現にここにこうしていても、なんのこともないんだもの。
男の声　ふ……いやね、林の奥にでもおびきよせといて、黙らしちまうという手もあるがな。いま言った義理で手荒いことはいっさい封じられたようなもんでね。シヤクだ、そいつが。
女の声　いいじゃないの、うっちゃっといて。ライタアちよいと……だいじょうぶだったら。萬が一あんたのいうように、つけて来てるんだったら、私たちがここに入ったのも見てるわけなんだから、同じわけじゃないの。第一、ここは入口のところから見るとカギの手になっているから、ライタアの火ぐらい見えやしないわ。

男の声 ……うむ――（いいながら、ふしょうぶしょうにポケットからライタアを出す気配。やがて、カチッカチッと音がして、二三度火花を出してから、ライタアに火をつける。その光で、はじめて二人の姿と穴の内部がおぼろげに見える。――男（花岡金吾）は、したておろしの背広にうす色のスプリング・コートにソフト・からだつきこそガッシリした四十男だが、温厚な紳士風。ただ眼つきだけが、見るものの一つ一つに釘を打ちこむように鋭い。足もとに、ボストン・バッグと、手さげカバン。女（村子）はスッキリと伸びたからだに、濃いエンジ色のツーピースを着て、肩から革ひもでつるした黒エナメル塗りの革のバッグ。下におろした小型のスーツ・ケースに腰をおろし、ナイロンのストッキングをはいた脚を組んで、バッグから出して口にくわえていたシガレットを、花岡の手もとのライタアの火に持って行く。紅で光るくちびるや爪。念入りに化粧しているので、ちょいと見には二十四五にしか見えないが、成熟しきった肉感的なからだつきや、こだわりのない動作などから、すでに人生のいろいろの波をくぐって来た三十近い――もしかすると、三十をちょっとぐらい過ぎているかもしれない――ことがわかってくる。……二人とも、それまでの会話の調子から想像されていたものよりもズッと上品で高級な身なりをしている。……ライタアの弱い光で黒く、しけて、息づまるような穴の内部が見えてくる。山の横腹に掘りかけて、凹字形が六七分できた頃に打ちすてられた壕の一番奥のところ。土と岩の入れまじった黒い壁と床。デコボコの天井を不安定にささえている二三の支柱が既に折れ腐れて、にじみ出た水が傳わってヌラリと光っている。時々天井から落盤があると見えて、床の二三カ所がうず高くなっている。中央へんに小さな水たまり。四隅は暗い。壕は右手のところでカギの手に曲り、それが、ここからは見えない入口に通じているが、入口に近づくにしたがって天井からの漏水と落盤がひどく、壁はぬれそぼち、四壁はくずれ埋もって、やっと人が通れるくらいの丸い穴になっている。……花岡が入口の方向に背を向け、前こごみになって光をさえぎりながらともしたライタアの火で、二人の影が正面の壁から天井にまでユラユラと巨大に伸びて動く。そうしながら、彼は首だけをめぐらして、入口の方向をすかして見ている）

村子　……（シガレットに火をつけ、長く煙を吐きながら、あたりを見まわす）へえ、こんなところ？　……（その煙が白い炎のように天井に昇る。同時に花岡が、ピシッと音をさせてライタアを消す。あたりは再び暗くなる。……長く書いたが、二人の人間と穴の中が照らし出されたのは、ホンのタバコを吸いつける七八秒のフラッシュに近い間のことである。もっとも今度は村子の持ったシガレットの先の赤い火があるので、まったくの暗黒ではない）

村子　どんなところかと思ったら、ただの横穴を、すこしデカクしただけじゃないの。

花岡　だから……（奥――入口の方へ歩きだしている）ちょっと――（消える）

村子　どうすんの？　あんた……（しかし、もう落ちついている。そのまま、タバコを吸う。シガレットの火が大きく赤くなり、その明りで、白く柔かい虫のような指と、一文字に伸びた鼻の線の目立つ横顔が、クッキリと浮かびあがり、火が小さくなると、それが闇の中に消えてゆく。それがユックリと数回くりかえされる。……間。……天井からしたたり落ちる水の音が、かすかにポチヨン、ポチヨンとしている）

（足音がして花岡が苦笑しながら、もどって来る）

花岡　……ふ！　（村子のわきまで来て、内ポケットから銀のウイスキイの小ビンを出してラッパのみにあおる）

村子　見えやしないでしょう、だあれも？、

花岡　うむ。……ふふ！

村子　ずいぶん神経質になってんのねえ、あんたらしくもない。

花岡　おれがつかまると、どんだけ、えらいことになるか知らないから、君あそんなこといってるんだ。マゴマゴすると大臣級の連中まで、いかれる。

村子　いいじゃないのよ、みんなそんだけの甚い目を見たん

でしょうから。シシ食ったムクイだもの。
花岡　役人や政党の連中だけなら、まだいいよ、そいでも。取引き仲間にトバッチリをかけると、あとでたたられる。うるせえのは、それさ。（ウイスキイのビンを村子にわたして、シガレット・ケースを出し、シガレットを抜く）
村子　すると、なんなの、いつまでこうしてるの、あたいたち？（自分のシガレットの火を男の方へ出す）
花岡（それを取って吸いつけながら）なに、三十分もしてから出かけりゃ、大丈夫だ。
村子　いえさ、ここにいるぶんには、明日までだって……こんなか、あったかいから、なんだったら今夜一晩ここでとまることにするのも、おもしろいけどさ、私のいうのは、いつまでも、逃げて歩くといったって――
花岡　なあに、一月もたてばホトボリが――そうよ、事が事だから、さめっちまいもしまいが、その時分にゃ、どうせ事件のカッコウがだいたいハッキリするから、おれだけ追いまわすということもなくなる。
村子　だってあんた、そんな……キリのない話じゃなくって？　やだなあ。
花岡　いいじゃないか。こんだけ（とボストン・バッグをクツの先でこづいて見せ）したくはして来てる。ここらの温泉で一月や二月、どんなゼイをつくせばって、不自由はさせない。
村子　そりゃ、なんだけどさ……（白いくびを見せて、ウイスキイをのむ）……けど、それならそうと前にいってくれりゃ、そのつもりでなにして来るのに。新橋だって、ホンの三四日のつもりで、うっちゃりっぱなしで出かけて来たんだから。
花岡　あんな君、ケチな店なんぞ、ほっておくさ。なんとかするよ、ヤッコさんたちだけで。木戸とも、これで、サッパリということになって、かえって、いい。
村子　木戸のことなんか問題じゃないのよ。
花岡　そうかねえ？
村子　なにさあ？　また？
花岡　なんだ？
村子　ハッキリ別れたってこと、あんた、よっく知ってんじやない？
花岡　……まあ、いいやな。
村子　……（眼を光らせて下から男を見ていたが、やがてフンといって、再びウィスキイをグッとあおる）……よかあないわよ。……（不意に気を変えて、ニッコリして）あんたこそ、妬くんだ。
花岡　おれのは、事実をいってるまでだ。
村子　男らしくもない。なにが事実よ？　あたいと木戸が、そいじゃ、その後もなにしてるっていうの、え、あんた？、あんだけキッパリなにして話をつけたのに、……だいたい、あんな奴のことを私が今になってまで、忘れないでいると思ってんの？　そんなふうに思われちゃ私、いいえ、私、がまんがならない！　シト！
花岡　は、は！　いいじゃないか、なにも、だからって、べつに、おれがそれを怒ってるわけじゃない。話がさ。
村子　ちがうのよ！　あんたから、イヤミをいわれるのを、どうこうというんじゃないのよ、私自身の、この、自尊心の問題。そうじゃなくって、私がもしそうしたいと思えばあんたがたとえなんと言おうと、私は私のしたいようにするのよ。んだから、つまり、三角関係なんかじゃないんだ。
花岡　いいよ、わかってる。
村子　わかってないじゃないか！　私はこれでも……いいえ、そりゃゲスな女だけど、古くさい女じゃないのよ。私は私なりに、卒業しててよ。ね！　私は、あんたのオメカケじゃないのよ！　あんたが好きになったから……好きになったのよ。木戸となにしている時だって、――今になってみると、どうしてもあんな青っ白い男を自分の気もちがわからないけど、でも、その当時は、あれでやっぱり好きになったから、そうなったんだ。同じことよ。だから、けっときますけどね、またこの後、誰かほかの人が好きになりゃ、またその時で、あんたなんかにこだわったりはしない。それでいいんじゃない？、
花岡　いいさ。それでいいよ。
村子　だからさ、あんたも、それを承知でこうして私となにしてる。古くさい不自由な考えなんか――いいえ。近代

思想の、知性のといった、やかましいことじゃないのよ。婦人の自覚だあ……そんな、しちめんどくさいことは、頭が痛くなる。ノラが人形の家から飛び出したのが、どうしたの？ ふん、飛び出して、どこへ行って、どうすんの？ パン助でも稼ぐか？ 問題は、實はそこからじゃなくって？……そんなの、ごめんだ私は。ちかごろ私はそう思うのよ。せっかくこうして生まれて来たんだから、なんでもいいから、おもしろおかしく暮らさないじゃ損だ。そう思うの。そうじゃなくって？ 戦争中、木戸が出征してさ、それで、軍國の妻だなんて、良い気持になって、こいで、挺身隊になって、まっくろになって働いてさ、ヘッ！ まるで、それで、トドのつまりが、軍國主義のドロボウ戦争の手先に使われてたってことになってさ、木戸といったら、ホリヨかなんかになってて、しょびたれて戻って来て、泣きっつらかいてるんだもの。ザマあない。あんな目に逢いたかないわ、もう。なんでもいいから、一刻でも一日でも、おもしろ、おかしく暮すこと。リクツは、どうでもいいのよ。世の中には、けっきよく、強いのと弱いのがあるだけで、善い悪いということはないのよ。その時々の時勢次才で、同じことでも善いといわれたり悪いといわれたりするきりで、ホントは強い弱いがあるきりだと思うの。そうじゃなくって？

花岡　ハッハハ、すこし酔ったな君あ。

村子　いいじゃないの。そんで、木戸よりゃ、あんたの方が、まあ強かったわけ。だから――

花岡　しかしなあ、強い者にゃ強い者の味があり、弱い者にゃ弱い者の味がある。木戸を相手にして君が味わった味がおれのよりゃ弱かったことは弱かったろうが、しかし深かったかも知れん。男と女の仲なんてもなあ、鐵の棒と鐵の棒をかち合わせるのとは、ちがわあ。牛を見ているよりゃ、死にそうになったカマキリのメスオスを見てる方が、場合によってコーフンすることだってあるしなあ。木戸が弱虫であればあるだけさ、ふふ、なんじゃないか、その……

村子　スケベエ！ すぐそうだ、あんたは！ よくばってんの。

花岡　だからよ――

村子　だって、あんたが、あの人になれやしないじゃないの。花岡金吾は花岡金吾で、木戸秀男は木戸秀男、牛は牛で、カマキリはカマキリよ。牛がカマキリになりたくって、そいでいて同時に牛でもありたいのね。ヤキモチというもんです、それは？、

花岡　いやさ、俺のいうのは——

村子　カマキリがそんなにうらやましけりゃ、カマキリにしてやろうか？、すると、役であたいが、あんたを食い殺してしまってよ？、いいか？、こう！。（からだを弓のようにそらして、花岡の首に巻きつけた左腕に右手を添えてしめにかかる）

花岡　苦しいよー

村子　カマキリだあ！（しめる。しめられながら、花岡は両手をダラリとさせている。これはこの二人の間の習慣的なシバイであるらしい。同時にそれはシバイではない）

花岡　おい、おい……く、く、くるし——（手をバタバタさせる）

村子　やい！。（しめる）

花岡　も、も、もう——（不意にシバイをやめる。目を光らせて、耳をすましている）

村子　……（これも、それに気がついて、しめるのをやめる）どうしたの？、

花岡　なんか、聲がした。（入口の方をうかがっている）……

村子　……うそ！

花岡　いや（目は入口の方を鋭くうかがいながら、右手をズボンの尻のポケットにやって、そこに入れてあるものをたしかめてから、歩き出そうとして、まだ持っていた左手の、火のついたシガレットを村子に渡す）ジッとしているんだ。（入口の方へスタスタと歩き去る）

村子　（男の去った方を見送って、しばらくジッとしていたが）……ふふ。（花岡から渡されたシガレットを口にくわえて、白くふかしながら、そのへんを見まわしていたが、やがて腕にかけていたコートをバラリと開けて地面にしく。その上に横すわりに坐って、しばらく入口の方向へ耳をすましている。なんの物音もしない。……口にくわえていたシガレットを右手指に取って、その赤い火をジッと見ている。その目が闇のために誇張されて、濡れたように大きく

見える。……やがてやれに近って、膝のわきのハンド・バックを開き、なかをかきさがして、なにか小さいものを取り出し、スカートのスソをめくり、深く穿いたストッキングを、スーッとめくりおろす。一瞬、脚がなま白く光り、しかしすぐに闇の中にボケてしまう。……その時、入口の方からドロドロドロ、ドシンとにぶく重い音がしてくる。村子は、ヒョイとそちらを見る。しばらく耳をすましていてから、コロリと、コートの上に横になる。そこへ、また、入口の方からドシン、ドシンと二つばかり重い音と、更にギーイ・ギーイ・ガツン・ガツンという音。そのあとで、土や小岩のくずれるような音がドロドロと壕全体にこもってきこえる。……あと、シーンとなる。横になったままの村子が、シガレットの吸い残りを、ポイと投げ捨てる。それが、水たまりに落ちたか、ジイと音たてて消える。……そこへ、花岡がもどって来る。というよりも、花岡が手に持った棒型の懐中電燈のコウコウとした丸い光が、近づいて来る）

村子　なんだ、あんた待っていたんじゃないのよ、アカリ！

（上半身を起す）

花岡　……しめちまって来た。

村子　だいじょよぶ？

花岡　うまくできてら。

村子　いえさー

花岡　だいじょうぶだ。カンスキまで、かって来た。コンクリイでかためた戸だ。ふふ！　たとえ、奴らがなにしたところで……（いいながら動かした電燈の光が、村子の坐っているところを照らし出す。そこには地面にしいたコートの上に、ストッキングにシワをつくった女が、片手をついてまぶしそうに目をしかめて、横坐りになっている。……丸い光をとめて花岡がそれを見ている。闇の中で舌を出して唇をなめる。ながら、片手で新しいシガレットをつまみ出して、くわえ、ライタアで火をつけ、ひと吸いしてから、村子に近づいて行き、ならんでコートの上に腰をかけ、女の胸へ腕をまわす。同時にコートのヒダの中に捨てられた懐中電燈の光がスッと一瞬に小さくなり、ホタルの火のように二寸四方ぐらいの光になる）

村子　あつッ・ツ！　あつッいわよ！（いうなり、男の口からシガレットをつまみ取って、左の方の暗い隅の方へポイと投げる）

花岡　なんとかいってたっけな、おい！（さっきのつづきになっている）

村子　ふふ！　なによ？、

花岡　木戸って男が――

村子　そうそう！　まだ私のいうこと、わかんないのね？

花岡　イテ、テ！　痛え、ちきしょう！　村子、おい！　村子！　こう！、

村子　こう！（バタッと肉をなぐる音がする）……たどいから、私のいうこと聞かないと……（鼻声を出す）

花岡　だからさ……チ！

（二人のいうことは、言葉としての意味を失いかけている）

村子　……（だしぬけに、さめた声で）あら！

花岡　う？、

村子　だあれ？、　……だれなの？、（左の隅の方を覗くのぞきこむ）

花岡　どうしたんだ？、……だれもいるはずが――

村子　いるのよ！　ほら！（その左の隅の、黒い地面に落ちて、ほとんど消えそうになったシガレットを、ナマ白い指がつかんでいる）

花岡　う！（とイキをのんで、瞬間ジッとその方をうかがっていたが、やにわにコートのシワの中から懐中電燈をとりあげて、光をサッとその方へ向ける）

（その光の輪の中に、最初に見えたのは、シガレットを指につかんだ、よごれしなびた片手。それが隅の壁の下に、きたないリユックサックを枕にして、ボロを投げ出したようにペチャンとあおむけに臥ている男から突き出されていることがわかるまでに、かなり時間がかかる。それほど男のようすは、衰えはて、よごれきって、ちようど、なにか弱いけだものが死にかけているように見える。くたびれたセビロにゲートル。からだの下にカーキ色の雨ガイトウをしいている。枕のリユックサックからすこしもたげて二人の方を見ている紙のような顔。まぶ

しそうに目をパシパシさせる。……間）

花岡　だ、誰だ？、

男　……

花岡　おい！

男　……

村子　どうしたの？、誰？、

男　……（モズリと身じろぎをする）

花岡　動くな！（尻のポケットから取り出した小型のピストルが右手の中で黒く光る）

男　……（口の中でなにかいっているが、声に力がなくてボヤボヤとつぶやくように聞きとれない）……あの、いや、……タバコが……それで……

花岡　タバコ？、タバコが、どうしたと？

男　……タバコが、吸いたくて、だから……

花岡　……誰だといってるんだ！

男　……ぼくは、ただ、二三日前に、ここに、……

花岡　え？　二三日前？、どこから来たんだ？、

男　……東京……東京から、あの——

村子　どうして、そんで、こんなところにいたのよ？、なにをしていたの、こんなとこで？、どういうの？、

男　……

花岡　なんだ君あ？、なにをしてたんだここで？、

男　……

村子　なによ、あんた？、え？、

男　……いえ、ぼくは、べつに——あの、ただの人間……

村子　人間はわかってる。なんだっていってるのよ。なんというの、あんた？、

男　佐山……佐山富夫といって……

花岡　佐山、富夫。……（警戒しなければならぬ相手ではないことがわかってきて、ピストルをもとのところにおさめ、男に近づく）……すると、さっきから君あ……つまり、おれたちがここに入って来た、はなっから君あ、なにか——？、

佐山　いや、気がつかなかったんです。ねむっていたから……

村子　眠って？、……じゃ、ズッとここにいたの、あんた？、

佐山　はあ。……で、ヒョッと声がするので──
花岡　おれたちの、じや……なにを、みんな聞いたね？、
佐山　……
村子　見ていたんだわ、この人は　さっきから。んまあ！
（花岡と顔を見合わせる）
花岡　……どうしようというんだね、それで？、
佐山　え？、……いえ、ジッとしていようと思ったんだけど、タバコが吸いたくなって……。そっちでふかされると、匂いがして来て、たまらないんです。それでツイ──
花岡　いやさ、そうじゃないんだ。……（相手が拾いあげた火の消えたシガレットを、顔の前でいじくっているのを見て、ライタアに火をつけ、近づく）
佐山　……（かみつくようにして、その火でシガレットを吸いつけ、深く吸う）
花岡　……（そのようすをジッと見て）手がバカにふるえるなあ？、
佐山　……（長く煙を吐いて低くうなる）ううう。
花岡　腹がへってるのか、君あ？、
佐山　（それには返辞をせず）ああ……ありがとう。
村子　（思わず失笑）ふふ。……（花岡に）ねえ、浮浪者──みたいな──じゃない、この人？
花岡　うむ。
村子　（佐山に）そう？、　つまりさ──
佐山　まあ、そんなふうな……そうです。
村子　だけど、なによ……そうならそうと早くいってくれるもんよ、あんた！
佐山　……？、
村子　人が悪い。だまあって、あんた、そんな暗がりから、見ているなんて。
佐山　……いいですよ。（ただ、うつけたようにタバコを吸う）
村子　あんたはいいかも知れないけどさ。（花岡に流し目をくれて、クスクス笑う）
花岡　（その話には、わざと乗らないで）で、どうしようというんだい、君は？、　こんなとこに、いつまでいるんだね？、

佐山　え？……ええ、まあ――
花岡　どこかへ行く途中かね？、
佐山　いやあ……べつに――
花岡　いつまで、じや、ここに寝てるんだ？、
佐山　……そうですね――
花岡　おい！君あ、さっき、俺が――この俺という人間が、どんなふうなことをしてる者かってこと、たいがい、聞いたなあて、……（佐山だまっている）……うむ。どうだい、そいでさ、え？、花岡金吾こいってね、こんで、東京じや、チットは通った名だ。ふふ、ザマあねえ！新聞で見ないか、君あ？、
佐山　……新聞は、もう、久しく読まんから――
花岡　そうか。……ま、そいった者だ。こうなれば、そいつを知った話を、このままおっぱなしはできない。わかるね、そいつは？、君にや、すこし迷惑だが、こいで、當分は、つきあってもらわなくちや。
佐山　いいですよ、……
花岡　いいことあねえ！ヘンなことをすると、それまでだぜ。いいかね？、
佐山　……（相手の脅迫を感じない。なま白い顔の表情をすこしも動かさないで）はあ。
村子　だって、こんなとこで、食べるものも食べないでいつまでもそうしていれば、死んじまってよ？、
佐山　はあ……
花岡　佐――佐山といったなあ、君？、佐山君、腹アへったら、なんか食うか？、やろうか？、
佐山　……いいです。
村子　（花岡に）あんた、ロウソクが、まだあったわね？、
花岡　どうするんだ？、そっちのバッグの右っかわに二三本入ってるだろう。
村子　（そのバッグを開けながら）いいえ、ちょっと、トイレット。……（ロウソクをかきさがしながら）んだけど、ふ、ふ、弱ったな、どこい行きやいいんだか、こいだけのところ。
佐山　そりや……（左手で入口の方向をさして）そこを曲って二間ばかり行くと、ヘコんだとこがあります。

村子　え？　そう……ありがたいわ、そりゃ。

花岡　（村子の出した大型のロウソクにライタアから火をともしてやりながら、横目で佐山の顔をギロリと見る）……どうして、しかし、君あ、そんなことを知ってるんだ？

佐山　……（はじめてニヤリと薄笑いを浮べる）……いえ、この穴あ、ぼくが掘ったんで……

花岡　え？……君が掘った？　この穴をか？　ウソを、つけ！

佐山　でも、そうですよ。

花岡　……へんなことをいうのは、よせよ。こんだけ大きなものを、君みたいな——

佐山　……ぼく一人じゃ、ないんですけど——

村子　（火のついたロウソクを持って、行きかけた足をとめて佐山を見ていたが）……すると、なんなの、あんた兵隊だったの？

佐山　……ええ、まあ……

花岡　……なあんだ、そうか。

村子　だけど、そりゃ戦争中のこってしょう？　どうしてあんた、だのに、今ごろやって来て、……どういうの？、

佐山　……やあ、べつに——（薄笑いを浮かべて、ボンヤリ二人を見かえしている。）

2

懐中電燈のかわりに、火のともされたロウソクが三本（一本は地面に置かれたウイスキイのビンのセンの上に、一本は中央の水たまりのそばにころがっている坑木のキレハシの上に、一本は正面の壁のデコボコの中に突き出ている岩の先に立ててある）。その三本のロウソクの火にかこまれたあたりだけが、明るい。花岡がコートの上にアグラをかいて、小さいニユームのコップでウイスキイをあおりながら、なにかに突っかかるように、いきおいこんで、しゃべっている。酔っている。……村子は、コートのはじに、スーツ・ケースを枕にして横になっている。……佐山は、リユックのそばに半身を起し、両腕で膝を抱いて、死灰のように坐っている。

花岡　なあ、そうじゃないか！村のオンゴと畑のイモは、だ、かぶり振り振り子ができる！かぶり振り振りだ！いいかね？、そうじゃねえか？そうだよ！誰にしたって、戦争なんてもん、したくってしやしねえ。そうだろうじゃないか？、死ぬんだぜ、一歩まちがうと。てめえだけが相手を殺して、こんだ、てめえが殺されるのだけはゴメンだって、いくらいったって、そんな問屋はおろさねえ。なあ！。五十と五十の命のやりとりだ。誰がお前、落ちついてよく考えて見りゃ、やりてえという者があるんだい？ね！人間、みんな、こんで、平和主義だよ、もともと。したくねえとも、戦争なんてもん。そでなくってももうコリゴリだ、こないだのヤツで、そうなんだよ、したくねえ！しかしだ、したくねえしたくねえで、すましておけるかね？、そいですましておれればだ、いやさ、そいで戦争が起きなきゃ、問題ねえよ。村のオンゴと畑のイモは、だよ、そこが。ね？ふふ！いや、オンゴというのは、知ってるかね？、若い娘のことだ。かぶり振り振り……もちろん横に振るさ。イヤだ。子なんぞ持つなあイヤだ。うまいことだけはしても、その結果の子を生むのはごめんだ。へ！なあに、人間、たいがいのホントの腹は、それだ。イヤなんだ。だけど、子宮を持ってらあ。畑を持ってらあ。種を蒔きゃ、イモはできるよ自然にね。へへ！いくら、イヤだっちったって、しようねえ！まったく、しようがあるもんかい。いいかね？、俺のしゃべっているのはデタラメじゃないよ。哲學だ。そうだとも、俺だって、インテリだ。インテリだってことがあるんだ。昔アこれで労働運動だってしたことがある。社会主義がなんだ、共産主義がどうだ、ファッションがこうだ、ぐらいチャンと知ってる。酔ったまぎれのヨタじゃないんだぞ。この、人生社会――つまり世界の哲學だ。よく聞け！こっちがわにAという考えかたをしてる人間たちがいる。また、そっちがわにBという考えかたをしてる人間たちがいる。両方とも、てめえの方の考えかたが正しいと思ってる。そいで、その二つの考えかたが衝突する。すると必ず、正しいのは自分で悪いのは先方だということになる。こいつは、あたりまえだ。両方ともケンカしたくはなくっても、そこで衝突がはじまる。そんで、衝突は、しまいにケンカになるよ。見ろ、かぶり振り振り子がでけるんだ！ 畑を持ってら。子宮を持ってら。ね？ どうなるもんか！ 世界の平和を確保するために、われわれは更に強固に武装しなければならぬ！ そいつを両方でやる。両方で、ケンカをしたくないしたくないといいながら、セッセとケンカの仕度をしてるんだ。へへ！ こんなコッケイなムジュンがあるかい？……いや、誤解しちゃ困るよ、誤解はしなさんな。そいつを非難してるんじゃない。もちろん褒めてるんでもないがね、へへへ。非難も賞讃もしてない。事実さ。あるがままの事実を、あるがままに見るだけだ。わしゃ。それが人間だということをいってるんだ、あるがままの現実に立って見ているだけだ。人間そのもの、人間の存在そのものが、すでにムジュンだもんねえ。そうじゃないか！ なんのために人間が生まれて来たのか、それが善いことか悪いことか、そこいらにハッキリした目的や標準がない限りだね。すべてはムジュンするよ！ ムジュンしようがどうしようが、あるものはある。なにをしようが、いいさ。つまりだ、なにをしたらよくないか、なにをすればよいかというハッキリしたモノサシがない限り――いやいや、自分のガワだけのモノサシじゃないぜ、相手にも通用する――つまり萬人になっとくの行くモノサシだな、そいつがない限り、なにをしたっていいんだ。ないね、そんなモノサシは。ないない！ ありっこないよ、ここ當分！ そうじゃないか？ そいでいて、生きて行くだけは生きて行かなきゃならんじゃないか？ あっちの国もこっちの国も、あの人もこの人もだ、なにをしたっていいんだよ。だから。いやいや、テメエじゃ、こうしなきゃならんと思って、大きにモノサシ通りにやっていても、そのモノサシが向うさまにゃ通用しねえモノサシだから、ハタから見りゃ、テメエのエテカッテだ。つまり、なにをしてもいいってことだ。現に、みんなそうしてる。そうしなきゃ、できねえもんなあ。それが世の中の定法だもん。……知ってるよチャーンと、そいつを。人民は知っとるなあ。えらそうな奴が、いくらえらそうなことを並べ立てて見たって、そいつを世界中の人民が、腹のドン底では、けっきよくは、信用しやしないのは、そのせいだ。信用してほしけりゃ、ケンカがしたくないのならしたくないように、ケンカの仕度を一切がっさい、いっぺんに捨ててみろ、どうだい？、相手から踏み殺されるよ。踏み殺されるかもわからねえんだぞ。そら見ろ。そんで、捨てられねえんだ！ ね？ んだからモトのモクアミなんだ。だから俺あ——

村子　（目をつぶったまま）バカねえ！ なにをゴトゴト、オダあげてんのよ、酔っぱらって——

花岡　いいじゃねえか！ なあ君、こうして、すまあしてマジッとしているこの女の中でだって、こんで、しょっちう、卵子が生み出されてるんだ。なんのためだ？ 何萬匹という精虫の中のたった一匹に出会うためだ。すると、残りの何萬何千匹の精虫は、なんのためだ？ わかるもんか。わかっているのは、競争に勝つ奴と負ける奴とがあるというだけだ。負けたくなけりゃ、戦うだけさ。イクサがあるっきりだ。そうだろう？ 神さまがないとなりゃ、イクサがあるっきりだよ。人間がそんなふうにできているんだもの。はあ！ ヘッヘヘ、だから俺あ、人をふみ殺して歩くよ。ああ。ジヤマになる奴あ踏み殺して行くんだ。どうだ、えらそうに——高慢な顔しやがって——え？ なんとかいえよ！

佐山　……（弱々しく笑う）

花岡　（ほとんど狂暴に）踏み殺すぞキサマ！ おい、木戸！ やい！

村子　（ユックリと起きなおって）これは佐山さんという人じゃないの。バカねえ！

佐山　……すみませんが、タバコをもう一本もらいたいんですけどねえ……

花岡　タバ——？ （ビックリして、相手を見る）

村子　……（シガレット・ケースからタバコを一本ぬきとって、膝あるきでコートの端まで行き、半身をのりだして佐山に渡しながら）はい。この人は、ヤキモチで目がくらんでしまってるのよ。

佐山　やあ……（渡されたタバコを、ほとんど無意識に受けとりながら、うつろな目で村子のからだをマジマジと見ている）……あのう、花——？

村子　（コートの上にころがっているライタアを取って、佐山のシガレットに火をつけてやりながら）花岡。
佐山　（シガレットを長く吸いこんでから）むう。……あなたは――？
村子　あたし？。あたしは、村子。ふふ。
佐山　村――
花岡　ここにゃ、なんか、良くないガスでも詰っているんじゃないか――（頭を横に振る。フッとその視線が村子と佐山にとまる。コートのはじに、スカートのスソをみだしてグナリと立膝をした村子と、その村子を虚脱したような目で眺めている佐山とが相對している姿がある。そこには、或る種の映畫のひとこまのようなところがある。……ギクリと花岡腰をおこす。目が光っている）そ―そ、なにか……どうしたんだ？　おい！。村子！。……（立って行き）どうしたんだ？、　知ってたのか、お前たちあ？、え？、
村子　（花岡を仰いで、だるそうな声で）なにさあ？　……
花岡　この男を知ってるんか？。
村子　だから、佐山って――
花岡　前に東京で逢ったことが――
村子　なによ、あんたいってんのさ。
花岡　（佐山に目をうつして）知ってんだろ、この女を？、おい！。
佐山　……（シガレットをくわえたまま、ポカンと花岡を見上げる）
花岡　もとダンサアをしていた女だ。今じゃ新橋に洋裁の店を出さしているが、こんで、木戸――いや、これまで何人も男があった。今だって、カゲじゃどんなことをしているか、こいつの淫乱と来たら――
（フラリとからだを動かす。同時に天井のあたりで、腐った支柱がベリッと音を立てる）
村子　あら！（ギクッとして立ちあがる）地震だ。……（天井や、あたりを見まわす。バシャンとどこかで落盤の音）だいじょうぶかしら？、
花岡　なにい？、シラをきるのか？、
村子　いえさ、ほら、まだ、ゆれて――
花岡　（カッとして佐山に）シラをきると承知しねえぞ、きさま！。

佐山　……（これも天井の方を見ていたのが、花岡に目を移す）

花岡　いったらどうだ、なんとか！　おい！（佐山の唇からシガレットを叩きおとす）

佐山　知らんですよ、ぼくは……（口の中でボヤボヤといいながら、おとされて、二三歩わきに飛んだシガレットを、身をのり出して拾う）

花岡　ウソをつけ！（のばした佐山の右手首のところをガリッとクツで踏んで）知ってるんだ、きさまあ！

村子　（立って花岡をとめる）なにをいうの、あんた！　ムチヤをいうのもホドがあるわよ！

花岡　にえやに、ちきしよう！（村子からとめられて、かえってイキりたって、いきなり両手で佐山の首を攻めにかかる）しらっぱくれたって——

佐山　グッ！……（すこしばかり手をバタバタさせて相手をふせごうとするが、ひとたまりもなくしめあげられ、顔が土気色になって来る）

村子　なによ、すんのよ？　あんたッ！　離して！　死んじまうわよ！　いうから、ホントのこというから、とにかく離してよッ！

佐山　……（必死になってとめる村子のために力のチョットゆるんだ花岡の両手の下で、地めんにペチャンコにおさえつけられたまま、低い切れ切れの言葉）もっと、あの——（あとは口をモガモガさせている）

花岡　なんだと？

佐山　……もっと、しめて見て、下さい……（なんの表情もない調子）

村子　え？……（ギクンとして、佐山をのぞきこむ。びっくりして、花岡を見る）

花岡　なんだと？……（いいながら、ナメクジでも踏んづけたような顔をして村子を見かえす。両手はいつのまにか佐山の首から離している）

佐山　……ふう。（たおれたまま、しめられていた首の痛みに片手をやってなでている）

花岡　ぜんたい、おめえは、なんだ？……（言って佐山のようすを見ているうちに飛びカッとして、クツの足で佐山の肩をける）け！　キチガイめ！（更に腰のへんを三つ四つとけりつけ、つづいて首のところを、踏みにじる)やい、立って、かかって来て見ろ！

佐山　……そうなんだ。やっぱし、ここで、やられた。ウッ！。(これは首を踏まれて、思わず出た声)……ここだった。

花岡　だから、なんだってんだ？、おかしなことをいやあがって――(相手がすこしも抵抗しようとしないので気が抜け、ペッとツバを吐いて、コートの方へ行く)チエッ！

村子　(こわごわ佐山をのぞきこんでいる)……どうしたのあんた？、

佐山　……(そのまま青い顔を地めんにおしつけて、うつろな目で前の方を見たまま、起きようとしない)

(間、……花岡と村子が、その佐山の姿を見ている。……そうしているうちに、また地震)

花岡　(こんどは、これも気づいて)うん？、(村子を見それから周囲を見まわす)

村子　……(不安そうに天井を見た目を花岡に移す)ゆりかえしだわ。

花岡　え？、なんだ？、

村子　いえさ、さっきの――(言っているうちに地震はおさまったようだし、その時、佐山がムックリ起きあがったので、それに気をとられて、言葉は尻切れになる)

(佐山はユックリ起きあがって、坐ってなにか考えている。首をしめられた時に流れ出したハナシルを手のひらでふく。それから落ちているシガレットを拾いとる。が、吸おうとはしないで、指にはさんだまま、その手の別の指でヒタイをかく。……かいている間に、この男のそれまでの寝ぼけたようなところが、すこしずつはがれて行く。……花岡と村子は、相手がなにか異様なことでもはじめそうに豫期して、それに對して身がまえしていたのが、佐山のようすがあたりまえ過ぎるので、ホッとして身がまえを捨てるが、同時に、今度は逆に、そのあたりまえ過ぎる佐山にビックリしている……)

佐山　……(二人の方を見て、弱々しく微笑して、かすれた声で)こう見えても徐州一番乗りの本職だぞ。ホントからいやあ、今ごろ、こんな内地の山ん中で、穴っぽりなんぞしてる俺じゃないんだ。てめえら、ナメやがると承知しねえ。……口ぐせでね。わめきながら、シャベルでなぐりつけるんですよ。古い兵長で、三度目の召集だって……なぐりはじめると、シャベルの柄が折れるまでやるんです。蹴りたおされて踏んづけられて……すると、口からも鼻からも血が出るんです。二日に一度ずつぐらい、やられた。……（いいながら、シガレットを握ってない左の手のひらで、口と鼻を横なでにこすって、その鼻しるとヨダレのついた手を見る。血ではないので、ビックリして怯えている。……まだ時々夢を見ているような気もちになるらしい。……頭をブルンと振る）……いや、今の、この……いや、もっと、この……軍靴ですからねえ。クギがついているから、ここんとこなんぞ――（いいながら、首すじの横をなでる）すりむけて、痛いや。……（なんの感情も抑揚もなく、まるで他人のことを語るように、なげやりにヌラリクラリと話す。話の脈絡やテニヲハなども、どうでもいいらしい）毎日、今日は死ぬだろう、今日は死ぬだろと思って――死にたかったなあ――首をくくって、ぶらさがってもいいんだ。三四人、戦友に、ぶらさがった奴がいるんですよ。朝起きてみると、いなくなってる。そのうちに、山ん中のどっかで、ハナたらして、腐りかけている。良い気持だったな。ザマミロ。……ザマミロ。かんたんだ。ブランコだけは、いつなんどきだって、自由にやれるんだ。……どんなふうにだってイジメて見ろ。なぐって見ろ。食いものを食わさないで見ろ。徐州が来たって中隊長が来たって、大将が来たって――ふ！ ブランとぶらさがりゃ、もう手は出せないんだ。首をくくるのが、いつでも自分の好き自由にやれるということが、どんなにすばらしいことか、知っていますか？ 自分のイノチは自分の手の中にあるんだ。だから世界ぜんたいを手の中に持ってるんだ、つまり。ザマアみろ！ つまり、だから僕あ、そんなことしないだって、血を吐くか、なぐられてる間に息が絶えるかで、すぐにもナニするだろう……同じことじゃないか……どっちせ、死ぬにしても……自分のイノチを自分の手のひらにつかんでる……それで、まあ……とにかく、死んだ方がいいですよ。……（ニヤリとして）……やっぱり、その方がよかった。……

村子　な、なんの話、それ？、

佐山　……え？、

花岡　すると、なんだ、お前、いつごろ召集されたんだ？、こりで、なんじやないかね、もう四十ー　とにかく四十近いだろ？、

佐山　三十三です。……終戦の年の冬です。引っぱり出されたのは。肺が悪いんで、マサカと思っていたら、取られちゃったんだなあ。……そんで、まあ、戦争のことなんか、なにがなんだかわからなかったんですけどね、どうせツトメていたって、あと二三年で、からだあまいっちまうだろうし、ー　醫者がそういったんだそうです、家内に……ふ！。んで、まあ、同じことなら、とにかく、國がこんだけの戦さしているんだ、戦争に出てー　すると、遺族扶助料だってもらえるから……とても、この悲壮な気になってー　会社の友だちやなんかに送られて出かけたんですがねー　したら、いきなり、こんな山ん中の豚小屋みたいな假兵舎にたたきこまれて、穴掘りです。銃もー　剣だってくれやしない。ないんだそうですね。シャベルをー　こわれかかったシャベルを一本くれて、……おどろいちゃった。

花岡　ふ、ふー（ゲラゲラ笑いだしている）そうか、ヒヒ！。それは、おどろいたろう。へへ！。

佐山　ホントですよ。その徐州兵長ー　高田という人でしたけど、徐州一番乗りばっかりいうもんで、みんなそういっていましたー　殺してやろうと思ったことがあります。僕ら召集兵を死ぬほどなぐりつけておいて、あとでオイオイ泣くんですよ。……おれは、ホントは、おめえ、百姓だ。百姓がしてえんだ、こんちきしょう！おのしらを、いくら、なぐったって、なんのタシマエになるもんだあ。……泣くんですよ、酒に酔ったりすると。……そいつを、ぼくら、不動の姿勢で見ているんです。いつでも殺せると思ってね。ただイノチをあずけておくんだ。ドン百姓！。そうなんですよ。僕あ肺病で、今まで労働なんかしたことあないんだ。ーそれがイキナリこのー　このへん、土のように見えても、おおかた、石や岩ですからね。シャベルぐらいで、いくらこヅいて見たって、十四五人で日暮れまで、五寸も進みやしな

いんです。そんな課程がすまないというんで将校にしぼられるんです、徐州兵長が。すると、徐州さんが鬼のようにカッカとなって、ヘロヘロに、今にぶったおれそうになって掘っている俺たちのうしろから、いきなり飛びかかって、なぐる、ける……へへ！　それに、戦友どうしの愛なんて、ありゃウソですよ。あんまりひどい目に逢っていると、おたがいにケイベツし合って、憎み合うようになりますよ。人がひどい目にあうと舌あ出してよろこんでるし、ヱダンをしていると、食うものまで盗む。……僕は、からだが弱いもんだから、みんなからナブられて、いじめぬかれました。……ふ！　ノラ犬の集まっている中に、病気の犬がまぎれこんで来た。足をくわえて、ひきずりたおして、ふんづけて、キャンキャンいわすのが、おもしろいんですよ。……半年たったら、まるでガイコツのようになったんです。……しかし、もうそうなると、フヌケのようになってしまって、自分から死のうとする気もなくなりますよ。へんなもんです。……すると妙ですねえ、そうなってしまったら、ムクむんですかねえ、青ぶくれにふとりはじめるんです。その時分にはもう、手に入りさえすれば、ドロのままの生イモだって食うし、豚です――よごれて、青くふくれて、そいつがフンドシひとつのスッパダカで、血を吐きながら、ここを掘るんです。……そうだ、ここんとこに、大きな岩の頭が出ていて……（壁の一カ所を見ている）……八月十五日の朝も……（頭がいっぱいになって、言葉がとぎれてしまっている）……

花岡　だけど、あれからもう二年もたってしまっているんだぜ。君あ、なにをしていたんだ、その間？……幽霊にでもとっつかれているんじゃないか？

佐山　（遠い目つきで花岡を見る）……忘れていたんですよ。……（フッと薄笑を浮かべる）ケットに包んで来たカンヅメ、そいからクツなぞ、松本の駅でぬすまれちやって――ボンヤリしてたんですねえ。みんなとられちやった。いや帰される時の、オミヤゲの荷物……弱りきっていたんですねえ。たしかに、幽霊みたいになっていたんだ。だから、東京に帰っても――へへへ。（おかしそうに一人で笑う）

村子　……東京には、ウチがあるの、あんた？　奥さんは

？、
佐山　……子供が一人、います。ウチは丸焼けになって、家内のしんせきのうちの裏――浅草ですがね、――ほったて小屋にすんでて――
花岡　そいで、なにをしているんだい？
佐山　う？……やあ、いろんなことをしたんですよ。カツギ屋……客引き……タバコ売り……上野にもいたけど……そいから、あちこちウロウロして……ダメですね。へへ。
花岡　ウチの方は、じゃ、どうして――？
佐山　やあ……つい、いられなくなって――
村子　だって、おかみさんや子供まであるというんだから――
（なにか、自分自身のことが頭に浮かんで来ているために、この場合、不必要なくらいに熱心になり、相手の身の上に立ち入り過ぎていることに気がつかない）
佐山　おいだされたんですよ。
村子　追いだされた？、　誰に？、　その、おかみ――奥さんに？、
佐山　いや……この、とにかくいづらいもんだから。
村子　いづらいったって、あんた、だって――
佐山　せんのツトメ先はなくなってるし、なんか、かんか、やってみても、からだが弱くって――とにかく、みんなを食わして行けないんで――ここで穴っ掘りをいるうちに、からだがスッカリまいっちまいましてねえ。フラフラになって帰ってったもんだから。一日働けば二日寝てなきゃならないという――
村子　だけど、子供があるといったでしょう？、あんたのホントの子じゃないの？、
佐山　いやあ、ホントの子ですよ、久太郎。フフ、久太郎といってね。八ツになってて、いろんなことが、もう、わかるもんだから、僕をケイベツしましてね。おめえみたいな大メシクライは、出ていけ！　へへ。チヅが、いつもいうもんだから、おぼえちまって――
村子　へえ！……よくまあ、しかし――でも、子供まである、とにかく、すると、かなり永い間の奥さんでしょ？、
佐山　そりゃそうですけど……あいつにしても無理はないんですよ。僕みたいな、こんな――とにかく、ジャマですか

らねえ。僕あ、要らんのですよ。無理あないんで、……小
松原といっしょの方が、チヅは幸福ですから――
村子　――というと？、
佐山　いや、その――
花岡　よくあるヤツだ。君が召集されている間に、その小松
――その男ができちゃった。
佐山　いや、僕が戻ってからです。（アッサリして、なんの
感情もこもらぬ）
花岡　どっちにせよ、けしからんじゃないか。それで君あ、
だまって引っこんでるのかい？、
佐山　僕あ、要らんですからねえ。
村子　要らんといったって、とにかく――
佐山　いや、僕がですよ。チヅにしたって、かわいそうなん
ですから。
花岡　なあにをいってるんだか、サッパリわからんじゃない
か。君が、いくら働きがないからって、かりにもだ――
佐山　そうじゃないんですよ。この――戦争中、ここでなに
している間に、からだが、もう、しんからまいっちまった
んですねえ。残りカスみたいになっちまって――へへ。
花岡　だからさ、なおのことその細君としてみれば、この――
ああ、なにか、すると、君あ……そうかねえ。インポテン
ト――？、
佐山　そうですねえ、まあ。……（淡々としていう）
村子　え？、なに――？、……（その意味をやっとつかんで、
さすがに少し赤くなる）まあ！
花岡　へへへ！、そうかね！、そいつは――そうかあ。……
だけど、子供があるというんだから――？、
佐山　精も根も、ここで掘らされてる間に、使い果たしてし
まったんですねえ。……しかたがないんですよ。
花岡　しかしそりゃ、一時的な――なんだろう？、
佐山　そう思っていたんですけどね、僕も。ダメですね、も
う。
村子　それで家を出て、ここへ来たの？、
佐山　いやあ――家を出たのは半年前です。あちこちウロウ
ロして――急にここに来たくなったもんですから。
村子　すると、しかし、こんなところで、食べるものも食べ

なりで、いつまでも寝ていれば、死ぬほかにないんじゃない？

佐山　そうですねえ……

花岡　へ！（さきほどから、あおりつづけていたウイスキイの酔いが出て来るのと同時に、急に佐山の話が、がまんできなくなり、ほとんど憎悪に近い嫌悪で）死ぬんだなあ、そんな奴は！　サッサと死んじまった方がいいよ。向題ないじゃないか。肺病やみでインポテの食ってけないとなれば、いうことはないじゃないか。シンコクづらするのは、よせ！

佐山　……べつに、シンコクのなんのって――ただ、ここに来たら、どういうんだか、いくらでも眠れるんですよ。

花岡　ニヒリズムとかいうんだろう、ちかごろ、はやりの？

佐山　さあ、僕には、よくわかりませんねえ。

花岡　だってそうじゃないか！　そうやって、この世の苦しみは、みんな一人で背負っていますって、ツラあして、キザったらお前――

佐山　やあ、苦しかあ、べつに、ないんですよ。苦しいんだったら、まだこれで、シンコクだとかニヒリズムだとか、まだこの、あるかもしれんけど――ダメですねえ。ニヒリズムにだって僕なぞ、なれんのですよ。……そんな、シンコクになるネウチがあるんですかねえ、この世に？……イヤだなあ人間なんて。フフ、ひっついたり離れたり、だましたりだまされたり、お説教をしたりワイロを取ったり、ひっくりかえったり、またもう一度ひっくりかえって見たり、へへ、それがみんな一人のこらず、しまいにゃ、死んじまうんだからな。……どうでもいいよ。いいじゃないか、どうでも。シツチヤ、イネエヨ。へ、ヒヒ！

花岡　軽蔑してるんだな、人間なんて――？　そうだろう？

佐山　そうだなあ――といわれりゃ、そうですねえ。日本人――フンド――一人のこらず、生きてる價値はないですねえ。軽蔑ですか？……そう、ゴミだ、みんな。

花岡　じゃ、俺も軽蔑しているのかね？

佐山　……（ニヤリとして相手を見る）

花岡　ようし、じゃ、お前自身は、どうだ？　いやさ、そのお前自身は、どうなんだよ？

佐山　自分ですか？、　なっちゃいないですねえ。一番軽蔑してるでしょうね。だから、人のことも自分のことも、しようねえんだ。処置ねえですよ。

花岡　すると、ぜんたい、お前はなんだてえんだ？、　え、おい！

佐山　なにって、べつに——へへ。（意味なく笑う）

花岡　踏み殺してやるぞ、ホントに！（のんでしまったウイスキイのビンを壁の方に叩きつける。バリンと破れて飛びちるビン。佐山がビクンとして、花岡を見る。ビンが壁にあたったショックのためか、天井のどこかから小さい落盤がバタリ、チャプンと落ちる音）

村子　あら！なあに？（暗い方を見る。花岡も佐山もそちらへチョット目をやる）

花岡　なんだ？、

村子　いえさ——さっきの、地震でさ——どっか、くずれてるんじゃないかしら？

花岡　なあに。

村子　……とにかく、もう外へ出て、行きましょうよ。こんなところでグズグズしてんの、意味ない。

花岡　いいよ、まあ。ウイスキイ、もう一つ出してくれ。

村子　こんなところで、そんな飲んじまったって——

花岡　いいんだったら。まだ三本ある。（佐山に）生きて行こうとして、いろいろやってる人間だけが、生きて行きゃいいんだ。イノチを張って、火のようになって、こうしてお前——

村子　（カバンからウイスキイのビンを取りだしながら）いいじゃないの。行きずりの、なんでもない人じゃないの。ソッとして、したいようにさせときゃ、いいじゃないのよ私たちがグズグズいうことないわ。

花岡　そりゃそうだ。……ここでなあ、妙なことを君に聞かれてしまったがな、こいで、また世間に戻って行けば、普通の人間だからね。今だやこれが普通だ。（村子がカバンから出したビンを渡す。そのコップになったアルミのセンをねじ取り、コルクを歯でくわえてポンと開ける）……こうして、生きて行きたきゃ、大なり小なり、俺と似たようなことをしなきゃならん。うむ、そうだとも。そうじゃねえか、俺が昔、転向したんだってもー　フ、フ、以前ほこいでも紡績工場に働いていて、労働運動の、組合のと、おブレちゃってなあ、つまりアカだ当時の——だったことがあるんだ。一二度つかまって、転向した。そのことにしてもだ、それから、今、こうしてブロオカアしてるんだって、こいで、つまりが、てめえが大事だからだ。（アルミのコップにウイスキイをついで、カプッと飲みほす）……たのた一つしきゃない。たった一回こっきりだ。もう一度くりかえして見たくなって、ダメだ。風だねまず。サーッと吹いて来て、吹きすぎて行くんだ。アッといえば、おしまいだ。フフフ、（自分の比喩で良い気持に笑う）すなわちだな、なにが大事だといって、てめえのイノチほど大事なもなあないじゃないか。生きつづけて行くためなら、人間、どんなことをしてもいいんだ。また、どんなことでもできるわけだ。アッハハ、どうだい一杯！（コップを佐山の方へ持っていく）

佐山　やあ、僕は——

花岡　（コップを佐山の手に持たせて）いいじゃないか、飲めよ。フフ、気取るなよ。（ビンからコップにつぐ）一杯のんでから死ぬさ。それでも、いいじゃないか。私あ、とめんよ！ご自由におやんなさいだ。だから、とにかく一杯だけ飲めよ。グーッと！

佐山　……（しかたなく飲む）ウッ！クシッ！（むせる）

花岡　ハハハ、どうだい？　へへ、どうだい、もう一杯やろうか？

佐山　うう！（目を白黒させて喘ぎながら）もう、もうたくさんです。

花岡　ヒヒヒ！さあ、拝見しようか、やってくれたまい。そのへんの壁に頭を叩きつけるなりなんなり、やってみてくれ。へへ！

村子　よしなさいよ、もう。あんた酔っぱらっちゃったのよ。

花岡　なあによ！どうだい君、佐山といったね？どうだい、え？君あ、ゼニはほしくないのか？金さ？え？金がありゃ、生きて行けるぜ？よ？うまいものでも、女でもけつきよく君のその細君だって君にゼニがないから、君を追い出したんだぜ。からだのことなんぞ、大したなんじゃないさ。うまいもの食ってラクをしてりゃ、治る。よしんば治らなくたって、それならそれで、楽しみはいくらでもある。あきらめるなあ、気が早すぎらあ。金だよ要するに。どうだい？、そうだ、この、村子ー この女だって、こいで結局は、俺にゼニがあるから、こんなところまでついて来てるんだ。

村子　なにをいってんのよ、シトをバカにして！ そんな！

花岡　アッハハハ、なあに、タトエがさ。フフ、話をしてるんだ。そうだよそうだよ、わかってる。ゼニでは、すべてのものは買えんよ。愛だとかね、神さまだとか、そいったもんだ。買えん買えん、わかってるよ、そいつは。しかしこんでまた、世の中のたいがいのものはゼニで買える。こいつも真理だ、だろう？ その買えるものを一杯積み上げて見る。そいつが神さまになったり愛になったりするよ。量的変化が質的変化をひきおこす。え？、なんだっけこいつは？、まあ、いいや、なんでも。だからさ、いいじゃないか、わかってるよ。どうだい、ゼニをやろうか？ おい！ ほしくないのか？、

佐山　……ほしくないことはないんですけど——でも——

花岡　よし来た！ 取っときな、じゃ！（ボストン・バッグを引きよせてサッと開き、その中にハダカで詰めこんである一萬円のサツタバを三つばかり掴み出して、水たまりの地めんにほうり出す）ほらよ！

村子　なにをすんのよ、あんた！

花岡　いいじゃねえか！（佐山に）なあおい、それやるよ。とっとけ。……お前はおれたちが誰だってことを、すこしばかり知っちまった。俺たちがここを出ていったら、どうだお前、すぐに土地のケイサツにでもつっ走って行って、いいつけるか？ へへ、そうしたきゃ、そうして見るか？ どうだい？ なあに、金あ取っておけ。それでもって、お前の口を買収しようなんて、そんなケチッくせえ量見は持たねえ。遠慮なく取っとくさ。あと、俺のことを指さそうと指すまいと、へへ、自由にやんな。ただ、そうすればあとでどんな目に逢うか、覚悟だけはしといた方がいいかな。俺がくらいこんだって、あとに、命のいらない若いもんの五人や十人はいるからねえ。ハハ。……そんなことよ

りも、どうだ、俺の仕事をチット手つだわないか？、悪いようにゃしないよ。どうせ、お前は死ぬか、……いずれ、そういったつもりだったんだろ？　どうせ人間、だまっていても死ぬ時が来りゃ死ぬ。急いでみたって同じこった。それよりも、生きて好きなことの一つや二つやってみたらどうだ？、　え？、　俺といっしょに行かないかね？、どうだよ？、

佐山　……（ボンヤリ、サッタバの方を見ている）

花岡　二千や三千のことで、強盗や人殺しをしている人間だって、ある。みんな生きて行きたいからだよ。しかしバカさね、そんな奴は。そんなバカな、手荒いことをして、てめえで、てめえの首をしめるんだ。もうすこし要領よくだなー（頭をたたいて）つまり、これだ。こいつを働かして要領よくやれば、いくらでもおもしろいことはころがってる。そういう時代だ。……ひどく複雑なように見えるが、ひどくカンタンなのも世の中だ。どうだ、そうしないか？、

佐山　……はあ……でも……（まだサッの方を見ている）

花岡　よし、きまった、ハハ。（村子に）じゃ、そろそろ行くか。もうたいがい、いいだろう。

村子　そう？、　そいじゃ……（コートの上にちらかっているものをボストン・バッグやハンド・バッグの中に、急いで、さらいこみながら）まだ降っているかしら？　いやだなあ、雨ん中、またこんなのぶらさげて歩くの。

花岡　（わきに立っている火のともったロウソクを取り上げて、入口の方向へ歩いて行きながら）一つ二つ、この大将に持ってもらうさ。

村子　待ってよ。そんなに急いだって――

花岡　いや、チヨット、表のようすを見て来る。……（右奥へ消える。ロウソクの光だけが、そのへんの壁をチラチラ照らし出している）

村子　……（急いでストッキングを引っぱりあげながら、まだボンヤリしている佐山を横目で見て）あんたも、仕度をしたらどう？、……澤下ってとこまで、まだ相当にありそうよ。

佐山　僕あ、この……（モソモソと立ちあがる）

村子　……、行くんだったら、行きなさいよ。あんまりすすめ

もできないけど―でも、こんなところにいつまでいても、
しかたがないんじゃない？　……花岡というのは、悪党
だけど、それほど話のわからない人じゃないわ。

佐山　はあ……（そのへんを見まわしている。奥でドシン、
ドシンと音）

村子　……（その方をチョット振り返ってみてから、歩いて
来て、サツタバを拾いあげ、バタバタと泥をはたき落して、
佐山の方に寄って、それを相手の手に持たせる）取っとき
なさいよ。

佐山　……（そのサツは見ないで、近よせられた村子の、ヌ
メリと白い肌にギョッとして、顔中をしわくちゃにし、白
い歯を見せて、低くヒイというような声を出す）

村子　なにさ？

佐山　ウッ！

村子　どうしたの？

佐山　いや、匂いが、ひの……

村子　匂う？　あたし？　……（相手のようすを見ているう
ちに、ニタッとして）……どうなすって？

佐山　……（うつけたように村子の顔を見ている。奥でまた
ドシン、ガリッという音）

村子　その、あんた、奥さんのことでも思い出したんじゃな
い？

佐山　……（ノドにゲプッと音をさせる。ドス黒く見えるア
ブクが唇の隅から、すこしたれてくる）

村子　あら、どうしたの？

佐山　いや……（手のひらで、そのアブクを横にふいて）あ
のう……温泉に行くんですね？

村子　あんた、なんにも食べてないんじゃないの？　……え
え。だからさ……（佐山が、モソリとクビスを返して、自
分がもと寝ていた片隅へ行く）……食べるものあげましょ
うか？　あるわよ。

佐山　いや……（リュックをまとめにかかって、手の中のサ
ツタバに気づき、右手ではリュックの紐を持ちあげたまま、
その左手のサツを見ている。花岡のロウソクの光が、奥か
ら近づく）

村子　（コートの方へもどって、しのこしてある仕度を手早

くしながら）早くしてね。（そこへ、花岡がスタスタもどって来る）

村子　雨、まだふってる？

花岡　……（立ちどまって妙な顔をしている）

村子　やっぱり、だあれもいやあしなかったでしょう？

花岡　いや——

村子　気のせいよ、あんたの。

花岡　開かないんだよ。

村子　え？　なによ？

花岡　戸が開かない。どうも、この——

村子　戸？　入口の？　……だって、だって、さっきしめたんでしょ？

花岡　うむ。……（妙な顔をして、泥だらけの手をチラリと見せる）俺だけじゃ、開かない。地震があったな、さっき。あれで、すこし、きつくなっちまった。

村子　そうかしら？　だって、そんな——（まじめには取っていない）どれどれ……（自分も手傳う気で行きかけるが、そのままここを出て行くつもりで、スーツ・ケースの方を片手にさげ、コートを取り上げ、泥を拂って腕にかける）

花岡　……（これも、ボストン・バッグを取り上げて、佐山に）君、このカバン持って来てくれ。（スタスタと入口の方へ消える。村子もいっしょに。……佐山がモソモソとリュックの紐をしめている。……奥でドシンと音がする）

花岡の声　……そっちを、お前——（ギリッ、ギッ、ドシンと音。力を入れて、いきんでいる声）ウッ！

村子の声　こ、この！（これも力を入れてなにかを引いている）うんと！ノ、フ、ホホ！（吹き出す）

花岡の声　もっと、そっちだ？　ウッ！（ドシンと音。その音で、どこかで落盤）

村子の声　へんだわ！

花岡の声　（これもふき出して）へへへ！　笑うなよ！

村子の声　だってさ、これ——じょうだんじゃないわ！　プ！

花岡の声　フフ、フフ！　この、こんちきしょうめ！（こちらに向かって）おい！　おい君も——佐山！　佐山君！　君も加勢に来てくれ！

佐山　……（さきほどから、火のともった二本のロウソクをどうしようかとチヨット迷っていたが、壁の上の一本を手に取り、水たまりのわきのはそのままにして、入口からの花岡の声に顔をそっちに向けるが、返辞はせず、リュックの帯の片方を腕にかけて、ノソリと入口の方へ歩み出している。その方からは、ドシン・ドシンという音にまじって花岡と村子の短かい笑い声がして来る）

3、

意外なことに前景のはじめにおけるのと同じありさまで三人が坐っている。ただロウソクの立っている場所が変ったために、全體を照らし出している光線のかげんがちがっているだけ。しかし、なにかが、まったく変ってしまっている。

三人とも疲れきって、ボンヤリ、動かない。……どこかで水のたれる音。……長い間。

村子　……（ボソッと）くたびれちゃった。

花岡　うん。……（身じろぎをする。背廣をぬいで、シャツの袖をまくりあげた姿）

村子　タバコを一本、ちょうだい。

花岡　君のは？

村子　ないの、とっくに。

花岡　……（シガレット・ケースを出してやる。その手がドロドロによごれ、シャツにもあちこち泥がついている）

村子　……（ケースを受け取って、開いて一本抜きとりながら）あと四本。

花岡　手さげの中に、もう一箱入っていたはずだ。……（ライタアをこすってやるが、火花が飛ぶだけで火はつかない）……ガソリンが切れた。

村　しようがないわね……（わきの地めんに立っているロウソクに、右手とくわえたタバコを近づけて、吸いつける。その手が、やっぱり泥だらけになっており、顔にもあちこち泥がついている。着物もよごれ乱れているのが次第に見えて来る。うまそうに一吸して）……ああ。

花岡　なんてえこった。（にが笑いしながら、自分もケース

から一本ぬきとって、佐山を見る）
佐山　……（その花岡を見てから、ケースに目を移し、右手を出しかける）
花岡　……（フイと目をそらして、ケースをポケットに入れてしまう）
佐山　……（出しかけた手をそのままにして、花岡のようすをしばらく見ていたが、やがてノッソリ腰をあげる。それを見て花岡が、すこしギョッとして、身じろぎをする。……しかし佐山はフラフラと歩いて中央の水たまりのそばに行き、ニックリと膝を突き、両手を出して水をすくいかけるが、これも泥でベットリ黒くなっているので、腹ばいになって、たまり水にジカに口をつけて飲みにかかる）
花岡　……（村子のくわえているタバコの火に、自分のタバコを持って行って、吸いつける）じょうだんじゃないぜ。まったく。
村子　……（佐山の方を目顔で指して、低い声で）おやんなさいよ一本。
花岡　む？　うん。……（スパスパと、忙しそうに吸うことで、村子の言葉を黙殺して）……フフ、へへ、どういうんだい、こりゃ。
村子　いま、いく時、いったい？（腕時計をロウソクの方へかざす）あら、ガラスが飛んじゃった。
花岡　あんまりガセイに掘るからだよ。（チョッキのポケットから懐中時計を出して、見る）八時半だ。……えっと、だから――
村子　すると、夜？　ひる？
花岡　そうさ。あれから、掘りはじめて、ええと、三時間として――
村子　三時間やそこらじゃないわよ。半日ぐらい、たったような――
花岡　そんなこたあないよ。せいぜい永くても四五時間――（タバコの煙を吹き出しながら、洞窟の中を見まわす）
村子　じょうだんじゃないわ、ホントに。フフーまだ、ふってるかしら？
花岡　うむ？
村子　いえ、外は雨が、ふ――（そこまでいった瞬間に、その薄笑いのまま表情が凍りついてしまう。……やがて村子がゴックリと、人形の首が動くように顔を動かして、洞窟の内部を見まわす。その視線が、最後に、ヘビのように腹ばいになって首を伸ばして水を飲んでいる佐山の姿にとまる。両眼が、次第に大きく、まるで飛び出しでもするかのようになっている）……両が……（ガクガクと立ちあがりかけて、出しぬけに、ほとんど人間の声とは思われない叫び声をあげながら、両手で空気を引っかく）ギ、ギ、ギ、ギャーッ！（両手で自分のノドをかきむしる）た、た、た！

花岡　……（恐怖が、その顔を土気色にしている。全身が細かくふるえるのを、かろうじておさえつけている。ただ口にくわえたシガレットだけが、闇の中で白くヒク、ヒク、ヒクと動いている）

佐山　……（村子の叫び声で、水のフチでかま首をもちあげて、二人の方を振り返って見ている）

村子　ワ、ワ、ワ……（叫んだあと、腰が抜けたようにグニャリと坐りこみ、低い声を出しながら、前こごみになって、コートの上のハンド・バッグやスーツ・ケースなどの自分の持ち物を、ガタガタとふるえていうことをきかない両手で自分の胸の下にさらいこむ）

花岡　む、む――（村子といおうとするのが、歯がガチガチ鳴って、いえない。いきなり女の肩をつかむ）む、む、――お、お、おちついて――こ、こ、こ！

村子　（その花岡の手に、むしゃぶりついて）た、た、たすけて！　た、たすけて、ちょうだい！　ヒ！　たすけて！

花岡　だ、だ、だから――も、もっと、おち、おちついて――む、むら――（村子の肩を抱く。村子をおちつかせるというためよりも、腹の底からわきあがって来る自分の恐怖をおさえつけるためのようである。……抱き合った二人のからだが、まるでオコリにつかれたようにガタガタふるえている。……その間に、水を飲みおわった佐山は立ちあがって、フラフラと歩いて、自分の坐っていたところへもどって来て、二人のようすを見ながらチョットの間立ったままでいる。以前のままの調子なのは、この男だけ）

佐山　……（ユックリ腰をおろしかけるが、コートのはじの地面の上に、村子が叫んだ時にほうり出した、吸いかけのタバコが落ちているのに目をつけて、二歩ばかり進んで、それに手を出すが、途中でやめて花岡と村子へ）いいですか、これ？……（花岡と村子は、相手の意味がわからず、佐山を見る）……返辞がないので佐山はそれを拾いあげ、泥を吹き払ってから、そばのロウソクの火に持って行って吸いつけ、煙を吸いこみながら、自分の場所に行って腰をおろす。……その弱々しい極端にユックリした動作を、マジマジと見ているうちに、いつの間にか花岡のふるえがとまり、村子の発作がしずまっている）

花岡　フー、（すこし無理をして、笑って見せて）なあに――

村子　……（ガタリとして坐っている）

花岡　（佐山に）地盤のいちばんやわらかいのは、入口の左がわだって、君あいったね？、

佐山　……いや、右がわですよ、

花岡　だから、そりゃ外から、向ってだろう？、内からは左だ、だから。そうだろう？、

佐山　そうですね。今掘っていた――

花岡　まちがいないね？、……それが、しかし三人であんだけ掘って……すると、このほかに、もっと地盤のやわらかい――か、この、外までの地盤の薄いところは――思い出せねえこたあねえだろう？、

佐山　……ですから、命令でもって、めくらめっぽうに掘っただけなんだから。……だいたい、測量もなんにもしないで、いきなり山のどてっぱらをドンドン、この――

花岡　入口のユカは、たしか、外の地面と同じ――つまり水平だったなあ？、

佐山　そうですねえ。

花岡　両がわの山の斜面とは直角だったかね？、

佐山　……そうだなあ、だいたいまあ――

花岡　で、山の斜面の角度は、どれくらい？、四十五度、上だったか下だったか――？、

佐山、……崖みたいな――とにかく登れはしなかったんだから、四十五度より下ではありませんねえ。

花岡　……（目をすえて考えている。再び、追いつめられたような絶望の色がギリギリと現われて来る）……（思わず

かすれた声で）すると、やっぱり入口の戸をなんとかするより方法はない。……急にカッとして）なぜ、あんな、一、ぜんたい、なぜあんなコンクリートで固めたりしたんだ、戸を？、え？、戸だぜ？、え？、

佐山　……爆風よけだっていってましたね。その頃から時々開かなくなることがあったんですよ。それが、もう、ワクが腐っていたから一

花岡　どうしたんだ、それで、そんな時あ？、

佐山　なんです？、

花岡　その、開かなくなった時だ。

佐山　……しかたがないから、外から、戸の両わきや上の方をウンウンいって掘りくずしたですよ。

花岡　……そうか。やっぱし、それじゃ、さっきの地震で、上からくずれて来たんだ。……それで、ここのカントクー、この山のもちぬし一村か縣で、つまり、誰が管理か、管理してるんだ？、

佐山　……知りませんねえ。戦争がすんで一ただ、ほうってあるんじゃないかなあ。

花岡　き、き（がまんできなくなって来る）君あ、おい！、お前一君あ、なんじゃないか、さっきから、知ったこっちゃねえという顔ばかりしているが、どういう気だ？、

佐山　どうって、べつに僕あ一（卑屈にニヤニヤする）

花岡　わからんこたあねえだろう君にも？、まるで、一こんな、おかしなぐあいになって、……なにを君あ笑うんだ？、

佐山　笑やあしませんよ。（いいながら、まだ笑っている）……だって、あんたがたが、戸をしめたんだから一

花岡　そりや、しめたよ、俺が。しめたけど、誰がお前こんな一だからよ、……ちきしよう！。お前の、その一軽蔑か？、軽蔑するんだな？、

佐山　そんなこたあないですよ。

花岡　したきや、しろ。それで、君もいっしよに生き埋めになるんだ。そうなりたけりや、いくらでも笑っていろ。

佐山　だから、僕だって、こうして、いっしようけんめいに掘ってるじゃありませんか。

花岡　んだからよ一チッ！、とにかくお前、金は取ったん

だぜ。

佐山　金？、……（ポカンと口を開けて花岡の顔を見ていたが、やがてわれに返って、よごれた上衣のポケットからサツタバを引き出して、それを見る。どうしてそれを自分が持っているのか、またそれにどんな意味があるのか、わけがわからなくなっている）

花岡　いやさ、金はとにかくとしてだよ、とにかくお前――ここで、ヘタをすると、なんだぜ、このまま、おれたちあ――

佐山　このまま――？……（いぶかしそうな顔をして花岡を見る。つぎに村子に目を移す。村子は白い無表情な顔で佐山の方を見ている。……佐山ヒヨイと立ちあがる。ノロノロと歩きだして、七八歩右の方へ行き、立ちどまって、入口の方に目をやってから、そのへんの壁や天井を見まわす。……また更にサツタバを見る。ユックリとそれをくりかえしているうちに、目まいがして来たようすで、両手で泳ぐようなことをしていたが、全身がグニャッとなって意識を失い、ストンと前向きにたおれ、動かなくなる。……）

花岡　……（その佐山の始終の姿を、残忍なしつこさで注視していたが、たおれた佐山がピクリと動かないのを、しばらく見ていてから、歯をむき出して村子をかえりみる）……見ろ！　えらそうなことをいった奴が、いよいよとなるとこれだ。へ！（佐山が失神したのを見たことで、反射的に気がしっかりして来たらしい）

村子　……どうしたの？、

花岡　にやあに、ちかごろの、復員くずれかなんかのインテリと来たら、ダラシがねえのって――

村子　死んじまったんじや、ないでしようね？、

花岡　ヘッ！

村子　ねえ――（腰を浮かす）

花岡　いいよ！　くたばったにしたって、それでいいんだ。うっちやって置けよ。食いものが助かる。

村子　食いもの――？、

花岡　ビスケットが一袋、チーズが――まだ半分は残っていたね・半ポンドのやつが？、ええと、そいから――こんなことなら、宿屋でニギリめしでも作らしてくりやよかっ

たなあ！　―と、ウイスキイが、あと二本、だったかド
（ボストン・バッグを引きよせ、急いで口をひらいて、底に手を突っこんで、ビンを出しながら）……君んとこに、まだ菓子があったろう？

村子　……もうないわ。チュウインガムがすこしまだ残っている―

花岡　ちえっ、しようがねえなあ。しかし、まあ、ないよりはマシだ。なにかのタシにはなる。……とにかく、こんだけだ。こんだけで―

村子　そいで―？

花岡　とにかく、すこし腹あこしらえて置くか。―ちきしよう！　懐中電燈の電池は切れるし、こう暗くっちゃ、どうにも―（つとめて自分を落ちつかせるためにズックサックをまさぐってスックサ）

つぶやき、ブルブルふるえながら手元をかきさがして、カバンからチーズの包みとビスケットの袋を出し、ポケットナイフでチーズを荒く切る）……こんな野郎に―（たおれている佐山の方に目をやって）たまったもんじゃねえんだ。（ビスケット二切れにチーズをはさんだものを二つこしらえている。動物が自分の食物を隣りの動物から守って歯をむいている姿。その手元をボンヤリ見つめている村子）……たまるかい！　ちきしよう！

村子　……どうすんの、そいで？

花岡　どうするも、こうするもお前―（ビスケットの一つを村子に差し出す）さあ。

村子　……（受け取るが、別のことを考えている）私たちを追っかけて来た、その、十二番の客とさ―あんた、そういってた―あれ―？

花岡　そうなんだ、彼奴らが、この近くまでつけて来ていたら―このへんで急に俺たちが見えなくなった。へんだと思ってだな、よくよく捜して、この穴の入口を見つけて、気がついてくれりゃ―

村子　……だけど、それまで、ここの―イキが―つまり空気がもつかしら？

花岡　なんだよ？（自分のビスケットをかじる）

村子　いえさ、こんだけの廣さで、私たち、―空気の入って来るところ、どこにもないんでしょう？

花岡　（口を動かしながら、あたりを見まわす）なあに、こ

んだけありゃ。――食いなよ、君も。
村子　本職の、あの人たちが、うまく、なにしてくれるかしら？（ビスケットを口に持って行く）
花岡　わからん、そりゃ。……しかし、なんだぜ、俺がそうだといっても、ちがうといってたなあ、お前だぜ？、
村子　だって、――ホントだったんでしょう？、あんたの気のせいじゃなかったんでしょう？、ホントだったんでしょう？、ホントだったんでしょう？、え？、ホントだったんでしょう？、
花岡　だからさ――
村子　ゲエ！（吐く）
花岡　どうした？
村子　……（息が苦しくなって――ウッ！（自分で自分の首をしめつけながら出した声が妙なふうに続いて、ウワーと子供が泣くような手ばなしの泣き声になる）……なんとかしてよ。ね！助けて！苦しくなって来た！助けてちょうだい！助けてちょうだいよう！助けてちょうだいよう！ねえ！ああ、ああ、ああ！助けて――（吐いたものといっしょに水ばなが垂れて来る）
花岡　……（その女の姿を見ているうちに）ガア！（吐く。ノドからはなにも出てこない。しかしこれは、手に附いたビスケットの噛みかけを拂い捨てようと一度はするが、よして、それを見る。……それまで動かなかった佐山が、村子の泣き声でわれに返ったと見え、モズリモズリと動く。花岡と村子はそれを知らぬ。……）そんな、お前……だからさ……たまるもんけえ！ヘッ、……助けてなんて、いったって、この……いくらジタバタしたってよ、……なんだよ？……助かるもんなら、だまっていたって助かるんだ。そんなもんだ。そういうグアイにできているんだ。なあにを、お前――（手についているものを、吐気をこらえながら、なめ取って食う）グッ！（吐きそうになるのをおしころして、呑みこむ）フフ！バクチだ。バクチというものはな、負け込んで来たって、あわてることあないんだ。勝っていたからって、うれしがるにゃ、あたらねえ。大事なのは、そっから先だ。負け込んで来て、そいつを受けて立って、どう、こらえるかだあ。こらえて、こらえぬいて、

最後の最後のドタンバで、どう勝負をつけるかだ。ヒヒ！
……まだまだ、こっちのもんだよ。投げるなあ、早え。まだまだ、胴は、こっちが握ってるんだ。へへ、くそ！へ
突きあげてくる吐気とたたかいながら、手についたカスをなめる）

村子 ……（その花岡を見ているうちに、湧き起って来た激しい生理的な嫌悪が、先ほどから絶望のためにオモ変りするほどショウスイした彼女の顔を、逆に、内がわから生気づけてくる）あんたは、そいでいいかもわからないわよ！好きかってなことをして―悪いことのありったけ盡してそいで、追いかけられて、こんなところに逃げこんで来て―そんなことはなにひとこと私にはいわないどいて―うまいこと人をだまして連れ出して、こんな、こんなところに引きずりこんで―ぜんたい、どうしてくれるのよ！どうしてくれるの！あんたあ、ゴロツキだ！ゴロツキじゃないか！たかが、たかが、高級ゴロじゃないか！き、き！（吐いたものは口のはたにつけ、涙と水ばなは流れるままにして、たけり立ってくる。その自分の声で自分がけしかけられて、昂奮して来て、今は火のような憎悪に飛び出しそうな目になっている。花岡は、セセラ笑いながらそれを見ている。離れたところでは佐山が上半身をおこしてボンヤリこっちを見ている）―そうだよ！ひとかど悪党ヅラをしていたって、へん！もともと、たかがチッポケな紡績工場の外交じゃないか。それが、工場が戦争中、軍需会社になったのをいいことにして、軍部にオベッカをたれちゃ、もうけたんだ。その金で今度はまた、ヤミだ。イントク物資を取り巻いて、ウジのようにたかっているブロオカアどもの手先になってさ、役人のところへ行っちゃワイロをつかませたり、女を當てがったり―知ってるわよ、チャーンと！いくら親分ヅラしたって、たかが、ゼゲン、お茶くみ坊主じゃないか！ヘッ！

花岡 ゼゲンで悪かったなあ。へ！俺がゼゲンなら、さしづめ、お前はクサレパンパンか。

村子 そうよ、なんとでもいうがいい。私にゃおっ母さんがあるんだ。妹たちがいる。家族が六人もあるのに、あたりまえの働きをしていて、どうやって食わして行けるのさ？だあれも、したくって、オメカケなんかしてやしないんだ。

それを、これも商売だと思うから、うまいことをいってやると、いい気になって、ヤニさがって、まるでヒヒ猿みたいに、なんじゃないか――知ってますよ！私のほかに、へんな女があんたにゃ、ほかに三人もいるじゃないか！ヘッ！あんたなんかね、板橋のスカミソくさいおかみさんの尻にくらいついてて、ピヨコピヨコ子供をひり出してりゃいいんですよ。第一、織工時代から苦労させて、もう子供が四人もあるおかみさんが、気の毒じゃないの！私、シンから、そう思う！そうじゃなくって？（ホントの同情でバラバラ涙を流している）

花岡　へへへ、とんだところで同情するんだなあ？女房や子供と別れて、早くハッキリと籍を入れてくれって、ヤイヤイいってヤキモチを焼いてたなあ、誰だい？

村子　ありゃ、手だわよ。誰がシンから、あんたなんかに妬いたりするもんか。へ、金さえありゃ、どんなことでもできるかと思って、ペッ！ペッ！私のことにしたって、金で――さんざん金で釣って――

花岡　だからよ、その釣られたのは――その、金で釣られたのは、どこの誰だといってるんだ。

村子（歯をむいて）さんざん、人のこと、なにして、そいで――はじめのなんにしたって人をまるで、酒でもりつぶして酔っぱらわしといて、手ごめ同様にして――

花岡　ヘッ！

村子　憎いのッ！あたしは、あんたなんぞはじめっから憎いんだ！ちきしょう！私が、私がホントに好きなのは、木戸なんだ！ホントに愛しているのは木戸！そうよ！あんたなんぞ――あんたなんぞ――憎いんだ！

花岡　憎め憎め！へへ、そいで、どうだ？愛してるか恋してるかしらんが――その木戸とは、お前は別れ別れになっちゃって、俺といっしょに、こうしているんだ。憎んでいる俺とだ。へへ、愛だのなんだの甘っちょろいことよりゃ、憎みの方が、タシカだよ。永もちがするんだ。へへ、へへ！

村子　あ、あんたなんぞ、ヒヒ猿のケ、ケダモノだ！

花岡　わかったわかった！ヒヒ猿のケダモノだ。ところがだ。その、へへ、手ごめ同様にしたというが、されながら、誰だっけ？　デロデロになって、ウワウワいいながら、ホントは女は誰でも、こんなふうに暴力でおさえつけられたいのよ！・うれしい！・死んでしまう！・木戸なんぞ、この半分も私を愛してはくれなかった！・ウー・ヒー・ワワワ・殺してえ！・そういっちゃ目をつりあげて這いまわった人がいるんだ。

村子　そりゃ、そりゃ、――そんなこと、そりゃ、私の――カラダと心は、ちがうんだ！。バカ！・バイドク！・バイドクじゃないか、あんたは！。へん、カラダと心とはちがうのよ！。ホントは木戸を、木戸だけをなにしているんだ！。あんたなんぞ、あんたなんぞ――

花岡　カラダだけで、たくさんだよ俺あ！。おおよ、心は、じゃ木戸の方に差し上げてくれ！。どうか、たった今、心だけは木戸の方へ持ってってくれ、俺あカラダだけで、たくさんだとも。どうだい？、（村子につかみかかり、その右腕をわしづかみにする）ほら！　ここにこうしてあるんだ。俺のもんだ。だから、いいから、心だけは木戸のところへ運んで持ってってくれ。いいとも！。ちきしょ――！

（ビシリと村子の頬を打つ）

村子　ヒッ！・この、バイドク！・（左手で花岡の頭をかきむしる）

花岡　インバイめ――！（またなぐる）

村子　チ、チ！　ゴロツキ！。ゴロ！・（花岡にむしゃぶりつく。花岡それをまたなぐる。なぐった手が村子の上着にひっかかったのをグッと引くと、それがベリベリベリと破れて、肩から腕から、胸部の半分が、むきだしになってしまう）……殺してえ！・そんなに、そんなに、私が憎いんだったら、殺して――ヒーッ！。（もうなにをいっているか、自分でもわからない。二人がうなり声を出しながら、つかみ合い、むしり合う。その姿が、男女のいとなみになっていることに、当人たちは気がついていない）

花岡　キ、キ、キ！　ウム！・（村子のからだを、コートの外に突きとばし、そのたおれた女に飛びかかって行く）

村子　ウーッ！。こ、こ！。（下から、花岡の頭髪をつかみ、花岡のからだを、向うへはねころがす。その二三歩さきでは、佐山がそれを避けて、立ちあがっている）

花岡　チ！（再び、のしかかって行き、一つなぐっておいて、おりかさなって、おさえつける）

村子　た、たすけ……ウム！

（二人とも息を切らしてしまって、ひとかたまりになったまま、動かなくなる。そのかたまりの中から、むきだしになった村子の片脚の、膝から下だけが、なま白く突き出して、ヒクヒクと動く）

佐山　……（二人の姿を、上から見おろしている。それを、すぐわきの壁の上に立てられたロウソクの光が照らしだしている。……二人は動かない。あたりはシーンとして、したたり落ちる水の音。……しばらくして、バタ、バタ、パラ、パラと、どこかで落盤。……佐山がその音の方をふりかえって見てから、二人の姿に目をもどす。その顔が、毒々しい嫌悪と侮蔑と嫉妬に、しわだらけにゆがんでいる。……再びヒョッと顔を動かして、洞窟のあちこちを見まわす。四隅の暗いところから、誰かがなにか話しかけた声を聞きでもしたように。……耳をすますようにしている。水のしたたる音。……再び二人の姿に目をおとして、歯をむいて薄笑いをうかべる）フフ……（低い、ほとんど聞えないほどの嘲笑。――そのうちに一歩前へ進み、その破れ果てドロだらけになった右足のクツを、花岡と村子の顔の上に、ユックリと持ちあげる。踏み殺すにも値いしないものを踏み殺す人間の、ゴウマンな残忍さが表情と態度に現われている。……ガリッと二人の顔へ踏みおろしかける。フッとそれを宙でとめる。……足をもとへ引いて、二人を見ている。……やがて、ソロソロとシャガンで、両手をひたいのところに持って来たかと思うと、低く、アーア、という。それから、チョットだまっていてから、ウーッという）

花岡　……（ビクンとして、首をあげて佐山を見て、それから、ユックリと上半身をもちあげる。夢からさめたように）……え？、……なんだ？……どうしたんだよ？

佐山　ウー……（たよりないアカゴが泣くように、ゆるく、単調に、泣いている）

4、

穴の中の、入口に近い場所。

六尺四方ぐらいの坑道になっているが、ユカの一方が、岩くずや泥が掘り出したままに、うず高くなっているため、不規則な三角形の空間になっている。

ボストン・バックを半分に切りさいて、その中にロウソクに火をともして立て、ちょうどガンドウのようにしたものが、左隅の岩の上に置かれ、それが、この場所を照らしだしている。

右手の奥の壁は、コンクリートでたたんで、がんじような木のワクとカンヌキを渡した戸の内がわだが、ギッシリとしめられたまま、こわれくずれ泥だらけになって、わずかにところどころにコンクリートの白い肌をのぞかせている。その戸の右がわのワクに接して、水にぬれた岩の壁に、三カ所ばかり、直径二三尺の穴が掘りかけてあり、その一つの、ユカに接した一番大きい——といっても人がやっと這って入れるくらいの、そして上下左右から岩に攻められても不規則な形の——穴に、上半身をさし入れて、うなっている花岡。ドロドロによごれたサルマタだけをはいた尻と両脚が、うなり声につれて時々、突っ張ったり、横になったり、ユカのデコボコに足がかりを求めて指が地面をひっかいたりしている。岩で頭をたたきつぶされた蛇のシッポがノタリビクリと動いているのに似ている。

村子は、ボストン・バックのガンドウの光のすぐわきの岩くずの上にグッタリとたおれている。上着はなく、スカートはズタズタに破れちぎれ、シュミーズも胸のところだけを残してちぎれてなくなってしまって、ほとんど裸體に近い姿。肩や背は泥によごれている上に、一二カ所の引っかきキズから血がにじみ、なま白い腹部が苦しそうに波打っている。

花岡の脚と村子の間にガックリと腰をおろした佐山も上半身は裸體。下半身のズボンもボロボロに破れて、青い太ももまで見える。ゲッソリと無感覚な顔で、花岡の脚の動くのを見ている。——しかし、あとで花岡が穴から出てくればわかるように、三人の中では、この男がもっとも消耗していない。もっとも、それは最初からこの男が極度にしようすいしていたために、今さら目立たないためでもある。―圓錐形の光に照らし出されたこの場のありさまは、近々と、異様に平静で炭坑内の最終のキリハで、つかれ切った坑夫の先山と後山とが働いているようにも見える。

穴の奥から花岡のうなり声と、岩をなにかで引っかいているガスガスガスというひびき。

間……

村子　……（弱く、うなるような、泣くような声を出す）ウン。……悪い。……あたしが、悪い。……っ。……お母さん。

佐山　……（ユックリと首をねじまげて、村子に目を移す）

村子　花が、さいている。こっちへ向いてよ。……お母さん。……つりがね草が咲いている。つりがね草。つりがね―つり―ウム！（うなされているような鼻声を出して、その自分の声でビクンとして顔をあげる。化粧がすっかりはげ落ち、みだれた髪の毛が首のへんに垂れさがり、目だけが不釣合いに大きくなっている。エジプトの女神像にあるような、肉という肉をゲッソリとけずり落して、三角形に全く精神的になってしまった顔と、まだムッチリと豊かな胸や腹部や腰などの、ワイセツに近い曲線を露出している首から下とが、はげしい對象をなして、それぞれ別々の人間のもののように見える。……焦點が乱れてすこしスガメになった目で、あたりを見まわした末に、佐山を見つけだして、びっくりしている）……え？ どうしたの？

佐山　……？（夢からよびさまされた子供が、はじめてハッキリした好奇心でものを見るように、マジマジと女を見る。目つきや動作もはじめの頃よりも新鮮なものになっている）

村子　……どうして？

佐山　なに―？（微笑）

村子　……（相手の微笑を眺めているうちに、ハッキリと目ざめて）ああ！（と口の中でいって、周囲を見まわす）……ああ、夢を見ているのかと思った。

佐山　……そうらしいな。お母さんとか―

村子　え？

佐山　そいから、つりがね草が、咲いてる―。

村子　つりがね草？、
佐山　夢を見ていたんでしょう？、
村子　いいえ、そうじゃないの、これがそうだと思ったの。
……（動りている花岡の両脚にしばらく目をとめていてから）……こうしている、これが夢じゃないかしら？、（だるそうに起きあがる）
佐山　うん。……
村子　いつか、こんな夢を見たことがあるの、なんどもなんども。暗い中でもがいているのよ……夢の中で、これは夢じゃないかしらと思いながら。それでまた夢を見ているの。……（花岡の脚の動きを見ている目と目の間が痛くなって来て、ひたいをしわめながら）……夢だ。
佐山　……夢じゃ、ないんだ。
村子　すると……（花岡の脚から、まだ目を引き離せないで）どうで、え？、
佐山　ですから、そうなんですよ。……しかたがないんだ。
村子　ハッキリ知りたいの。
佐山　六十で死ぬとする。だいたい、すると、あと三十年ある。
村子　いえ、たいがいは、私にもわかるわ。覚悟はついている。……ついているような気がするの。しかし、ハッキリ知りたいのよ。ハッキリして、そして、なにか。それまでに考えて置かなければならんことがあるような気がするの。
佐山　三十年と、五日と、どうちがうんだ？、
村子　え、五日？、すると——？
佐山　五日と三十年と、どこが——？
村子　あと、すると——？、（いざり寄って佐山の腕をつかむ）
佐山　……（自分の内部をのぞいていた目を村子の顔に移して）う？
村子　ハッキリ知って置きたいのよ、私。
佐山　……わからんですよ、そんなこと。
村子　わからないで……それで、どうしてそんなに落ちついておれるの、あんた？、
佐山　落ちついてやしないんだ。……でも、しようがねえもん。

村子　だからさあ―。
佐山　てめえが掘った穴だし―　しようがねえもんなあ。
村子　私のいってるのは……ですから、―（花岡の脚をアゴでさして）掘りあけられるかしら？
佐山　……（その方へ目を移して）ダメだな。
村子　だって、戸の厚さが、一尺あったとしても、ナナメに曲って掘りあけるんだから三倍と見ても三尺……もうそれくらい掘ってるから……つまり、ワケからいえば、もう戸の前に出ているんだから―
佐山　んだから―それでもダメだから、ダメなんだ。
村子　だからよ、くずれて来た土が、前の方を埋めてしまっていたとしても、入口の屋根のハジから戸まで、せいぜい一間くらいだから―。
佐山　あれで、三間以上あるんだ。
村子　（目をすえている）……三間あったとしてもよ、よしんば……その、そこを掘り通せば、どうせ、くずれ落ちた土だから、固くはないから―
佐山　岩なんだ。
村子　え？
佐山　岩があるんだ。
村子　すると―上から岩が落ちて来たの？
佐山　そりゃ、わからんけど、とにかく―あんたあ、はいってみないから、―ダメですよ。
村子　……空気は、だけど？
佐山　……？
村子　それで、だけど、どうして、イキがつまらないんだろう？　これだけの空気で三人がズーッとイキをしてるんでしょう？　……すると、どっかスキマがあるんじゃないかしら？
佐山　……さあ、わからん。こんだけ捜してもわからないんだから。
村子　……ああ、私、おなかがすいた。……ハキケがする。
佐山　そうなんだ。……それから二三日すると、頭がボーッとなって、幻覚が来る。……なん度も僕あ知ってる。それから、ふくれて来るんだ。それで、おしまい。
村子　……チーズもビスケットも、もうないわね？　……

あんたのスルメは？、

佐山　もう、みんなだ。……だから、ジッとしてる方がいい。

村子　どうしようもないの、ホントに、もう？、え？、ね之？、

佐山　……（無表情）

村子　……そりで、しかし——なら、どうしてあんた掘るのよ？、

佐山　ふん。……（しばらくだまっていてから、フッと自嘲のわらい）フー！

村子　……え、じや、どうして——？、

佐山　やっぱし、逃げたいんだなあ。

村子　だって、あんたは、もともと、生きているのがイヤになって、こんなところに来て——

佐山　ウソだ。

村子　私が？、

佐山　いや、それがウソだったんだ。へ！自分で自分にウソついていた。……ボケてた。ボケて、そいで、甘ったれーていた。甘ったれて、オモチャにしていた。イノチを。オモチャは、あぶないオモチャであればあるほど、子供にはおもしろいんだ。……僕は、やっぱり、臆病な子供だったんですよ。……ちきしよう。

村子　……じや、ホントに、もう、ダメなの？、

佐山　しかし、誰にしたって、しまいには、みんな死ぬんだ。そうなんだ。

村子　切り開く望みは、ないのね、じや？、

佐山　誰が死なないだろう？、

村子　ねえ！、ホントのことをいってちようだい。ホントの、——、

佐山　ホント？、……（フッと立ちあがる）みんな、そうなんだ、しまいには。必ず、そうなるんだ。……そいつは知っている、みんな。ホントのことは——その、ホントのことを、真正面から、しかし、見る勇気は、誰にもない。……（ジロリと村子を見おろして）望みはないですよ。あと四五日で、三人とも、まいっちまう。たしかだ、そいつは。だけど、こんなところにとじこめられなくったって——世の中に安全に生きていたって、三十年か四十年たてば、あ

んたあ、キット、まちがいなく、ハンコでおしたように、チャンとなにするんだ。同じだ。どっちせ、望みはない。（歯をむいて笑おうとする。しかしその歯が、唇にへばりついて、ひきつったしかめヅラになる。そこに現われているのは、憎悪）

村子　……んだから、それなら、どうしてあんた、据るのよ、それがわかってて？、

佐山　へ！（しかめツラのまま、こっちの闇の中へ向って、目をすえている）……わかっているんだ、それは。おそかれ早かれ……それがハッキリわかっていて、それを知っているくせに、どうして生きておれるんだろう？、死？、シ？、腐るんだ、その瞬間から。死。シ。し。……（いろいろにそれを発音して自分で聞いている）……なぜ笑うんだ？、なにがおもしろいんだ？、お前が作ったんだぞ？、お前がこうして生みつけたんだぞ！

村子　どうしたの、あんた？、

佐山　（村子の言葉が耳に入っているが、それを村子の言葉としては聞いていない。しかし、言葉だけは、オウムがえしに相手の語尾を引きついで）どうしたも、こうしたも、みんな、からかわれているんだ！、茶番狂言だよ！、垂れ流しだ！　クソだ！　へ！（歯をむきだして笑う。洞穴の奥の方で、それが反響して低くへへへと答える）出て来て見ろ！。出てうせて見ろ！　ションベンひっかけてやるから！　頭からクソウひっかけてやるから！、そうじゃないか？、　お前なんて、スケベエの、カサッカキの、バイタだ！

村子　……（あらぬ方角を見てブツブツしゃべりつづけている佐山を見ているうちに、ガタガタふるえだしている。たまらなくなって、裸の腕と肩で佐山の両脚にしがみつく）どうしたのよ？　あんた！、そんなー　しっかりして！、うう。

佐山　なー？　……（その村子をウツソリと見おろしているうちに、フッとわれに返る）……なんだよ？　……どうしたんです？、

村子　（グリグリと佐山の股に、からだをこすりつけ、歯をカチカチいわせながら）いえ、あの……そんな……私……

こわい！しっかりして……お願いだから……ねえ！

佐山　僕あ、この――なんですよ？（変な顔をして身を引く）

村子　だ、だから……（しがみついて行く）

佐山　フフ！フ！（これは全く正気の笑いである）いいんだ、いいんだ。（身を引いて、村子の頭でグリグリやられた股のところに片手をやって、破れたサルマタをひっぱりおろす）

村子　……？

佐山　くすぐったい――（引っぱりおろしたサルマタが、ビリビリと破れる）

村子　（その男の肌を見てしまって）あら！

佐山　いや――（この男に残っていた羞恥心が、はじめて表に出て来て、破れて腰のまわりにさがっていたズボンのきれを、あわてて引っぱって、股を蔽う）

村子　すみません。……（その言葉も、それから同時にポッと頬を紅くしたハジライも、まるで十七八の娘のそれであって、この女から、しかもこのような場合に、全く予期することのできなかったものである。……そして二人とも、これをキッカケに頭がハッキリして来たらしい）

（……そのあいだも、花岡の下半身は、穴の中で時々動いている。……佐山と村子は互いに視線をそらしたまま……間）

佐山　フ、フ、……（正常な自嘲の笑い）

村子　……どうなすったの？

佐山　いや、どうもヘンなもんだと思いましてね。フッ、こんなところで、あんたがたと、どういうわけで、こんなことになったもんか……自分ながら、ふしぎでしようがないんだ。

村子　ほんとうに……（シンミリと涙ぐんでいる）縁というか――縁なんて、古くさいようだけど――しかし、なんかやっぱしほかに言いようがないわね。……あんた、どんな仕事なすってたの？

佐山　なあに、だからブラブラと、この……なんにもする気はしないし、また、できもしないんで――

村子　いえ、その、以前よ、召集される――？

佐山　軽金属の會社の――かなり大きな製造會社ですがね、そこの労務課……學校出てからズッと――こいでも、大學出てるんですよ。（自らを憐れむ微笑）――まじめに、やったなあ。われながら、あわれになるくらい――小心よくよく――國のため……というよりも、みんなの、この、人々のため……そういった気もちで。――働いている工員のために、……あの頃、そりゃ、ひどい待遇でこき使われていましたからね――シンケンになって、上の方の連中と、やり合った。泣いたりしてね。そのために、アカだなんていわれて、ケンペイ隊に呼び出されたり――なあに、ホントはそれほどのなんじゃなかったんだけど――學生時代にすこしかじった、この、社会主義がかった考え方がズーッと残っていたんだな。……だから、戦争はイヤだった。イヤだったけど、ああなって来れば、どうしようもないんだ。せめて、働いている連中のために、自分にできるだけのことをしよう――そんな気もち。……そうでしたよ。いっそ、徹底すりゃ、よかったんです。自分の気もちを、もっと突きつめて――もっとも、そうすりゃ、牢屋か殺されたか、――そいでも、行くべきだったんだ、そこまで。自分の考えを忠実に突きつめて行ってたら。……勇気がなかった、そいだけの。……そして、そのためですよ、今こんなふうになっちまったのが。ザマあねえ。自業自得で、誰をうらむこともないんだ。

村子　だって、復員したら、その會社に、どうして戻れない――？

佐山　あとかたもなく消えてなくなってるんだ。工場のあったところは草ぼうぼう、本社の建物はキャバレーになってる。笑っちゃったなあ。

村子　……まったく、この三四年、なにもかも変っちゃった。

佐山　変ったなあ、いいんだ。……人が死んだのも、しかたがない。元も子も、みんななくして、乞食みたいに、四等国が八等国になったのも、それでいいんだ。もともと、そうだったんだろうから。やりきれないのは、どいつもこいつも、戦争したなあ俺じゃないといったツラしはじめた。そいでカゲでは、乞食みたいな、ヤリテババみたいな、タイコもちみたいな、インバイみたい――じゃない、インバイになって——フフ！・そうなんだ。どいつもこいつも、ツラあ見てると、死んじまえ！　腹の底から、この——ケイベツ——軽蔑ですよ。僕あ、あれ以来、一人として、軽蔑以外の気持で、人を眺めたことがないんですよ。……そいでね、こうやってみんなを軽蔑している自分が、これでやっぱり日本人で、そして、實は、まっさきに、一番、軽蔑すべき虫ケラなんだ。そいつを俺が知ってるってことなんだ！・そこんとこなんだ！・そこんとこなんですよ！・ヒヒ！・トタンに、なにを考えるのも、なにをするのもイヤアになっちまった。

村子　……わかるわ。……いえ、すこしは、私にもわかるような気がする。私なんかも、いわれて見ると、それかもわかんない。戦争中まで、あんなカタギな気持の、それこそ世の中のことも男のこともまるで知らないようななにが、こんなふうになっちまった——まるで、そのわけが自分にもよくわからないくらい。ひどいの、変りようが。ふしぎで、しようがない。のが、やっぱし、それに似たようなカゲンかも知れないわね。……いえ、死んでった人は、まだいいの。自分で自分を軽蔑しないで命を終ることができたんだから。人がたくさん死ぬから、戦争はザンコクだと普通いっているけど——それはそうにや違いないけれど——もっとザンコクなことは、あんだけの戦争が終った後になっても、人間が生きて行かなくちゃならないということかも知れない。……その、あんたの奥さんにしても、ホントは、やっぱりあんたを一番なにしているんじゃないかしら、もしかすると？

佐山　軽蔑していますよ、へへ！

村子　いいえ、實は、その反對じゃないかしらというのよ。つまり……あんたのことを一番、もしかすると？

佐山　じよ、じよ、じようだん——（ふきだしている）そ、そ、へへ、枕元で、おれの枕元で、ほかの男とちちくり合うんだぜえ？　じよ、じようだんいっちや——

村子　だって、はじめは、なんでしよう、お互いに好き合っていっしよになったんでしよ？

佐山　そりやまあそうだけど、女なんて、君——

村子　動物だわ、そりや。男が動物であるのと同じようにね。

……だけど、私は思うの。女でも男でも、相手を愛する愛しかたに、そりゃ、いろいろあると思うの。ここに、こんなところに、こんなことになってしまってから、實は私、今まで軽蔑しきっていた木戸を――そういうこともあるのよ。いいえ、私とあんたの奥さんの場合とはちがうかもわかんないけど――。いろんなことがあるのよ、人間が歩いて行ってると。ホント。……一歩々々は、ただなんの気もなく歩いてる。道がどんなふうに曲ってるか、あがってるか、くだってるか、それには気がつかないの。ヒョイと立ちどまって、うしろを振返って見ると、知らぬ間に、とんでもないところに来ているの。はるかにも、来つるものかな。……目がまわるみたい。現に、あなた自身が、戦争前から見ると、まるで変ったといってるんじゃないの？　そうなのよ。あんたの奥さんにしたって、私――

佐山　君は、チヅのことをダシに使って、チヅをベンゴすることでもって、君自身をベンゴしているだけさ。チヅも君も――いや、君のことはどうでもいいさ――豚さ。メスぶた！　からだの一部分を時々くすぐってもらえないと、たちまちブウブウいうんだ。

村子　ちがう！　ちがいます！　私、ここにこうなってから、それに気がついたの！　ちがうのよ、それは。そりゃ、からだは――からだよ。寂しくなるの、すぐに。からだはバカなのよ。フーテンなのよ。ダマされる。もっと、からだ以上の、もっと深い、もっとシミジミと深い――私にはなんといったらよいか、いえないの――いえないんだけどたしかにあるのよ！　からだ以上の、もっと深い深い愛情――愛というものは、ある！　気がついたの私、それに。

佐山　ヒヒ！

村子　わからんかなあ、あんたには！　いや、私にしたって・こうならなきゃ、わからなかった。それは、たしかにあるの！

佐山　人間にゃカラダしきゃないよ！

村子　ちがうといったら！　これが、わかんないのかしら？　あるのよ、それは！　見せたげたい、この、この私の胸を、まっ二つに裂いて、裂けるものなら裂いて、見せたげるんだけど！　あんたの奥さんにしたって――

佐山　見ろよ、その、胸を―つまりカラダを裂かなきゃならんのだ、そいつを見せるんだって。裂いて見ろ。そこには、ただ血だらけの、なまぐさいゾウフ―胃袋や子宮なんぞが、ヒョータンの形をしたりラッパの形をしたりしてころがっているだけだ。

村子　カラダと、だから、そのこととが、べつべつに、別れ別れになってしまって――どうしてだか、べつべつになってしまうことがあるのよ！　それが、いっしょになっている人、いっしよになしておれる人は、よっぽどのしあわせな人だわ。でなきゃ、よっぽど強い人。強いのも、まるで、人間でないくらいに強い人だわ。たいがいの人は、別別になっちまう。人間、ふしあわせな、ひどい目にあうと、たいがいみんな弱いから、苦しいから、それが割れてしまう。別別にしてしまわないと、自分が苦しくってがまんができなくなるから、しかたなしに、割れちまうのよ。弱さのため。それは、弱さのためだわ。悪いからじゃないの。私には、うまくいえないけど―あんたの奥さんにしたって―

佐山　ふ！　おれが、おれのカラダがダメになって―そいで、おれにツバを吐きかけたのは、お前だ！（目の前の村子が、この男の白熱した心と目に、妻に見えて来ている。しかし、これは、以前の痴呆状態からの錯誤とは全くちがって、集中から来るエネルギッシュな倒錯である）……女は豚だ！　お前はメス豚だ！　マタを上にして、ひっくり返っているメス豚だ！　へ！　そいで、おれは、役立たずの、腰抜けの、モウロクだ！　ヒヒヒ！　にやあに、へへ、オスの種豚が一匹いさえすりゃ、お前なんぞ、なんにも要りやしねえんだあッ！（泥だらけの手で村子の裸の肩をわしづかみにする）

村子　なによするのよッ！　バカ！　だって、しかたがないじゃないのよッ！　私のせいじゃないじゃないか！　誰だって、人間そんなふうにできているんじゃないかッ！

佐山　なにを、豚め！　ちきしょうッ！（村子の頬をなぐる）

村子　バカ！　バカッ！　木戸のバカッ！（これも倒錯に陥って、わめきながら、両手で佐山の頭をかきむしる）い、い、いくらいっても、わからない！　こんだけ私が、あんたのこと、愛しているのが、わからないの！　わからなきや、どんなふうにでもしておくれ！　殺してくれッ！

佐山　ようしッ！　バイタめ！（両手を村子の肩にかけて、のしかかって行く。村子は手足をバタバタさせて、いくらかそれに抵抗するが、衰弱し倒錯した肉體と心理から来る被征服の快感の中にグッタリしはじめる）この！　お前なんぞ――ち！

村子（弱り果てて、すすり泣くような甘い小さい声で）木戸！　ゆるして！　あたしが悪い。木戸！　あんたを、私愛してるの――

佐山　ち、ち、ち！……（これも低い唸り声だけになり、村子のからだの上にのしかかって行く）

花岡　フ、フフ、フフフ！（低い笑い声）

（佐山がビクッとして、首だけをねじ向けてその方を見ると、それまでガンドウの明りが夢中になった佐山と村子にさえぎられて暗かった穴の入口のところに、花岡がいつのまにか這い出して来て、壁に背をもたせてグッタリと坐りこんで、ひきつるような顔で笑っている。ボロボロになったシャツに、泥だらけのズボン。餓鬼のように衰弱している上に、長い時間、せまい穴の中で腹ばいになって岩をこづいていた疲れのため、からだを支えていられないくらいになっている。口をモグモグさせながらシラリシラリと笑うのが、死にかけた病犬がセキをしているようである。……その姿を見守っている佐山も、それに對して反応を示して立ちあがったりする體力が急には出て来ない。村子は、押しふせられた時の姿勢のままペタンとして動けないでいる……間）

花岡　フフ！……遠慮はいらねえ。へ！……それよそれよ。……やんなよ。（息もたえだえな嘲笑）

佐山　……なに？

花岡　え、遠慮はいらねえや。……へ、なにができるんだ、フヌケ。

佐山　……なにを食っているんだ？

花岡　やってみろ、インポテ！　フ、へ！（胸のポケットからビスケットのカケラを出して口に入れる）

佐山　……（片手をのばして）俺にも、くれ。

花岡　う？

佐山　食わしてくれ。
花岡　う？、（自分の胸のあたりを見まわして）……なんだ
？、
佐山　すこし、くれ、俺にも。
花岡　ねえよ、もう。（噛みながらセセラ笑う）
佐山　頼むから――
花岡　こりゃ、俺んだ。
佐山　……だけど、俺が持っていたスルメ、君たちにも、やったじゃないか。
花岡　……んだけど、こりゃ、――俺あ穴あ掘ってんだからな。働いてりゃ、腹あ、へるんだ。食いたきゃ、君も掘れ。
佐山　……だが、いくら掘ったって、望みはないんだ。岩にぶちあたってる。……ほかに土んとこ探すなり――いや、もう、そんなところはないんだから、とにかく――
花岡　食いたきゃ、お前も掘れ。
佐山　……掘る。掘るから、くれよ。
花岡　あとだよ。掘った後で、やる。
佐山　……お前が掘る前に、俺も掘ったじゃないか。二時間――いや、もっと掘ったんだから――
花岡　へ！、俺んだ、これは。
佐山　だからさ――（壁によりかかって、嘲笑している花岡を見ているうちに、その相手の悪意が、どんなにシタデに出て頼んでみても、とうてい、こちらのいうことを聞き入れてくれるような程度をはるかに越したものであることがわかって、同時に、猛然たる怒りが、彼のからだをムックりもちあげる）……こうなったら、俺のものも人のものもあるか！。……（フラフラしながら、花岡の方へ）
花岡　……野郎、……来るか？、（歯をむいて身がまえる）
佐山　出せ！
花岡　にゃあにを、いってやがる！、てめえみたいな、くたばりぞこないのクソインテリに、おどかされて――
佐山　食いものは、この三人の、みんなのもんだ。等分に分けて食うんだ。（花岡の片腕をつかむ）
花岡　ええい！（とそれを振りもぎって）てめえたちゃ、早く、くたばれ！、俺あ、助かって見せるんだ。へッ、これしきのことに、花岡の金吾が、へへ！

佐山　ち！（いきなり泥グツをあげて、歯をむいてわめいている花岡の顔を、ガッと壁に向って踏みつける）きさまこそ、くたばれ！きさまみたいな闇のブロオカアの毒虫あ、死んだ方がいいんだ！

花岡　ウッ！……（口の中から流れ出した血を、舌を出してペロリとなめて）やりやがったな！ようし、おぼえていろ、子分どもが、どうするか！ササラのようになってから、ホエヅラかくなよ！

佐山　ハ！子分だ？　どこにどうなっていると思っているんだ？　子分がいるなら、つれて来て見ろい！ハ！そとの世間にいりゃこそ、お前は強いかもしれねえ――こないだは、よく俺を踏んづけたりしたなあ。しかし、もう、――こうなりゃ、もう――俺あ、こん中で戦争中、血みどろになって――あんだけ、ひでえ目に逢いながら、生きのびた人間だ。見そこなうと、お前の損だ。おとなしく出せ。

花岡　いやだ！

佐山　……出さねえと、踏み殺すぞ！

花岡　け、け、け！にやあにを、インポテッ！（いうなり、力をふりしぼって、右足をあげて佐山の腰を蹴あげる）

佐山　ウッ！（叫んで、たおれる。が、すぐにはね起きて、飛びかかって来た花岡とガッキと組む。しかし、双方ともからだが弱りきっているので、本人たちが殺気立っているほどにはテキパキした動作にならぬ。唸りながら、互いに肩に噛みついたり、口の中に指を突っこんだり、高速撮影の映画じみたノロノロした動作で、上になり下になりしてフラフラになってやり合うのが、死にかけた獣どうしの闘争に似ている）

（二人がいい争いはじめた頃から、モズリモズリとからだを動かして、起きあがろうとしていた村子が、やっと顔をあげ、つぎに上半身を起している。二人の組打ちをとめるために、からだを引きずるようにして、その方へ這って行きかける）

花岡　インポテッ！野郎！（佐山の方が優勢で、花岡は組みしかれて唸る。唸りながら、佐山の膝にガブリとかみつく）

村子　よしてッ！もう、あのー助けて！助けて、ちようだい！（いっしょうけんめいに叫ぶが、声が弱り、かれてしまって、低い声しか出ない。後は口の中でいいながら、うつぶせにたおれる）

佐山　ちきー　こ、こー！（上から、花岡の顔や胸をビシッ、ビシッとなぐる。目のわきから血が吹き出している）ッ、ッ、ッ！　このー（膝にかみついて離さない花岡。その顔を更になぐりつける）ちきしょうッ！　この！

村子　……助けてー（組み合わせた両手を、うつぶせになった顔のところに持って来て、二人に向かって祈るようにするが、もう声が出ない）

5

春がきた
春がきた
どこにきた
山にきた
里にきた
野にもきた

（暗い中で、幼女のようなあどけない歌いかたで、低い女声が歌う。それが村子の声であることが、しばらくは、わからない。……歌は、くりかえす。その半ばぐらいのところで、ボストン・バッグのガンドウのスポットが、右手の黒い壁の一カ所を照らし出し、光は壁の上を這ってすこし動いて、壁の前に立っている村子をとらえて、とまる。……さらに衰弱して、目ばかりになってしまった顔と、いまだに女體の線を失わない半裸の村子が、壁に向って立ち、ほとんど唇を動かさないで歌っている）

花岡の声　（たえだえに弱り果てた語勢。その死にかけているような、とぎれとぎれの低い調子と、誇張されたフテブテしい言葉の意味との甚だしい背反が、奇怪にもコッケイにもきこえる）……おい、よせ！　そんな、ヘンな歌、よせよ！　よせといったら、よさねえか、村子！　こったまで頭がヘンにならあ！　……（身じろぎをしたらしく、がンドウの光がグラリとゆれる。ガンドウのすぐうしろの暗い地面に寝ているが、姿は見えない。村子は二回目を終って、自然に歌いやめ、無心に立っている。……見えるのは村子の姿だけで、聞えて来るのは花岡の声）――しかし、無理はねえ。……望みがありゃこそ――ダメだ。……道はない。へへ！　だからさ――食うものは……ないんだ、もう。チーズも食っちまった。ビスケットもおしまいだ。ウイスキイが――まだすこしあったな？　なあおい、村子！　飲むか、お前？　あいでも、姿からしぼった汁だぞ、飲むか？（村子は、なんの表情も動かさぬ）……いいや、まあ。なあに、まだまだ――なあ、おい、佐山――君？……どうしたんだ？　おい君？　なぜ、だまっているんだ？　そうだろう？　どうだい？（左の方の暗やみに向かっていうが、そこからはシーンとして、なんの返辞もない）……なぜ返辞をしないんだ？　まいっちまったのか、君あ？　なんとかいったらどうだ？……（返辞はない）応答なし。フフ！　ダラシがねえといっても、ヘッ、インテリなんて、ひとったまりもねえね。へへへ、うう！（へ苦しそうに唸る。唸り声で、しかし、無理に自分自身を刺戟して）スッパイそうだなあ？　食ったという奴がいるんだ。いよいよとなりゃお前……ほかのケダモノは、みんな、していることだもんなあ。どうにも、ほかにしようがなくなって、そんでも生きのびようと思やあ、これ――しかたがねえ。……そうじゃないか。だいたい、人間が、ふだん、していることだって、それだもんなあ。商売だあ、資本だあ、工場でものをこさえるんだあ、労働者だあ、――国と国がつき合うんだって、人と人の仲だって、みんなそれじゃねえか。ほかを食わなきゃ、やって行けねえ。親も子も兄弟も夫婦もそうだ。骨までしゃぶり合うんだ。へへ！　先にまいった奴が、ただ、仕合せが悪いんだ。食った奴も、あとでまた、弱ってしまやあ、ほかの奴から食われるんだからな。帳尻は合うんだ、永い目で見りゃ。だからそれでいいんだよ。なあ村子！（村子が、光の中で、ゆるやかに顔を動かして、花岡の声の方を見る）え？　なにを笑うんだ？（しかし、村子はすこしも笑ってはいない。エジプトの女神のような顔が、いぶかしそうな表情で、そちらを向いている）……（花岡の声は、永い間、だまっている。闇の中から、村子の姿を見つめているらしい。しまいに、低く、へえへえ、ときこえる声を出す。それは笑い声として出されたものだが、途中から一種の泣声に変っている）……へえ。ひい。……（それからまたしばらく黙っていてから、今度はおそろしく弱々しく低い　ひとりごとのような声で、なにかブツブツいうが、よく聞えない。それがやっと聞えるようになる。それまでの言葉が虚勢を張ったフテブテしいものであっただけ、この絶望の調子に完全に救いはない）……けどよ、これ、……もう、ダメかも知れんなあ、こいつ。するとーギイ！（かすれた夜鳥の鳴声のような声を出す。同時に、ガンドウを持ち上げたと見えて、スポットが動いて、一瞬に村子の姿を消し、光の輪がふるえながら、壁を這って来て、手元の地面を照らす。その光の中に骨だらけになった花岡の片手と、膝から下と、膝の前に置かれた黒いピストル。膝と片手はブルブルふるえている。やがて、花岡の顔が照らし出される。衰え果てて横になった半裸體の上で、その顔は、恐怖にたたきのめされて、ほとんど別人のようにゆがみ、両眼はスガメになってしまっている）……ウ、ワ、ワ……（ガチガチと歯を鳴らす）……ど、どうして、君、だまっているんだ？、おい！（返辞なし）な、なんとかいってくれ。おい君、さ、佐山君！……おれが悪かった。かんべんしてくれ。……おれたちゃ、こうして、もう、間もなく、なにかもしれん。……し、しかたがない。（あえぐ）く、苦しい。……俺は、こ、こ、俺は、こわいんだ。……おそろしい。どうなるんだい？、……だんだん苦しくなってーそいで、どこへ、どうなるんだ？、……ど、どこへ行くんだろう？、ワ、ウ、ウ、フ！（歯の根が合わなくなっている）……こっちへ来てくんないか、おい！、あやまる。ね、いいじゃないか、頼む。俺が、悪かった。おい君、な、なんとかいってくれよ！（弱い弱い哀願の声）たのむよ。……た、一人でいるなあ、たまらん。……え、佐山君、どこにいるんだ？、ど、どのへんにいるんだよ？、……（ガンドウを押し動かしながら、左手の方へ這いずって行きかける）
佐山の声（左手の闇の中から、これも、弱り果てて地面に寝たままの衰えた声であるが、しかし、ほとんど平静に近い調子のために、花岡の恐怖に打ちふるえる言葉がつづいた後では、異様なくらいに冷徹に洞穴いっぱいに鳴りひびくように聞える）来るなよ！・寄って来るな。……いやだ俺あ。……みんないやだ、人間は。来るな。

花岡　（佐山の声がきこえはじめただけで、ホッとして）ああ！……だけどさ、どうなるんだろう、この――？　ねえ君――？

佐山の声　……死ぬよ。

花岡　だ、だからさ、そうなって、それから――

佐山の声　わかるもんか。……どこへ行こうが……どこへ行くか――わかっていたって、わからなくたって……どうなんだ、それが？

花岡　たまらないんだ、そいつが――

佐山の声　……どうなればいいんだ？　地獄か極楽かが、そこにあればいいのか？……天国で――そこが――神さまがいたって……君あ、安心して行けやしない。

花岡　……（すすり泣くような声を出す）そ、それで、それで、君あ、なんともないのか？……平気かね？

佐山の声　……しかし、しようがないじゃないか。

花岡　そいで、しかし、どうして生きてゆける？

佐山の声　ゆけやしない。……しかし、生きてる間は生きてゆけるよ。……生きてる間は、人間、生きてる。たくさんだ、それで。

花岡　食いものは、もうないんだぜ。ロウソクも、もうあと三本――第一、イキをする空気が、いつまで続くか――すると、十が十、おれたちの運は――

佐山の声　……きまっている。いいじゃないか、それで。誰がきまっていないんだ？……どこにいたって、一人のこらず、しまいにゃ、死ぬんだ。……きまっている。……三十年生きておれるんだったら、三日生きておれん法はない。……人間は苦しむために生れて来たんだ。

花岡　……だからよ、なんのために苦しむんだね？　それが、わかれば――

佐山の声　わかるもんか、そんなこと。

花岡　……たまらねえんだ、それが。……俺あ、實は弱虫だ。

気がついた。……世間で、インチキなことのありったけをして、悪党づらをして通して来たが、――そうしなきゃ、やって行けなかったから、したまでで――実は悪党でもなんでもありゃしない。いや、悪党は悪党でも、小悪党の、虫ケラみたいな、始終ビクビクして人のカスリを取ったり、人をペテンにかけたり……悪かった。ホントに、俺あ、この……悪うございました。神さま、俺を――（すすり泣いている）

佐山の声　……宗教か。いいだろう、神さまも。……俺あ、そんなもの要らん。……いると思っていたって、実際いないもんならいないまでだろうし、いないと思っていたって、ホントにいるもんならいるだろう。俺たちが、どう思っていたって、実際のことが変わるわけじゃないじゃないか。

花岡　そう思って、どうして生きておれる？

佐山の声　フフ、まったくだ。どうして生きておれるんだろうなあ？

花岡　君あ、しかし、強いから――

佐山の声　強い？　俺が？　……へへ、そんなことあないよ。ただ君あ慾張りだし、俺あ、はじめっから、なんの望みも持っていないからだよ。人間は、一人ずつ一人ずつで苦しむために生まれて来たんだ。それだけだよ。

花岡　そんな、そんな――じゃけんなことというなよ。ね！。俺あ、たまらないんだ！　なんでもいいから、俺あ、このなにかを信じて――（這いずって左手へ行きかける）

佐山の声　寄って来るな！　イヤだ、俺あ！　離れていろ！

花岡　いいじゃないか。一人でこうしていると寂しくって寂しくって、たまらない！　こうしてあやまっているんだから、俺をそんなに嫌わなくたって――

佐山の声　君だけじゃない、みんなイヤだ！　来るなといったら、来るな。近よって来ると、殺すぞ！。（低いが、しかしホントの殺気のこもった語気に、花岡は這い寄るのをやめて、佐山の声の方をうかがっていたが、やがて、ガンドウを動かして、そちらを照らし出す。ガンドウの圓光がチラチラと壁の上を這った末に、左手の隅の最初の位置にペタンとあおむけに寝た佐山の姿をとらえる。どこが顔だかわからない。その、ひとつかみの踏みつけられたボロきれのようなカラダのマタのところに、太いキノコのようなものが、垂直に立っている。……花岡には、それがそうだとは、初めわからないので、見すごして、またすぐガンドウの光を自分の手元にまわしかける。しかし途中で妙な気がして、再び佐山の方を直正面に照らし出す。……）

花岡の声　……（やっと、それがそうだとわかると同時に、猫が他の猫におそわれて飛びあがったようなノド声を放つ）キヨフン！……ど、どうして——（息をのんで、そのなま白く光っているものを見つめているらしい。佐山自身も、すこし顔をもちあげて、それを見る。……間）

村子の声　ウム。……（闇の中で低く唸る）

花岡の声　……どうしたんだ？　ど、どうしたんだ？（佐山に言っているのか、村子に言っているのか、わからない）

佐山　……フン。（ムクムク起きあがりかける）

村子の声　（それと同時に）ああ。……（花岡が、ガタガタとふるえる手でガンドウをグルリと動かして、村子の方を照らし出す。……村子は先ほどの場所に、さきほどの姿勢のまま、立っている。　ほとんど厳粛にいってよいくらいに凝結した顔に、瞳孔が開いてしまったような両眼が闇に消え去った佐山の姿の方に釘づけになっている。……間）

佐山の声　……（非常に低い、たえだえの声で）俺あ、子供を生ませたい

花岡の声　おい、村子！

村子　……（目はそちらへ釘づけになったまま、腰を柔かにグナリと動かしたと思うと、急に立っている力を失って、グタグタと地面にくずれ折れ、失神）

花岡の声　（弱い声で唸る）ヒイ！（同時にガンドウを突きとばしたらしく、光がグラグラと飛び歩いた末に、すべてがバタリと見えなくなる）

6

まっくらな中。

どこにも光はないが、中央の水たまりの水面が鈍く光っている。その水面をしわめるようにして、時々、微かに燐光が飛ぶ。……他はなにも見えない。

なまあたたかい。

正確なかんかくを置いて、したたり落ちる水の音。——そのリズムに自然に合わせるように、低い声がつづいている。くら闇自體のつぶやきのようなその声が、やがて、誰かの唸るともささやくともつかないノド声であることがわかって来る。……次第に、それは一つの単調なメロディになっている。……

花岡の声　ウーム。（うなる）……助けてくれ。……（さらに弱っている）どこにいるんだ、佐山君？……え？、

佐山の声　……（かまわずつづけていたメロディが、弱りきった低い声で歌の文句になる。はじめて、それが佐山の声であることがハッキリする）……お月ね、チヨロリ出て、山の腰よ照らす。娘ね、畠田は、ナンダ、髪よ照らす。（ニックリと間伸びのした歌いかた）

花岡の声　……村子。……村子。……どうした？……

村子の声　ウム……（右手の壁のあたりから、すすり泣くような唸り声を出す）

佐山の声　……（それらに関係なく、歌をくりかえす）来るかね、来るかと、待つ夜は来ない。待たぬね、夜は来て、ナンダ、門に立つ。

花岡の声　……たのむ。歌うのを、よしてくれ。……たまらない。

佐山の声　……（しばらくだまっていてから）吉富といって、やっぱり、はじめての召集で、甲州の山ん中から来た男だ……そいつが歌いだして——盆踊りの歌だっていってた……みんな、それから、ここを掘りながら歌った。……そん時の、なんだ。……カアチヤンに逢いたい、カアチヤンに逢いたい——朝から晩まで、そういって女房の話をするんだ。カラダのかっこうまで、しかた話で、やる。二度ばかり脱走してね。たんびに、カアチヤンに逢うと、テメエの方からノコノコ舞いもどって来る。フフ、處罰されて、その上にぶんなぐられて、ヘロヘロになって、またここに追いこまれると、ケロリとして、みんなといっしょに掘りながら——（節をつけて）待たぬネ、夜は来て、ナンダ、門に立つ。……（永いこと、だまっていてから）そうだ！　そうだったんだ！　フフ、へへへ、ハハ！　人間なんて、

しようがねえもんだ。テメエがそれを現にやっている——テメエのカラダがそのことを経験している最中には、自分がどんなことをしているんだか、わからないんだ。……実際、しようがないんだなあ。人間のアサマシサだあ。……あん時、血みどろになって、叩きなぐられて、豚みたいにケイベツされて、今日死ぬか明日死ぬかと思いながら、……死にやしなかったんだ。……あんだけの、つらい目をしても、死にはしなかった。生き抜いて来たんだ。生きて、あれを通りぬけて来た。……だのに、自分はもうダメになっちまったと思っていたんだ。へ！　頭が悪いんだなあ。……あん時、ここで穴を掘っている時に、俺あ、実あ、生まれ変っていたんだ。別の人間になっていた。そうなんだ。…………生きかえっていた。それに気がつかなかった。バカ。フヌケ。フヌケだ。戦争か？　そうだよ、戦争は、ロクなことあない。イヤだった。ふるふる、イヤだった。……それを、世間で、侵略戦争だの、ドロボウ戦争だ、戦争犯罪だ——サンザンいわれて……いや、そりゃいいさ、実際そうだったんだから。そりゃ、それでいい。ただ、それを聞いていて、俺あ骨抜きになった。腐っちゃった。……てめえが、あんだけイヤがっていた戦争を——しかも、ただ引っぱり出されただけの戦争を、まるで俺が自分でおっぱじめたような気になった。責任は全部自分にあるような気になった。そいで、チャンとして生きて行く資格は自分にないように思った。……妄想だ。強迫観念だ。クソインテリの観念過剰だ。まったく、なってねえ！　なんてえこった！ハハ、ハハハ！……そうなんだ。戦争を否定するためにてめえのイノチまで否定していたんだ俺あ。……俺があん時、ここでしたなあ、ありゃ戦争じゃない。俺あ、ただ、無我夢中で穴あ掘っただけだ。……敵を殺そうなんぞ思いもしなかった。出世しようと思ったんでもない。トクをしようと思ったんでもないんだ。……人のためになるかも知れん——そう、せいぜい、人のためになるかも知れんとバクゼンと考えながら……そんなら、自分のイノチは投げ出してもいいやと思って、血を吐き吐き、俺あ、やっただけだ。そいつは俺にとっては貴重だったんだ。そいつは、貴重だぞ、佐山富夫！　そうじゃないか。お前のイノチも、お前のあんだけの気持も、かけがえのない、貴重なものだったんだ！　それを、それを、なんてえ、まあ！　ケッ！……そう、弱虫だ。頭も悪い。目もよく見えなかった。どっか、あんな戦争、まちがっているような気がしながら、ハッキリどこが、まちがっているか、よくわからなかった。だから、ヘンだと思いながらも、戦争に反対はできなかった。ズルズルと、かえって引っぱりこまれた。……バカだったんだ。弱いんだ。こんなバカの弱虫が、生きてるということが、日本人の一人として生きてるということだけで罪なら、俺にも一人分の罪はある。そりゃ、あるよ。……しかし、じゃ、誰がリコウなんだ？　弱くない人間がいるのか？……問題は、全體の目的の善し悪しなんだ。全體の善し悪しをきめる力を持たなかった、そういう位置にいなかった人間が、その全體のまちがいの責任を負わなければならないのか？、また負えるのか？……ハハ、神経衰弱だ。強迫觀念。クソインテリ。ウジ虫の良心病。バカヤロウ！……まちがっていたのは、てめえの考えを、ハッキリ、そうだといえなかったことだ。全體のやりかたに自分の考えを持って行って、そいつを生かして行けるようなやりかたを、作りあげきれいで、ただボヤーッとして、オカミのいうことにゾロゾロくっついて歩いて行ったことだ。弱さだ。俺もみんなも、それほど弱かったてえことだ。悪いのは、それだ。……弱さは、悪だ。そういった弱さは悪！……（プツンと言葉が切れて、低く唸っている）ウム。……どうして——どうして、俺あ、ぜんたい、気がつかなかったんだろう？　生きかえっていたんだ　あん時。……生れ変っていた。……クソインテリの、思いきりの悪い、疑ってばかりいる、弱蟲の、青っしょびれた、テレてばかりいる、ウジウジと世間のことばかり気にする、命がけになれない、チットばかり良心的みたいな、そいでイザとなると逃げてばかりいる——クソインテリは、あん時、死んじまって、俺あ、別の人間になっていたんだ。あの戦争の中で、この穴の中で、俺あ生まれ変っていたんだ。それを知らなかった。知らずに、アベコベに、ズーッと、いよいよもうダメになったと思ってる。觀念だ。そういう觀念だ。フワ！……チッ！　バカもホウズがない！　へへ！

インポテント・そいで。そうだよ、てめえは、まったくのインポテントだったんだ！・そうよ、てめエのエムが立たなくなる前に、てめえの観念がグニャリとなっていたんだ！。処置なんか、あるもんか。フヌケめ！ ハハ、アッハ、ハハ、ハハハ！ （はじめて、気もちよく哄笑する）

花岡の声　な、なにを笑うんだ？ 佐山君、おい！……き、君も、気がちがうんじゃないか？

佐山の声　ハハ、いいじゃないか。気がちがったよ。まったく、なんというバカだったろうなあ？ 徹頭徹尾、頭のテッペンから足のつまさきまでの――インポテント！

花岡の声　……なんだか知らないが、そんな理窟はどうでもいいじゃないか。理窟が多すぎる。

佐山の声　まったくだ。ハハ！ しかし、しかたがないじゃないか。そうなっちゃっているんだもん。でも、それでもいいじゃないか。多過ぎたってすくな過ぎたって。

花岡の声　今、こうなっている俺たちが、理窟で救われはしねえんだ。

佐山の声　理窟をいわなくなったって救われはしないよ。

花岡の声　……それも理窟さ。つまり、観念か？ 観念なんて、イザとなり、三文にもなりゃしない。

佐山の声　だから、君のいうそれも一つの観念さ。……同じことだ。第一、君あ、神さまっていってた。あれも観念だよ。

花岡の声　……。とにかく、やりきれん。やりきれんからだ。なんでもいいから――だって、今、おれたちは、どうなっているんだよ？

佐山の声　……生きてる。こうして生きてるんだよ。

花岡の声　出口がないじゃないか。あと、しばらくすれば、必ずナニすることがわかっている。それが自分にわかっていることだ。

佐山の声　外で暮らしていても、出口なんぞありゃしない。

花岡の声　だから、そりゃ理窟だ。つまり観念――

佐山の声　観念だよ。たいしたもんじゃないや。しかし、ないよりはマシだ。してみると、たいしたもんかも知れないんだ。……現に、そうじゃないか。君あ、そうしてペチャペチャにまいっちまって、神さまなんて泣き声を出している。俺あ――俺もまいっている。だけど、神さまなんて、俺にゃ、いらん。くたばるまで、チャンとやって行けるよ、俺あ。……そりゃ、だんだん苦しくなりゃ、唸ったり、寂しくなって泣いたりするだろう。だって、事実、苦しかったり寂しかったりするんだから、そいつは、しかたがないんだ。犬や虎だって、死ぬ時や苦しんだり寂しがったりする。それがイキモノなんだ。イノチなんだ。苦しいのや寂しいのを、神さまや、そのほかの、いろんなもの持って来て、ふせぎとめようとしたって――いや、それのできる人は、してもいいだろう。俺にゃ、できん。信じられんから、神さまなんて。……必要もない。だって、いるものなら、いるだろうし、いないものならいない。俺が信じたって信じなくたって、事実は変りゃしない。そうじゃないか？……俺あ、これでたくさんだ。やって行けるんだイヨイヨとなるまで。つまり、君よりゃ、俺の方が強いよ。なぜだ。そりゃ？　俺に、その、君のいう、観念があるからだよ。つまり、俺がクソインテリだからだ。ハハ、ハハハ！　そうじゃないか？　俺あ、自分が、クソでもなんでもいいから、インテリだったことをよかったと思う。人間は、どんな人間でもだんだんバカになるわけにゃ行かん。だんだん、インテリになるよりほかに、行く道はないよ。いつまでも――第三の世界戦争が起きようと、第四の戦争が起きようと、原子バクダンの千倍の兵器が発明されようと、そのために地球が破壊されようと、それをこらえて、しのいで、どこまでも生き抜いて行けるのはインテリだけだ。生きて行きたいと思ったら、インテリになるほかに道はないんだ。かしこくなる以外に道はない。悪いのは、中途半端だからだ。中途半端だった――つまり、クソだったからだ。しかし、クソでもいい、とにかくインテリだった。途中までしきゃ行けなかったけど、とにかく、前を向いて歩いたんだ。そうなんだ。……三十五年、――おれの三十五年はミジメな、コッケイな、ヨタヨタなもんだった。しかし、今、そう思うんだ。良い生活だった。……まるもうけだった。生きた、それを、俺あ、ハッキリいえるんだ、今。うん。生きた、俺あ。

花岡の声　……俺がいっているのは、これから先のことだ。

佐山の声　生きるよ、これから先も。

花岡の声　……なるほど強い、君は。……俺あ、これから先のことを考えると、たまらん。いっそ、ひと思いに——

佐山の声　首でもくくるか？、

花岡の声　……ピストルに二つ三つ、まだタマがある。……しかし、それもできない。

佐山の声　いいじゃないか。

花岡の声　でも、食いものは、もう、ない。……ロウソクももう、あと、一本とチヨット。マッチは—君の持っていたやつが、まだ五六本残っているが——

村子の声　ああ、掘って来た！　掘って来た！　掘って来たッ！（その声で花岡と佐山は話をやめてシーンとなってしまう）

花岡の声　……ど、どうしたんだ、村子？、

村子の声　掘って来た、外から！　音がきこえる！　ほら！　音がきこえる！

佐山の声　え？、なんだって？、

花岡の声　ほ、ほ、掘って—？、ホ、ホントか、村子？、

村子の声　ガッン！　ガッン！　ほら！　音がきこえて来るのよ！　掘って来た。掘って来たッ！　言っている間に、、花岡がマッチをする。手がガタガタふるえるために、一本はすりそこなって、パッと火花が飛んだだけで消え、二本目に點火する。その火を、わきに置いてあったガンドウの中のロウソクにつける。そのマッチの火とロウソクの明りで、洞穴の内部が見えてくる。三人とも着物は破れ、ドロドロの半裸體の、衰え切った餓鬼のような姿。花岡はヨロヨロと立ちあがろうとしている。佐山は先ず首だけをもたげ、村子の方を見ながら、ユックリと半身を起しかけている。村子は、もと倒れていた場所に、、ガンドウの光のまん中で、うつぶせにピタリと横顔を地面につけて、皿のような両眼をギラギラと光らせて、地を傳って来るらしい音を聞いている）

花岡　ほ、ほ、ほんとかッ！　そ、そ—（うつぶせにガバと伏して、地面に耳を押しつける。……佐山が半身を起して、その村子と花岡の姿を、いぶかしそうにジッと見ている）

村子　ほら！ドシン！ドシン！一人や二人じゃない。ドンドン、ドンドン、掘って来ている！ほらね！

花岡　聞えない！俺にゃ、聞えない！……いや、そんなような気もするが――（パッと飛びあがって、衰えた身體でのめりそうにしながら、村子のそばに泳いで行く）どれ！どっちの方角だ？　どこだ？、え？、ちょっと、おい！（音の聞えるのが、村子の耳を押しあてている個所だけでもあるかのように、村子の頭をわきへ押しのけて、そこへピタリと耳をつける）……え？、聞えやしないじゃないか！。なんにも――

村子　……フフ。（花岡の顔と並べて地面に押しあてた横顔の、光る眼で、花岡の顔をジッと見入りながら、低く笑う。完全な救出の自信とよろこびの微笑。彼女の耳は、音を聞いているのである。……その間に佐山は、すぐわきの壁面に耳を押しあててジッとしている）

花岡　……え？、おい！俺にゃ、なんにも、聞え――（へその時、村子が、そら聞けというように彼の肩に片手を置く。同時に）聞える！聞える！あ、あ！掘って来た！掘って来た！掘って来たッ！。

佐山　……（その間に壁から耳を離して、地面に横顔を押しあてて聞いていたが）――聞えない。

花岡　ここへ来てみたまい！ハッキリ――ドッシン、ドッシン！　こっちへ来てみろよ！。

佐山　だって、そこで聞えるもんなら、ここでも聞えるわけだ。

花岡　（佐山の言葉など耳に入れない）ハハ、助かった！。助かった助かった！。ヒヒ！ウワーア！（叫んで、飛び起きて、いきなり狂ったように両手を打ち振って、そのへんを飛んだり跳ねたり、キリキリまいをする。それがしかし、身體が衰えきっているために、ヒョロヒョロ、フラフラして、ちょうど死にかけた蚊トンボが夏の灯のまわりで飛びまわっているように見える。……村子はユックリ起きなおって、以前とは全くちがった、ユッタリと自信のある態度で、狂いまわる花岡を見て、ニンマリと微笑する。佐山だけが、まだ地面に耳を押しあてている。彼には、どんなに耳をすましても、音は聞えないらしい）

花岡　よしッ！よしッ！　頼むよ！　早くしてくれ！　早くしてくれよッ！（ヨロヨロと飛び跳ねながら、入口に通ずる暗い方へ消える）
村子　ホホ。……（落ちついて自足してキゲンの良い子供のような笑い）
佐山　……（やっと地面から顔をあげて）いや……自分の心臓の音でも聞いたんじゃないかなあ？
村子　ホホ。……（笑いながら、佐山にうなづいて見せる。それは、是認のうなづきではなくて、あわれみと許容のうなづき。破れて垂れさがっている服の胸や腰のあたりを取りつくろう態度と手つきも、静かで大ような「教組」のものである。……がっくりして、それを眺めている佐山。……そこへ、入口の方から笑いながら、ヨロヨロと小走りにもどって来る花岡）
花岡　へへ、しめしめ！　ハハ、ヒヒ！
村子　まだ開かないの？
花岡　いや、まだだ。まだだけど、もう、こうなったらお前、こっちのもんだ！　ヒヒ！　助かった、助かった、助かった！（そのへんをフラフラと歩きまわる。気が立ってジッとしておれないらしい）
村子　……（それを微笑した目で追いながら）もし、ケイサツの人たちだったら、すぐ、なんだわね、あんた――？
花岡　なあに、つかまったっていいやな。くたばるより百倍もマシだあ。ハハ、たとえ二年や三年くらいこんだってなあに、金さえありゃお前――（いいかけた自分の言葉で、ギクンとだまってしまい、一瞬空を見てジッとなるが、やがて急に目がさめたようにキョロキョロとあたりを見まわす）あの、サツは、どこい、やった？……（村子が返辞をするのを待たず、急いで中央寄の、それまで自分が寝ていた場所の奥の壁の下の暗いところへ行き、両手で地面をかきさがす）あった！　ヘッヘ！（暗い中に顔を突っこんでブツブツと口の中でいいながら、ガサガサやっている）……ちきしょう！……こうなったら……七萬、八萬と、……フ！　十二、十三……えゝと、この、……うむ？（穴熊が地面をひっかくような爪の音をさせていたが、やがて手をとめて、こっちを振り返る。さきほどから、彼のよラすを目で追っていた佐山の視線に逢う。その佐山の目を睨み返して、……おい、君あ佐山――お前、取ったんじゃねえだろうなー？、

佐山　……なに？、

花岡　ここの金をよ？、　ちっと、たりねえようだ。（ネッチリとそういって腰をのばして、ジロリと佐山を見た顔つきも態度も、最初の彼のものにかえっている）……返辞をしたら、どうだい？、

佐山　……知らんなあ、僕あ。

花岡　……（フテブテしくニヤリとして）最初、君に三萬だけ、くれてやったな？、　あれ出して見ろよ。……え、出して見な。

佐山　さあ、どこへやったか、……持ってないよ。

花岡　グズグズいわないで、出して見ろ。俺あ、たしかに、二十五万は持って来ていたんだから――とにかく、こん中じゅう捜しゃわかる。……取ったら取ったでいいから、早く出した方がお前のタメだぜ。

佐山　ないよ、だって――（ニヤリと笑う）

花岡　なにッ！。……（フラフラしながらも、すばやく近づいて来て、いきなり、佐山の横顔に平手打ちをくわす）野郎！、この！、なにを笑やあがるんだ！、第一、もうチットていねいな口をきけ！、お前は俺からエサをもらった子分だぞ。なんとかお前、いったなあ、さっき？、　俺より強いんだって？、ヘッヘ、……なんだか知らねえけど、こうなったら、もう、へへ……お前みてえな、ヘロヘロの小理窟が通用するか？、　死ぬ時ゃ死ぬ時だ。生きて行くとなったら、ふんづけて、はねのけて、叩きとばして、この世のドマンなかで、人の生血をすすって、やって行くんだ。……なんとかいったな、お前？、　理窟を持っているから俺より強いんだって？、へ、そいじゃかかって来て見ろ！、（いいながら、一々、次第に高まって来る憎悪で、佐山の頭や顔や肩を、こづきまわす）

佐山　そんな、君、そりゃ――（グンナリと再び無気力な顔になって、されるままになっている）

花岡　なんとかいったなあ？、　この女に（村子の方へアゴをしゃくって）子供を産ませるんだって？、

村子　え？、ホントなの？、

花岡　ホントだよ。どうだ、そうしてもらうか？、ヒッ！、いうことに事を欲きやがって、このインポテ！（いうなり、片足をあげて、佐山の肩をガッと蹴とばす。佐山は横ざまに地面に倒れて、グウという。そのまま起きあがれない）どうだ？、ハッハ！（元気は恢復しているが、からだは全く衰えきっているので、さすがに息切れがして、ハアハアいいながら、村子の方へ行く）フウ……まったく、こんな、青っ白い、小憎が、なあ！

村子　……どういうの、しかし、子を産ませるとは？、

花岡　いいよ。なあに、ルンペンが、ちょっと頭に、来やあかって——

村子　でも、私も、今度は、よくよく考えたわ。ホント！、じょうだんじゃないわ。今度、東京へ帰ったら、私も、もう、いいかげんな生活してないで、もうすこしチャンとする。つくづく考えた。もう死ぬのかと思ったら、ホントに、わたし、しまった！と思った。人間一度こっきりしか生きないんだから、ちっとはホントに、つまり、なによ——いつ死ぬとなっても、それほどアワテないで死にきれるような——もっとチャンとした暮らしをしないじゃ——

花岡　ヒッヒ！、とんだシユウショウな心もちになったもんだ。そんなことをいったって、東京へ戻りゃ、なあに、また同じことだよ。そうなんだ。それでいいんだ。苦しい時あ神頼みで、神に頼んで、それが過ぎて、やって行けるとなりゃ、こんだまた、この、悪魔に頼むんだ。この世に生きている人間の慾が、乾る時なんかあるもんか。何千年何萬年たったって同じさ。そんなことよりゃ、お前なんか、東京へ帰ったら、せいぜい、木戸の奴とでもハッキリ手を切って、なにするんだなあ。手切れ金は、俺が出すよ。またかわいがってやるぜ。へへ！、フウ、バカにノドがかわきやがる。（水たまりの方へ行きかける。しかし途中で立ちどまり）そうだ、よしよし。……（いいながら、ヨロヨロと歩いてもとの場所へもどり、そこに自分が敷いて寝ていた背廣の上衣をどけて、その下の地面の泥や岩くずを掻きのけて、その下に埋めてあったウイスキイのビンを一本つかみ出す）フフ、見ろ、ちゃんとこうして——これ一本

きりだ、もう。（なかみを火の光にすかして見る）こうなったら、もういいからな、それまで元気をつけて――
村子　あら、まだあったの！
花岡　ヒヒ！（ビンのセンを取って、カプリと一口ラッパ飲みにして、むせながら）ゲエ！　ケケ、そ、そこに、抜かりがあるもんかな。ゲエ、チャント、この、かくして置いたんだ。いよいよとなったら、なにしようと思ってよ。
村子　だって、あんた、こんだけなにして、もう死ぬばかりになっていたのに、――現に、あんただって、あんな弱音をあげるくらいになっていたのに、そんな、よくまあ――
花岡　だからよ、人間の慾に底はねえといってるんだ。俺という男のドシヨウ骨の強さは、こうだよ。ハッハ、死ぬにしたって、タダで死んでやるもんかよ。
村子　だって、あんた、神さまのことまでいってた――
花岡　だまくらかしとくんだ、神さまを。バクチだもんなあ。生き死にのセトぎわになりゃ、祈っておく方がトクだもん。どう転ぶかわからねえからな。（飲む）
村子　でもさ、もうないないって、私にまでかくして――第一、いつ、そこにかくしたの？
花岡　いつだって、いいじゃねえか。俺だってガマンして飲まなかったんだ。しかしもう、こうなったら、なんだ――飲むか？
村子　ちょうだいよ！　もうノドが、ひりつくようで――
花岡　（村子の方へ寄ってゆく）よしよし、俺という男は、そういった人間だ。ちったあ、わかったかよ？　うむ？　だから、今度東京へ帰ったら、お前、俺のいうこと、聞くんだぜ。（ビンを村子に渡す）こぼすな。いよいよ、これっきりだ。これっきりで、ここからいよいよ外へ出るまで元気をつけていなくちゃならん。
村子　……（ノドを見せて、ウイスキイの口飲みをして）ウウッ！　ウ！（咳く）
花岡　もういいよ。
村子　もう一口。もう、ホンのチョット。
花岡　あんまりやると、まいるぞ。からだあ、弱っているから。（それでも、村子がもう一度口飲みをするのを許してから、ビンを取り返し、自分でも一口飲んでから、大事そ

うにセンをする）

佐山　……（さきほどから、頭を持ちあげて、二人の方を見ていたが、耐えきれなくなって）僕にも、――僕にも、チヨットー

花岡　……む？、

佐山　俺にも、飲まして――、

花岡　これをか？、へへ、お前あ、そっちで水ぅ飲んどけよ。

佐山　そんな――（起きあがる）そんなこといわないで……頼みますよ。

花岡　いやだ。こりゃ俺んだ。

佐山　頼む！、死にそうだ――

花岡　死にゃしねえよ、こうなったら。間もなく口が開く。ハハ、がまんするんだなあ。

佐山　助けてくれ、花岡さん！

村子　ホンの少しでも、飲ましてあげたら、あんた？、

花岡　ごめんだ！、この野郎、さっき、なんといやあがった？、俺より強ネと？、　ヒヒ、強きゃ、腕ずくで、これを取って見ろ！

佐山　この通りだ。お願いだから――（地面に手をついて頭を下げる）

花岡　ハッハハ、ヒヒ！　どうだ、俺あ王様だ。ピカ一なんだ、こうなりゃ、！。犬のように、そこでチンチンをして見ろ！、ワンといって見ろ！　そしたら、飲ましてやらあ！

佐山　頼みます！

花岡　誰があ、ちきしょうめ！、クソでもくらえ！

佐山　……ダメかね？、

花岡　ダメかね？、　ダメかねとはなんだ、野郎！。おおよダメだ。てめえなどに飲ませる酒があったら、豚にくれてやらあ！

佐山　……（そういっている花岡を見ていた末に、フラッと立ちあがって、すこしよろめく足つきで、ユックリと花岡の方へ）

花岡　な、な、なんだと、野郎――（いいながらも、その佐山がスタスタと歩いて来るのに気押されて、三四歩さがる）

佐山　頼むから、一口――（迫って行く）

花岡　なによ、しやあがるんだ！（ビンを持った左手を、

からだのうしろにグッと伸ばしてかばいながら、右こぶしで、グッと佐山の顔を突きなぐって置いて、また三四歩さがる）

佐山　飲ましてーー（なぐられても花岡の方へ迫って行くのをやめない）

花岡　ちきしょうッ！（再び右手をあげるが、たとえもう一度なぐっても、佐山が迫って来るのをやめそうにはないので、不意にヨロヨロと十歩ばかりも後ろへさがって、右手の壁のところまで行く）……来るか？　こラの野郎！　来てみろ！、命はねえぞ野郎！。見ろッ！（叫ぶ）

村子　あぶないッ！　あぶないから――（花岡の右手に黒く光るピストルが握られている）あんた！　佐山さんも――

佐山　……（それを見るが、危険を感じたのか感じないのか、ほとんど無遊病者のように動かない表情で、また花岡の方へスタスタ歩きだしている）

花岡　ち――、……（その佐山をねらって、引きがねを引く。カチといって不発）

村子　よして！　よしてよッ！（その声と同時に、ダッ、ダッと続けて二発ピストルが鳴って、それが洞穴内にひどく反響する。タマの一つは、壁の岩にはねかえったか、キヤンというような音がする）

佐山　ア！（低い声を出して立ちどまって、花岡の方を見ている。花岡は命中したかと思って、佐山が今にも倒れるかと、ピストルを構えたまま、飛び出しそうな目をして見ている。村子は両手をあげたまま石になっている）

花岡　まだ、はいっているんだぞ、タマあ！　来やあがると――

佐山　……（目を花岡から離さないままで、ズボンの右のポケットに手を入れて、きたない海軍ナイフを引き出して、ユックリと刃を出す。ギラリと底光りのする刃の先が、斜めに折れこぼれている。それの刃止めをかけ、右手に逆手に持って、再びユックリと花岡の方へ歩き出している）

村子　よしてッ！　よしてッ！

花岡　ち！、ちき！（ダッと、もう一つ発射。同時に、スッと手元に寄った佐山が、右手のナイフを横にサッと振る。花岡が、ギヤッと叫んで、懸命に佐山にかじりつく）

佐山　ちきしょうッ！

花岡　こ、このッ！き、き！（組み合ったまま、もう一つ発射されるピストルの音）

村子　（ひどい早口で）私たち、もう、助かって、外へまた出られると、いうのに、そんな、ねえ！よしてよッ！よしてッ！あッ！（暗い隅の壁の下に同體に落ちた花岡と佐山が、上になり下になりして組み打つ。村子は、そちらへ行こうとするが、やめて、這いずりながら中央のガンドウの方へ来て、ガンドウを動かして、二人の方へ光を向ける。その光の輪の中で、どちらが上とも下ともわからない二人が、今はもう衰えきったからだの、声も立てないで、闘っている。その互いになぐり合う鈍い音と唸り声）

7

中央の手前に置かれたガンドウの光の中に、三人が寄り合って坐っている。枯消しつくして、木像かミイラのように静謐である。ウイスキイのビンが三人の中央に置いてあり、佐山が、ひしゃげたアルミのコップについだウイスキイを、口に持って行っている。

村子は、無表情な顔をあげて、それを眺めている。

花岡は、村子と並んでアグラを組んで坐り、膝のわきに積み上げたサツのタバを取って、馴れた指つきで、くりかえしくりかえし、計算している。佐山のナイフで斬られたアゴの一文字のキズからふきだした血が、かたまって黒く見える。サツのパスパスパスという音と、どこかで水のしたたる音。……静けさと、不動と、無表情は、最後まで、みだされない。

佐山　……（ウイスキイを飲みほして、コップの底を見ていたが、やがて、コップを花岡の方へ突き出す）

花岡　……自分の顔と手のサツの間に出たコップを見ていた後に、顔をあげて佐山を見る。その表情に悪意も反感もなく、ただ意味がわからないようである。うたがわしそうな顔をして、頭を横に振る。……それを見て、佐山がコップを村子に渡す。村子は機械的に――腕の関接の動きからも、なめらかさが失われて、コキコキした動かしかたで、—コップを受け取る。佐山がビンを取って、それにウイスキイをつぐ。花岡はすぐにまたサッの計算にもどっている。……村子ウイスキイを飲む）

佐山　……（その村子の、あお向いたノドが動くのを、ボンやり見ながら、単純な、そして意外に明るい調子で）……だから—自分の心臓の音を、そうだと聞きまちがえたんだ。

村子　……（飲み終って）心臓の—（と意味なくいいかけて、ビクッとしてあたりを見まわして、自分が陥りかけていた夢のような状態から醒め、佐山を見る）……あんたはそいじゃ、助かりたくはないの？

佐山　……助かりたい。……俺が一番助かりたがっているのかも知れんな。（ひとりごとになっている）

村子　……（花岡に目を移して）どうしたんだろう、この人は？（花岡にあてて）ねえ、あんた？（花岡は振り向きもしないで、サッの計算をつづける。……佐山に）ダメかしら、この人？

佐山　うん？

村子　いえさ—

佐山　……君だって、ズーッと、そうだった。

村子　そう？（びっくりしている）

佐山　音が聞えるといい出してから、なおった。

村子　……だけど、ホントに聞いたのよ。聞いたと思った。

佐山　……そうなんだ。聞いたと思った—ということは、聞いたことなんだ。いいさ、そりゃ。……俺だって、ホントはヘンだ、きっと。みんな、そうさ。いや、俺たちだけじゃないだろう。外にいて、暮らしていたって同じだろうみんな。こんなふうに、年中—（と花岡をアゴで指して）してる人が、いっぱいいる……いいんだよ、それも。今の世の中で、生きるということは、金ということだもんな。……俺も、さっき、外に出られると思ったら、やっぱり金がほしくなったもん。……もう俺あ、この男を憎んじゃいない。……あわれじゃないか、この男も、俺も、それから君も、……そいから、誰だって、みんな。可愛いいと思うんだよ。……（花岡に）ねえ、君、かんべんしてくれ。痛か

つたろ?、
花岡　うむ?、……(サツのかんじようをやめて、佐山の顔を見ていたが、不意にニヤッと笑う)
佐山　……うん。うん。(うなづいてから、左腕をまわして花岡の肩を抱き、頬を花岡の頬につける)
花岡　……(そうして抱かれながら、キヨトンとして遠方を見ている顔は木彫の無表情のまま、両眼が光るのは涙を流しているらしい)
佐山　……(花岡から身を離して、花岡の顔を見る)……泣いているのか、君あ?、
花岡　ふ!
佐山　……(それを見ている。しかし、彼の顔にも、花岡の顔にも、なんの感傷の影も差さぬ)
村子　……(しばらくだまっていてから、ポツンと)どうして生まれて来るんだろう?、
佐山　む?　生まれて――?、
村子　いえ人間。
佐山　……どうしてだって?、
村子　どういうわけで――なんのために――
佐山　……(不意にニコッと笑う)フ、フ、フ!(なんの皮肉も含まない低い笑い声)
村子　……(その笑顔を見守っている)
佐山　死ぬ間ぎわに、それをいうんだなあ、みんな。
村子　あんたには、わかっているんでしょう、それが?、
佐山　わからんよ。
村子　じゃ、どうして、そう落ちついておれる?、
佐山　……君だって落ちついてるじゃないか。
村子　落ちついてなんかいない。
佐山　俺だって落ちついてなんかいないよ。
村子　ちがうわ。
佐山　……ただ、まるモウケだって気はする、生れて来てさ。意味はわからんけど。そうだろう?、今まで、こうしてやって来た。たいがいイヤな、やりきれないことばっかりだった。だけど、シミジミ、ああよかったと思ったことが一度や二度はある。現に今、俺あ、そう思ってるんだ。……
……生きてるってことあ、じっさい、良いもんだ。それも、

自分一人だけじゃなく、こうして君やこの人―ほかの人間と、いっしよに生きてるってことあ良いじゃないか。酒もある。チットだけど。……こいつ、まるモウケだもんなあ。

村子　だけど、―だけど、間もなく、なんなのよ―？

佐山　……

村子　なんか、先に希望がなくちゃ、生きては行けない。

佐山　だって、生きてるじゃないか。こうして。希望？、そう、そりゃ、あった方がいいにゃいい。

村子　さとってるんだ、あんたは。だから―

佐山　さとる？、　フフ、とんでもない。そんなんじゃないよ。まだ、いつまでたったって、これから先、そうだな、息のあるうちゃ、ジタバタやるよ俺あ。―さっき、この人とやり合ってる最中にも、俺あ、そう思った。人間なんてアサマシイもんだ。……そいつを知ってる。知ってても、いがみ合うのを、よしゃしねえんだ。カッとなると、なぐり合いでも戦争でもやる。……そんなこと、しない方がいいにゃ、きまってるけど、ツイ、お互いに人間だから、やっちまう。だから、いいじゃないか。……バカなことあ、しない方がいい。しかし、どうしても、やっちまうハメになったら、それでもいいじゃないか。両方が両方とも、バカげてると気がつきゃ、自然によすよ。それまでは、やったって、いい、じゃなくて、しかたがない。やらん方がいいけど、やったってしかたがない。俺あ、今後、人間が人間同士どんなバカなこと―なぐり合ったりまた、バカな戦争したとしても、―してほしくないけどさ、―どんなことをしても、したくはないけど、でもかりに、したとしても、だからといって、人間ぜんたいに絶望したりは、しない。……そうなんだ。もう俺には、絶望はできない。

村子　……とにかく、あたしは、こうしていると、なんにも考えられないの。……死ぬことがわかっているのに、人間、生きては行けない。

佐山　……死ぬことがわかっているから、生きて行けるんだ。

村子　死ぬことが、もうすぐそこに来ているのに、生きた心持がどうしてするのよ。

佐山　……同じことだよ。こうしてても、外にいても、――つまり、この内も、外も、同じだ。つまり、冒険だ。一歩ふみだせば、なにがあるか、なにがおきるか、わからない。身ぶるいが出る。……なつかしい……なつかしいなあ……つまり、それは、たった一回こっきりの、――つまり冒険だ。

村子　ですからさ……どうしているんだろう、今頃、おっ母さんや、妹や、それから新橋の店の連中？、ああ、ああ、あ！　私がこんなところで、こんな目にあっているなんてとても、だあれも考えてはいないわ。……ああ、なんとかして、なんとかして、ホントになんとかして……出られたら、私ホントに、もう一度、ホントに人間としてシミジミ考えた生活をして――ああ！

佐山　……（ながいこと、だまっていてから）……そうさ。出たい、もう一度。そりゃそうだ。日の目を見たいよ、もう一度。……俺あ、生きかえった。ここで生きかえった。今度外に出りゃ、もう俺あ、フラフラはしない。みんなといっしょに、――みんなの中で、俺あ働く。しんから、俺あ、働く。働ける。……どんなに苦しくったって、俺あ、がまんできる。……人間は、いいもんだ。美しい。……働くことは、すばらしい。……といっても、また、これで外に出りゃ、またもう一度、前と同じようなことを、俺あ、するかもしれんなあ？……そうだ。そうかも知れん。…………いやいや、それでもいいじゃないか。似たようなことをしたって、そうだ、みんなの中で、……ゴタゴタと人間くさい匂いを立てて、ゴタゴタと働いている人間――そん中で俺あ、やるんだ。自分のため、みんなのため、働くこと。美しいよ。そうなんだ。……それで、子供を産む。俺達の子供――久太郎！……フフ、いいよいいよ！　お父さんのことを、なんといったっていいよ。お父さんは、バカでフヌケで、まったく、しようがなかった！　俺が、なってなかった。軽蔑したっていいよ。お前は俺の子だ。俺の血だ。元気でやれ。負けるな。人間は、良いもんだ。ドブン中で生きていたって、人間は、良いもんだ。人間がこさえている世の中は、良いもんだ。インチキ野郎が、どんなにたくさんいたって、イガミ合いが、いつまでたっても、やまなくったって、世の中は、すばらしいよ！・まったくだ。……人間だ。人間は、死にはしない。人間にゃ、後光がさしてるぞ。いつまでだって、生きて、栄える。……それが人間だ。……好きだ、俺あ。愛する、俺あ。どんな、どんなヘンテコな、下等な、愚劣なことをしたって、人間！。愛するよ俺あ！。それぞれ、元気でやれ！。フッフ！。（息もたえだえに、そして、自分でなにをいっているかを、ほとんど意識しないで、しかしそれだけに、生きた人間らしい感情なしに、平明ないい方でボツリボツリという）

村子　こわい。……イキがつまる。私は、こわい。（これもミイラがしゃべっているような無感覚な中で）

佐山　俺も、こわい。……だけど、……よかった。生れて来て、俺あ、よかった。うん！。フフ！。しっかりやれよ。

村子　木戸さん、かんにんしてねえ。

佐山　……チヅ、俺あ、お前を許すよ。お前も、俺をゆるしてくれ。

村子　あたしは、あんただけを思ってる。

佐山　お前は良い女だ。（互いが互いの反射作用のようにいい合っている間に、言葉の意味は全く喰い合わなくなって、それぞれ自身の幻想の中に落ちている）

佐山　……お前の好きなように、しな。お前が、どんなことをしたって、俺あ、お前を——お前たちみんなを、愛しているよ。（カスんで、よく見えない目で村子を見ている）

村子　ヒイ……（低い、かすれた泣声のような声を出して、膝をすこし動かして身じろぎをする。……その、はだかの膝へ、佐山が衰えきった上半身を、枯木がたおれるように、パタリと伏せる。その顔がピタと女の膝に押し当てられている。……やがて、そのままで、佐山のガタガタとふるえる両腕が、両がわに伸びて、村子の腰をしっかりと抱きしめる。二人は動かなくなる。抱きしめられてまっすぐに坐ったまま、村子の両眼が次第にスガメになって、顔全體がオルガニスムの頂點におけるように、極端に醜悪に、同時に極端に美しくなって来る。……二人のすぐわきで、無心にサツのかんじようをしていた花岡は、しばらく前から指を動かすのをやめて、ただ、手に持ったサツのたばを、自分に全く意味のわからないものを持たされたように、非常に不思議そうにマジリマジリと見ている。
……どこかで、水のしたたる音がポツン、ポツン、ポツン
とつゞく。――そのままで、息が絶えて、もう腐りはじめ
たとも見える三人の姿を、照らし出しているガンドウの光
のロウソクが、燃えちびて来たのか、プチプチと微かな音
を立てて息をつき、壁の上の三人の影が、ユラリと動く）

戯曲研究会のノートから

まえがき

一九四五年八月十五日の直後、いろいろの事を考えた。

もちろん、すべてが、あまり明るいものでは、あり得なかった。

予想される前途の困難は、多種多様で、しかもその一つ一つが非常な力と忍耐を要する。それを思うと、ほとんど絶望に近いものを感じた。しかし絶望では無かった。

それは自分個人についても、それからこの国の文化全体についても、同様に思われた。ほとんど絶望に近いが、しかし絶望では無い。いろいろのものが、くずれ、こわれてしまったが、ミニマムは残ってゐる。これさえ残っていれば、やって行きかた次第では、なんとかやって行けよう。そう思って来ると、そのミニマムだけを残して、その他の、よけいな、地につかない、思いあがった、借物の、コケオドシの、ギラギラした、もろい——あらゆるものが、くずれこわれて飛び散ってしまった事が、むしろ、よろこばしくなった。

「さあ、これからだ」と思った。すっぱだかになって土の上に立ったように、自然でスナヲで謙遜な気もちになった。同時に、もう誰が来ても、どんな目に逢っても、これ以上、どうにもなるわけには行かないと言ったふうの強い腰のすわりを感じた。

そうして最初に私のした事は、これまでの自分をタテ横に、こまかく、きびしく検討し批判する仕事であった。その結果、私は、いろいろのものを失った。また、いろいろのものを得た。

その、得たものの一つに、「われわれは、これまで、より若いゼネレーションの中に自身の身を置いて、共に生き、共に仕事をする者によって、バラバラなものとして存在している世代と世代を一つのものに鍛えあげ、そして、その中で文化のバトンを受け渡すとゆう事を、おこたっていた。それがわれわれをも、より若いゼネレーションをも、そして結局は、全体を不幸にして来た」とゆう、痛切な感想があった。

すぐに、可能な限りで、この陥没を埋めなければならぬと私は考えた。しかし広い事を言って見ても、オイソレとは行かぬ。また、私の力も豊富だとは言えない。先づ比較的に自分にたやすく、そしてすぐ出来る事と言えば、戯曲や演劇の事だ。そのへんをかなり考えた末に、より若いゼネレーションの中の熱心な人達と共に戯曲研究會をはじめて見ることにした。まじめな、良い人たちが集った。四六年二月から、毎月四回から二づつ定期的に行い、それ以来現在まで続けている。

研究會の内部は、完全な自治にして、戯曲作品の創作とそれの合評の仕事が中心になっているが、その時々に現われた一般の戯曲や演劇を細かに批評することもしている。いづれも、われわれの全的、本質的な「生きかた」や文化の「ありかた」の問題に関連してこれらの事がなされると同時に、高度な専門技術的な面からもなされている。全部が私を中心にしてなされているが、私は「教師」でも無ければ「指導者」でもない。たゞ、たゞ、全員の中では、私が一番永い間劇作の経験を持っている。いきおい、他の一同から私の意見を仰がれる機會が多い。だから時によって私に向っての質疑応答の形をとる事がある。その時、私にわからない事は、わからないと答える。わかっている事だけを答える。自分の力の一部をさいて答えるのでは無い。全心を傾けて、全力をあげて答える。したがって、よく、行き過ぎた事を言うことがある。また、前に言った事と矛盾するように思われる言い方をすることがある。けんめいになると、自然にそういう事になるのだから、しかたが無い。いや、結局は、ツジツマの合った事ばかりを言おうとするために正直さを失うよりも、まだこの方がよいと思っている。そんなふうにして私が語った事を、會員の一人がノートして置いてくれた。その一部分を、次ぎに書き抜いて見る。

これから戯曲を書いて行こうとする人たちの何かの参考になるかも知れないから。

1.

私たちは、過ぎ去った不幸な十年の間に、それぞれ、いろいろのギセイを拂って来た。今も拂いつつある。それは、取りかえしの付かないものだ。

しかし、それだけに、この十年の間に、私たちは貴重なものも手に入れた。

失ったものと得たものとを、共にハッキリと正視しよう。自分の眼を、その双方から、たぢろがすまい。そしてその双方をありのままに人の前で言うだけの謙遜さと同時に勇気とを持とう。

他に対して虚勢を張るのはやめよう。同時に権力に対して追従するのも、やめよう。自分にとって自然で合理的なことを、おだやかに、人間らしくやって行こう。

2.

そんなふうに思いながら、終戦後の文化人や文化界の全体を見ると、たいへん残念に思われるところの現れや動きが有る。

演劇文化のカラまわりもその一つ。

演劇文化の真の反省、その反省にもとづいた再建・発展は、実は戯曲の創造からはじめられるのが、至当で自然だ。それが忘れられた。又は無視された。そして猿芝居がはじまった。

戯曲を忘れた演劇運動は、すべてマヤカシである。そのマヤカシがはじまってしまった。はじまってしまったものは、ハズミでどっちかえゴロゴロところがって行く。現にころがって行きつつある。猿はキッキッと叫んで、たいへんなごきげんだ。見ものとしては景気が良くてけっこうである。

しかし、私たちは猿にはなりたくない。だから、人眼にはパッとしない、デミな、ノロクサイ話だが、戯曲のことから始める。

3.

私はこれまで、いくらか戯曲を書いて来た。僅かばかり戯曲のことがわかって来たような気がする。しかし、まだわからない事の方が多い。これから少しは戯曲らしいものが書けようかと言う気はする。しかしそれはやって行って見ないと、わからない。

だから、人に対して戯曲作法みたいな事を説いて教えるなどと言う事は、私にはできない。そんな興味も無い。私は作家であって教師では無い。だから、戯曲というものをめぐって、みんなといっしょに相互研究をして行くだけだ。以下のべる事も、自分のこれまでの経験の中から、他にもすすめてもよくはないかと思われる事を参考までに話すだけである。採りたいと思った事だけを採ったらよい。そしていっしょに考え、勉強して行こう。

4、

戯曲を書いて行こうとする人間に、私はまず二つの事をすすめたい。

第一に、食物をよく噛んで喰うこと。

これはタトエでは無い。文字通り、食物をよく噛んで食うことである。戯曲家たらんとするものは、すこしの食糧からできるだけ多くの栄養をとらなければならぬ。それには、よく噛むことが必要だ。

戯曲を書く仕事は、それ自体として、なかなかむづかしい仕事だ。文学の中で一番むづかしい。それに戯曲家は貧乏する。今の日本では、自分の良心に立って戯曲を書いていると、必ずひどく貧乏する。長い期間にわたって、この困難と貧乏に耐えて行かなければ、良い戯曲は書けない。

探険家アムンゼンが、「探険家は胃袋をいつでも丈夫にして置かなければならぬ。胃袋さえ丈夫で、ホンの少しの食糧ででもヘコタレないならば、人は、たいがいの困難に打ちかつ事ができる」と言った。これは真実だ。

創作家の仕事は探険である。現代は、特に今の日本という所は、残念ながら、戯曲を志ざす人間にとって、非常に険悪な天候の、おそろしく危険の多い地方である。そこを、戯曲家は永い間歩いて行かなくてはならない。たいがいの人の食べる物よりも粗悪な食物を、たいがいの人の食べるよりも少なく食べ、しかも、その食物の中から、たいがいの人よりもたくさんのエネルギイと勇気を摂取するように心がける事が必要だ。それには、さしあたり、すぐやれる事としては、食物を徹底的によく噛んで食うことだ。

私はこれを実行している。それでも、うまい戯曲はなかなか書けない。それでも、貧乏がひどくなって、時によると噛ようにも噛む食物がまるで無くなることがある。しかし、めったな事ではヘコタレない。

才二にすすめたい事は、君の好きな戯曲作品を、はじめからしまいまで、ていねいに書き写して見ることだ。

戯曲を書くコツは、戯曲作法の本などいくら読んでも、なかなかわかるものでは無い。けっきょくは、自分が書いてみる以外に無い。しかしそれへの一つの手段として、すぐれた戯曲を一字一句抜かさないで筆写して見ると、びっくりする位に得るところが有るものだ。これは一度だけで無く、なんどもやって見るとよい。日本の物でも外国のものでもよい。たゞ、自分が読んで好きになった作品の方がよい。

5.

舞台的な約束など、あまり考えないで書いた方がよい。たゞ、真実に即して書くように心がければたりる。実感と必然性を持っていればよい。昔から言われる劇作術上の「三一致」――場所と時と人物の一致――という事も、いわば、もっともリアルな感じをつかみ出して来るための方便を要約したものに過ぎない。つまり結果であって、出発点ではない。出発点は「真実」だ。真実を押し出すために必要ならば、美も均整も、その他のどんなものでもギセイにして、さしつかえない。

これから戯曲を書きはじめようとする人は、なるべく一幕物を書くがよい。すでにたくさん戯曲を書いて来た人も、時々、一幕物を書くがよい。戯曲書きの仕事は、限られた「場」の上の仕事だ。そして戯曲の中でも、最も限られた「場」は一幕物である。一幕物がチャンと書けない人は、ホントは多幕物は書けない。

幕間は単なる休息の時間ではない。それは作者が観客の想像にまかせた一幕の演じられている時間である。

作品を書く前には、先づその事件と人物達を、自分の眼の前にマザマザと見よ。自分の眼に見えないものは書けない。

また自分の眼に見えなかったものを、ゴマカしていくら書いても、それを人の眼に見させることはできない。

人物の一人々々について完全なノートを取った方がよい。場合によって、その人間がなん文《もん》のタビをはき、どんな物を好んで食うか、からだのどこどこにホクロが有るかという所まで。

徹底的に人間を書け。そのために作品のバランスがくずれる事があっても気にしないこと。

6

現代の多数者（マヂヨリティ）に魅力を感じさせない芸術は、死んだ芸術である。多数者とは、貧乏で働らいている人。常に働かなければ食って行けない人たち。

それらの人たちと共に生き、それらの人たちの悲喜が自分の悲喜であるように、自分の実生活と感情を、ふだんに打ちきたえて置くこと。大事なことはその事だ。

そして、ドラマを書く時には、自分のために書く。あくまで自身のために書く。

自分の中に多数者が生きて居れば、自分だけのために書いたものが多数者のために書いたことになる。

この関係をまちがえると、芸術至上主義になったり、「主人持ち」の芸術家になったりする。

ヒューマニズム。——新聞記事を読んでいても、時にドキンと心臓がしめつけられてくるような強烈な感情移入。そのような感情移入を可能にする鋭どく豊富な想像力はヒューマニズムからしか生れて来ない。それを持つのが作家だ。それを持とうとするものが作家だ。

人間をたゞ単に人間であるという理由だけで尊重し、そして平等に尊重する。——作家が立つべき、そして立ち得るヒューマニズムは、それしかない。いろいろに解しやくされたヒューマニズム、いろいろに摘要されたヒューマニズム、いろいろに順応させられたヒューマニズムは、この際一応全部ヒューマニズムの最も素朴なる原型に還元される必要がある。

7.

カブキが現在、省略されてコマギレの形で上演されている現象は、それ自体としては残念なことであるが、しかし、演劇に対する民衆の長い間にわたる現実的な要求が累積された結果である。善い悪いを言ってもしかたが無い。カブキを丸本のままで上演せよと言う議論は、文化財を完全な形で保存すると言う見地からの主張――つまり博物館的主張としては有り得るが、生ける演劇としての見方からは正論では無い。カブキは、忠実に原型にもとづいて演出すればするほど、現代人からは遊離して行く。原型のままでは、それはほとんど死せる演劇だ。

一国の演劇の主流は常に現代劇でなければならぬという言い方はまだ手ぬるい。

あらゆる場合にあらゆる演劇は現代劇たらざるを得ぬ。

8.

作家は登場人物の一人々々に対して責任を持たなければならぬ。つまり、彼等が何を幸福と考え、なにに悲しみ苦しんでいるかをハッキリとつかんでいなければならぬ。

一つの作品の中に、作家の生死が賭けられているような作品。

オリヂナリティ（独創性）の無い作家は作家とは言えない。同時にフオルマリティ（劃一性）の無いオリヂナリティは、ノンセンスだ。

主題の必然性を追求する作家の眼が、自身のセンチメンタリズムでにごってはならない。

気分則で成功するためには、素材の同質性から逃げまわることよりも、実は、その素材の中で問題となり得るすべての要素の本質をハッキリつかむことが必要である。

作品の中に切り取って来られた部分以外のすべての細部から来るイマヂネーションを、書かれるものの中に凝集すること。その凝集の力が、自然主義的に写実的なものをドラマとしての真実に高める力である。

芸術家は、世間いっぱんからどのように尊敬され善しとされているものでも、時によって敢然として否定し得るものであり、同時に、どのように非難され悪しとされているものでも時によって肯定し得る者である。

芸術家は酔える人間である。しかもどのように酔っていっても最後の瞬間まで、神である自分が醒めている人間である。

眼からタラタラと涙をこぼしながら、もう一つの眼が心の底で見開き、泣いている自分を見詰めている。デエモン。そうしたしたくないと思っても、いつのまにかそうなってしまっている。

君はいつも君の持っている絵具の中の一番キレイな色だけで描いている。それは先づなによりの事だ。それは自然だ。しかし、一番キレイな色だけでは描けない所まで君のデエモンが君を運んで行ってくれないとしたら、残念というものだ。

芸術家は、もちろん自分自身の地獄を背負っている。が、他人の地獄も背負っている。いやだといってもしかたが無い。

9.

絶対に、どんな事があっても、観客をタイクツさせてはいけない。タイクツは、他のどんなことよりもいけない。

そして、タイクツであるまいとする努力(原)することほどタイクツなものは無い。

作家によってホントに興味を持たれ、生き生きと描かれたものは、どのように長くてもどのような様式で書かれていても、けっしてタイクツではない。

戯曲には誇張の勇気が必要だ。誇張もしきれないような弱々しい感受性と感情からはドラマは生れない。

圧縮。——それがドラマツルギーである。

作家にとって一にも二にも大事なのは実感である。しかし実感は固定したものとは限らない。今日の実感があり昨日の実感がある。タテの実感があり、横の実感がある。実感と実感との間にはさまり、もみ抜かれることが作家の振幅になる。

技巧的にうまくなる事が邪道のように思ってはいけないようだ。技巧はだんだんうまくなるより他に行き道がない。一歩もあとがえりはできない。あとがえりが出来ると思ったりするのはヤコゼンだ。ムニムサンに、徹底的にうまくなろうと努力することの方がホントだ。

「技巧的」なのは下手だからだ。

メロドラマにたん溺するのはキザである。しかし要もないのにメロドラマを避けることは更にキザだ。

作家はいくぶんドンキホーテ的な性質を持っていなければいけないようである。つまり愚直さ。いったん取り上げた主題を最後まで持ちきること。最後までガンバリ抜くこと。呼吸の長さ。保持力。——たおれて後やむと言う言葉があるが、作家は、たおれても、尚やめてはいけない。

主題と取り組んだらズタズタに、とゞめを刺すまで、やってみること。居合抜きで、一人がてんで、斬ったつもりでいるのは、まだ早すぎる。

戯曲を書く仕事は、恋愛に一番似ているように思う。つまり、好きな相手をくどき落とそうとするのと同じだ。

相手に対する愛さえ本当なら、口説くために嘘をつくのもやむを得ない。そう言う意味で芸術は嘘である。警戒しなければならぬ事は、自分の口説き文句に自分が酔って、惚れていない相手まで口説いてしまうという習慣に陥りやすい事だ。

またそれは料理にも似ている。良い材料が有るからと言って、なんでもかでもゴタゴタと盛り上げ詰めこんではいけない。良い料理人の仕事は、一にも二にも、材料の選択、切り捨てである。

10.

作品の明るさと言う事は、自分自身にとって明るいと感ずることである。それ以外に明るさというものは存在しない。作品の肯定性と否定性との規準を、自分以外の所に求めようとすることは、私の場合では、すべて徒労であった。

現実のドラマティックな把握が、究極に於て、自分自身を高める方向へ向っている場合には、表面的にどんな暗い素材や要素から成っていても、その作品は明るい。

戯曲は、自分の持っているすべての能力のマリエーデ・ポイント（綜合点）で書かれなければならぬ。そのポイントを追求するのが作家の仕事だ。

作家が自分を勤労者と共に、勤労者の中に生きているという実感を持たないならば、また、持ち得ないならば、力強い作品がどうして書けるだろう。

ある作家は勤労大衆の事を考えた方がよく、ある作家はそれを考えない方がよいと言うような事では無いのである。作家と言うものは、元来、勤労大衆の眼であり耳であり口であり——つまり選手だ。

作家の精神が最も高く作品の中で昂揚されるのは、彼の心底からの怒りの火が点じられた時のようだ。
作家は、真の怒りを感じないところで泣いたり、感傷的になったりしてはならぬ。

作家の怒りは、人間の最も深い所でなされなければならぬ。それを社会的な怒りだけに限定したり、又は、図式的に、還元したりするところに、マルクシスト作家達の狭さと浅薄さが有るように思われる。人間が人間であるために起きるいろいろな現象に対する怒りにしても、りっぱに作家の作品の動機や主題になり得るのである。

一人の作家の根元的動機や主題は、いくつも無いもののようである。また、一人の作家の真に描き得る世界や人物も、極く僅かなもののようである。バルザックやトルストイやドストイエフスキやチエホフと言ったような、多種多様な主題や素材や人物を描いた作家たちの作品も、よく調べて見ると、みんな唯一つか二つかのモチーフのヴァリエーションに過ぎない。
そして、この根元的動機と主題が、その作家の「実感しなのである。

朝、眠りの中から自然に静かに目ざめるように、身も心も溶けこんで行けるような世界を書きたい。また、それ以外にホントに書ける世界は作家には無いように思われる。

一つの主題が自分の頭に浮んでから、目ざめている時間のどの一時間々々もそれを考えていない事が無いという状態で、一週間以上連続して凝視し保持し得ないような主題を作品に書いてはいけない。

人間の心理の必然に添わないで彫琢された会話は、たとえどんなに美しくとも邪道である。
その人物を裸かにして刀を握らせたらどうなるかという所まで一応行かせて見なければならぬ。
人間は、全可能性を内に包んで、そこに坐っているのである。

佛教の言葉に一念三千というのが有るが、戯曲に於ける言葉も、一語のうちに三千の思いがこめられていなければならぬ。

言うまでも無く、戯曲家の才能とは、生きた言葉の中から最も生ける言葉を選択する能力のことである。

芸術の本質があくまで人間性の探求にあるならば、最後に必らず非合理的な、不可知の部分にぶつつかる。たゞし、それは、合理的、科学的な探求の最後の段階に於てゞなければならぬ。その入口に於てゞあってはならぬ。

そう言う意味で、われわれは人間関係についての智識と思想の中で現在までのところ一番合理的なものであるところの共産主義体系に対しても無條件に帽子をぬぐわけには行かぬが、しかし同時に、それを無視することは尚更出来ない。

11.

現実を「風景」としていくら見詰めていても、ホントのものは見えて来ないようである。「実感」の無い所に探求はあり得ないようである。

恐ろしくて書けないような現実を、スケッチしてはいけない。

自分がとりあげた現実に対して、なにかの意味でのジンテーゼを持たないで作品を書くなかれ。

芸術の奥は、誰がどんなに努力しても、きわめつくす事ができないほどに深く困難なものであるが、芸術の入口はその気さえ有れば誰にでも一応は入れるように容易にできている。気をつける方がよい。また入口は奥へつながっている事を思って自信を持つがよい。

作家が作品を書くという事自体に、特別に貴重な価値など有りはしない。ただそれを書かねば死んでしまうから書くという関係に置かれた時に、作家の作品行動が貴重なものになる。

書きたいと思うものだけを。書かずには居られないものだけを。それだけを書いた方がよい。考えて見ると、それ以外のものをホントに書ける道理が無いのだ。

自分の書いている作品から、逆に自分が斬り返されて来ないような作家は、ニセモノである。

現実の中には、それを見るのに最も美しい最も興味のある角度がある。ドラマと言うのは実はその角度のことだ。その角度に対する適確な認識とセンスとがドラマティストの天分である。

そして、角度は、冒険である。

冒険家としての本能とセンスを持たない者はドラマティストでは無い。

冒険の中で一番おそろしい危険な冒険は、日常茶飯の平凡事の中に含まれている冒険だ。平凡事を描いてドラマになし得る作家が一番えらい。と言う事は、平凡事を描いてタイクツな作家が一番くだらないという事をさまたげはしない。

現実と取組んで、その真をさぐるのには、誠実さだけでは足りない。かしこくならなくては。ずるくならなくては。

誠実であると同時に、ずるくなるという事。その誠実さもずるさも最高級のものでなければならないという事。――むずかしい。なかなか一朝一夕にできる事では無い。しかし、それをしなければ、最も初歩の作家にもなれない。

12

現実は合理的なものらしい。らしいという事がわれわれ人間にはわかるだけである。氷山の水面に出ている部分がこれだけならば、水面下にかくれている部分は、大体これだけの物で、こんなかっこうをしているだろうと推察するだけだ。誰もまだそれを見た人は居ない。

人間はそれぞれ一個の氷山だ。僅かばかりの　可見の部分と非常に大きな不可見の部分からできあがっている。

人間を生けるものとして表現しようとする芸術の仕事は、人間の不可見を貫いてなされる仕事だ。

だから　可見的に合理的にばかり人間をつかまえようとする者は、かえって非合理になるようである。

しかし、と言うことを、神秘主義にわれわれが走ってよいという口実に使ってはならない。人類が築き上げて来た合理的な手段―論理と科学―の最高度のものを使駆し終って後にわれわれは不可見の前に立たなければならぬ。

人間のことがなんでもかでもわかった気になって書かれた作品は図式になる。こっけいである。人間のことはなにもかにもわからないとしてしまって書かれた作品は気分劇になる。みじめである。

ソヴイエットの戯曲に前者が一番多く、フランスの戯曲に後者がかなり多い。どう言うわけであろうか？、

自分の経験では、劇作家の修業は、禅の修業に一番近いように思う。

迷いと悟りとの間のスレスレの線を歩いて行く。論理と非論理の間を不即不離に歩いて行く。時々エイとばかり勇気をふるい起して、その迷いと悟り、論理と非論理の両方をいっしょにして、一刀両断に叩き割って見るのだ。それが作品。

ただ、小坊主になっては、たまらない。

13.

作家は大いに歩かなくてはならぬようだ。電車や自動車で

或る地点から或る地点へ行ったことは、まだ経験とは言えない。経験は一歩々々の歩みの中に有る。一歩々々の肉体と心の動き、見るもの聞くもの触れるもの、一つ一つにあるひはよろこびあるひは怒りあるいは悲しみつつ経過してくることである。

自分は何かに執したり、とらわれたり、混乱して、自らの書を書くものの事もハッキリしなくなった時には、長い道を行く旅人の姿に自分を置いてみる。すると忽ち本質的なものとそうで無いものとの区別がハッキリして来る。整理がはじまる。捨ててよいものと、どうしても必要なものとが分離されて来る。そして、いつでも、どうしても必要なものは極く僅かなものであることがわかる。

これは、比喩ではなくて、事実ありのままの話だ。しかし比喩として作家が作品を書く場合にも、当てはまることのように思われる。

自分の食慾と他人のそれとが一致しているという自信。──自分の食いたいものを他人にすすめても他人に気に入る、それにあやまちが無いという信念が無ければ、ぜんたい、作品など書けるわけが無い。この自信は紙一重の差で独断に隣りしている。

信念と独断との微妙なかねあい。

それを知らなければならぬ。

戯曲は、たいがい、なにものへかの攻撃だ。斬り込みだ。プロテストだ。

力が不足していては出来ない。ファイトが負けていなければ成功しない。

勝海舟いわく、

「人とむづかしい掛け合い事をする時は、こちらに理の有る事について、もし万一相手が話を聞き入れなかったら、即座に斬り死をする覚悟をした上で、しかしあくまでおだやかに、あくまでしんぼう強く話すことだ」

作家が現実に立ち向って作品を書く態度にも通じはしないか。

作品に具象化されたものだけが━と言うより、作品に具象化し得たものだけが、その作者のイデオロギイであり、作者の人間的なレヴエルである。

往々にして、ここにイデオロギイがあり、かしこに芸術的才能があると言ったふうに考える人が、こんなバカらしい話は無い。イデオロギイと言うものは、そんなワヤなものでは無いし、芸術的才能と言うものを、そんなワヤなものでは無い。

14

ドラマは、どのような種類の性格を持っていてもよいが、ただ一つ、タイクツであってはいけない。

いや、こんな言い方は、まちがいだ。

ぜんたい、ドラマがドラマとしてとらえられているならばどうしてタイクツになり得るであろうか?、

ドラマがドラマとしてとらえられていると言う事は、その素材と角度に対して作者の主観が燃焼しているという事だ。

つまり、作者が興味を以てその現(原)実をつかんでいると言う事だ。一人の人が興味を感じているものを、他の者が見て全く興味を感じないと言う事があり得るだろうか?、

作家は作中の人間の運命に対して、責任を感じなければならぬ。責任を感じることの出来ない人間を登場させてはならない。

落着いてしゃべったり事をしたりする時にはマルクシストであっても、トッサに事をする時にはフアシストである人間がいたら、その人間はホントはフアシストだ。

そして芸術は、いつでもトッサのいとなみである。

ドラマテイックな真実をとらえるには、一筋なわでは行かない。手れん手くだや、かけひきや馴れ合いが必要だ。つまり、くふう。

クソマヂメでは、だめだ。つまらない。

クソマヂメと言うのは、化石した不誠実さだからである。

それよりも戯曲を書くことを「遊び」したいものだ。

しかしその場合でも、大事なことは、ドラマテイックな真実に向ってホントの食慾を持っているという事だ。ホントの食慾を持たないで遊んでいると、戯作者になってしまう。

戯作者はキザだから、いけない。キザなのは、バイドクよりもいけない。


（以下略す）

あとがき

〈胎内〉

昭和二十四年、　著者四十七才。

「中央公論」24年4・5月号に連載発表。

同年8月〈猿の図〉と共に戯曲集として、世界評論社より刊行。

〈戯曲研究会のノートから〉

昭和二十一年、（著者四十四才）二月。　会員を公募して戯曲研究会を発会。翌二十二年秋に至って解散。

この〈ノート〉の成立については、本文"まえがき"に詳しく語られている通り。この一文は、著者の死後に発見されたものである。どうして未発表であったのか、「好日」などと共に、今日ではその理由を明らかにすることはできないのである。

昭和三十七年六月　九日　印刷
昭和三十七年六月十二日　発行

限定版
２２０部
その内の
第 [illegible] 番

三好十郎著作集　第二十巻
（非売品）

著作者　三好十郎
監修者　三好きく江
発行者　三好十郎著作刊行会
代表者　大武正人
東京都大田区北千束町七七四番地
電話東京（七一七）二三八五番
振替　東京五一七五二
印刷者　株式会社　タイト印刷
東京都中央区八重洲四ノ五梅田ビル内

三好十郎著作集既刊目録（その二）

配本年月日	巻数	頁数	内容
36.10.3	第十一巻	105	傾斜。危険な演技。鐘乳洞。一夜。
36.10.31.	第十二巻	100	無明一番槍。露路の奥。青春（未完）
36.11.30.	第十三巻	103	報国七生院。熊手隊。横に！そしてタテに！　童話　花と卵
36.12.23	第十四巻	112	水仙と木魚。大福と予言者。夜の饗宴。ノート。やかましい人。オペレッタ大福と予言者（未完）
37.2.8	第十五巻	114	全詩集。
37.2.24	第十六巻	100	新劇と映画。作家渡世。新劇の弱さ。新劇を強めるために。商業劇団のレパートリー。ラジオの演目。愉しいから。誰に読ませる。他意無之。仲町貞子管見。新築地の桜の園。諷刺文学のむつかしさ。一新劇人への手紙。演劇時評。村山知義を語る。ロッパ一座。怒れる喜劇。戦国群盗伝の二と。劇作家の希望。近代ゴシックと日夏耿之介。時評。書け、落合三郎其他。舞台裏の涙。

37.4.2	第十七巻	140	シナリオ 彦六大いに笑う。地熱。おスミの持参金。
37.5.2	第十八巻	133	炎の人。エッセイゴオホの三本の柱。人生画家ゴッホ。炎の人（作品集あとがき）ゴッホとのめぐりあい。
37.5.26	第十九巻	104	大きな車輪。女ごころ。妙な女。撮影所の幽霊。美しい手紙（未完）
37.6.12	第二十巻	109	胎内。戯曲研究会のノートから。

第二十回配本

三好十郎著作集

第二十一巻

三好十郎著作集　第二十一巻

監修　三好きく江

編集　大武正人
秋元松代
高橋昇之助
石橋一正

妻恋行

さびれ切った山がかりの宿のはづれ、乗合自動車発着所附近。上手に待合小屋、下手に橋。奥は崖、青空遠く開け、山並が望まれる。

夏の終りの、もう夕方に近い陽が、明る過ぎる。よそ行きの装をした百姓爺の笠太郎が、手紙らしいものを右手に掴んで、待合の前に立ち、疲れ切った金壷まなこを落込ませ、ヤキモキしながら延び上っては橋の向ふを注視してゐる。待合の板椅子の上には下駄を脱いであがり込んでペタンと坐ってゐる娘クミ。よそ行きの装に、見たところ少し唐突に思へる蝶々に結った髪はよいが、ボンヤリして口を少し開いてゐるのは疲れ過ぎてゐるのだ。クミの膝を枕にしてクークー小さな寝息で眠ってしまってゐるのは、十歳になる六郎少年でこれは後に出て来る区長の六平太の末の子である。右手に紙製の小さな聯隊旗を握ったままである。——間。

笠太　そんな筈、にやあて！。来にやあ筈、無あ。来にや……（しきりと延び上って見る。——間。遠くに自動車のラッパの響）。おい、あれだわい！。あれだわい！（言いながら橋の方へ走り出して行く。ラッパの響遠くなり消える。）あんだあ畜生、高井行きだあ。（戻って来る。疲れてゐるので石につまづいてヒヨタヒヨタ倒れそうになるのをやっとこらえて）くそったれ！。

クミ　……もう帰ろよう、父う！。

笠太　甚次といふもんは、チヤッケエ時分から口の堅い奴だやった。まあ待て、来にや筈無え。

クミ　そいでも昨日も朝から待ってゐて、おいでんならんに。處女会や青年団からまであして出迎へん来て貰うてさ、そいで、おいでんならんもの。私あ面から火が出よった。

笠太　あやつ等は、甚次が来たら寄附ばして貰はうといふ下心で出迎へなんぞに来よったんぢや。慾にからんでさらすで、油断ならんわ。甚次が昨日着かなくて却って都合よかったのだ。

クミ　父うぢやとて、慾ぢやが。

笠太　あにをっ!?、あにが、此のオタンコナスめ、貴様の亭主になろうと云ふ男ば迎へに出るが、あにが慾だ！親の慈悲ば、ありがたいと思へ。

クミ　……（欠伸をして）くふん。甚次さんのお嫁さん、甚次さんのお嫁さんと云ふちや、處女会の人が私の事を、ひやかす。私あ、なんぼう、て私臭いわ。

笠太　あにを！　ぢや手前、甚次、嫌えか？、

クミ　嫌えにも好きにも、顔も憶えちよらんに。

笠太　今に見ろ、今に見ろ。永年東京で磨き上げた男だや慈このねえな山ん中で山猿共の面ばっかり見てゐた手前の眼がでんぐり返らよ。ボーッと来ねえように気をたしかに持っちよれてば。アッハッハッハ。アハハハハ。（一人むやみと上機嫌に哄笑するのである）アハハハ。還見笠太郎の體面に関すらよ。あんまりだらし無くおっ惚れんな。ハハハ。

クミ　んでも、来なきや仕様あんめ。今日も、はあ、もうお日さんが一本松の股んとこまで落ちたで、日が暮れらね。

（笠太郎ケロリと笑ひ止む。）

笠太　読んで見ろ。これ読んで見ろえ。

クミ　何度読んだとて同じぢや。小生一生の事に就き伯父上に御相談致したく、だ。来月二十八日篠町着にて御伺ひいたす……あんまり何度も読まされたで暗誦してしまうた。九月の二十八日とは昨日ぢやが。

笠太　そこが二十四や五の女子にや解らんとこよ。積って見ろえ、先は安多銀行てえ、あんでも東京でも一二の所に務めてゐる身體だ、都合で一日伸びと云ふ事有ら。うん。

クミ　そりや、さきおととし来た手紙に書あて有った事だやろが。……ああああ。私、もう帰るから、自動車賃くれろ。

笠太　帰んなら帰れ。金は無え。足が有ら、けっ。三十銭なんて沸へっか！。

クミ　昨日から三度行ったり来たり、四里だやから三四十二里、私あ太腿さシンが入ったわ。乗合が有んのに乗らねえんだもん。乗合賃はすの、んなら、村でことわればええに。

笠太　此の女郎！。オタンコナスめ、あんにでもケチを附けるたあ、貴様あ、六平太の小父きにソックリだや。帰れ、クソー。

声　あにが私にソックリだやね？（言ひながら、當の妻恋六平太が、酔った顔をして右手から現はれる。山高帽をかむり、袴を着けてゐるが、どう云うつもりか、袴の両モモ

ダチを上げてゐる。待ちあぐねて、直ぐ近くの茶店に行って一杯ひっかけて居たのらしい）ああん、帰れとは？、

笠太　ははん？、……あんたも、もう帰ってくれろ。

六平　帰ってくれろ？、

笠太　ははい。もう、こんだけ待って来ねえのだやから、何か差しつかえが出来たのだやろ。

六平　お前も帰るかなあ？、

笠太　私あ、ついでだ、もう少し待って見つからね。あんたああ先い帰ってくれろ。金え使はしたりして気の毒だあ。

六平　お前が待って居るなれば、私も待った居べよ。ああに、太田屋で一二杯飲む分にゃ、知れたもんだ。それ、どっこいしよ。六郎め、よくねぶってけつからあ。ああ、酔うたわ。

（笠太郎は、さう云う六平太を憎さげにチロチロ睨んで、デレてゐる。）ラーい。ああ、本年も、もう秋だのう。こら六郎、もうチット乞っちへ寄らんか。いやあ、甚次公も、えらい骨を折らせる男よ。早いとこスパッと帰って来ねえかのう。丸二日おやからねえ、こいつは二日分の手間代だけはおごらせんならんなあ。ハハハ。東京へ出ると、苦学をして、夜の実業学校ば卒業したと云ふなあ。そいで、その銀行につとめてさ、初めは、どうせペイペイだや、そこがそれトントントンと段々にのう。ハハ。そもそも甚次君と云う青年は、以前からして、ほかの子供とは少し違って居た、私は伯父として、當時から――（とベラベラと埒もなく喋りまくる）

笠太（さえ切って）お言葉中でがすが、區長さん、あんた甚次の伯父かね？、

六平　しかしまあ、伯父見たいなもの。左様　あれの死んだ母親の叔母が内の大伯母のいとこだ。私あ伯父として當時から、これは仕向け方一つで物になると――。

笠太　お言葉中でがすが、あんたが伯父なれば、此の私あ、あんかね？、

六平　あん？、（話の腰を折られて、急に口をつぐみ、見上げ見下して相手を睨みつける）ふうーん。（二人は毒々しい程の眼付で睨み合ふ。その間も六郎が寝こけてゐるのは勿論のこと、クミの方も、父と六平太のこんな争いは何度も聞いて飽きてゐると見えて先刻からコクリコクリと居眠

つてゐる）（短い间）

六平　私が伯父であれば、お前、御迷惑がすかい？、

笠太　……私が伯父であれば、あんたさん、お気に召さん向きがお有りかいや？、（両人の言葉が丁寧になったのは、それだけ感情が険悪になった証據なのである――间。）

六平　……ハハ。私あ區長やっとんだやから、區から成功者が出れば、名誉じゃから歓迎もする譯合いでのう。

笠太　全くでがす。（と殆んど呪いを込めて言い放って）私あ、血こそつながって居らんけども、伯父だやから、とにかく伯父だやから、伯父としてあやつをもてなさんならんと思うとります。伯父として――。（二人それっきりフッツリと黙る。今迄互いに睨み合ってゐた眼を双方そらして傍を向いてしまふ――向）

六平　……（せき拂いをして、今迄とはまるで違った調子で）高山の林ん下の二段田は妻恋一の上田ちう事は皆が知っとる。（とまるきり出し抜けな事を言い出すのである）ところが、登記をすんのに三百両だやからな、ま、そこで高井の梁谷君も二の足をふむ道理か。ハハ。

笠太　（これも別の事を云うのである）梁谷々々と言うけれども、家屋敷から田地悉皆《しっきゃあ》、農工銀行に抵当に入ってゐる上に、篠町の月田の穀問屋へ二重に入っとるげな。内輪を見れば似たり寄ったりだ。他人の世話あ焼かんもんのよ。のう。ハハハハ。

六平　（カッとして向き直って）お前、皮肉ば申さるるかっ！　梁谷に私が借金しとるのは、嘘でないとも！。しかしおや、私の手元が都合つかんで梁谷の方で裁判沙汰にしようとまでなったと言ふは、肥料代三月も溜めて居る上に耕地整理の際のカカリまで未だに拂へもせぬ癖に、ただもう餓鬼の様に、よい田地とさえあれば物にしようとかかって居る高山やお前みてえな慾の者が有るからだや！・

笠太　餓鬼とはあんでがすか餓鬼とは！、そりや、そりや、あんたに借りが有る者は実正でがす。そりや、返せばようがせう？、へん、返し申す、しかし、それとこれとと話が別だや。そもそも私等が食ふ物も食はんで、高山の方へ二段田の手附けを打ったというものが、血の出るやうな――

（皆まで言はせず、六平太いきなり立ちかける。丁度そこ

（奥で自動車のラッパが鳴って近づく）
六平。あにが、皿の——（そっちを見て）お、来た！。こんだ篠町からぢゃ！（と、口論の方は始った時と同じく突然に打切って左手へ走り出す。笠太郎も、これに続いて走って消える。ラッパの音）（あとには舟をこいでゐるクミと、眠ってゐる六郎）（右手から包みを持ったトヨが出て来る。スタスタ歩いて左寄りの橋の上まで来て立停り、今自分の歩いて来た山の方をヂッと見てゐる。ヒョイと振返って待合小屋を認め、急にくたびれが出たらしく休んで行く気になり、その方へ歩み戻る）
トヨ　はれまあ、クミちゃん？、六郎さんだ。（と声を掛けようとするが、思い返してよして、黙って、先刻六平太の掛けてゐた場所に掛ける。美しい顔だが、何分にも産後でやつれてゐる。間）
クミ　あーあ。あーあ（欠伸。右手を伸して脇をポリポリ掻き、眼を醒す）まだかえ、父う？、あれ！。まあ、トヨさ……。どうしたん？、いつ来たん？、
トヨ　たった今ぢゃ。……まだ身體が本調子でねえけれ、くたびれてねえ。
クミ　歩いてかい？、
トヨ　うん。コンデンメルクば二つ買うたら車賃なぐなってしまうて。
クミ　赤は、んぢゃ置いて来たん？、
トヨ　新家の婆ん所、あづけて来たわね。……甚次さん、まだ着かねえの？、
クミ　んぢゃ、んぢゃ、お前も迎へに出て来たんか。いうん世話ぢゃがねえ。
トヨ　違ふ。私あ少し遠方へ出かける。
クミ　んなら、どうして知ってゐるの、甚次さんの帰って来るのば？、
トヨ　そいでも村中で偉い評判ぢゃが、黙ってゐても耳にはいるもの。あんでも、えらく出世して金持ちになって帰っておいでるそうな、ね？、……私、甚次さんとは仲好くして貰ふて居た、小せえ時、甚次さんにも二親がなかったし、私にも、おっ母だけしかなかった。
クミ　フーン。……（急に意地悪くニヤニヤ笑って）トヨさ

んよ、お前ん産んだ赤のお父うは誰だえ？、

トヨ　……（返事をせずに、クミの顔をジッと見てゐてから下を向いてしまふ）

クミ　誰だえと云ふたら誰だえ？、高井村の梁谷の二番目の若旦那だて云ふ噂だぞ。製材の朝鮮人の阿呆だと云ふ噂も有らあ。なぜ言へんの？、ふーん、なぜ言へんのか、トヨさ？、なぜさ？、

トヨ　……（顔を上げてクミを見詰める。唇をかんでゐる顔が泣きそうになってゐる。しかし言葉は無表情に）……言へん。

クミ　フーン。さう、フーン。……さうさう、もう私に声は掛けて呉れんな、トヨさ。お前と口利いてゐるの處女会に見られると、仲間はづれにされっからな。

トヨ　……私から声をかけられる心配なぞ、これから、せずともよくならあ。……（ヂッと前を向いたままの両眼から涙がタラタラ流れてゐる）

間

（六平太と笠太郎が、ガッカリして無言で戻って来る。待ち人が来てゐなかった者が一見して解るのである）

笠太　……（石に蹴つまづき、口の中で）……チキショウ！

六平　……（無意識に歩いて待合の方へ行き以前に掛けてゐた席に掛けようとして、そこにトヨが居るのを認めて、ギヨとして）はあ、齋藤トヨで無やあか。（トヨ返事をせぬ）……トヨどうして此處さ来た？、（言はれてもトヨは返辞をするのも忘れてヂッと相手を見詰めてゐる）

笠太　あにて、トヨだと？、はれまあ、トヨだ。いかん、いかんぞ、こらトヨ！。お前みたよなイタズラ娘が、甚次ば迎へに来ると言ふ法無あぞっ！、帰れ。うん、帰れ！。子供ん時は好え仲だとか、許婚だったとか、そら、ホンマであったとしてもだ、そりは、貴様の身性がマットウであってこそだ。何處の誰ともわからん者の子なんぞ産みやがって――貴様さいでも、甚次の来るのば待ってゐて、あんとか又話ば――。

トヨ　笠太郎の小父さ。……私あ、迎へに来たんでない。篠町へ出て、汽車ん乗って、久保多の町の方へ行きます。くたびれたで、休んで居るだけだや。（これで笠太郎は口を

ふさがれて石の様に黙ってしまふ）
六平　ふーん、おや、久保多の三業の方に話が出来たと云ふ
はホンマかい？、
トヨ　……へい。
六平　子供あ新家に置いてか？、……んだがお前、三味線ひとっ引けめえに、三業と云ふたところで、噂は知れてら。気の毒ー。
トヨ　……へい。……誰がしたんでも無あ、自分で自分は売るんだやから
六平　赤の父親は打明けて言へばよかろに。
トヨ　……婆と私の二人で、いくら芝あ擔いでも、おかいこ飼っても、口過ぎ出来なかったです。そんで……。（短い間）
六平　一體が、その男にしてからが、悪気が有る譯でも無かろよ。又、心當りに話しとかあ。よし、おや、とんかく産後ではヤツからうで、篠までは乗合に乗って行きな。さ、私が、借金ば出してやっから。さ、遠慮いらね、取っときな。
トヨ　……へい。いりません。
クミ　いただいといたら、えっに。折角人が—。
トヨ　いらねえ。
笠太　……いけ、剛情な—。
（間）
クミ　はあ、もう、おっつけ日が暮れら。
笠太　（又出しぬけに、六平太に向って）區長さん、あんたもう帰ってくだせ、よ、
六平　（これも亦、火が附いた様になって）そもそも高山の二段田と云ふは、本村では、三石が少し切れると申す取れ高一番の上田であって見れば、ねらってゐるのは、尊公一人と思ふと当がはづれるぞ。娘一人に婿八人、えっと、婿は七人だったかいな……（クミがクスクス笑ふ。六平太は自分で自分の話の脈絡を失って、尚一層の馬力で喚く）そ言った譯！。尊公が高山に対して手附の上にいくら貸金が有るか知らんが、その尊公にあいだけの貸しが有るのは私だ、その私が又、どうにもかうにも梁谷への拂ひが出来ず梁谷は梁谷で分散しかけてゐるとあって見れば、これは全體どう云ふ理窟になるか！。うん？、そもそもあの二段田

の落着き先と云ふもんは――。

笠太　お言葉中でがすが、お言葉中ぢゃが――。（その時右手から野良着のままのオヤヂが酔ってユデダコの様に赤い顔に手拭ひ頬被り、右手に大型の稲刈鎌の光った奴を握って、気が立ってゐる様子で小走りに出て来る）

オヤヂ　逃がしはしねえぞっ！畜生！待ちやがれ！（言ひながら、待合に飛込む。アレと叫ぶクミ）やいやい！自分の顔を相手の鼻先に突き付ける様にして、五人の顔を順順に覗き込む。しまいに寝てゐる六郎の顔まで覗き込むが、目的の顔にはぶつつからぬと見えて）畜生、どこい行きあがったのだ！出ろ、出て来い！（外へ飛び出る）他人からクスネたこうじで拵えた酒ぢゃ無えのだっ！よけいな世話あ焼きあがって！告発するが聞いて呆れらあ。！へん、おカミがあんでえっ、私等のたった一つの楽しみば、告発だとっ！クソッ、見付けたら最後、うぬの首あ、かっさばいてやっから見てやがれっ！人の怨みが有るものか無いものか！（キヨロキヨロ左右を見た末、持った鎌で何かを散々に斬る真似をしてから再び右手へ走って行ってしまふ）

クミ　あんだえ、あの人!?

六平　酒ば告発だなんて言ってるが、まさか検査官が来たんではあるめえな？

笠太　へーい！検査官？、すると――（眼の色を変えてゐる）

六平　今のは確か高井村のなわ手の小作だ。しかし、まさか――。

笠太　チヨックラ、訊ねて来て――。（右手へ行きかける。そこへ左手の方で自動車が着いた音とラッパ。それを聞くと六平太はその方へ行きかける。笠太郎はどっちへ行ったものかと右へ四五歩、左へ三四歩ウロウロ迷った末、六平太の後を追うて走り出す。トタンに出しぬけに大きな声で仇六の歌声。六平太と笠太郎はビックリして立止ってしまふ）

（酔って歌いながら、踊って左手から出て来る仇六。左肩には、空になったマユ袋をしばり付けテンビン棒をかついでゐるので、踊ると云っても右手を差上げたり、腰をグラグラさせるだけのものである）

仇六　はあーあ、踊る阿呆よ、踊らぬ阿呆、同じ阿呆なら、踊らんと損だやい、と。トコドッコイ、ドッコイサ！・踊らんと損だやい。トコドッコイ。おい君、こら、吹きなよ、ハーモニ吹かんかよ、おい君、紙芝居君！（後ろを振返ってわめく。見ると、みすぼらしい和服の三十歳位の男が、背に幼児を負うて、仇六について出て来る。仇六から、おい君吹かんかよと言はれて、困って笑ってゐるのである）吹けえオイッ！吹かにゃかっ！（男、仕方なく持ってゐるハーモニカを二声三声吹く。仇六は踊る）ハ、ドッコイドッコイ、ドッコイサ、音頭とる子が櫓から落ちたあ、流れながらも、音頭とる、ハ、ドッコイ……。あれえ、なぜ吹くば止すのだっ？

紙芝　（弱って）此の子が目を醒して泣きますから。

仇六　かまん、かまん！ハ、ドッコイ……。

六平　仇六、今帰るか？、えらい景気だの！

仇六　はあ、区長さんかね？　景気も景気、大景気さ。家中の者、夜も目も寝ねえで夢中かかって出来したおカヒコが、いくらだと思ふ？、へん、いくらだと思ふ？、へん、大枚十四両と二分だあ。肉屋場がや一圓七十銭の値が崩れようとしてけつかるあね。大枚十四両と二分だあ！どうでい、大分眼者だぞっ！

笠太　へーイ、さう云ふ事になって来たんかのう！

仇六　蚕の代だけも十両ばかかってゐるんだぞ。へん、俺あ泣けて来たで、泣く代りにドブロクひっかけて来たんだや。景気が好いのがあにが悪いかっ！　俺あ十四両の大分眼者でい！

笠太　私んとこも、ぢいでは、早く秋蚕の始末にかからんと！

仇六　はあ　お前は笠太郎のオヤヂでは無えか！どうだ、その甚次公の金持ちは戻って来たのか？、戻って来たら、うまくハメ込んで　借金やら二段田やら、いろいろ金え引張り出さうと云ふコンタンか知らねえが、さううまく行くかのう？、どだ？、うまく行ったら、銀行ば立てろ。な！そして抵当なしでドンドン金貸してくれ。頼むぜ。妻恋農工銀行あうのだ、ええかっ！妻恋農工銀行萬歳！萬歳！（その間に、はじめビックリした後、モヂモヂして皆を見廻してゐた紙芝居屋は、休息するために待合の方へ行

きかける）

六平　仇六、お前、篠町から乗合で来たのか？、

仇六　誰があ！、半額にまけろといくら掛合っても、まけくさらん。歩いて来たでさあ、此の人と、なあ（と男を目で捜して、歩きかけた男の肩を掴む）吹けよ、おい君！

紙芝　くたびれてゐるから。

笠太　甚次らしい若い男、篠町辺で見かけなんだか？、

仇六　知らん。知るもんか。へん、笠太公、お前あんまり慾の皮突張らすのよしな。お前の待ちこがれて居るのは、甚次で無くて、甚次の金だろが？、

笠太　阿呆っけ！。

仇六　へん、そいで無かったら、甚次が、——さうだ此の人であっても、構はん理窟ぢや。なあ君、君は紙芝居であるけれどもが、君が還兄甚次君だろ、アハハハそんねな事、どうでもええわい、さ、ハーモニカ吹いちくれ！。吹けっ！。（言はれた男は既に、待合は満員なので、その外の盛土の上に、グッタリと腰をおろしてゐる。弱ったなあと口の中で言って仕方なくハーモニを二吹三吹する）ア、コリャサット、マユがさがれば、百姓の目が釣り上る（デタラメに歌いながら、ズッコケて来たマユ袋を頭から引っかぶって踊り出す）こんねな踊り見た事あんめ！。マユ売る阿呆に、マユ売らん阿呆、同じ阿呆なら飲まなきや損だや。スットコドッコイ、ドッコイショと！

クミ　あれまあ、アハハハハ！。ハハハ！。

女車掌　妻恋行きが発車しまあす！。（と呼びながら、左手から出てくる。橋の上へ来て）妻恋行きにお乗りの方ありませんかあ？、妻恋行き、ありませんかあ？、はれ、まあ！。（と袋をかぶって踊ってゐる姿を認めて、ノコノコ近附いて来て見てゐる。）あれえ、こん爺さんだよう篠町からこっち車の後さぶら下っちや、賃金半額にしろと云ひ通してとうどう乗らんかった人！

仇六　あにをっ！。（袋から顔を出して）よう、べっぴんさん！。（あにを、憎まれ口を叩くでい！。お前だろ、そんダンブクロ見てえな制服の下から、赤いユモジぶら下げて澄まして篠町まで行った車掌ちうのは！。

女車掌　好かん！　馬鹿っ！。はーい、妻恋行きが出るが、

乗る人無あですか？、
クミ　父う、乗って戻ろうよ。
笠太　あにを云ふ！。（車掌に）乗る人あ一人も無えさ。無え無え！　私等あ帰る時が来れば歩いて帰らあ。
女車掌　チッ、車あ人が乗るために定期で通ってるもんだよう。昨日から四度通って一人もお客が無あとは呆れたわい。こんな車ならば、定期やめる迄。ケチッ臭え！
六平　ちょいと聞くが、昨日か今日、篠町か高井の方から此方へ乗って来た客で洋服を着た人無かったかな？、
女車掌　へい？、　洋服？、
笠太　まだ若い男だがの？、
女車掌　有りますよ、今日、ホンの先刻だあ。
六平　な、な、な、有るのか？、　篠町から？、
女車掌　いいえ、高井からだけどねえ、眼鏡かけて、華のゲートル巻いた三十四五の人でしょうが？、
笠太　ど、ど、どこで降りたね、その男？、
女車掌　ホン、そこの松の木の宿で降りて、飯は食ふには何處がええと聞いたから、私が松島屋ば教えてやったで、食ってんだろ。
笠太　こら、いかん。さ、さ、（と驅け出しかけて、クミを思ひ出して走って引返し、クミの手を取って引立てる）さ来う！。さ、！
六平（同様に寝こけてゐる六郎を引ずり起して）さ、こら六！　シャンとせえ！。（手を取って走り出す。既に其の時には笠太郎はクミの手を引いて左手の橋を渡りかけてゐる）
女車掌　松島屋へ行くんだら、通りを行くより、直ぐそこんキビ畑左い折れるが近道だよう。
六平　さ、こら！（と負けじと走りかけるが、寝呆けてゐる六郎の身體が足もつれになって前へ行けず、ドッと転ぶ。その間に六郎が小旗を振り振り夢中で左手の方へ走り出す「はあ、萬歳！。萬歳！。」と叫びながら。それを追掛て腕を掴んで引戻して）こん野郎、そっちで無えわい！。（六郎を殆んど引ずる様にして左手へ橋を渡って走り去る）
女車掌　あーんだえ、ありや！　豚の尻っぽさ、火が附きあしめえし！
汎六　豚だか馬だか知んねえが、尻っぽさ火が附いたは、ホ

ンマらしいて。アハハハハ！　どりゃ、帰るべいや。ドッ
コイショ。
女車掌　乗らんかね、あんたあ？（男に）
紙芝　乗らん。私あ此處で――。
仇六　乗せてくれるんか？、ホンマか、べっぴん？
女車掌　あれま、あんたユンベ篠ノ祭に出てゐた紙芝居の人
でにゃあかね？
紙芝　……見たんですかい？、ハハ、きまり悪いなあ。
女車掌　面白かったで、おしまいまで見てしまうたよう。沓
掛時次郎つうの好いわえ。（声色）太郎吉よ、もっとも
だ、俺も逢ひてえ、逢って一言……あの邊好いわえなあ。
紙芝　ありがとうさん。まだ下手だ、私あ。
女車掌　これから又商売行くの？
紙芝　へえ、まあ……。
仇六　おい、乗せてくれるんかい？、べっぴん、ホンマに乗
せるか？
女車掌　あんだい、いやらしい、こん助平！（仇六の頬を
平手でった喰はして、ドンドン左手へ行ってしまふ）

仇六　ダッ！アハハハ。ワーンワーンワーン！（泣き真似。
しかし涙を流してゐる）ワーン！待て、この女郎め！
帰るから待ちなっ！ワーン（手を振り振り、左手へヨロ
ヨロ小走りに。踊りの手附きで、唄ひつつ去る）マユ売る
阿呆に、マユ売らん阿呆、同じ阿呆なら、飲まねや損だや
い……。
（後に残されたトヨに、紙芝居。暫く二人ともヂッとし
て身動きもしない。……やがて紙芝居ノッソリ立上って
振返って見てから待合の中へ入って行く）
紙芝　ぢゃあ、御免なさい。休ませて下さい。
トヨ　あい、どうぞ……。
（紙芝掛ける。紙芝居はボンヤリ何か考へ込んでゐる。
1間）
トヨ　あんたさん、赤ちゃんぼ下しておやりんなればよいに。
……それでは苦しそうだや。
紙芝　へえ。……だや、まあ。（帯を解き、子を背からおろ
す。無言でそれに手を貸してやるトヨ）
トヨ　幾月かな？、四月位かね？、

紙芝　へえ、五月になりますよ。……（子を膝に置いて再び掛ける。トヨも前の床に掛ける）
トヨ　まあ、よく眠って。……どうしたお子かいな？、（向ふともなく、一人言の様に）
紙芝　……（前を向いたまま）女房に死なれちやって。
トヨ　難儀だやろうなあ。
紙芝　（自然な気持の流れを自分でせき止める様に）……ハハハ。なんですねえ、かうして方々を見て来ると、村方でも近来これで、楽じや無さそうですね。聞いてこそ居たが、まさかこんなに酷からうたあ思はなかった。
トヨ　お乳にお困りんなんだろね？、
紙芝　方々で米作がひでえし。もっとも、いくら良くても、値が下がれば、同じ事か。
トヨ　お乳はどうなさるかいね？、
紙芝　へ？、ええ、シンコ溶かして煮てやります。どうもね、一々面倒で……。
トヨ　お砂糖は？、
紙芝　へえ、少し入れてね。いやあ、やっぱり母乳にはかなわんと見えて、五月でも、まだこんなに小さい。ハハ、生れて来るのもよしあしだ。……（トヨが不意にククとすすり上げて泣き出す。残して来た子の事を思い出したのであろう。紙芝居びっくりして、はじめてトヨをまともに見る）どうなすったんです？、どうなすったんです？、
（間。……泣いてゐるトヨ。やっと泣き止んで顔を上げる）
トヨ　ごめんなせ。のい……（微笑して見上げる）
紙芝　……（立って）あんたあー？、
トヨ　（涙を拭きながら）妻恋の者でねえ、こいから遠い所さ行くだけど、いろんな事思ひ出しちまって。……（相手がマヂマヂ見詰めてゐるので、眼のやり場に困って）実言ひば、生れたばっかりの赤が、私にも有んで……。
紙芝　……それを？、
トヨ　仕方無えので、置いて行きます。……赤は絞めて自分も死なうと考へた事もあります。因果に生れて来た子だが、どう云ふもんか、ヤッパリ可愛い。私あ四日も五日も眠らねえで思案したです。自分で自分にかう云ふてね、トヨ、お前は赤ば殺して自分も死ぬか、それとも久保多の町でダルマになって

子ば育てるか……。
紙芝　……ウム。
トヨ　ダルマは死ぬより辛いと云ふ。直きに病気になるげな。（と次第に独言の様になる）二人で生きて居れんなれば、どっちか一人は死なんならんのだや。好きで産んだ子でも無いに、生れて見れば可愛うて、自分の身はたとえ死んでも子供の手足は伸してやりたい。これはどう云う譯でがせうね？　神様がわし等ばこうしめなさるのだやろうか？、罰はお当てんなるのかね？。……かうして居ても乳が張って、わし等は苦しいのです。わし等に子供がいとしいのは、やっぱり罰が当るのだやらう。
紙芝　……罰をねえ。……子供さんのお父つあんは？、
トヨ　……（ツト立って相手を見詰める。父と云はれて不意に湧いた反感がその顔に認められる。ヂッと見詰めてゐたが、相手に皮肉の意味が全然無いのを見て、我れに返って）……ハハハ、あんた様は村の人では無かったけ。村の人ならば、私にそんな事ば、真面目になって向ひはせんもの。ハハ。……食いぶちだけは仕送るから、末は必ず嫁にするからと、無理に私をだまくらかして……。それに、それに、私あ……。
紙芝　……？、
トヨ　（声をしぼって）何でもええから、自分を可愛がってくれる人が欲しかったんだや。寂しかったんだや。そこへやさしい事言はれて、ツイほだされてしまうた。私と云う者は小さい時から、人に可愛がって貰ふた事がなかったのだや。寂しかった。ああ。……ズッと前可愛がってくれた人が一人だけは有った。学校帰りにはアケビば取ってくれては、私の口に入れてくれた。その人はどんな気でゐたか知らぬ、私はその人のお嫁になる積りで居た。その人は東京で偉い出世ばしてゐるげな。……そうでなくても、かうなれば、もう駄目だや。もう駄目だや。はあ、もう駄目だや。……（フッツリ黙る。紙芝居何か言はうとするが言へず、これも黙ってゐる）
（余り離れてゐない太田屋で、酒を喰ひ酔って喚いたり唄ったりしてゐる高井村のオヤヂの声が聞えて来る）
トヨ　……（又我れに返って、フト気を変へる。少しきまり

も悪いのである）ああ、私ああにをベラベラ喋くったかいね？ハハハ、初めて会ふた、あんた様つかまえて。ハハ。んだが、あんたさんであればこそ聞いて下さる。村の人あ皆私とは口も利いてくれんもんね。ヤット、ヤットの事で胸ん中の事スッカリ人に話して、セイセイして元気が出たやうな気がします。村を出て行く今日と云ふ日だやけれ、どうか、こらえて下せえ、よ。

紙芝　なあに、そんな事あ……だが、餘計な事言ふ様だが、相手の、その父親に當る人の事を村の人達にも打明け、當人にもさう言って、村に居て何とか身の立つ様にして貰つたらー

トヨ　向ふは物持の息子だし、どうせ嫁にする気は有りはせん。嫁取りの話がほかで進んでるやもの。このままで居れば俺の家も分散するばかりだやけれ、持参金の財産目あてに、俺はいやでたまらんけれども篠の穀問屋の娘を取ることになった、お前の事がバレると何もかもぶちこわしだで、どうか助けると思うて俺の事は世間へ云ふてくれるな……さう言ふて私を拝んで泣くのだや。……拝まれたって私あ元の身體にはなりはせぬ。……しかしこれを世間へ打開けてその男を困らせて見たところで、元の身體にならぬは同じじや。ハハハ、私には同じことだもの。ウンと言うてしもうたでさ。ハハ。私あ小せえ時からのツムジ曲りだ、人の情にすがって楽をするよりは、八つ裂きにされた方がましです。久保多へもその気で行くですわ。ハハハ。

紙芝　……八つ裂きにね？……えらいなあ。そこへ行くてえと私なざあ……。

トヨ　自分の事ばかり喋くってゐたが、あんた様、紙芝居とやらでー。

紙芝　ハハ、いやどうも。自分で自分の気が知れないんだ。商売なんかだやない。ウロウロして歩くのに都合が好いから、やりはじめた。何をしていいかわからないんだ。……半年前までは、これでもチャンとツトメを持ってゐたんです。そこをチョイとした事、さう、知った男に金を十圓貸してやつた。軍需品工場の事務員だったが、それが赤だつたと云ふのだ。なに私は直ぐ警察から戻されたが、社では否も応もない、首になる、女房が病気になる、此の子を生

む、後直ぐ死んぢまふ。ボンヤリしてしまいましてね。悲しいと云ふんじやない、八つ裂き、とまでは行くまいが、四つ裂き位にはなったかね、まあ筋が抜けちまった。もともとイクヂの無い男なんでしよう。そいで一度ヂックリ、とまあ……そいでかうして居ますよ。ハハハハ、ムキになつて働いても、どうせどうにもなるもんか、と、まあね、ハハハハ。もつとも、此方で働く気でも、さうでなくても失業地獄の當世に、子持の上に、シンパ懸疑で首と云ふケチの附いた男だもの、片つぱしから、相手にもなってくれない。ハハハ、そいでどうだらう、旅費も無しね、自分にも思いもかけない、かうして――（と忘れて手に持つてゐたハーモニカが眼について吹き鳴らす）

トヨ　まあ！・ハハ。

紙芝　（声色）生れ故郷の沓掛宿、はるかに望む秋の野を、泣くな泣くなよ太郎吉と、ひたすら急ぐ時次郎、てなわけだ。ハハハハ、ハハハハハ！

トヨ　ハハハ、ハハ、のんきでえゝわいね！

紙芝　のんきだあ！、ハハハハ、のんきだあ！。ハハハハ！

（微笑するが顔は泣きさうである）

（左手から、洋服、ゲートル姿の男が楊枝で歯をせせりながらツカツカ出て来る。一度橋の上に停って時計を出して見て、それから陽を見て、ブツブツ呟いてから、待合の方へ。中の二人をヂロヂロ見る）

洋服　……あんた等も妻恋行きかね？、

紙芝　（涙を指で拭きつつ）へえ？、いいえ。

洋服　妻恋行は、たしかもう一度出る筈だね？、

紙芝　さあ。（トヨに）出るんですか？、

トヨ　へえ、五時のが出る。（紙芝居に）あんたさん、どつちへ行くん？、

紙芝　へえ、さあ、と……妻恋――村の高井に祭があるさうで、さう、高井へ行きませう。

トヨ　祭なれば妻恋のお薬師さんも今夜が宵宮だで。

紙芝　いや高井へ行きますよ。

洋服　五時半はもう過ぎとる。どうも時間が不確かでいかん。此處で待つて居ればえゝかね？、

トヨ　五時の妻恋行は、お客が一人もなければ、行かねえ事

も有つから、行くんなら下の車庫さそう言っとかんと、い
きませんが。
洋服　そら、いかん。そら、いかん！（と左手へソンクサ
行きかける）
（そこへアワを食って左手から走り出て来る六平太、笠
太郎、クミ、六郎の四人。洋服の男とバッタリ出くわす）
六平　（息を切りながら、相手を見上げ見下し）はあ、する
と云うと……はあ、これだ、これだ！、早道をしたで行き
違いになりをった！。
笠太　こ、こ、こりや！。こりや立派になつたのう、甚次！
（面突き合しても、こいでは甚次たあ解らんわえ！。ほう！
立派になつた、立派になった！。甚次よ！
六平（負けないで）はあ、立派なものだ！、出世したもんよ
のう！。甚次君、六平太の小父だよう！。どうだい、邊見
甚次君だ！。萬歳々々！。
六郎　バンザーイ。バンザーイ。
笠太　甚次よ、あにをボンヤリして居る。伯父の笠太郎だや
が！！よかった、よかった、私あ、私あ、なんぼう嬉しい
か解らんぞよ。コラ、クミ、来い！。あにを羞かしがつて
ゐるや！。それ、これがその甚次だ！。ハハハハ、甚次よ、
これがクミだや。見てやつちくれ。ハハハハ。
六平　いやあ妻恋の名誉の段では――。
笠太　邊見一家でこれ程の出世ば――。
洋服　（すがり付いて来る手を振りほどいて、後ずさりして、
呆れて見廻してから）……何がどうしたでがて、さうガヤ
ガヤと――。
笠太　はあ、俺あ嬉しくつて嬉しくつて、お前を迎へるのに
昨日から此處に立つて待つてゐたわな。ハハハハ、いやあ、
大したもんよ！
六平、大出世だあ！私も昨日からズッと歡迎しようと思か
ての、ハハ。
洋服　私を歡迎――？、
（トタンに右手から前出の高井のオヤヂが、又酒を飲ん
だと見えて、殆んど泥醉に近い状態で、鎌を振り廻しな
がら走り出して来る）
オヤ　（わめく）検査官が、あんでえつ！。畜生！。人の怨

みが有るものか無えものか！バラしてやつから、出て来いっ！出せっ！どっさ逃げあがったっ！自分の手で自分のクズ米で、ドブロク作えるのが、あにが悪いかっ！

（といきなりクミの肩を掴む）

クミ　キャア！

オヤ　キャアたあ、あんだっ！出せ、やいつ、検査官出せ殺してやつから！

洋服　おお、お前、先刻の松川じゃないか。殺すと？、

オヤ　おお殺すとも……（酔眼を近寄せて相手を調べる）フエーイ、あんただあ！はあ。（今迄の威勢はどこへやらヒヨタヒヨタ坐ってしまふ）

洋服　なんだ？えらい元気だなあ！

オヤ　そ、そ、それ……いえ、いえ、その、頼まうと思うて追ひ掛けて来たでがす。わしが悪い、悪いから、今度だけは告発すんのだけは、許して下せえよ。こん通りだ、こん通りだ。（手を合せて拝む）

洋服　（笑ひ出して）人を殺すのはいかんよ。悪い事をしたのはお前さんだからな。ハハ。今度だけは今度だけはで、これで君あ三度目じゃなかったかな。罰金も払えんと言はれれば、私も事情には同情はするけっども、知った上は仕方がない。

オヤ　そこん所は、こん通りだ。こん通りだ。（六平太と笠太郎は事情がわかって見れば、待ってゐた甚次ではないので、一度にガッカリして鹽をかけられた青菜の様になってゐる。クミと六郎は、地に坐って拝んでゐるオヤヂを、呆れて口を開けて見てゐる。待合のトヨと紙芝居も覗いて見ている）

洋服　私はかうしては居られん。急ぐのだ。

（トットと橋を渡って左手へ消える）

オヤ　こん通りだ。（それを追ひすがり）こんだ罰金になれば牛まで売らんならん。立ち行かんです。それでなくてさえ、飯米買ふ金もなくて、困ってるの何ので無えだから。お願いだ。お願ひ――（左手へ去る）

（間）

（口を利く元気もなくして呆然立ち盡してゐる四人。六平太がフラフラ待合の方へ休むために歩いて行く）

六平　ハーああ！……まだ居たのかトヨ？、

トヨ　へい、もう直きん、行きます。（クミがシクシク泣き出す。左手で自動車の音）

笠太　（それを叱り飛ばす気もなくなってボンヤリ下手を見てゐたが、ラッパの音で不意にビクッとして）……はあ、検査官は何處へ行くんだやろう、區長さん？、

六平、そんな事知るかえ。……甚次は来ねえわ。

トヨ　今の人は妻恋へ行くと云うて乘合に乘ったですよ。

笠太　あにい!! 妻恋だと!?

六平、そかっ！　こう、いかん！（二人顔を見合せてゐる）こう、急がんと、いかんわ！（二人いきなり驅け出しかける）

笠太　さ、来いクミ！

クミ　（しゃくり上げつつ）乘合でなきゃ、いやだ。

笠太　あん大將より先い着かんならん。乘合なんぞに乘って居れるか！。驅けるんだや。（クミの手を掴んで走り出す）

クミ　あれ！。んで、甚次さんはあ？、

笠太　甚次は又明日だや、さあ！（そこへ、黙って六郎の手を引いて走って来た六平太が突き當る）たッ！（混乱して）區長さん、あんたあ、お先い帰ってくだせえ、気の毒だあ！

六平　あにを申すか、貴様、二段田あ……（殆んど歯をむき出して相手になりかけるが、フイと止めて）帰ってんだや無やあかい！。阿呆たれっ！。さ、来う六郎！。（六郎の腕を掴んで左へ走り去る。同じく笠太郎も、たうとう声を上げて泣き出したクミを引立てて走り去る）

紙芝　……（驚いて待合の外に出て来てゐたが、呆れて四人を見送ってゐた後）……アハハハハハハハ。アハハハハ。

トヨ　アハハハハ。アハハハ。（二人が自然に笑ひ止むと、四邊は急に静かになる。笑った後だけに殊更に寂しくなって、紙芝居は子を抱いたまま、再び待合に入って掛ける）

（間）

トヨ　……はあ、あんたさん、まだ行かねえの？、

紙芝　あんたは？、

トヨ　ボツボツ行こかなあ。

紙芝　久保多だつて言ひましたね？、

トヨ　久保多の三業で茶屋の青柳と言ふ、表向きは仲働きだやと云ふがね。名前はおトヨ。通りがかったら寄って下せ。

紙芝　……青柳。……そいで、全體、いくらで？

トヨ　前借二百圓です。……手取りが百十圓。しかし、それば、新家の借家の借金の方へ廻したら、一文も残るどこのか、まだ足らん。赤の養育料は向うで稼いで送らんなりません。

トヨ　しかし、ああに、死んだと思へば、あんでも無えさ。

私、やります。

紙芝　死ぬ時は、その髪の毛を抱いてお死によ。おかみさん――（眼は前の方をヂッと見詰めてゐる）

トヨ　へ、あんですの？

紙芝　いやあ、これは芝居のセリフだ。（先程から男の腕の中でモズモズしてゐた幼児が泣き出す）

トヨ　ああ、泣き出した。

紙芝　よしよし、腹が空いたのか。よしよし。

トヨ　私が乳をあげよう。先刻から張ってならぬから。どれ

（と幼児を抱き取る）

紙芝　すみませんねえ。

トヨ　（惜しげもなく、丸い乳房を出して幼児にふくませる）あれま、こんねに、むしゃぶり付くわ。（紙芝居は外へツカツカ出て行って、何となく崖の方を向いて立ってゐる）……ああ、妻恋では、私が赤も泣いて居るだやろな。

（間）――（崖の端に立った街燈の裸かの電球にポカッと灯が入る。山間の常で、急に夕闇が立ちこめるのである）

トヨ　……ああ電気、ついた。

（間）―（紙芝居は硝子越しに、乳を飲ませてゐるトヨを覗いてゐる。青い顔になり、總身ガタガタふるえはじめる）（遠くで、眠そうな自動車のラッパ）

トヨ　あれ、もうええのかや？　はあ、飲んでしまうたら、直ぐ寝よる。これでよい。さあ、あんたさん、どうしたの、あんたさん。

紙芝　（顫える掌で、むやみと顔中をこすりながら）あっしでござんす。信州の旅人時次郎でござんす。一旦出て行く者は出て行ったが耳に付く子供の泣声……ハハハ、ま、か

う言った調子だ。ハハハ（と言ひながら入って来る）これはありがたう。（幼児を受取る）

トヨ　寒いのかねえ、らく顫えてて？

紙芝　いいえ、何でもない。

トヨ　んでも、えらく顫えてさ。

紙芝　何でもない。ハハ（と笑いかけるが、喰ひしばった歯が笑はせないのである）……ウーム。

トヨ　さうれ。寒いのでせうが。此の邊は陽が落ちると急に冷える。

紙芝　な、何でもない！（歯をカチカチ言はせる）

トヨ　大事になさらんと。いけんぞえ。あんたが病気になったりすると、赤さん可哀そうだ。

紙芝　……ありがたい。ありがたいなあ。……苦しいままに、苦しいままで（と譯のわからぬ事を独言しかけるが、ヒヨイと我れに返り）……あんた、日が暮れてしまふと、困りゃしないかね？

トヨ　はあ、もう下り一方ぢゃから。

（左手から女車掌の声）

声　あーい、篠行き、乗る人無えかーあ。篠行きの終車だぞーお。篠行き無えかーい！（自動車のラッパの音）

紙芝　あ、あれに乗って行ったらよい。さうしなさい。

トヨ　歩きます。賃金無あで。

紙芝　私に有る。三十銭でせう。それ。

トヨ　……（黙って相手を見てゐた後、その眼は相手の眼を見たまま、すなをに）……いたゞきます。ありがたうさん。あんたは？

紙芝　私あ高井。そこから、ズッとしっかり稼いで、一度東京へ帰って見ます。……久保多町の青柳でしたね？

トヨ　あい。どうぞお大事になあ。（涙ぐんで手を出しかける）

紙芝　（その手を、避けて一二歩身を引いて）急がんと、乗り遅れる。

（トヨ思い切ってスタスタ待合を出て左手へ。橋の上で一度立停り、そのままの姿でヂッと考へて立ってゐた末、ヒヨイと振返るが、別に何も言ふ事が見付からぬので、再びスタスタ左手へ歩いて消える）

（黙って見送ってゐる紙芝居）

紙芝　……トヨ、か。ふん……（間）……二百圓、か……（左手で自動車の響とラッパ。紙芝居は眠った子を背へ廻して、帯でキリキリとしばる。ガチャンと落ちるハーモニカ。それを拾って）アハハハハ。よからう！。ああ！。日暮れかゝ、朝の様な気がするんだが……。声色）おお行かうぜ、坊や、（外へ出る）坊や、深い馴染みの宿はあすこだ。！。（崖のふちに立って暮れかけた山の方をヂッと見てゐる）深い馴染みの宿は……（ハーモニカを吹いて見る。暫く吹いてゐて不意にピタリと吹き止め、目を据えたかと思ふと、そのハーモニカをバリバリ嚙みくだく。歯ぐきが切れて少し血が出る）畜生、馬鹿！（言うなり、そのハーモニカを待合小屋へ力一杯叩きつける。ハーモニカは窓硝子に當って、硝子はバリンバリンバリンと鳴って破れるのである。）……ハハハ、よし！、さようなら、よ！。（崖のふちを離れ、右手の方へスタスタ歩き出してゐる）

屠殺場へ行く路

東京に近い小さい市の街はづれ。
春先きだ。
ガランと広いばかりで、背の低いバラック建ての家の内部。全体が寄せ集めの柱やはんぱ板で成ってゐるので不規則、しかも天井が張ってないので、黒く燻り返った屋根の裏がまる見えだ。
一番手前の右手半分は、ウスベリを敷いた広い板の間。中央に爐が切ってある。板の間の右手は襖で奥の間に続く。襖の近くに中型のトランクが置いてある。左手半分は土間になって居り、土間は板の間をめぐって右奥へ。奥正面、右寄りに広い出入口、その直ぐ外（奥）には白っぽい道路が見える。道路は此の家に添って上手から下手へ曲りこんで奥へ延びてゐるのである。その向うに畳前の晴れた空が見える。
土間の左手に釜場。その前寄り一番手前に裏背戸への出入口が開いてゐる、そこから、背戸の畑が見える。その手前に井戸が有るのだが、水を汲む時に音がするだけで此処からは見えない。
出入口は表も裏も開けっ放しだ。
若い佐二郎が、爐の傍に坐り、前こごみになって書類に書き込んだり整理したりしてゐる。おとなしさうな横顔。
眼を赤くした若いお富が、白い花立てを持って奥の間から出て来る。餅肌の、脂の白い女だ。動作が少し鈍いところや、身体の凹んだ個所が始終汗ばんでゐるやうな気味の豊かな肉づきから、気は良ささうだが少しくづれて見える美しさである。

富　……（立停り、佐二の様子を見てゐる）……あのう――。

佐二は書類に没頭してゐて気附かぬ。

富　……佐二さん、あたし――（花立てを下に置きにかかる）

声　（奥から）まだ戻って来ないのか、佐太さんは？

その声で佐二が顔を上げて四辺を見る。

声　おい……富！

富　（それに答える）ええ、まだ――。

佐二がはじめてお富に気附いて見上げる。

声　どうしたのだ、おそいなあ。ハルヲさんも未だかい？

富　ええ、見えません――（眼は佐二の眼と見合ってゐる）

声　仕様がないなあ……（あと、ブツブツ言ってゐるがハッキリしない。チーンと鈴の音）

お富は何か言ひそびれてしまって、フイと歩き、土間に降りて、裏口へ出て行く。その後姿を見詰めてゐる佐二。

――やがてフッと気を変へて再び書類にうつむきかける。

そこへ、畑の方からお富が釣瓶で井戸水を汲み上げる音がして来る。佐二少しピクッとして、裏口を見詰めて耳を澄してゐる。

短い間。

佐二の方を見ないやうにして入って来るお富、花立てを釜場の上に載せて、花の具合を直す。

富　……佐二郎さん、かんにんして頂戴。（佐二には背を向けたままである）……小母さんは、ホントにどんな気持だったらうと思ふわ。大したお金でも無いのに――、それも、もう四年も昔の、商売上の掛金の残りぢやありませんか。……いくらなんでも、かうして親子で泊り込んで、それもハッキリ口に出して切り出すんぢや無い、毎日々々お酒、酔っぱらっちゃ、嫌味を並べる。――（予期してゐる佐二が返事をしないで、ヂッと見詰めてゐるだけなので、言葉をつぐ）実の親でありながら、私、怖くなる事がある。――そこへ持って来て、吉五郎さんが病院から始終やって来ては、あれでせう。小母さんがいくら気丈だっても、たまるもんですか。

佐二　おふくろの話をするなあ、よさうよ。

富　――もう一と月の餘も経ったけど、私、未だに井戸の側に立ってゐると、小母さんが畑にしやがんで手入れをなすってる姿が見えるやうな気持がするんですよ。

佐二　今更、言って見たって仕方がない。……兄きあ、おそいなあ。（お富を相手にして話すのを避ける様子が見える）

富　私、こないだから、聞いていただきたいと思って居る事があります。ねえ、佐二さん。

佐二　おふくろは、リユーマチで足が悪かった。水を汲み上げようとしてゐて、足元を誤って落ちたんですよ。それで、いいんだ。現に釣瓶も一緒に浮いてゐた。

富　その事ぢやありません。いいえ、その事もその事なんですけど―兄さんです、佐太郎さんのことを……。
佐二　（フツと立つ。が又坐って）―弱ったな。僕あ、これを今日の晝までに整理して持って行く約束になってゐるんで。
富　すみません。私、あれ、これと考えてゐると身内が顫えて来るやうな気持がするもんで……（花立てを持って板の間へ）
表から佐太郎が戻って来る。ガッシリとした身体つきで、顔付きも動作も、少し変屈に見える位に朴直重厚である。何の気もなくトコトコと入って来るが、佐二とお富の二人きりなのを見て、ツと立停る。
富　お帰んなさい、ご苦労さま。―（奥へ行きかける）
佐二　どうだったの？、
佐太　……うん（奥へ去るお富の後姿から眼を離さないで、上にあがる）
佐二　来るにや来るんだろ？、
佐太　う？、……うむ。妹が明日出発しなければならなくなったので日を繰り上げましたからと言っても、それは、そちらの御都合であらうが、当方にも今日は他に法事が二つばかりあるから―。
佐二　―んぢや、来なくともいいぢやないか。
佐太　そんな訳に行くものか。死にぎはが死にぎはだから、おっ母さんの為にも―。それに、近所がうるさい。
佐二　近所の口を気にする事は無いよ。おっ母さんにしたって、坊さんなんぞが来てくれるよりも、俺達が三人で拝んでやる方を嬉しがる。
佐太　……おや、お前まで、俺の仕事をそんなにきたない稼業だと思ってゐるんだな？、
佐二　なによ言ってるんだなあ、兄さん。
佐太　お前が、今の飴工場へ通う前、たとへ一年でも二年でも工業学校へ行けたりしたのも、そのきたない仕事を俺がして来たからだ。
佐二　いやだよ、俺あなにも、そんな事これっぱちも考へて言ったんぢや無え。
短い間。
佐太　……今、なにをしてゐたんだ？、

佐二　チヨット整理してゐたんだよ。幸ひ今日は休んだから、後で事務所の方へ行かうと思って。

佐太　組合の書記なんて、そんなに、えらいのか？、

佐二　えらい？、えらくなんかチットもあるもんか。小使ひみたいな事ばかりしてるんだ。

佐太　ああ、往きに本町の角で畑君に逢ったぜ。出来たら直ぐに来てくれるやうに言ってくれって。なんでも青年団の問題で至急相談したい事がある――。

佐二　さうかい。幹部から又ねぢ込んで来たのかな。（書類をまとめてゐる）

佐太　青年団のする事に、組合でタテでも突かうと言ふのか？、

佐二　タテを突くと言ふんぢやないよ。だって、組合にも青年団員は随分ゐるんだもの。ただ、町内の青年団員に欠席した者は、それの代償をしてくれと言って来てるんだ。でもまさか金を出せとは言へなからうし、要するに難題を吹つかけて、いびらうと言ふんだよ。だって工場につとめたり電車に出て居たりすりや、さうさうは出席出来ないもの。文句を言はずに消えて無くなれば一番気に入るらしいが、此方だって道楽にやってゐる仕事ぢやないからさうは行かん。

佐太　――なんだか知らねえけど、いい気になって走り廻るのは、お前もいい加減にしたらどうだ？、今にロクな事はねえぞ。

佐二　そんな事言ふけど、兄さんだって――。

奥からお富の父親の省介が出て来たのである。飲酒癖のために、いつもただれた様な皮膚をした五十四五の男である。子供の時から身に附いて来た、酒造家の旦那らしい鷹揚な所が、今となっても、まだいくらか残ってゐる。

後からお富も出て来る。

省介　なんだって、ぼんさん、来しぶるんだって？、

佐太　えゝ。どうもね――。三と日に？、来てくれた時、私の商売を訊ねたから、言っちまったんだ。そんで、あんたは士族でしたっけ？、と言って、妙な顔をして、ゐたと思ってゐたんですがね。

省介　ふん、そいで自分は肉でもなんでもドシドシ食はうつ

て言ふ奴さ。まあ、いいよ。代りに私が般若経でもあげますよ。
佐太　だけどハルヲも明日立つんですし、少しは格好付けて――。それに臨終が臨終だし。
省介　さうだな、私は、よすか。
佐太　いえ、それは、小父さんにもお願いするとして――。
省介　おしげさんは、私を怨んでたかもわからんしね。ハハ。
富　お父さん――（ハラハラしてゐる）
省介　親子二人、かうして二ケ月もの間、づるづるべつたりに居据つて居られれば、大概ウンザリもするだらうさ。しかしまあ、私等もこれで行く先きが有りさへすれば、こんな事にやなりませんよ。恥しい次第さ。
佐太　そ、そんな事をおつしやつては困ります。
省介　いやあ、これで、都内でも五本の指に折られた造り酒家で威張つて居れた五六年前の事を考へると、まるで夢の様だ。此の大槻家にしたつて同じ事さ。先代が、本町で酒、醤油、雑貨を手広くやつてゐられた一頃は、出《で》は良し、話はわかる、商業会議所の役員までやつて居てねえ、こちらは卸《よっ》し、向うは小売でゐながら、あべこべに私なぞ小さくなつて居たものさ。しかし又、それがお互ひにこんな事になる根本にもなつたわけだ。今から思ふと。なにしろ、半期毎の先き勘定で、ろくに帳簿にも載せはしない、ドシドシ積出したものでなあ。小売の破れは、自然、卸しの破れさ。大手先が崩れ立つて来れば本丸なんぞ、ひとたまりもありはしない。酒造家などと大顔《おおかほ》をして居ても、掛けで倒されて行く段になりや、全体がもともと、資本が寝ると言ふ點から言つたら、この酒といふ奴ほど困つた物は――。
佐太　あゝ、しまつた！
佐二　なんだい？、
佐太　酒を買つて来るのを、ツイ忘れて来た。
省介、……（マヂリマヂリと相手を見て）さうかい。……いいじやないか。今日は止さう。第一、仏に悪い。
佐太　すみません。そんな気で忘れたんじやない。往きに、角屋で詰めて貰つて金まで払つてあるんです、帰りにウツカリしてゐたもんだから――。
省介　アハハ。なに、いいよ。居候が、日酒《ひざけ》でもあるまいさ。

ハハ。

富　お父さん！

省介　（急に笑ひを引込め、娘をヂロリと見て）お前はボンヤリしてゐないで、御仏前へ線香でもあげたら、どうだ！

佐太　チヨックラ、俺、取りに行って来る。（立ちかける）

富　（オロオロそれを止めて）いえ、今日はいいんです。あの、ぢや、私が一つ走りー。

省介　御仏前をしろと言ってるのが聞えないのか！

佐二　俺が行って来ら。いいよ、他にも用も有るし、（土間へ降りる）角屋だね？、

佐太　うん。……ついでに、もう一度法泉院に寄って来て見てくれ。

佐二　来たくなければ、坊主なぞ無理に呼ばなくともいいぢやないか。

佐太　又言ふのか。利いた風な口は工場か事務所で叩くだけにしといてくれ。俺あ組合の者とは違うからな。

佐二　なにも、そんな事言ってやしないよ。第一、兄さんだって、はじめ、人間はカスリを取って暮す商人なんかでない、ウヌが身体を張って働らかなきや駄目だと言ふんで、いかになんでもあんまり思い切った稼業だとお母さんが泣いて反対するのを押切って始めた程じやないか。俺だって、さうだ。そんなお互ひが寄合ってなにしてる組合の事を、兄さんが、なにもー。

佐太　（佐二の言葉が終らない内から激しい事を言ひ返さうと焦ってゐるが、うまく言葉が、見付からず、土間の方へ向って立ちかける）……お前、なにか、ぢや俺をー！

短い間。ー兄弟が板の間と土間で睨み合って立つ。お富、耐へきれず、コソコソ奥の室へ。

佐二　（フッと反省して）言葉が過ぎたら、ごめんよ。俺あ、ただ、兄さんも一緒になって考へて貰へたらと思ってさー。ぢや行って来ら。（スタスタと出て行く。右奥、街の方へ）

省介　ハルヲさんは、馬鹿に遅いな。

佐太　……へえ（返事はうわの空で、眼は弟の去った方を未だ見てゐる）

省介　毎日々々病院に通ってゐるが、一体どこが悪いのかな？、

佐太　へ？、

省介　ハハ。いやそんな事どうでもいいんだけどね。

佐太　どうも済みませんでした。

省介　なあに、ハハ、なんでもありませんさ。つい、若い時から毎日やらかしてるんで、先ずアル中だな。盛大な時分にしみ込んだ身の癖だけが残ってる。とんだ生き恥ぢですよ。でも、これを今更——。

佐太　とんでも無え。小父さんにチットでも不自由な思ひをさせちゃ罰が当るって、おふくろなぞも始終言って——。

省介　ハハハ、又水臭いことを言ふ。ま、いい。時に、今日はあんたは、一日なにかね——？

佐太　法事をするといふ日に、四つ足の皮あ剥げません、休みを取ってあるんです。刃物を町の鍛冶屋へ持って行くのを主任から頼まれてゐるんで、昼過ぎに一つ走り、顔を出しゃいいんで。なんか、また——？

省介　別に取り立てた事ぢやない。チョットこないだから相談もあるし、それにお富のこともあり——。

佐太　へえ。……（奥に眼をやる）

省介　永いこと、良くして下さるんで、済まんと思ってゐるんだ。しかし又、それも段々に。

佐太　……さうですか。えゝと——チョッと拝んで。（モゾモゾしてゐてから、やっと立って奥の室へ去る）

省介、四辺を見廻す。襖の傍のトランクに眼がとまって、それを見てゐる。——立上り、トランクに触ってから、持上げてみ再び置いてそれを睨んで立ってゐるが、急にキョロキョロと前後を見廻してから、膝を突くや、今度は人が変ってしまったやうに敏捷にパチンとトランクを開けて、中を掻き廻して、何かを捜す。アルコール中毒の手が此方からも見えるほどブルブル顫えてゐる。トランクからは、桃色のシュミーズだとか、ギラギラと青く光る刺繍をしたペチコートなどが飛び出すが、目的のものは無かったと見えて、ガッカリしてトランクを締め、爐辺に戻るが、まだ凄い眼付きでトランクを睨んだまま考へてゐる。

牛の鳴声——表（奥）の方で。長く尾を引いて続く。省介、それに舌打ちをして立上り、土間に降りて行き、表の大戸を立てようとして、戸に手を掛ける。が、外を見た途端にヒョイと眼を釘付けにされ、ヂッとそれを見てゐる。やがて眼を据えたまま歩むともなく外に出て行く。

――短い間。

お富が奥の室から出て来る。続いて佐太郎。

富　……それは、それは――父に話して下さい。

佐太　話すまでも無い、小父さんは、俺達の事、大体察してくだすってるよ。まちがひ無い。勿論、ハッキリすればチヤンと話して頼む気でゐる。

富　ですから……。

佐太　だから、あんたは、どうなのだ？　あんたの腹の中を聞いてゐるんだ。（相手の肩を引き寄せる）こんな事になって、今更、まさか――？

富　……私、なんだか、こわいのです。

佐太　こわい？　俺がこわいのか？　（富かぶりを振る）俺の稼業か？　（富かぶりを振る）……佐二郎なのか？　ハルヲなのか？　（富かぶりを振る）ぢや、なにがこわいんだ？

富　いいえ、なにがって言ふんぢや無い――。

佐太　（お富の肩を離して、こづく様にする。しかし再び寄って行って）……まさかお前、佐二郎のこと――？

富　ちがひます！　そんな、ちがひます！

そこへ外からスタスタ戻って来る若いハルヲ。はでな洋装、殊に真紅のハーフコートが目立つ。細おもてにモミ上げなどの長い、小股の切れ上った人柄に洋装は少し変だけれど、でもそれがシックリ似合って、都会地の普通の洋装婦人などにはチョット無い外国風の強い身体の線が見える。時々左の肩を釣り上げる癖。大概の物事に動じさうに無い平静な調子。少しだるさうな、投げやりな身のこなし――。自分の来た方を振返り振返りしながら入って来て、二人を見て、チョット立停る――。

ハル　――ただ今。（佐太とお富、離れる。もう一度路の方を振返ってから、板の間にあがりつつ）小父さん、どうかしたの？　そこの角でボンヤリ突立ってて、私が傍を通ったのにも気が付かない。

富　お父つあんが？

ハル　うん、引かれて行ってる牛を見詰めたまま、フラフラついて行っちまった。（さう言って爐辺に坐りながら、二人をヂロヂロ見くらべてゐる）

佐太郎がバツが悪さうにして、ハルヲに何か言はうとするが言へず。お富、父の事を気にして降りて行きさうにする。佐太がそれを手で制して、自分が降りて、小走りに外へ出て行く。

富　お帰んなさい。

ハル　どうしたんですの？、

富　毎日々々お酒で、顔を悪くしてゐるんです。

ハル　いえさ、小父さんも小父さんだけど、あんた方のことよ。喧嘩？、少し、まだ、早過ぎはしないこと？、

富　まあ！

ハル　アハハハハ。兄さんは　いい人よ。ハハ。

富　その事で、私、あなたに相談が有るんですけど――。

ハル　（相手の言葉を無視して）私の所に電報来なかった？、

（下腹を片手で押へてゐる）

富　いえ、別に。ハルピンからですの？、

ハル　東京からも来る筈だけどね。……さう、いいや、立つの明日にしようっと。それから、吉五郎、今日まだ来ない？、

富　いいえ、まだ。……痛むんですか？、

ハル　大した事無いの。……さう、まだ来ないのか、あの餓鬼。

富　少し横になったら？、蒲団敷いたげませうね。

ハル　すみません。

お富奥の室へ消える。

表からボンヤリした省作が戻って来る。つづいて佐太郎。

ハル　（煙草に火を付けながら）どうしたの？、

省作　アハハ、いや――（むやみにニタニタして）戻ってゐたのかね？、毎日だや大変だな。

ハル　町の人が一人残らずジロジロ私を見るんですよ。

省作　大槻の娘さんが、えらく出世をして戻ってると思って見るのさ。吉五郎さんは？、

ハル　あんな人に会いに病院に行ってるんぢやありませんよ。あれはあれで例のを飲みに、今に此処にやって来るんでし

よ。ね、兄さん。

省介　でも、おや、あんた、どこが悪いんだ？、

ハル　どこが悪いように見えて？、

　省介とハルヲが意味無く笑ひ出す。

　――間。

省介　（急に真顔になり）こないだから頼んでゐる事、ホントに私も連れて行ってくれないかねえ、なんとしても、もう一旗挙げない事には、乾省介、死にきれないからな。いいや、誰が何と言ったって、三十年叩き込んだ商法だ。酒にかけては憶えがある！

ハル　満洲と言ふ土地を小父さんは知らない。膽《きも》に毛の生えた様なてあいが、とうの昔に爪を立ててゐますって。

省介　だからさ。幾度も言ってるやうに、さう思ったら、内地の問屋筋に渡りを付けるだけの物と、向ふへ渡る旅費。それだけ有ればいい。なんなら、七分でも八分でもの利息を天引きにした一札を入れようぢやないか！

ハル　まあ、いいわね。

省介　頼むよ。なんでも吉五郎さんには、だいぶ廻してやったと言ふぢやないか。そりや、以前になにした仲なら、ああして株でがって、しかも肺病で入院してゐるとあれば、そりやあたりまへ見たいな話だが、私の方にしたって、元々からを言い立てて来れば、此の大槻家とは、これで、そう言った続き合ひぢや無いんだからね。

ハル　へーん？、

佐太　さうなんだよ、ハルヲ。死んだお父つあんが、こりで、小父さんの方には、だいぶいろいろと――。

ハル　あたしが、それを、知ってなきやならないの？、

佐太　だから、俺が頼んでゐるんぢやないか。持って帰った金をソックリ出してくれと言ってるんぢや無い。小父さんの、今言った――。奥からお富が出て来る。

富　敷けましたよ。

ハル　ありがたう。……（立つ。そして省介と佐太に）有りさへすればねえ。……どら、今日でおしまいだ、おっ母さんの前で寝るかな。

佐太　どうかしたのか？、（しかしハルヲは既に何かのブルースの曲を半ば鼻歌で口ずさみながら、奥に消えてゐるの

で、佐太郎は自然お富の顔を見る）

富　少し痛むんですと。

　向。――前の方を睨んでゐる省介。

佐太　（省介の意を迎へるやうに）彼奴、なんかいこぢになってゐるんだ。なに、まだ明日と言ふ日がありまさあ。俺あ彼奴の兄きだ。（お富を見て少し無理に笑ふ）……佐二の奴、おそいなあ。又事務所あたりで油を売ってゐるか。

省介　（ポツンと）こんな事、言ひたくは無いが、内輪に勘定しても七百は有る。はじめっからの物を入れれば千をいくらか越してゐると思ふんだよ。もっとも一切が信用貸しで、書き物にはなってゐないんだから、知らぬ存ぜぬで突っぱねて頬被りしようと言ふ腹ならばそれでも通るには通るわけさ。ハハ。

佐太　（あわてて）何を言ふんだ、小父さん。俺、そんな事、これっぱちも――。

省介、こりや私の言ひ過ぎだよ。しかしなあ、吉五郎さんの方にや、毎月いくらかづつでも入れてゐるんだらう？、それと言ふのが、あちらは、たかだか二百か三百そこいらでも現ナマで融通したものだ。私の方のは商品で渡したものだしね。しかし、まあ、それだけならいいがさ、どうも、なんだよ、吉五郎さんのは證書になってゐるが、私のは別に證據と言っては、紙っきれ一つ無いのだから、やっぱり――。

佐太　そ、そ、そんな、小父さん！　だから、だから、何も一所懸命、考へてゐるんだ。第一、おふくろも、死ぬまでその事を苦にして――。

二人の話を聞いて居れなくなってお富は畑の方へ出て行き、そこでボンヤリ立ってゐる。

省介、（佐太をヂロリと見て）おしげさんが苦にすることは、なんにも有りはしなかったさ、さうだろうぢや無いか？、

佐太　そ、そりや、おふくろは足が……身体も悪かったし、それに、元は松平様で御家老までつとめてゐた大槻の家がこんなシダラで、とかなんとか、くだらねえ事を苦に病んでゐたんだから、スッカリねぼけちまって――。

省介　そりやね、おしげさんが石に蹴つまづいて井戸にはまってしまったりなすった事に就いては、私も気の毒だと思

ってゐますよ。おしげさんの嫁入り早々の盛大な時分をいくらかでも知ってゐるのは、私だけだから、気の毒に思ふのも私が一番だらうぢやないか。だが、どんな人の身の上にも、思はぬ災難と言ふ事はある。思はぬ災難だよ。

佐太　へえ。だから、そこん所は、俺、必らずどうにかしますから。ハルヲだって俺からよく話せば――。（言ひよどんでしまふ）

向。――坐ったまま畑の方を見てゐる省介。佐太郎もそちらを見る。其処には、しやがんでしまって、シユン菊の葉をむしってゐるお富の姿が見える。

省介　（フッと人の好ささうな笑顔になって）佐太さん、お富もいろいろ考へてゐるやうだ。

佐太　こないだチヨイト話したやうに、それで、小父さんに頼んで、俺、話をハッキリ決めたいと思って。

省介　いいさ。だが本人の気持もあるしね。ハハハ。それに、なにがどう言ふかね、佐二郎さんが――。

佐太　（ドッキリしたらしい）佐二が？、どう言ふとは？、

省介　なにさ、ひよっとそんな気がした。老人の取越苦労だらう。ハハハ。

佐太　もし、そんな者があれば、弟だらうと、なんだらうと、俺――。（畑の方へ行くために立って上り口まで行く）

そこへ表から入って来る吉五郎。省介よりもズッと若いが、まるで死人の様な青い顔をしてゐて、足元なども不確かである。ズッと寝てゐて、此処へ来るために起き出して来たのである。自分の身体をこはれ物でも扱ふやうに落着いて静かに動かす態度や、呼吸器を疲らせないやうに低い声でユックリ話す句調のために、見た目に、ひどく平静な粘液質の男である。

吉五　今日は。……又来ましたよ。

省介　あゝ、吉五郎さん、今噂さをしてゐた所だ、さあおあがり。毎日よく精が出るこってすな。ハハ。

吉五　いやあ、どうも。（と板の間にあがって来ながら佐太郎に）出しておくれ。

佐太　今日は、あの、休みで――。

吉五　なんだ、さうか。でも、向ふで牛は鳴いてゐたがね？、

佐太　いや、休みは俺だけだ。今、取りに行かうと思ってゐ

たところです。（土間に降りる）
吉五　だゞ、頼むよ。（省介に）ハハハ。我れながら少し浅ましい気がしますけどね、病気には勝てない。ハハ。（佐太郎、何かを捜すやうなそぶりでお富の居る畑の方へ出て行く）
省介　おおきに。ハハ。でも利きますかね？、
吉五　病院の方の医者なぞ、そんな野蛮なことをしても害にこそなっても役には立たんと言ひますがね、やっぱり私には利くやうに思はれるから仕方が無い。医学々々と言ったって、医学さへ守って居れば病気が治るんだったら医者の言ふ事だって聞きますがね、さうは問屋で卸ろさないから、始末が悪い。今頃死んぢや、いくらなんでも気が残って、化けて出なくつちやなりませんからね。ハハハハ、なあに。
省介　株でもやらうと言ふ人は、それ位の気組みでなくちや、いけませんね。
吉五　ご冗談。やったと言ふ程やった訳ぢや無い。ガッちやって此のていたらくでゐるが、正直、雀の涙のものを、ハハ―― ほんのお慰みでさ。なにもかも、これからです。
省介　そりやまあ、お互ひにねえ。ハハ。時には吉五郎さん、附かん事を聞くやうだが、保證金が三百両有れば、まあ、あんたの方の取引きで、どれ位の勝負が出来るね？、
吉五　なんですって？、（ギラッと光った眼の隅から、さぐる様に相手を見てゐる）
省介　いや、仮りにの話だ。どんなもんですかな？、
吉五　店の信用と、手筋に依るねえ。新規に渡りを附けてかかるんぢや、それんばかりぢや場所に割り込めもしやしまい。
省介　さうだらうね。しかしあんた位年期を入れてあれば、そいでも？、
吉五　いくらか地盤は張ってありますからね。でも近頃の行き方では、どう言ふものか手口が大きくかたまつちまつて、小口ではよつぽどはしつこく立廻らないと、結局喰はれ易いですよ。気構へがこんな風に煙硝臭くなつて来ると、いづれ、うまい手を振るのは金のウンと有る奴だ。それも重工業方面ですね。なんしろ、廿割と言ふ飛び上りかたをしてゐる代物なんてザラにあるんだから。それで儲かり過ぎ

て困ってゐる奴がゐるかと思ふと、その×××××××出かけて行っちゃバタバタやられてゐる奴がゐるし、留守の家ぢゃ×××を取られて食へなくなっちゃってるのがあるしさ。考へて見りゃ、いい面の皮さ。

省介、全くだよ。駕籠に乗る人、擔ぐ人、そのまた草鞋を作る人か、アハハ。

吉五　しかし又、小口は小口で、大口連中の覗ひ残した穴も有れば、落ちこぼれも有りますよ。どうです、一つあなたなぞも。軍資金さへ作って下さりゃ、動く方は私が存分に盡しますがねえ。ハハ。

省介　私あ商人だ。其れよりも、あんたの方さ。なんでも金穴が見付かりさうだって？、

吉五　ご冗談を。其れが見付かれば肺病なんぞトックに治ってますよ。病院から毎日毎晩入院料の催促を矢とされながら、牛の血を飲んだりしてる事あ、ありません。アハハハ（省介も笑ふ）……どれ、と。（立上って奥の方へ足を向ける）

省介、（不意に笑顔を引っこめて）ハルヨさんかね？、

吉五　居るんですか？、見えないから、病院かと思った。

省介、あんたも病院から来たんだらう？、吉五郎さんも時々とぼけるからいけないや。ヘッヘヘ。具合が悪いって、奥で寝てゐますよ。

吉五　……（相手をヂロヂロ見るが、これもニヤついて）いやあチョットお線香を上げようと思ってね。

省介　それは感心なお心懸けだ。

吉五　やあ、やっぱり縁につながる叔母なら、命日位は憶えて居ります。それに、あんな不仕合せな最後であって見りゃ、せめて、あととむらいでも、まあ——

省介　あんたが、それを私に言ひなさるのかね？、おや、この私がおしげさんの——。

吉五　なんですい？、冗談ぢゃありませんよ。なんかお気に障ったんですか？、いや、私も身体が弱ってるんで、言ふ事にどうもトゲが出ますよ。まあ気にしないで下さい。ハハ。

省介　いやあ、さう言はれると。ハハハ。おやまあ、私もご一緒に線香を上げよう。

吉五郎と省介が奥へ消える。背戸の入口の所に、洗ったビンを持って立った佐太郎が、うなだれてゐるお富に何か言ってゐた声が、聞きとれる位に高くなる。

佐太　――だから、言ってるんぢやないか。あんたが、お父つあんの手で変な所にかたづいて、直ぐ離縁になった事あ、知ってるんだ。……出戻りだ出戻りだと言っても、一年も前の話ぢやないか。……〈お富の返事を待ってゐるが、彼女はうなだれ切ってゐて返事をせぬ〉……もともと、そんな事を気にかける位なら、初めつから俺あんたをこんなに……あんたと、こんな事に……。なぜ返事をしないんだ、お富さん？、

富　……いいえ、私、いつも、ありがたいと思ってゐるの。だけど……。

佐太　ほんとかい？、ほんとだな？、俺あ――。〈相手の腰に手を廻す〉

富　いけないわ。こんな所で。〈と払はうとした手が佐太郎の持ったビンを掴む〉ああ、これ。

佐太　あゝチヨット行って来なくちやならない。なあに、直ぐだよ。〈と表戸口の方へ歩きかけるが、フイと立停って、お富の方へチラチラ眼をやってゐたが、不意に激昂した調子になって〉なんだ、俺あ、こんなだから、弟だらうとなんだらうと、変な真似はさせない！、そんな事になりや、殺してやる！　なんでもありやしない、眉間《みけん》をひと打ちだ！。〈言ひ放って、瞬間石の様に身体を固くしたお富の方を見て立った後、表戸口の方へトットと歩き、外の道を左手奥へ出て行く〉

お富はその後姿を見送ってゐたが、唸声とも悲鳴ともつかぬ中途半端な声を出し、背戸の柱によりかかってしまひ、手で顔をおさへてゐる。

間――舞台空虚。

そのあひだに奥の室から省介と吉五郎の声がして来る。聞きとれるのは吉五郎の「ねえ、さうだらう、ハルヲ、君と私の仲を考へりや……」といふ言葉と、チヨット間を置いて省介が「皮肉を並べるのは、お互ひに止しにしませうなあ、吉五郎さん」と言ってゐる声だけ、尚ボソボソと続く。

やがて、それまで奥で横になってゐたらしく、スカートも脱ぎ派手なスリップの下からストッキングを覗かせたハルヲが、袖に手を通さないままでコートを羽織り、薄っぺらな蒲団をズルズル引きずりながら出て来る。

ハル　（奥へ）やっぱり此方が明るくっていいの……（爐の手前まで来て、蒲団の向に坐る。坐って、奥の室の方を見てゐたが）……ふん、狼。（言って、ころりと横になり蒲団を頭からかぶる）

富　どうしたの、ハルヲさん……。（土間を歩き、あがって来る）ハルヲさん……（ハルヲの返事はないので、そこに放り出されたコートを畳みはじめる）

奥の室から吉五郎の声ワハハハ。手を引けは無いでせう。からなっちゃ、第一、出す手が私にゃ無いやねし。しばらくして、省介の声ナどにかく、まだ廿三や四の娘っ子だからねえ山等―。お富が馴れないコートを畳みなやみながら、その方をおびえた眼付きで見てゐる。

蒲団の下のハルヲがクックククと声を出す。蒲団で押殺されて、はじめは何の声ともつかず、むしろ忍び笑ひの声の様にきこえる。実は啜り泣いてゐるのである。ギヨッとして蒲団を見詰めてゐるお富。ハルヲの啜り泣きは続き、次才に慟哭になる。ウーン、ウーンと押しつぶされた声。

富　まあ、ハルヲさん！　ハルヲさん！（驚ろいて、蒲団を剥がうとするが、ハルヲの手がしっかり蒲団を上から抱いてゐるので、剥がれない。慟哭。お富にとってはハルヲといふ女からこんな事を全然予期してゐなかった事らしく、あっけに取られて見守ってゐる）

やがて慟哭は止む。

富　……どうしたの？　えぇ？　ねえ？

短い間。

蒲団の端からハルヲが顔を出す。

富　痛むの？　私、びっくりした。どうしたのよぅ？

ハル　（かぶりを横に振る）……。ふん。たうとう、泣いちゃった。

富　ハルヲさんの泣くの、はじめてなもんだから。ほんとに、どうしたの？

ハル　……自分でもへんな気持になつちやつた。うゝん、此のね、かぶつてゐたら、おつ母さんの匂いがするのよ。

富　あゝ、さう言へば此の掛け蒲団は小母さんの使つてゐらしつた――。

ハル　さうね。母の事だけぢや無い。いろんな事が、みんな一緒に、こらへ切れなくなつた。フフ、ばかね。……今更どうなるもんですか。

短い間。

富　……今日一日きりで、お別れね。……出来たら、私も満洲に連れてつて欲しいけど。

ハル　へえ？、なぜ？、

富　なぜつて事も無いけど、かうしてゐるの、私、つらくて。いろいろ、間にはさまつて。第一、父についてお宅にやつて来たのが、まちがつてゐたんですよ。しかしまさか、かうして泊り込んでしまふ事になるなんて、私、夢にも思はなかつたもんだから――。もつとも、帰らうにも、家は人手に渡つちまつて、無いには無いけど。

ハル　……ぢやあんた、大きい兄との事を、後悔してゐるのね？、

富　後悔？、いいえ、そんな……だけど、私、こわいの、それに、佐二郎さんの事も――。

ハル　へえ、小さい兄さんも、それの――？、

富　違います。違ひます。……だけど、私、間にはさまつて、……自分にも訳がわからない。……私、こんな弱虫でせう？、つらいの。前にかたづいた先だつて、私が行つて三月もしないのに、父が泊り込みでやつて来て、そこから金を引き出さうとしたの。それが元で、出ることになつてしまつて、かうして、でもホントは父も可哀さうなの。身体はあれだし、夜中にタラタラ涙を流して、私にあやまる事があるのよ。自分で自分の腕にかぶり付いて泣いてる時もあるの。なんとかして、もう一度盛り返してと言ふ気で、あんな鬼みたいになつてゐるんでせう。……それも、これも、つらいし、あさましいし、――ひと思ひに、ハルヲさんに連れてつていただけたら。

ハル　佐太兄さんは、しかし、いい人よ。

富　それは解つてるの。だけど――。

ハル　あんた、ハルピンで私が何をしてゐると思つて？、
富　それは、向ふの　支那の人のホテルで出してゐる小さいバアの方を委されて――。
ハル　それは、まあ、さうね。フフ。バア、か。……あさましいと言ふ事をあんた先刻言つたけど、金も身分も無い女が、身体一つであんな土地へ行つて、やれる事に、なにが有つて？、恥も外聞もどつかへ置き忘れて来た連中。それも、大体日本人は相手にしないのよ。あさましいなんて言葉は、思い出せもしやしない。
富　……。
ハル　第一、帰つて来るなり私毎日病院通ひをしているけど、どうしたんだと思つてる？、
富　……それはナルコポンとかの――。
ハル　それは順序が、あべこべ。悪いから、注射するのよ。言はうか？、……リ、ン、ビョ。
富　……（相手を見詰めてゐる）
ハル　フフ。それも、たかが悪い。……しかし、それだけなら、まだ、いいや。ハ。

間。――奥で二人のボソボソ声。少し高くなつた声が「相談話し合へば、わかる事ですからね」（吉五郎）、「相談づくで、ぢや……」（省介）とだけ聞きとれる。
ハル　……吉五郎も、あんたの父さんも、私がよつぽどの金でも持つて来てると思つてるのね？、さう思はれて、私、名誉みたいなものね。
富　……。
ハル　相談づくで喰ふ、か。さあさ、いくらでも。ただ、喰つた御自分達の口の中が、はれ上らないように。
富　……すみません。
ハル　そんな事言つてるんぢや無いの。
短い間。――遠くで牛の鳴声。
佐二郎が、酒瓶を下げてスタスタ戻つて来る。緊張した顔。
富　お帰んなさい。
佐二　（ハルチに）戻つてゐたのかい。（酒瓶をお富に渡す）
ハル　お酒取りに？、途中でどうして逢はないんだろ？、
佐二　チョツとほかへ廻つてゐたから。（あがる）

富　寺町の方なんでせう。
佐二　いや。ええと、兄さんは？、
富　（奥の方をチラッと見て）吉五郎さんが見えて、それで、屑殺場へ薬を取りに。
佐二　来てるの？、よしやいいのになあ。（と言ひながら、襖の傍に積んである書籍の間から先程突込んで置いた書類を取出す）
ハル　また出かけるの？、
佐二　うむ。兄さんにチヨット話したい事があるんだよ。（言ひつつ手早く書類を分類してゐる）
富　でも間も無く佐太郎さんのお帰りだわ。
佐二　いや、俺の方が直ぐ出かけるから。
ハル　後でユックリ話せばいい。
佐二　それが、当分、俺、戻って来れないかも知れないんでね。（書類の一枚々々に眼を通しては其の中の或るものを爐にくべて燃やしてゆく。緊張はしてゐるが落着いてゐる）
ハル　へえ……？、
ハルヲとお富は漠然と何かを感じて、佐二郎の顔と爐の中とを代る代る見守る。
佐二　いぶるなあ。
ハル　……どうしたの？、
佐二　……（それには答へないで、手は燃やす仕事を続けながら）あした、ぢや、立つのか？、
ハル　うん。……此處にゐても仕方が無い。
佐二　……ハルピンに行くの、ぢや、どうしても止すわけにゆかんのか？、
ハル　……だって、此の身体でさ。看護婦になりたいなんてこわいみたいなもんよ。
佐二　（これも笑って）浅田さんの方だって、俺の手紙でそれ位の事、知ってるよ。第一、そいぢや、あぶなくって看護なんかやらされるもんか。一二年、病院の便所の掃除なんかをやりながら其の間に身体も治して貰ふさ。
ハル　便所の掃除？、フフ、まさかあ！
佐二　なんにも変な事あないよ。浅田さんは、此方の医科大学の病院の研究室に残ってゐる時に三・一五に引っかかった、きびしい人だけど、いい人だよ。所番地は持ってるね

？、
ハル　持ってる。四谷と言へば要するに新宿なんでせう？、とにかく、往きに寄ってだけは見るわ。
佐二　さうか。……ありだけ繰返して言った事だから、もう無理にはすすめないよ。又、事実、お前の方が俺なぞより世間は餘計に見て来てるんだからな、しかし、先きの事を考へるなら、此の際だよ。こんだ、ハルピンへ行っちまへば、もう、その後でいくらもがいたって追っ附かないと思ふがなあ。
ハル　フ。だって兄さん、此の身体が治ると思ふの？、
佐二　……治るよ。
ハル　身体あ治るかもわからないさ。
佐二　心持ちだって、身体が治りや、治る。
ハル　フフ。こんなに追ひ詰められてて？、みいんな、かうして追ひ詰められてるんだ。母あさんだって、ああして……。
佐二　いいおや無いか。……追ひ詰めてる人間がゐると言ふんだから？、ところがそんな連中は、もっと大きなものから追ひ詰められてるよ。現に今、事務所を取巻いてゐる連中を見ろよ、組合の者は平気でゐるのに、眼を釣り上げて気違ひ面をしてゐるのは、あの連中の方だ。しかも武器を持ってるのは、先方なんだよ。
富　え、それおや――？、
ハル　へーえ？、なんか、あってるの？、
佐二　なに、家を立ち退けと言って押しかけて来てるだけなんだけどね。家主の方にわたりを附けて、いやだと言やあぶちこわしでもしかねない様子だ。しかし、家賃が少し溜ってゐるだけで、裁判にかけたって勝ち目は此方にある。
ハル　なんで、また――？、
佐二　わかるもんか。理屈もなにも有りはしない。此方で聞くと、町の平和のためだしと言ふんだ。町君達のやってゐる事は国体と相容れないしとも言ってゐた。一人々々言ふことがみんな違ふんだ。例の商工会議所に行ってゐる砂糖屋のマルニの親父ねえ、副団長をやってるさうだけど、あれなんぞも来てるよ。顔を知ってるから、さすがにバツが悪さうにしてゐた。要するに、あの事務所には此の県内

の各組合支部や農民組合本部や購買組合、信用組合、借家人同盟――組織の大半が集まってゐるから、まあ、あすこさえ無くしてしまへば、そんなもの全部根絶しに出来るとでも思ったのだらう。どんな方面で尻押しをしてゐるか、大概わかってゐるさ。

富　だや、警察の――？、

佐二　いや、今のところ、その方はなんとも無い。見て見ぬふりをするだらう。今の世の中が、もうそんな所を通り過ぎちやってゐるんだね。……さあ、これで済んだ。（燃し終る）

ハル　そいで、そこへ行くの、兄さん？、

佐二　う？、うん。今日は日旺で無いし、大概職場に出てゐるから、人手が足りんしね。

富　あぶないんぢやないかしら？、

佐二　そんな事あ、まあ無からう。先方はどうかしらんが、此方ぢや唯坐ってりや済むんだ。しかし当分、戻って来れんかも知れんから。

ハル　へーえ？、

佐二　だから、お前とはこれでお別れだから、くどく言ふんだよ。ホントに満洲行きは止して、新宿で踏みとどまったらどうだ？、

ハル　兄さんは少し馬鹿ね。

佐二　……追ひ詰められてゐる点では、誰だって変りは無い。向題は、追ひ詰められたどうしが、掴み合ひをし合ふか、又は追ひ詰められた所でもまだ望みを捨てないでやり通すか。

ハル　そんなんぢや無いのよ。どう言ったらいいか、……たとへて言へば、私はもうサイコロを振り出しちまったのよ。

佐二　仮りにお前が浅田さんとこへ行った上でどんなに踏ん張っても、身体も治らんし、どうにもならなかったとしても、それでも、まだましだと思ふんだ。手足が腐ってしまっても胴体だけでも人間やる事はやれる。

ハル　ひとの事だから、さう言へる。

佐二　さう思うのか。お前は？、ところが、俺のしてゐる事を、何をしてゐるんだと思ふかね？、胴体だけで生きてゐるのかもわからんし、眼玉一つだけでやってゐるとも言

へるし、……歯だけ残れば歯だけでかぶり付いてやるつもりで居るよ。

ハル　執念ぶかいのね？、

佐二　さう、俺達が一番執念ぶかいだらう。ハハ。生き代り死に代りと言ふ奴だな。

ハル　ハハハ。執念で思ひ出した。（立つ）どれ、母さんの畑を見て来ようかな。もう見られないから。（笑ひながら畑の方へ出て行く）

佐二　とっつかれないようにした方がいいぜ。ハハ。（それでも気にして、畑の方を見てゐる。お富も見る）

短い間。

富　……ハルヲさん、なんだか変です――。

佐二　（立って帯を解きつつ）酒を小父さんにあげりやいい。

富　（奥を見てから）なんて永いんでせう。さあっきから二人でゴトゴト、ゴトゴト……。

佐二　ハルヲが早く財布の底をはたいて見せりやいいんだ。

富　父がいけないのです。

佐二　いや、さうでも無い。

富　吉五郎さんは、もと、ハルヲさんと、なんか？、

佐二　前にホンの二ヶ月ばかりだけど、一緒になってた者があるんだ。短刀で脅迫されてそんな者になったって言ってた。あれは当時、チヨットしたゴロン坊でね。ハルヲがまだやっと十七頃のことだ。しかし、まあ、根からの悪い人間と言ふんでも無い。（壁の釘から古い背広服をおろす）

富　……佐二郎さん。……私を此処から連れてってくれない？、

佐二　……？、なん――？、

富　連れて逃げてくれません？、……此処にゐると、殺されます。

佐二　ころ――？、誰に？、

富　佐太郎さん……。さう言ふのです。

佐二　なにを冗談を！兄きあ、あんたを嫁に欲しがってゐるんだぜ。

富　だからなんです。変な真似をすると、弟だって、なんだって、と、さう言って――。

佐二　俺を？、……俺を、かね？、

富　ですから、連れて逃げて下さい。

佐二　兄きあ一本気だから、カッとすると、そんな事を言ふさ。ハハハ。

富　笑ひ話しに出来ることではありません。また、あんただって、笑ひ話にしてしまへる事ぢや無い――。

佐二　……そりや、俺も、正直を言へば、あんたが好きだ。好きだった。しかし、それがなんだ？　兄きは兄きで、あんたを好いて、そして、そんな事になれば、それで、いいんぢやないか。

富　あんたは私をうらんで――。

佐二　うらむ？　ハハハハ。

富　なにを、笑ふんです？

佐二　ぢや、お富さん、あんた、兄がきらひなのか？

富　そんな事ありません。しかし、なんだか、こわくて――。

佐二　そんな男なんだ。兄きあ、あんたにホントに惚れてる。

ワイシャツ無しでズボンを穿く佐二郎。後ろから背広を着せてやるお富。

佐二　……こんど、もし俺が又此処へ帰って来ることがあれば、あんたあ、チャンとした嫂《あによめ》だ。

佐二郎の背に前髪を附けるようにして泣き出すお富。

外から戻って来る佐太郎。右手に赤いものの入ったビンを持ち、右手にズック製の袋みたいな物を下げて、何の気も無くスタスタ入って来るが、すぐ二人の姿を認め、ギクリとして入口近くに立停る。無言で睨んでゐる。二人も佐太郎を認めて、そのまま動けずに居る。……佐太郎、四辺を見て、他に誰もゐないのを認め、殆んどドス蒼くなるまでに顔色を変へ、二人から眼を離さずビンをあがり口の所に置く。それから、黙ってフイと眼をそらして土間の壁の傍へ行く。

ズックの包みから大型の鋭どい刃物を取り出す。光った刃に指を当てて、刃こぼれを調べてゐる。やがてヂロリと二人の方を見る。そのまま三人が動かない。

間。――

ハルテの声　いい匂いだ、お母あさんの植えたシュン菊――

へ言ひながら、手に、むしり取った少しばかりの青い物を持ち、それを嗅ぎながら裏口から入って来かけるが、佐二郎とお富の様子が変なので、二人の視線をたどって土間の隅の佐太郎を認め稍ギョッとして裏口の敷居の上に立停つてしまふ。しかし彼女の出現のために、今迄の空気がいくらか変る）

短い間。

黙ってスタスタ土間に降りる佐二郎。

佐二　いいね、ハルヲ？、ぢや――（ハルヲはそれに答へることを忘れてゐる）

佐太　……どこへ、行く？、

佐二　う？、……（兄から四五歩離れた所に立停って、兄の顔を見る）

お富がショックを受けて口の中で低い叫声をあげる。

佐太　（そのお富の方を顎でしやくって）……二人で何をしてゐたんだ？、

佐二　どうしたんだよ、兄さん？、

佐太　兄さんとは言はせないぞ、……俺の眼を盗んでなにしようたって――。（近づく）

眼と眼を見詰め合って立つ兄弟。――間。

佐二　馬鹿！

佐太　なにっ！

佐二　馬鹿野郎！（言ひ放つなり、いきなり右手をあげたと思ふと、兄の頬を音を立てて殴り飛ばしてゐる。不意を打たれて佐太郎の右手から刃物が飛んで壁に当って土間に落ちる。続いて今度は左手が佐太郎の右頬に音を立てる。続いて右手が。五つ六つ続けざまに張り飛ばして止む）

呆然として手出しをするのを忘れてしまい、弟の眼を見詰めたまま立ってゐる佐太郎。無言でそれを見詰めて立つ佐二郎。短い間。――板の間に居るお富も、裏口に立つたハルヲも釘付けになってゐる。佐二郎、プイと出て行く。表戸口から路へ出て、右奥へ消へる。

土間の隅に立ちつくしてゐる佐太郎。

ヒョイと両手をあげて顔を被ひヂッとしてゐる――短い間。奥の室からフラフラ、省介が出て来る。

すぐ、吉五郎の顔も覗く。

省介　ど、どうしたんだ？、

富　……父さん……いけない！

省介　だから、どうしたんだよ？、なんだ、どうかしたのかい、佐太さん？。（それからキヨロキヨロ見廻して、ハルヲを認め）やあ、ハルヲさん、そんな所に居ないで、あがつたらどうだね？、話がある吉五郎さんとも、ようく相談した結果、なんだ、あんたに一つ頼んで見てな――。

ハル　……ええ。（まだ兄の方を見てゐる）

吉五　（ひどくキヨロキヨロして）私から話しますよ、省介さん。なあに、なあハルヲ、そもそも俺はお前にとつてー（と、ひどくあわてゝハルヲの傍に行くために土間に降りようとして、足を踏みちがへて、転げ落ちる）

省介　あぶない。アッハハハ。ハハハ。（坐つて、せせら笑つてゐる）お富、起してやれ。

吉五　なあに！、なあに、なんでも無い！。（しかし身体が衰へてゐるので、なかなか起きあがれない。やつと起きあがつても呼吸が苦しいと見えてヒーヒーゼイ、ゼイ喘いでゐる）

省介　酒は？、　酒はまだ取つて来ないのか？、（黙つてお富が酒ビンを取つてやり、それから茶椀を取りに土間に降りて釜場へ行く）さうか、ありがたい。いや、冷やでいいよ。ポカポカして来ると、この方がいい。（お富が土間から差し出した茶椀を受取るや、酒を注いで、かぶり付くやうにして飲み出す。ピチヤピチヤ舌を鳴らす。お富は横眼で佐太郎の様子を見てゐる。）

佐太　……（両手を離した横に涙が流れてゐるやうに見える。それまでボンヤリ吉五郎の転んだ様子や、省介の酒を飲むのを見てゐたが、不意に）俺が悪かつた、佐二郎、佐二郎、待つてくれ、佐二郎！。（佐二郎の出て行つた方へ走り出して行く）

省介　どうしたい？、

富　あっ……（これも心配して、佐太郎の後を追つて、小走りに出て行く）

省介　全体、なにがどうしたんだ？、え、ハルヲさん？、

ハル　さあ……。

省介　変だよ、佐太さんどうかしたんぢやないか？、まあ、此方に来て、少し飲《や》つたら、どうかな？、

ハルヲ、下駄を引きずりながら、ユックリ土間を歩き、

上にあがる。

省介　ハハハ、やっぱり、これに限る！（酒が次第に廻って来る。しかし此の男に酒の廻って来る来方は、普通と反対で、酔うに従って表情や口調などは却ってシッカリして来るし、言ふ者も鋭どくなるし、顔の仂らきが好くなって来るらしい。だから見た眼には、酒の気の無かった時が酔ってゐたやうに見え、酒を飲みはじめてからがシラフの様にさへ見へる。勿論、この倒錯の中には病的な脆さが隠見する）ハハハ、まあ、ひとつ、どうかね、吉五郎さん。

吉五　ありがたいが、私は駄目だ

省介　まあ、さう言ったもんぢゃありませんさ。さあさ、さあ！注いだから、ひとつ！

吉五　私に酒が毒なことは、あんたも御存じだったぢゃありませんか。（手を振る）

省介　さう言ふもんぢゃ無い、これから一旗あげようと言ふいい若い者が、さあ。（むやみに強ひる手元が狂って、茶椀が落ちる。ムッとして吉五郎を見る）

吉五　これは失礼。いや、私には酒よりも、……ハルヲ、例のなには、まだ—？、

省介、これはいけない！（と薄べりの上にこぼれた酒を掌でしやくひさうにするが、出来ないと見て、いきなり口を付けて吸ってしまふ）

ハル　兄さん、取って来たわよ。そら、そこにある。

吉五　（佐太郎の持ち帰ったビンを掴んで）私は、まあ、これですよ。ハハハ。

省介　アッハハハ。どんな味のもんですかね？、飲みにくいだらう？へへ。

吉五　なあに、馴れりゃ、大した事もありません。（ビンをすかして見て）少し、かたまりかけたな。これが一滴一滴自分の血になって身体の中を流れるんだから、ありがたいものさ。（ビンを口に付けて飲む）

省介　肉は甘味いし、骨は細工物になるし、血は血で薬になる、いや、無駄が無いね。牛なぞと言ふものは人間にとっちゃ調法な生き物ですね。（ハルヲに茶椀を突き付けるので、ハルヲ仕方なく酌をする）

吉五　ハハハ。牛にゃ限らないかも知れませんよ。人間だっ

て随分肉を食はれ血を吸はれ骨迄しやぶられることもあるからね。

省介　さしづめ、私等もそれかね？、

吉五　しやぶる方かな、しやぶられる方かな？、

省介　さあね、どっちだらうか。アハハハ。

吉五　ハハハ。……（ヒヨイとハルヲを向いて）でねえ、ハルヲ。省介さんとも色々御相談して見たが、まあ、いつまでも角突き合ひを繰返してゐても仕方が無からうと言ふ事になってねえ、話をザックにしようと言ふ事になったんだ。それで君に考へて貰って、サッパリして貰はうと言ふ事に——。ねえ省介さん。

省介　さう。親が借りた物を子は知らんと言へた訳のもんでも無からうからな。

吉五　それで、私の方のは、今迄なしくづしに二円三円と入れて貰ったのを計算すれば、（と懐中から紙片を出す）大体百円足らずだ、まあ端数は切上げるとして、残額二百として置かう。なしくづしに入れて貰ったんぢや、かうして毎日の事に消えてなくなるんだから、実はなんのタシにもならねえんだから困るけどね、まあ仕方が無い。ただ残額だけはなしくづしはお断りしたいんだ。もともと私の方のは現金で貸してやった金だし——。

省介　おいおい、吉五郎さん、あんた又それを言ふのかね？、そう言ったもんだらうかねえ、ハルヲさん？、

ハル　さあね。……とにかく、私にはお金は有りませんよ。

省介　佐太さんも、あんたにさう言やしなかったかね。私の方だけは元々死んだお父つあんが盛大にやってゐたときからのなんだから是非頼むって——。

ハルヲ、プイと立ってトランクの所へ行き、無言でトランクの中を、あれこれする。

それを眼で鋭どく追ひながらの二人のやりとり。

吉五　ハハ。私の方としては数字も形式もかうしてハッキリしてゐるんだから、くどく言ふ必要は無い訳でね。

省介　おうさに。裁判所にだって持ち出せると言ふ道理かね？、私の方のは信用取引の後だから、踏めば踏める。そう言ったものさ。御時世向きにな。だから、まあ、頼むんだ、私の方から。弱いさね。ハハ。

ハルヲ、立って奥の室へ行く。キヨロキヨロと眼でそれを追ふ二人。二人きりになると口を利かなくなって、互ひに互ひの顔を見合ってゐる。――間。

ハルヲ、二三の身の廻りの道具類を持って出て来る。チヤンと洋服を着てゐる。トランクの所へ行って道具類を入れる。

吉五 ……(飲むのを忘れてゐたビンを又口へ持って行きながら)君も立派になったもんだよ。私と一緒に家を持ってゐた頃は、そりゃ可愛くはあったが、顔なんぞも田舎臭いうすみっともない――。

省介 (これもビンから直かに酒を飲みつつ)アッハハハ。古い事を言い出しはじめましたね。ハハ。思ひ出せとの鐘が鳴るか。鴨の味と言ふからね。

吉五 (ハルヲがドンドン仕度をして、既にトランクをピチンと締めてしまったので、さすがにもう黙って居れず)どうしたんだよ、ハルヲ?、

省介 どうするんですかね?、

ハル ……すぐ立つんです。明日立つのも今日にしても同じやうなもんだから。

省介 え! 立つ?、(一度にギヨッとして、今迄の笑ひを急に引っ込めてしまふ)

短い間。――吉五郎の方も不意に極度の緊張に突きやられて言葉が出ない。

ハル おや、なんですけど……さよなら。

省介 ……な、な、なにかね……そいで、今の話は、それを――?、

吉五 ハル、ハルヲ……んで、ハルピンの方へまっ直ぐにか――?、

ハル え?まあ。しかし都合で東京に腰を据えてしまふかもわからないわね。フン。

省介 そ、それで、それでは、まるっきり……なんだ、そいつは、あんまり急だ。第一、兄さんやなんかに一言も言はずに――。ねえ、吉五郎さん!。(吉五郎に対するこれまでの調子とはまるで違ふ。殆んど哀願の調子である)

吉五 (その省介のすがり付いて来る調子を振切るやうな口調で)や、それもよかろう。人間、思ひ立ちが肝心だ。お

やあ停車場まで送って行かうぢやないか。どれ、トランク出しなよ。下げてってやらう。

ハル　いいのよ。

省介　（あわを喰って飛び上るやうに立上って）いや、私が持つよ。なあに年は取っても、昔はこれでモロミの二俵がとこ、ひっ擔いだ男だ。さ、出した！

吉五　いや、あんたあ、お年だ。それに酔ってゐらっしやる。まあ私に――。

省介　年や酒に弱るほどの身体でもありません。あんたこそ、病人のあんたに持たせて私が見てゐると言ふ法はありません。さあ、私が――。

二人の交はす言葉こそ丁寧だが、トランクをはさんでの動作は互ひに殆んど掴み合ひみたいである。互いの手に爪を立てんばかりにして上り口の所まで行く。ハルヲは取残されて爐の傍に立って二人の争ひを見てゐる。遠くで牛の鳴声。

ハル　……小父さん……吉五郎さん。ぢや、私、お金を差し上げますよ。（坐る）

その声で二人は一度に争ひを止め、トランクを疊の上に置いて、此方を見て黙る。やがて、互ひに顔を睨み合いながら坐る。ハルヲ、ハンドバックを開けて、さかさまにする。紙幣が四五枚とバラ銭がウスベリの上に落ちる。

ハル　……私の持ってゐるのは、スッカリでこれだけよ。はい。……（返事が出来ず、息を詰めてゐる二人）満洲へ帰る旅費と、途中で買物をして行かうと思って残しといたけど、いいわ。……（腹が痛むと見えて、左手で強く押へながら）どうとも、そちらで分けて下さいな。……（二人が、すくんでしまって動けないでゐる。眼ばかりが、金と相手を見交してゐるのである）どんなにか沢山持ってゐるかと思っておいでだか知らないのに、これんぽっちで、お気の毒さま。フフ。さあ！……（それでも省介も吉五郎も、三すくみの様になって、手も出せないでゐる）……どうしたんですの？……これんばっちでは要らない？フ、さうね。……ぢや、まあ。（金を拾ひ集める）要らないんですか？さう……（とハンドバックに戻さうとして紙幣を見てゐたが、フイとそれを爐にくべる）ハルピンへ行くの止めた、と。

口の中でアッと言ふ吉五郎。ガタガタ顫え出す省介。二人ともやはり動けない。

ハル（四五枚を次々とくべる。メラメラ燃える）侍ってりや、行っちまふ。……これで新京。これで下の関。これで大阪。……こいで、いやでも応でも、新宿迄っか行けない。

吉五、（歯がカチカチ鳴ってうまく言へない）し、し、しんじゆくに――？、

ハル　新宿に居て見ようと思ふの。やれるか、やれないか、フン、……これで、あんた方の執念も離れた、と。……おや、さいなら。（立つ。しかし、その拍子に下腹部の痛みが不意に差し込んだと見えて、身体を二つに折るやうにして……かがみ込んでしまふ。低い唸声。）

省介　ど、どうかし――？、

ハルヲ、低く唸って、コートの内ポケットを片手さぐりにして、小包みを取り出し、小さいアンプールと注射器を出して、薬を吸ひ上げて、腕をまくって注射をする。

――その間、小包みを見て再び緊張して睨んでゐる二人。

間。突然、裏の畑の辺でドブーンと深い水音が響く。井戸に何かが落ちたらしい。虚を突かれて、びつくり飛上った省介がはだしのまま土間に駆け降りて裏へ出て行く。やがて、痛みをこらえ、腹を押へながら、注射の道具をポケットにねじ込んで、立上り、ソロソロとトランクの方へ歩いて行くハルヲ。

吉五　く、苦しさう、だな？、そいで――？、

ハル　薬が、まだ、利いてこんから。……（トランクの傍で又、しやがんでしまふ）利けば、平気よ。

吉五　そんなでも、行くのかい？、

ハル　たかが、新宿迄だ。（トランクに額を押しつけて苦しみをこらえてゐる）……んでも、これで、便所の掃除なんか、やれるかな？、……もう、駄目かな？、

吉五　き、君の言ふ事、よく解らんが、無理にそんな――（あまりに緊張した後の癖で、しきりと咳き込む。その声がケーッ、ケッケッケッと呼吸が苦しさうだ）

牛の鳴声が響いて来る。

胸をかきむしるやうにしてゐる吉五郎。

足袋はだしでフラリと裏口に現はれる省介。

省介、……ハハ。なあに、なんでも無いさ。先刻、誰か、釣瓶に水を入れたまんまで、井戸の縁に載せといたらしい。それが落ちたんだ。……ハ、びつくりさせるよ。（その時吉五郎が、咳いてギヤーッと響く声を立てる）どうしたんですかい、吉五郎さん？、……釣瓶が落ちたんだ。ハハ。（無理にも立上らうとするハルヲ。まだ苦しいと見えてドランクに突伏す）……まあだ、私あ、死なんよ。ハハ。まだまだ、そんな、死んでたまるかい。ハハハ、ハハハハ。なあ、ハハハ（土間をはだしでフラフラ歩いて来ながら、笑ふ）

—幕—

鏡

人間

御堂精太郎（三十五歳）
葉　子（三十三歳）
烴向壯六（三十八歳）
村　子（二十六歳）
精　介（六　歳）
女中　マキ（二十四歳）

場所

東京から近い有名な温泉地にある御堂家の別荘内。

時

現代。或る土曜日の夕暮れから翌朝の夜明け頃へかけて。

1

あまり遠くない所を省線の列車がゴーッ、ゴーッと通過して行く響、汽笛の音。それが暫く続いてやがて消える。と四邊はシンとしてしまふ。

静かに流れ出して来るレコードの音楽（セロを主とした絃四重奏）。……そのうちに音楽のメロディに合はせるやうにして低い女の声がハミングはじまる。

御堂家の別荘内の洋風の廣間。廣間とは言っても、大體が此の別荘全體が室数五つ位の小じんまりした建物で、此處は客間にも居間にも兼用されて居る。飾り付けも調度類も金のかかった豪華なものである。床一面に敷きつめられた絨氈、木組みのシッカリした新式の切込煖爐、壁面に一二のエッチングと飾り皿、壁に添ふやうにして彼處此處に置かれた椅子と長椅子と茶テーブル、それから上手寄りに据えられた等身大の三面鏡。……すべての模様が少壮実業家の別荘と言ふよりは、むしろ裕福な芸術家のサロンと言った風である。

下手に別室に通ずる扉。上手は三面鏡の前を通ってカーテンを開けると廊下に出る。廊下は斜めに上手奥へ通じその途中に浴室への引戸が開いてゐる。廊下末は玄関へ通じてゐるのだらう。正面奥はフランス風のガラス窓になってゐて、温泉地の灯と海の一部が眺められる。

御堂精太郎が、下手の長椅子にユッタリと脚を伸して掛け、葉巻を吹かしながら、傍のテーブルの上のウイスキー・ソーダをチビリチビリと楽しんでゐる。湯あがりと見え、和服の上にガウンを引っかけた姿。色白く、肥えて血色が良い。よく伸びて均斉のとれた身體が、見たばかりで健康さうだ。貴公子と言ってもよい位に端麗な顔つきと、殆んど癖になってしまってゐるにこやかな微笑が、時々覗く少壮実業家らしい俊敏さを巧みに蔽うてゐる。自身の生活と仕事に完全に満足してゐる者のみが持ってゐる上品さと自信が彼の挙措を支配してゐる。勿論、実際の年令よりも非常に若く見え、二十七、八歳と言っても人は疑はないであらう。時々、その美しい形の鼻の小鼻の邊を左手の薬指で妙に神経質にこする癖がある。フランス窓の側に据えられた電気蓄音機からひくく調節された音楽が流れ出してゐる。

それに合したハミングは、浴室の方から聞えて来てゐる。何か官能的な声だ。そのままで、暫……。

御堂　……葉さん。……おい、葉さん。(シッカリした落着いた声である)

浴室の女には聞えなかったらしく、ハミングは元のままにつづく。

御堂　……葉さん(と前よりも大きな声で。今度は聞えたと見えて、ハミングの調子が変り)……来る早々、あんまり長湯をすると、湯にあたっちまうよ。今度はもう僕は知らないぜ。

葉子の声　なあに?、なによ?、

御堂　いい加減にしないと、又湯気に當ってボーッとなつちまふと言ってるんだ。

葉子の声　あらあ、もう私、お湯からあがってゐますのよ。

御堂　ぢや早く此方へおいでなさい。

葉子の声　ただ今、壁塗りの最中とござあい。

御堂　なんだ。(笑ひ)……えっと、確かチーズは持って来てゐたっけねえ?、チーズさ。

葉子の声　だって今夜はコテコテと入念に仕上げてやるのよ。ホホ、さうう、これで濟んだと。ええ?、なんですって?坊主?、精介はマキと一緒にまだ坂下の方に居るんでせう。

言ひながら開いたままになってゐた浴室の扉口から葉子が廊下に現はれ、タオルで耳の後ろを押へながら入って来る。派手な長襦袢に細帯を巻きつけ、その上から黒っぽい羽織を引っかけただけの姿が、まるで此の室に不意に花が開いたやうに見える。どうすれば自分の美しさを一番引き立たせる事が出来るかを十分に知り盡した色の好みである。スリッパを突っかけた素足がまるで白粉を塗ったやうに真白く見える。豊かな頭髪と狭い額の下に、無駄な線と言っては一本も無い。それでゐてセセコマシイ感じの無い美しい顔。鍛へぬいて柔軟に然し強靭になったスッキリした身體つき。元来から少し腺病質であったのが、充ち足りた生活と贅澤な栄養のためにスッカリ脂が乗った。言葉と動作に、その時々で、小股の切れ上った敏活さと、不意に全身がダルクなってしまったやうな所が入混る。前のやうな状態の時には二十二三歳位に若く見えるし、後のやうな状態になると突然に世間を知りつくした四十女のやうに見えて来る。この混乱はこの女をひどく上品にも見せるし、又ひどく色っぽくも見せる。しかし彼女の一番大きな特色は、自分に関するそれらの事を自ら知ってゐると言ふ點にある。自身の顔、身體、言葉等の表情の効果を知悉してゐる人間の自信と無邪気さ。日常生活の中で絶えず芝居しをしてゐるが、しかしそれは自分の本當の姿を隠さうと思ってする芝居ではなくて、そんな芝居が彼女に一番大きい陶酔を与へるからする芝居である。従って既に彼女には自分の芝居とさうでないものとのケヂメが附かなくなってゐるし、そして、そんな状態は彼女の幸福なのである。……それは一面、彼女が女優であったと言ふ永年の習慣からも来てゐるのだが、しかし同時にそれは生れついた本能的なものでもあるやうだ。

葉子　どう言ふんでせうね、精介は坂路で遊ぶのが大好きなんですよ。こないだも運動がてら明治神宮にお詣りしたら、あの表参道の坂道の所から何とスカシても動かうとしないの。しまいにマキが泣き出してしまひましてね。（言ひながら三面鏡に向って着物の襟の畳をなほしてゐる）

御堂　（ニコニコしながら）へえ、さうかね。

葉子　此處へ着いても、直ぐに表の坂路へ飛び出して行くんですの。もうこんなに暗いから明日になったら一日中でも遊んでいいからと言っても聞きやしない。今度はヌマキが泣きベソを掻いてゐるかも知れないわ。

御堂　そいで、坂路で何をして遊ぶんだい？、

葉子　何と言って別に。ただ登ったり下ったりしてワーイてな事を言ってるだけなの。どう言ふんでせう？、ねえあれは何か特別に変った神経なんでせうか？。それに精介は時々夜中に寝呆けて部屋の外へ歩いて行ったりしますしね私心配だわ。

御堂　君の児童心理にはそれに就て何も書いて無いのかね？、

葉子　また、ひやかすのねえ、知らない！。

御堂　……近頃、君はまた肥えた。（完全に満足した微笑。テーブルの上のウイスキイに手を伸す）スッカリもう健康になった證據だよ。……どうだ、君も一杯やるか？。（葉子黙って鏡の中を見てゐる）……針鼠さんが、また怒ったな。

葉子　……（鏡で頭髪を直しながら暫く黙ってゐた後）……そりゃ、私は、このままでも、とても幸福よ。……だけど、精介の事は、あなたも、もう少し身にしみて考えて欲しいの。……だって私が完全に持ってゐるものと言っては、精介だけなんですもの。

御堂　……考えてゐるさ。

葉子　あの子の神経は、たしかに少し変なのよ。身體も弱いし、あの子に若しもの事でもあったら、私、とても生きて行けない。

御堂　大丈夫だよ。君の思ひ過しさ。寝呆けたり妙な癖なんぞ、あの年頃の子供には有りがちの事さ。

葉子　……あなたに取っても、あの子は、たった一粒種の息子なんですからね。御堂家には後継ぎと言っては精介だけなんですから、掛けがへが無いんですよ。それを思へば、麹町の方にしたって、もう少し――。

御堂　わかったよ。今夜は、それは言ひ出さない約束だったぢゃないか。

葉子　私は当然の事を言ってゐるだけよ。……なんでも、それを愛してゐる者が、それを持つ権利があるのよ。麹町の

方ではあなたの事を唯世間態の上での御主人だと思ってい
らっしゃるだけだし、あなただって麹町を別に気にかけて
ゐるんぢゃないわね？
御堂　又それを言ふ。そんな事、とうに判ってるぢゃないか
……麹町には子供は無し、しかも、ああして寝たっきりだ。
うっちゃって置いたって自然にいいやうになるよ。
葉子　さうでせうか？……私はそんなに簡単には考へられないわ。
近頃、お宅の方でなさる事が一々変よ。
御堂　なあに、あれは甥が戦死して以来イライラしてゐるん
で、する事にトゲが出るんだ。
葉子　だって、そんな事私のせゐぢゃ無くってよ。……でも
その三郎さんて方、お気の毒ですわねえ。凱旋すると直ぐ
に結婚なさる筈になってゐたんですって？
御堂　うん。……でもそんな話よさう。チメチメしていかん。
ええと、精介は、いくらなんでも少し外に居過ぎやしない
かな。
葉子　大丈夫よ。マキが附いてゐるんですもの。それに今夜
は割と暖いから。

御堂　さうかい。……あ、チーズだ。
葉子　チーズ？
御堂　いや、先刻、出して貰はうと思ったら、精介の話にな
っちまった。
葉子　たしかマキが台所の食器棚の引出しに入れてゐたわ。
済みませんけど、あなた取って来てよ。（自分は先程から
長椅子の所で足の爪の手入れをしてゐるのである）
御堂　おやおや。（でも気軽に立って下手へ消える）
間……葉子は何か考へながら爪の手入れをしてゐる
葉子　……有ったでせう？（下手奥で御堂が何か答へる声）
……（間。爪の手入れを終った葉子は、ツと立って、しき
りと着物の襟を気にしてゐたが、やがて鏡の前に行き、ス
ルリと羽織を脱ぐと、長襦袢姿。帯をしめなほさうとして
色々にする。その内に、鏡の中の自分の顔に眼を引かれて
フッと手を止めて見詰めてゐる）……（間）
御堂　……今度来る時に、少し食器類を仕入れて来る必要が
有るねえ、ねえ葉さん、ナイフやフォークがこれぢゃ……
（言ひながら下手の扉口から出て来て、葉子の姿を見て、

フッと一種の感じにとらへられて、立停って見守る）……。

（間）

葉子　……さうね。……いやだ、何をそんなに見ていらっしやるのよ。（今迄一人でシーンとなってゐたのが、再びグラリと変って浮々とした調子になってゐる）

御堂　……たまには日本着物もいいね。よくまあ、色々の着物を着こなすと思ふよ。

葉子　それ、皮肉？、

御堂　どう致しまして。讃辞を呈してゐる。

葉子　これでも女優のはしくれですからね、色々に化けます。

御堂　これは失禮。（寄って来る）

葉子　ねえ、此の別荘にこれから時々、芝居の連中を遊びに連れて来ていい？、

御堂　いいだらう。だが遊ぶにしても、火遊びだけは御免だよ。（相手を抱きにかかる）

葉子　フフ。あなたがそんな事を言ふと変よ。

御堂　変ですかね？、

葉子　そんな相手が芝居の連中の中に居ますかしら？、

御堂　僕の方で聞きたいね。ハハハ、嘗ては、だいぶ居た事は事実ですからねえ。

葉子　（言はれてホンの一瞬間だけ不意に混乱したやうな妙な眼つきをするが、次の瞬間にはガラリと調子を変へてゐる）……ゲッ、見破られたかあ！（と眼をグルグルさせる）

御堂　しやあ、しやあ、しやあ。お葉返事はどうだ、どうだ！（言ひながらチーズを噛んでゐた口にウィスキーを飲む）

葉子　ようし、来いっ！かくなる上は、やぶれかぶれだ！（両手をグルグル廻しながら拳闘の型で御堂に迫る）

御堂　よし、やるか！（両拳を突き出してグルグル廻す）そら、左のチンへ行くぞ！（その真似）

葉子　まだまだ！そら、ストレートだあ！（裾の邊をチラホラさせながら、室内をグルグルまはる）タッ！

御堂　カッ！（相手のストレートが鼻の下に命中してフラフラッとした真似）ウルルル。ウー。ペッペッ。（口中から出血した真似）ようし、見ろっ！（二人グルグルま

はる）今度はアッパーカットだぞ。……デーッと！
葉子　ウッ！（叫んでアッパーカットが顔に入った芝居。大げさにグロッキイになった真似）ウルル、ウー。
御堂　葉子、全然グロッキー、あはやダウン直前！あ、ダウンしました。ダウンしました（葉子は順々に言はれた通りにする。但し床の上に倒れるわけにも行かず近くの長椅子を眼で捜して、その上にクタクタッと伸びてしまふ）……ワン、ツウ、スリイ……当代無敵の殺人お葉、遂に此度はノックアウトを喫するかも知れません。フオア、ファイヴ……殺人お葉まだ眼を開けません。こんこんとして眠って居ります。シックス……（言ひながら葉子の顔の上にかがみ込んで行く。遠く夜汽車の通過して行く響と汽笛）
永い間……。
精介が、廊下奥の方からスタスタ入って来る。痩せて青い顔をした少年で、言葉つきがユックリして、夢でも見てゐるやうな所がある。父と母が寄り添ってゐるので、言葉が掛けられず、鏡の横で暫くボンヤリ立って眺めてゐる。葉子、身體を御堂の方へもたれ掛けるやうな姿勢になった拍子に精介を見つけ、ビクッとする。
葉子　おおビックリした。精ちゃん、どうしたの？、いつ戻って来て？、
精介　うん……。
御堂　マキは、どうした？、
精介　……。
葉子　マキはどうしたの？、
精介　坂の所で話をしてゐるよ。
御堂　誰と？、
葉子　真青な顔してゐるけど、どうかしたの？、寒いんぢやなくって？、
精介　ママ、あのね、酔っぱらった小父さんが坂の下の方から来たんだよ。フラフラしてゐるんだよ。こうんな風にーー（その手つきを真似て見せる）
葉子　……それで、その人とマキやが話をしてゐるの？、
精介　うん。……はじめ僕んとこに来て、ヤアと言って笑ってゐたよ。とてもキビが悪いんだよ。
御堂　……以前にも見た事のある人かい？、

精介　うん、……。

葉子　誰でせう、あなた？、（御堂と顔を見合せる）

御堂　なに、酔つぱらひが此の下を通りかかつてマキを見かけてからかつてゐるんだらう。（急にニヤニヤして）それとも、例のマキの恋人が追ひかけて来たのかな。

葉子　あの運送会社の事務員さんが？、まさか！　こんな夜中に、こんな遠くまで――。

御堂　なんとも判らないよ、なんしろ運送会社なんだからな。その邊までトラックに便乗して来ると言ふ手も有るからね。ハハハ、恋人はトラックに乗つてと言ふ奴さ。

言葉の間に、當の女中マキが廊下の奥から、小走りに出て来る。

マキ　奥様――。

葉子　どうしたの、マキ？、お客様ですつて？、

御堂　遠慮なしにあがつて遊んで行つたらいいよ。

マキ　いえ、あのう――。（身體で、玄関に人が来てゐると言ふ様子をする）

それらの言葉の間に、廊下奥の玄関からあがつて来たらしい洋服の男が少しフラフラしながら廊下を此方に向つて歩いて来てゐたのが、どうしたのか途中でしやがんでしまふ。

マキ　……困りますと、いくら言つても――。

御堂　運送屋さんだらう。いいぢやないか。（言ひながら廊下へ出て行く。他の三人もそれに従ふ）……（しやがんでゐる男に）おい君、此方へ来たまへ。そんなに遠――（言ひかけて相手が違ふ事に気がつく）

男は口の中で「どうも……」とブツブツつぶやきながら立上る。

御堂　（相手を認めて）なんだ、蛭間ぢやないか。

葉子　え？、（少しギクリとして男を凝視してゐる）

マキ　実は私も、あんまり、思いがけがないもんですから――。

御堂　……いいよ、いいよ。（諦めた風に、スタスタ室内へ戻る）まあ君、はいれよ。

葉子も直ぐに平静を取戻して、精介の肩を抱きながら室に戻つて、蛭間を無視したやうな態度になる。

蛭間は一番最後から室に入つて行き、ボンヤリ突立つて

ゐたが、やがて黙って卑屈に頭を下げる。痩せて背が高く、いくらか大き過ぎて身體に合はない古背広に、ヨレヨレのネクタイ。顔の大きい骨張った、酔って眞青になった顔の中からキヨロンとした両眼が、光って見える。身體の中でひどく毀れたものがあるが、でも未だそれが完全に毀れきってはゐないと言った様子。酔ってゐるが、言葉も動作も割にシッカリしてゐる。

御堂　……だが、よく来たねえ？、

蛭間　……どうも、こんなに遅く、すみません。

御堂　全體どうしたの？、

蛭間　いやあ、どうも――。（テレかくしに笑って頭を掻いている）

御堂　此の子がおびえてゐたぜ。フラフラした小父さんが坂の下からやって来たと言ふんだらう。ハハハ。だいぶ飲んでゐるやうだね？、

蛭間　いやあ、それ程でもないけどね、此處にや僕あ初めて来るんでよく判らないんでウロウロしてゐたんですよ。標札も出てゐないんで。

御堂　わざと出してないんだよ、うるさいんでなあ。……僕が此處に来てゐるって君どうして知ったんだい？、

蛭間　いやあ……先日から是非一度お目にかかりたいと思ってゐたもんですからね。それで――。

御堂　用が有れば電話で言ってくれりやいいのに。

蛭間　電話は先日から殆んど三四日置き位に掛けたんですけど、いつもお留守なもんだから――。

御堂　そりや失敬した。なんしろ忙しくってね。でも、それなら手紙を呉れりやいいのに。

蛭間　でもお会ひしなきや判らないんで――。

御堂　しかし、どうせ、なんだらう、「光學時報」の資金の件なんだらうが、手紙で言ってくれても判らない事はない。

蛭間　まあそれも有りましたが、……。

御堂　その後、君山君に会ったのかい？、

蛭間　……なんですか？、

御堂　和田ガラス会社の君山だよ。

蛭間　向うの専務をやってゐられる――？、さあ、お目にか

かりませんねえ……。

（短い間）

精介　やあ、靴下に穴が開いてらあ。

蛭間　どうも――（恐縮する）やられましたねえ。

葉子　精ちゃん、そんな事言ふもんじゃありませんよ。

蛭間　（はじめて葉子の方を向いて）……葉子さん、しばらくでした。どうも、こんな夜中にあがって――。

葉子　いえ、そんな事いいんですよ。どうぞ、ごゆっくり。さあ精ちゃん、もう寝るのよ。あなた、何か仕度を致しましょうか？、と言っても、こんなに遅くなっては、ホンの有合せなんですけど――。

御堂　そうさねえ、ウイスキーさへ豊富に有れば、いいだらう。ねえ蛭間君。

蛭間　やあどうも。どうぞもうお構いなく――。

葉子　（精介を連れて、下手奥へ引込んで行きながら）マキや、お飲物を出してね――（去る）

マキ　はい――（これも下手奥へ去る）

蛭間　（四辺を見まはして）……静かで小じんまりして、実にいい別荘ぢゃありませんか。いつお建てになったんです？、

御堂　……君山君に会ったんぢゃないのか？、

蛭間　……？、いやあ、此方で会ひたいと思っても、あの人も、なかなかつかまる人ぢゃないや。あなたと同じやうにね、ハハ。

御堂　……耳が痛いなあ。

蛭間　えゝ、どう致しまして、とんでもない、事実お忙しいんだから、それを言ってゐる迄ですよ。

御堂　まはりくどい事を言ふのは止さうよ。今日の君の用事と言ふのは何だい？、

蛭間　いや、さう短兵急に言はれたって――。別に。――

御堂　用も無い奴が今頃こんな所までノコノコ追っかけて来る筈はないだらう。いくら要るんだい？、

蛭間　なんですか？、

御堂　金さ。……名目はなんでもいい。まあ、編輯費だとして置かう。

蛭間　ええ、時報の方も、かなりの欠損になってゐるんで、

いづれ何とかしなければならないけど、今夜は——。

御堂　君もいい加減にした方がいいよ。全體、もともと君を編輯部に入れて呉れるやうに僕が話してやったのも、昔の仲間だと思ったからの話だぜ。あの當時の君の困り方は目も當てられなかったからなあ。

蛭間　ええ、それはよく判ってゐます。僕は　あなたにはズーッと感謝してゐるんだ。

御堂　そんなら、時報をタテにして業界の方々を渡り歩いてタカったりするやうな真似は、よした方がいいね。

蛭間　タカる？、僕はそんな事をしたことは一度もないんだけど——。そりゃ、編輯の仕事の上で方々のガラス工場には行くけど。

御堂　とにかく、そんな噂を聞くんだ。注意した方がいいよ。……第一、今度の、僕んとこの製作所と和田ガラスとの合併問題に就ても、何か嗅ぎ當てた気で居るらしいがね……。

蛭間　へえ？、僕がですか……？、すると、なんですかね、合併問題にはそんな後ろ暗い事情が有るんですか？、

御堂　そう、そのデンだ。君はいつもその調子だ。そんな言い方はしないで、臭い所はスッカリ嗅ぎつけてゐるんだぞと言った方が早わかりだよ。ところが、あに計らんや、臭いやうに思ふのは、君の鼻の頭に臭い物がくっ附いてゐるからだよ。実際の合併問題にはそんな所は何一つ有りはしないんだ。

蛭間　……さうでせうとも。僕も臭いと思ってなんか居ない。

御堂　どうかなあ。昔から君は疑り深かったよ。……僕なんか、実に手を焼かされたもんだよ。

蛭間　ハハ、要するに頭が鈍いんだな。

マキが下手奥からウイスキイの瓶やコップや冷肉などを載せた盆を持って入って来る。目禮をしてから、それらをテーブルの上に配置してゐる。

御堂　いや、いい意味でも悪い意味でも動物的なんだ。ことに依ると、君は本當はまだなんかやってゐるんぢゃないか？、

蛭間　だから、人に嫌がられながら、「光学時報」の編輯をやってゐるんですよ。冗談ぢゃない。それ以外に僕に何が出来るんです？、……でも、そんな話は、止さう。

御堂　（ウイスキイ瓶を持って）とにかく、まあ一ッやれよ。

……それとも、一風呂浴びて来るかね？　浴室だけはチョット豪華版だよ。さうしたまへ。

蛭間　さうだなあ、……。

御堂　マキ、案内しておあげ。

蛭間　ぢや、いただくか……。

マキ　どうぞ、こちらへ――。（蛭間を導いて廊下へ出て、浴室の扉を開けて蛭間を先に入れ、続いて自分も消える）

御堂は、やがて、新らしい葉巻に火を附ける。次第に人が変つたやうにきびしい表情になつてゐる。しきりと小鼻をこすつてゐる。

浴室の方で水の音。二言三言マキと蛭間の声。やがてマキが扉から廊下へ出て来て、玄関を締めにでも行くのであらう、廊下奥へ去る。

……間。

下手奥から、精介を眠らせ終つた葉子が身づくろひをしながら出てくる。既に長襦袢姿でなく、着物を着てゐる。

葉子　……どうなすつて？

御堂　……うん。

葉子　蛭間さん……帰つたの？

御堂　風呂に入つてるよ。今夜は、泊めてやるさ。

葉子　まあ、いやだわ。……全體どうしたんでせう？

御堂　どうしたとは？

葉子　今頃なにしにやつて来たんでせう？

御堂　（笑つて）なに、どうせ、金を貰ひに来たのさ。

葉子　……あなた、おやりになるの？

御堂　やらないよ。やる理由が無い。

葉子　……さうね。でも、それで、おとなしくかへるかしら？

御堂　……どうしたんだ、ひどくこだはるぢやないか？

葉子　だつて、気味が悪いぢやありませんか。

御堂　あの男を気味悪がる訳が、君に有るの？

葉子　……あなたこそ、何かにこだはつてゐるんぢやなくつて？

御堂　僕が？……ハハハ、そんな風に見えるかねえ。

葉子　……。私が言つてるのは、たまにかうして私達だけでニックリしようと思つてゐたのに、それを――。

御堂　……そりや、さうだ。だが来てしまつたものは仕方がない。酒でも當てがつて、うつちやつて置けば、それでいいんだよ。

葉子　……（電気蓄音機のスヰッチを入れる。低い音の音楽が流れ出て来る。御堂はウイスキーを舐めてゐる。葉子はしかし直ぐに気のない風でスヰッチを切る。短い間）……製作所のお仕事の話ぢやなくつて？、それで蛭間さん来たんでせう？、

御堂　どうして、そんな事気にするんだい？、

葉子　でも私、知つててよ。

御堂　君が僕の仕事の方の事まで考へる必要はないよ。よさう。

葉子　和田ガラス工場を買収しようとなすつてゐるんでせう？、

御堂　へえ……それを、どうして知つてゐるんだ？、

葉子　いつか、あなたと一緒に夜おそく麻布にやつて来てお酒をあがつた君山さんてのは和田ガラスの専務さんでせう？、

御堂　そりや、懇意にしてゐるから一緒に酒ぐらゐ飲むさ。現に、その鏡も和田ガラスで特別に拵へて君山君が贈つて呉れたものだ。……でもあん時は仕事の話など全然しなかつた筈だがねえ。

葉子　……蛭間さんからも聞いたし――。

御堂　え？、……蛭間にで、……いつ？、

葉子　……。

御堂　……で、なにかい、君は……その後も蛭間と会つてゐるの？、

葉子　……（フランス窓の所で暗い沖を見てゐる）

御堂　会つたんだね？、

葉子　さうよ。……でも、その後とおつしやるのは、どういふ意味？、

御堂　だつて、あんな屑のやうな男とは会つてはいけないとあれ程言つといたぢやないか。君も会はないと約束した筈だよ。

葉子　約束を破りはしなくつてよ。この間、あなた御自分で連れて――来たんだか、蛭間さんの方で又、ダニのやうに

ついて来たんだか知らないけど――とにかく一緒に来て、お酒を飲まして金をお渡しになった事があるぢやありませんか。

御堂　さうか、あの晩か。

葉子　さうよ。あなたがはばかりにお立ちになった後で、蛭間がさう言ったのよ。御堂君は今和田ガラスを買収にかかつてゐるが、その遣り方が……業界にバレると少しばかりうるさくなりますよ。……酔った人間の言ふ事、私信用はしないけど、多少でもそんな事が事実だとすると、御時勢が御時勢だし、それにあなたの会社では軍需品もいくらか請けてゐるんでせう？、それで私――。

御堂　さうか。わかった、わかった。

葉子　あなたのために心配なのよ。

御堂　大丈夫さ。僕あまた、蛭間に会ったと言ふから、そいで、別の事を考へたもんだから。ハハハ。

葉子　あなた、本気でそれを言ふの？、

御堂　いやあ、あやまった。唯、あんなにシツコイ男も無いからなあ。

葉子　又、附け廻されてゐるんぢやないの？、そいで、此處へ来たのも一つはあの人の眼から逃げるためも有ったんぢやない？、

御堂　逃げる？、逃げるんだって？、逃げる必要が此の僕にあると君は思ってゐるのかい？、ハハハ、よからう。あんな男、假りに僕が僕の眼の前から完全に消してしまはうと思へば、……いやさ、假りにさう思へばの話さ、なに、一挙手一投足だらうぢやないか。

葉子　……。まさか、そんな必要の有る相手ぢやないでせう。

御堂　だけど始終チラクラされると、うるさいからね。しかし、まあいいよ。

葉子　でも、私、あなたに、お仕事の上で危い橋を渡って貰ひたくないわ。

御堂　わかってゐる。そんな事絶対にないから安心してゐるがいい。

葉子　でも、蛭間がかうして此處に現れただけの事で、あなたと私の間でこんな変な調子で話をしなきやならなくなるんですからねえ。私、いやだわ。

御堂　そりや、あんな奴のために、どんな意味でも僕達が影響を受けるのは、癪だよ。しかし、それは、あながち、僕の事業の上だけのせゐではなくて、彼奴と僕等の昔の関係のせゐもあるからなあ。
葉子　……また、あなたは、それをおつしやるの？、
　浴室の扉が開いて、蛭間が廊下に現はれる。もとの洋服のまま。頭髪が少し濡れてゐるだけで、湯上りだと言ふのに、やつぱり顔は青い。室に入つて来る。
蛭間　……立派な浴室ですねえ。
御堂　チヨツトしたもんだらう？、だが、馬鹿に早いぢやないか？、
蛭間　随分久しく風呂に入らなかつたもんだから、ボロボロ垢が落ちるんで、気まりが悪いやうなもんでしてね。そいでザーツと……。はは。
御堂　まあ一つ。どうだい。（コップを渡す）
蛭間　すみません……（葉子が黙つてウイスキーを注いでやる。それを一口飲んで）葉子さんも、その後スツかり丈夫になつたやうですね？、
葉子　まあね。太つたでせう？、
蛭間　……（葉子の身體を舐めまはすように見て）近頃は、芝居の方へは出ないんですか？、
葉子　出ないと決めてゐるわけではないけど、でも随分若い女優さんが現はれて来たし、私なんぞの出る機会は段々少くなつて来ましたわ。
蛭間　さうでもないでせう。……もつとも僕なんぞ近頃あの手の芝居は見ないもんだから、どんな人が現はれたかまるつきり知らないけど。
葉子　でもあなただつて、一時は夢中になつて芝居をなすつた事があるのに、よくサバサバと見限る事が出来るわね？、私なんぞ、到底そんな事出来さうもないわ。
蛭間　そりや、あなたが芸術的な才能を持つて生れついてゐるからですよ。僕なんかまあ言つて見れば、他にする事が無いんで芝居でもと言ふんで流れ込んで行つたまでですからね。僕が芝居を見限つたんぢやなくて、芝居の方が僕を見限つたんですよ。
御堂　葉子の言つてるのは、そんな事ぢやないだらう。

蛭間　進歩的演劇といふやつですか？　それにしても同じですよ。僕にや進歩的と言ふのがどう言ふ者なのか判らなくなったんで……いや、進歩と言ふ事を非難してゐるんぢやないんだ。自分が駄目になったと言ふ事を言って居るんですよ。そんな奴が、進歩的な仕事をすると言ふのも変なもんですから――。

葉子　そんな風にシニカルに言ふもんぢやなくってよ。進歩は何にでも有ると思うわ。

蛭間（話の間もグイグイ飲んでゐる。ニヤニヤ笑ひ出して）そりや有りますとも、へっへへ。

葉子　私の言ってるのは、芝居の魅力の事よ。これに一度見入られたら人間、仲々抜けられないんぢやないかしら。

蛭間　さうかも知れませんね。魅力と言ふものは、何事によらず、大したもんですからね。たとへば、君の魅力、いやあなたの……この、女の魅力なんてものは、すばらしいもんですよ。だけど、芝居は詰らん。芝居は早くよした方がいい。愚劣だ。

御堂　蛭間君、もう酔ったのか？

蛭間　……いやあ、どうして？（キヨトンとする）

その少し前から、奥で精介が夜泣きをしてゐる声が、低く響いて来ていたが、この時マキが下手から入って来る。

葉子　どうしたの、マキ？　又、眼をさましちやったの？

マキ　はい。どうしても、おやすみにならないもんですから。

葉子　私行くわ。お前は、さうね、此処はもういいから、一風呂あびて、もうやすんでいいわ。（言ひながら下手へ去る。マキもそれに従って去る）

御堂と蛭間は暫く黙ってウイスキーを飲んでゐる

蛭間　……静かだなあ。東京から不意にやって来ると、なんだか怖くなる。……千葉の事を思ひ出すなあ。

御堂　さうだったね、君は殆んど千葉だったな。一年半位だっけ？

蛭間　丁度二十ケ月でしたよ。

御堂　あっちは静かだらうな。僕は市ケ谷だったからね、静かとは言っても、夜中でも何か遠くの方で、一種の町の呼吸と言ふかね、ゴーッと言ふやうな音がしてゐた。

蛭間　変なもんだな。六七年前には君も僕も、同じやうな装をして居たんだから。……出て来て、時が経ったら、かうして、あんたは、今を時めく御堂光學製作所の青年社長で僕はと言ふとインチキ雑誌の編輯者だからねえ。ハハ、いくら背伸びをしても、もう及びも附かねえや。

御堂　嫌味かね？

蛭間　とんでもない。ただ妙なもんだと言ってゐるだけですよ。

御堂　愚痴はよさう。お互いに青春再び還らずさ。

蛭間　でもさ、十年前にあんたが金ボタンの大學の制服かなんか着込んで、「僕が御堂精一郎です。どうぞよろしく」とかなんとか言ってやって来たや、僕等の仲間に敎へてくれてゐた頃は、そのあんたと僕達とが、それ程違った人種だと言ふ氣はしなかったからなあ。

御堂　僕だってそんな氣はしなかった。むしろ反対に、僕のやうに男爵なんて爵位を持ったり、金の有る者は、君達に較べりや、一種の賤民だと、正直思ってゐたよ。実際、眞剣だった。

蛭間　あんたは、眞似回だったよ。

御堂　さうなんだ。その點だけは僕は今から思ひ返して見ても、後悔はしない。俺達に取憑いてゐた理想は、純潔な美しいものだった。ただ現実的な物ではなかった。

蛭間　ハハハ、君は、そんな風に、それが間違ってゐたと氣づいた瞬間にそれをうっちやる事が出来たんだ。やっぱり、それも男爵で金持のせゐかな。

御堂　僕がその時、チットも苦しまなかったと君は言ふのか？……そのために僕も一年以上、暗い所に坐ってゐたよ。

蛭間　僕もね。……そんな事は問題ぢやないよ。法律の話をしてゐるんぢやない。……出て来て、君のやうにスッパリと変って、良い結婚をして社長になって健康になれる人間と、僕のやうに、こんな風に、幽靈のやうにフラフラとホッツキ歩いてゐる人間が居ると言ふ事を話してゐるだけさ。中身は何處かへ行ってしまって、抜けがらだけが残ってゐるんだ。……さうだな、例へて言へばかんじんの船が、どこかへ去ってしまっても、その船について行った水だけは、いつまでも水尾になって残ってゐるやうなもんかな。

御堂　でも、水尾が残ってゐるのは、なにもその船の責任ではないだらう。

蛭間　責任？……誰も責任の事なんぞ話してゐやあしないぢやないか。ハハ、君はそんな事を言って、直ぐにはぐらかさうとするねえ。この次に君の言ふ事は判ってゐるよ。……時代だよ、あの時代の責任だよ。つまり船にも水尾にも責任はなくて、海と言ふものが水で出来上ってゐたと言ふ點に一切の理由が有るんだ。……から言ひたいんだらう？、わかった、わかった。ぢや一つ、過ぎ去った時代のために乾杯しよう。その、海の水のために乾杯しようよ。水のために乾杯すると言ふのは変か？、　まあ、いいぢやないか。

御堂　君は酔ってゐるんだ。少し眠ったらどうだい？、

蛭間　眠る？……さうだよ、俺あ、この五年間と言ふもの、何とかして眠らうとして四苦八苦して来たのさ。眠れねえんだ。どうしても駄目だ。狐には穴あり、されど人の子には枕する所無しさ。ああ泣きたくなって来た。待って呉れ、俺、チヨット泣くからね。（コップのウイスキーをカブッと一息に飲んでから、本気だか芝居だか、わけの判らない泣声をあげる、……）

御堂　……（その相手を永いこと見詰めてゐたが、急に立上って）よせ！（持ってゐたコップをピシッと壁の方に投げつける）全體、君は何しに来たんだ？、グズグズしてゐないで、それを言へよ！

蛭間　なんだよ？、（びっくりして相手を見上げる。その頬一杯に本當に涙が光ってゐる）

御堂　……白っぱくれるのも、いい加減にしろ！、話が有るなら、廻りくどい事はよして、早く言ったらどうだ？、だが、言って置くが、君なんかに尻尾を掴まれるやうなヘマを、僕がやると思ったら大違ひだぜ。

蛭間　……ぢや、やっぱり、なんか不正があるのかね？、

御堂　不正が有ると誰が言った？、つまらない事を言って、強請がましくカラムと承知しないぞ。

蛭間　かんべんして呉れよ。（卑屈な様子で）そんな気で言ったんぢやないんだ。君がさう言ふから、聞いて見ただけぢやないか。腕づくぢや君にかなひっこないからなあ。君は、そんな肥え太って健康だし、僕と来たら、こんな栄養

不良で病気ばかりしてゐるんだからねえ。この四五年、さんざんだからなあ。どうにも、もう、やって行けないんで何とかしなきやと思ってゐるんだよ。実あ、この間、或る友人が臺北の小さな新聞社に口が有るから、よかつたら行かないかとすすめて呉れてゐるので、いつそ行っちまはうかとも思ふけど、どうしても踏んぎりがつかないんでね……
……。
御堂　……それでて、行きやいいぢやないか。光學時報の方の君の後釜は、こっちで見つける。
蛭間　さうなれば、さうして貰はなきやならんが——。
御堂　だが何だよ？……ああ金か？ いくら有ればいいんだ？
蛭間　なんだい？、
御堂　僕が出さう。
蛭間　いやいや、旅費は先方で出すと言ってゐるんだ。
御堂　……（イライラして）ぢや一體全體、君は何が欲しさに此處に来たんだ？、
蛭間　何が欲しさに？、……（殆んど自分でも困ったやうにポカンとした頼りない調子で）……さうさなあ。僕が、……
……何が欲しいか……。そんな事言はれたって……。僕が何を欲しがってゐると君は思ふの？、（ひどく弱り切ったやうに見える）
間。弱り切った蛭間を、御堂は眼をギラギラさせて見詰めてゐる。
下手奥から葉子が出て来る。どう言ふ積りか真白に化粧を直してゐる。
葉子　（それとなく二人の様子を見較べながら）……どうなすったの？、
御堂　（我に返って）いや、蛭間君がね、台湾の新聞社へ行くんださうだよ。
葉子　まあ、さう？、どうしてそんな遠くへいらっしやるんでせう？、
蛭間　いや、行くと決めたわけぢやないんですがね、ハハハ。
葉子　でも、あんまり遠いわ。行っちまへば、チヨット歸っては来られないでせう？、
蛭間　まづねえ。ハハ、いや、どうでもいいんですよ。

御堂 （葉子に）どうしてそんな寝言ふんだい？、現在のやうに東京でマゴマゴしてゐるよりは、台湾へ行って打開策を講じた方が蛭間君のためにどれだけ良いか知れないぢやないか。

葉子 そりやさうでしようけど……でも台湾と云ふと、気候が悪いんでせう？、

（短い間――御堂は葉子の気持が判らなくなって彼女を見てゐる）

蛭間 ……坊ちやん、もう寝たんですか？、

葉子 ええ。近頃、夜泣きをしていけませんの。

玄関の方でベルが鳴る。……こんな夜更けに訪客とは変なので、御堂と葉子は顔を見合せてゐる。しかしベルは鳴り止まない。

蛭間 どうかしたんですか？、

御堂 （葉子に）誰か来たらしいぢやないか？、マキはどうしたんだ？、

葉子 もう寝たんでせう。寝たが最後、あの子は大砲を打ったって眼を醒しはしません。……私が行って見るわ。（廊下へ出て行く）

御堂 ……（暫く黙ってゐた後）……もしかすると、君は蘭町の爺と会って、そりで、けしかけられて、やって来たんぢやないのか？、

蛭間 ……本宅の奥さんかい？、……いいや。どうして君はそんな事を聞くんだ？、

廊下奥の方から、妙な顔をした葉子が 村子を案内して出て来る。村子は、来つけない所に来て、恐縮してペコペコしてゐる。酌婦とも女給とも附かない、しかしそれらよりも幾分上等の身装をした女で、勿論素人ではない。ガッシリと臼のやうな胴體をしてゐる。単純さと善良さと、同時に、無反省な押しの強さの現はれた顔だ。

葉子 さあ、どうぞ。……（村子はしきりと襟を直しながら、黙ってお辞儀をしてゐる）さ、どうぞ。

村子 ……はい。おそくあがりまして……（四邊をキョロキョロ見廻してゐる）

御堂 どうしたんだい？、どなた？、

葉子 蛭間さんにとおっしやってね――。

蛭間　やあ、たうとうやって来やあがった。
村子　（蛭間を見つけて）あんた、まあ、ひどいでないの！
御堂　どうしたんだよ？……東京から追っかけて来たんですか？
葉子　いいえ、あの、そら、此の町の川向ふの店の方ですよ。蛭間さん、此處へ来る前に寄ってゐたらしいわね？
蛭間　いやあ。どうも濟みません。（頭を掻いて閉口してゐる）
村子　ミドウ家の別荘に居るから、来てくれと、おつしやるんでせう。お店では、どうしても困ると言ふんだけど、持ってなきや仕様がないと言ふので……それで、私が責任ですからね、ついて出ようとすると一人でドンドン行っちまふんだもの。仕方がないので、彼方此方を捜し廻ったんですけれど、誰かに訊かうと思っても、起きてゐる家はなし、私どんなに困ったかわかりませんよ、ホントに！
御堂　すると、君は早くから此處へやって来てゐて、そんな所で遊んでゐたのか？
蛭間　いや、そんなつもりぢやなかつたんだが、……どうも濟みません。
村子　あんたは濟みませんでいいかも知れないけど、私は困りますよ。全體、お勘定を――。
御堂　ハッハハハ、ハハハ。いや、いいよ、いいよ。勘定は大丈夫だ。ハハハ、まあ、いいよ。さうと判ったら、まあ、ゆっくりして行くさ。一杯お飲みなさい。
葉子　（これも笑ひながら新らしいコップに注いで村子に渡す）まあねえ。でも、もう今夜は商売の方はいいんでしよ？
村子　ええ。いいも悪いも、仕方がありませんけどね。（やっと安心した様子でウイスキイを飲む）……憎らしいったらないぢやありませんか、此の人。
蛭間　でも、僕は嘘をついたわけぢやないよ。
村子　だって、ミドウ家なんて言ったって、ミドウと言ふのは、どんな字を書くかさへ判らないぢやありませんか。
蛭間　もう、かんべんして呉れ。
葉子　（面白がってニコニコしながら）蛭間さんも、もっと、どう？　あんた、この方と初めてなの？

村子（答へを引取って）初めてですとも。この人ったら酔つぱらつて、いきなりタコ踊りを踊るんですよ。面白い人だと思って、お店ぢや、みんなで――。

蛭間　畜生！（テレて踊り切ってゐたが、突然立ち上って、妙な手つきをする）いいよ、いいよ。かうだらう？　かうだらう？　畜生もう一度踊って見せてやるよ。なんだい！　かうだらう？　十五夜の晩に、踊らぬ奴は、と！（身體をひねくつて踊る）スッテケテ、と！

御堂　アッハハハ。うまいうまい！

葉子　オッホホホホ。

村子（ウイスキーをグイグイ飲みながら）ハッハハハ、変なひとッ！

蛭間　どうせ、さうでせうよ！　十五夜の晩にと！（踊って、自然に鏡の前へ行ってゐたが、変な格好をして踊ってゐる自分の姿をフト鏡の中に見出して、変な手つきをしたままピタリと踊りをやめる）……。

（間）

御堂　ハハハ。……えゝと、ぢや僕はチョッと寝るからね。（村子に）勘定は大丈夫。ハハハ。此の室は君達に提供するから、夜明しででも飲みたまへ。ハハハ。（笑ひながら、下手奥へ去る）

葉子（村子に）ホントに、さうなさいよ。どうせ今帰ったって仕様がないでせう？　いいぢやありませんか？　なんなら明日も遊んで行って下さるといいわ。私も、あなたのやうな方に色々聞きたいことがあるの。いいえ、芝居の参考によ。いいでせう？

村子　芝居ですかね？

葉子　いえ、それは此方の事なの。蛭間さん、では私、チヨット失礼してよ。ウイスキーはまだウンと有りますからね、どうぞ御遠慮なしに。（下手奥へ去りさうになりながら）どうしたの、蛭間さん？

蛭間（鏡の前に動かず立ったまま）……いやあ。

葉子　では、お頼みしてよ。（去る）

村子　……なんだか、とても上等のウイスキーだわね。

蛭間　……（もう一度、タコ踊りの手つきをして鏡に映して見てから吐き出すやうに）へつ！

村子　どうしたの？、
蛭間　……君はたしか、村子と言ったねえ？、
村子　さうよ。……此の家は、全體どうした家？、
蛭間　村子か。お村さんか。……む？、うん、これは御堂精一郎と言ふ男爵で実業家の別荘さ。
村子　へえ？、すると、今のは男爵さん？、
蛭間　さうだよ。いい男だらう？、
村子　おや、お金も有るわけね？、
蛭間　有るとも。先づ百萬長者かな。
村子　へえ。そいで、あんたは、今の人の何に當るの？、親戚？、友達？、
蛭間　友達さ。
村子　ホント？、嘘でせう？、だって、あんまり違ひ過ぎるもの。（蛭間ニヤニヤしてゐる）今の奥さん、綺麗ねえ！あんまり綺麗なんで、私、はじめビックリしちやった。世間にはあんな女の人も居るのねえ。かと思ふと私みたいな仕方のない女もゐるしさ。いやんなつちやふな。
蛭間　なにさうでもないよ。
村子　でも、堅気の奥さんにしちや、色つぽい人だわねえ。
蛭間　さうかねえ。俺にや、よくわからねえ。
村子　先刻あんたを見た眼つきがさ、どう言ふの？、
蛭間　どう言ふとはどう言ふんだ？、
村子　あんた、もしかすると、先刻の奥さんと、昔、わけが有ったんぢやないの？、
蛭間　え？、（ギクリとする）……どうしてそんな事言ふんだ？、
村子　どうしてって、別に訳はないけどさ。なんだか、そんな気がしたのよ。
蛭間　だって、変ぢやないか？、
村子　當ったでせう？、違ふ？、
蛭間　違ふよ！
村子　どうだか。……ハハハ、なんで、そんな顔をするのさ？、
蛭間　……この野郎！、こら！（と村子に飛びかかって行く）
村子　何をするんだよ、馬鹿！、ハハハ、くすぐったいよ！

このタコ！あれえつ！（逃げまわる）アッハハハ。

蛭間　アッハハハ、タコだぞ！畜生、おや貴様はメスダコだッ！こらつ！アッハハハ、やい、メスダコ！こら、畜生！

2

約二時間の後。同じ室。

今はもう夜汽車の音もしない。フランス窓の外は真暗で、遠く見えてゐた温泉場の灯の数も少くなり、夜空に一つ二つの星が覗いてゐる。

テーブルの上や床に転がってゐる二つ三つのウイスキーの空瓶。

上手の長椅子では、蛭間が、うつ伏せになって眠ってゐる。その長椅子の足元に近い絨氈の上にぢかに村子が、まるで犬の子のやうに足をちぢめて横になって眠ってゐる。二人とも、さんざんに酔ったあげく、そのまま寝こけたらしい。

永い間。

蛭間　（突然に、眠ったまま叫ぶ）……離せ！離せよっ！離せよっ！。馬鹿野郎、離せ！。（寝言だが全く明瞭である）

間

蛭間　うーむ。……離せっ！。離せっ！。畜生、離せっ！

（間。村子が何か物を食ってゐるやうに口をピチヤピチヤ言はせて、小さく寝返りを打つ）

蛭間　離せっ！。馬鹿っ！

シーンとなる。……永い間。

下手奥から、御堂が眼をこすりながら出て来る。

蛭間の寝言で眼を醒したらしい。室内を見廻してゐたが長椅子の上の蛭間を認めて、遠くの方からヂッと見守つてゐる。

そこへ、葉子も起き出して、入って来る。

葉子　……どうしたんですの？

御堂　……寝言だよ。（蛭間を顎で指す）

葉子　まあ。

御堂　……（蛭間の傍に行って）おい、おい。……起きない。ヨダレを垂してるぜ。

葉子　なんだか、とても疲れてゐるやうねえ。

御堂　なあに、酔ってゐるんだよ。

葉子　酔ってゐるのも酔ってるんでせうけど、生活の方がメチャメチャになってゐるらしいぢゃないの。随分痩せちゃったわ。

御堂　なに、自業自得さ。……（村子の寝姿を見おろして）おやおや、これもよく寝てゐる。かうして見ると、存外綺麗な顔をしてゐるなあ。

葉子　さうね。……オデコや鼻の頭なんか、白粉が剥げてしまってゐて、まあ……。でも、こんな女の人達、こんな事をしてゐて、先々どうなるか考へて見たりしないんでせうか？

御堂　そんな事を考へて、こんな商売やって居れはしないさ。大體が、當人は僕等が想像する程自分の生活を苦にしてやしないよ。考へて見ると、人間の生きて行く姿といふものは、みんな裸かにして見れば、これかも判らないんだ。

葉子　おおいやだ。

御堂　先刻、この二人を見てゐたら、僕はチョットそんな気がしたんだよ。君と僕だって、よくよく洗ひ上げて見れば、実は大した変りはないんぢゃないかってね。いや冗談だよ。フッとそんな気がしたまでなんだ。

葉子　そんな風に考へて、あなた、恥かしくはないの？

御堂　怒るなよ、冗談だと言ってるぢゃないか。ハハハ、とにかく、裸かにしてしまへば、人間も案外かんたんなものかも知れないんだ。この連中を非難する資格が僕等にあらうとは思へない。それを言ってゐるまでなんだよ。

葉子　私にだって、そんな道徳的な事は言へやしないわ。愛情の事を言ってるのよ。愛情の無い所に、そんなあなた！

御堂　でも、たとへば、この二人の間にだって、何かの種類の愛情は有るかも知れないぜ。少くとも愛情が存在してゐないと言ふ證據はないよ。

葉子　（話の筋を変へようとしてニヤニヤして）そんな事を言って、ホントはあなたも、こんな女の人の所へ遊びに行きたいんぢゃない？　……男はみんな放蕩者よ。

御堂　えらい結論が出来上ったなあ。……さうかも知れんな。

（村子をヂロヂロ見る）

葉子　いやらしい！大體あなたは、直ぐに私をおひやらかすのね。

御堂　いや、とにかく、この連中の姿は、世間の男と女の、さうさな、僕と君のと言ってもいい、影ぼふしだよ。

葉子　まだ言ふのね！……あなた、本當にさう思っていらつしやるの？（今度は眞劍に怒ってゐる）あなたと私と精介の幸福が、こんな蛭間さんなんかの影ぼふしだと本當にあなた思ってるのね？

御堂　（わざと、はぐらかすやうに）影ぼふしでいけなければ、アベコベにした物かな？（丁度鏡の前に立ってゐたので、そのままで鏡へ向って右手を突出して見て）ほら、こんな風に何かよこせ、何かよこせ、とこんな風にして蛭間は何か取りに来たんだらう？ハハハ。

葉子　そんな、気味の悪い事は言はないで頂戴。……だって蛭間さんがあなたを附け廻すのは、一緒に働いてゐた事が有るからだわ。

御堂　それはさうさ。だが、それだけではない。

葉子　ぢや、和田ガラスの合併問題の事で何かを掴んでゐるからだわ。

御堂　それも有るかも知れない。しかし、それだけではないだらうね。

葉子　……ぢや、私と蛭間との昔の関係のためだと、あなた言ひたいのね？……まだ、あなた、そんな事にこだはつてゐるのね？

御堂　いや、さうでもないさ。

葉子　ハッキリおっしやったら、どう？そんな風におっしやるのは男らしくなくってよ。……その問題なら　此の男にああして手切金を出して下すってキッパリ話を附けた時に、全部片づけてゐる筈ぢやありませんか。

御堂　僕もさう思ってゐるよ。今更そんな事にこだはる程僕もちい人間ぢやないつもりだ。……ただ、嘗って有った事実は、どうにも仕様がないぢやないか。忘れてしまはない限り……。それが、此の男を見ると　此奴の青しよびれた顔の中からフッと覗き出して来るんだ。……過去の事が出しぬけに自分の前に現はれて来ると、誰にしたって、何か借りてゐる物の催促でもされてゐるやうな気がするもんだよ。……とにかく、僕には不愉快なんだよ。

葉子　私だって不愉快だわ。早く、金でもなんでもお遣りになって、追ひ歸して、今後もう来ないやうになすってしまったらいいのに。

御堂　金が惜しいわけぢやない。だが、金をやれば、僕が負けた事になるからな。

葉子　でも、こんな人がチョットやって来たばかりで、私達の調子がこんなに掻きまはされるのは耐らないぢやありませんか。

御堂　でも、若しかすると、麹町の事かも知れないしね、それをスッカリ吐かせて置く必要が有るさ。

葉子　麹町に何か有るんですの？、

御堂　美根子の物になってゐる不動産の相続問題で少しゴタゴタしてゐるんだ。なあに、間もなく綺麗に片づく豫定になってゐるし、大してうるさい事ぢやない。

葉子　いやだわ、そんな事。美根子さんも、いくら家附きの娘だからって、少し威張り過ぎやしない？、

御堂　まあいいよ、君に関係の有る事ぢやない。……ああ、ひどく喋っちまったな、もう一息寝るか。もう眠れさうにもないな。実際こんな連中のために飛んだ目に会ふ。

葉子　夜が明けたら早々帰って貰ひませうよ。……でも眠れないまでも、横におなりになったら？この間から、あなた、とても忙しがっていらっしたから、疲れてるわ。

御堂　さうだな。とにかく此の連中は、酔ったあげくとは言ひながらよく眠るよ。まるで死んだも同然ぢやないか。（下手奥へ去りながら）君も、もう一度寝たらどうだ。（消える）

葉子　ふえ、チョット此處を片づけといてー。（床の上に転がってゐるウイスキー瓶などを片づける。その内に、フト長椅子の上の堅間の顔に眼を吸い寄せられ、ヂッと見てゐる。四邊は全く静かである。……かなり永い間。フト我に返って、御堂の去った下手奥を振り返って見、それから気を変へて手に持ったウイスキー瓶を、テーブルの上に載せようと横に一二歩寄った足が、そこに投げ出してある村子の手の指を踏みつける）

（村子、ウーン、ムニヤ、ムニヤと言って眼を醒す）

葉子　あら。……お目ざめ？、

村子　……（起きあがって頭の辺をポリポリ掻きながら、ボンヤリと四邊を見廻してゐたが）……どうも、こりやまあ奥さん……（と急に自分が今何處にゐるかに気づいて、恐縮して、着物の乱れを直す）どうも、すみません。

葉子　（相手の様子に、笑ひ出しさうになるのをこらへて）……此の人はいつ頃から、あなたのお店に来てゐたんですの？、

村子　へえ……お午頃に来たんですよ。みんなもう店じまひにしろだなんて言って、みんなで六人居るんですけど、御馳走してくれたり、騒いだりして、トツテモ……。

葉子　それからズーッと居たわけね。さう。……でもなんでせう、あなたが此の人の、つまり相手、……私よく知らないけれど、あひかたと言ふんですが――？、

村子　（葉子に対して羞しがって、顔を少し紅くする。その様子が急に少女のやうになる）そんな、あひかただなんて言ひませんけど……初めつから、どう言ふやけか、私の事をベッピンだベッピンだって、さう言って――（更に羞しがって、耳の附根まで赧くなる）おらあ、困った……。へと、何處の言葉でか言ってしまって）……よっぽど、変な人ですよ此の人は。……どう言ふんでせう？、どんな人ですか？、

葉子　どんな人って……見た通りの人よ。

村子　不意に泣き出したりするんですよ。

葉子　……でも、なんでせうねえ、あなた方も、商売ではあっても、時には辛い事もあるでせうねえ？、

村子　へ？、

葉子　泣きたいやうな事もあるでせうねえ？、

村子　（相手の言葉の意味が通じない）ええ。泣く事はあります。

葉子　大勢のお客の中には、どうしても嫌ひな男もあるんでせう？、

村子　いいえ、みんな好きですわ。……（言葉は素直である。彼女は自分と少ししか違はない身分の女に対しては或ひは嫉妬や反感を抱くかも知れぬが、初めから葉子のやうに自

分とは全く段違ひに身分の違ふらしく見える相手に対しては、まるで別世界の人間を見るやうに、そんな感情を全く抱かないらしいのである）

葉子　いえさ、それは、お金を儲けさせて呉れるお客だからでせう。

村子　でも、みんな大概良い人ですよ。

葉子　さうかしら……（さじを投げてしまって）あんた、生れは此の近所？、

村子　……埼玉縣です。

葉子　埼玉縣ねえ。……御両親はまだ居るの？、

村子　居ます。でも、田舎ではうまくやっていけないので、今は東京の深川に出て来てゐるんですよ。兄弟が多いもんですから。

葉子　御商売は何をやってるの？、

村子　田舎では小作をやって、あひまにコンニヤクを拵へてゐましたが、今は深川でコンニヤクを拵へて、あひまに、仕事があれば何でもやってます。

葉子　コンニヤクをねえ。……（ふき出しさうになるのをこらへながら）ぢや、あんたチヤキチヤキの深川っ子ね？、

村子　……いいえ、私はまだ埼玉に居る頃、家を飛出してしまって、勘當になっちやったもんですから。

葉子　まあねえ、さうなの、なんで勘當になったの？、

村子　……親不孝をしたんですから、仕方がないんですよ。

葉子　恋愛でしよ？、恋人が出来て、その男が悪い人で、家で結婚を許して呉れないので飛出してしまったんでしよ？、そして暫くしたらその男が金に詰って、あんたを売り飛ばして——。

村子　売飛ばしたりしたんぢやありません。そりや、金には困ってゐましたけど。第一、そんなに悪い人ぢや無いんですよ。

葉子　へえ。……それで今何處にゐるの、その人？、

村子　満洲にゐるさうです。

葉子　ぢや、その人が成功して戻って来るのをあんた一所懸命待ってゐるのね？、

村子　いいえ、もう戻っては来ないでせうキット。ひどい飲んだくれですからね。……それに、私がこんな風になって、

もう、仕方がないから。

葉子　だつて、あんたがさうなつたのも、その人の責任ぢや無くつて？

村子　そんな事はありません。私がイクヂ無しだからです。

……

葉子が感傷的にヤツキとなつても、歯が立たない。……

短い間。

長椅子の上の蛭間がモツソリ身を起す。その暫く前から、眼を醒してゐたらしい。ボンヤリ黙つて、寝呆けたやうな顔で、時々頭をブルンブルンと振る。葉子と村子は、それに気がつかない。

葉子　……。さうかしら？　そんな事はないわ。

村子　……奥さんは、なんでそんな事お聞きになるんですか？

葉子　だつて、あんた、そんな商売をいつまでもやつて居て、全體どうなるの、将来？

村子　将来ですか？……（反問したが、答へヤラがなく、弱つてゐる）

葉子　ホントに、よけいなおせつかい見たいだけど——。だつて、そんな風にしてゐると、借金なども仲々返せないどころか、段々ふえる一方だつて言ふぢやないの？

村子　いいえ、そんな事はありませんよ。私なんぞ借金は少ししか有りません。……もつとも時々家の方に金を送つてゐますから、別に残りはしませんけど。

葉子　お家に？　だつて勘當になつてるんでせう？

村子　でも、兄弟が多いし、それに、兄さんは一人つきりで、あとに妹や弟ばかりでいくらも稼げないもんですから。

葉子　へえ、さうなの？　すつかり美談ぢやないの！

村子　そんな事はないですよ。ただうちが苦しいから、自分にやれるだけの事をしてゐるだけの事ですよ。

葉子　でも偉いわねえ。それで時々は深川のおうちへ行くの？

村子　そんな……行けはしません。行きたくもありませんよ。きまりの悪い。——お父つあんもおつ母さんも、私がこんな事をしてゐることなんか知りはしません。みんな、私が好きでやつたことで、自業自得ですからね。

葉子　だって、女が辛い目をするのは、大概男が悪いからよ。
村子　さうでせうか？
葉子　さうよ。もっとも、社会と言ふものがそんな風に出来てゐるんだから男もいけなくなる。
村子　社会ですか。……（相手の議論が自分とはあまり縁が遠いので、ボンヤリしてゐる）私には、よく判りません。……でも、奥さんみたいな方が、なんでそんな事をおっしやるんだか――。
葉子　私だって女だからよ。さうでせう。私も、あんたと同じ一人の女だわよ。
村子　そりや、まあ、さうかも知れませんけれど、……でも、そんな事をおっしやったって――（疑はしいと言ったやうに、葉子の姿をマヂマヂと見詰めてゐる。でも皮肉な影はない）
葉子　そうね、……（と自分の言った事に自身に感動して、立上り、芝居で癖になった稍々大袈裟な恰好で自分の全身を村子の視線の前に曝してみせながら）……同じことだわ。
蛭間　ヘッヘヘヘ。（低い声で笑ふ）
葉子　あら！　蛭間さん……いつ眼を醒してゐた？
蛭間　ハッハハハハハ。チョットした孔雀だな。
葉子　なんですの？　何を笑ふんです？
蛭間　いやあ、なんでもないですよ。鶏の前で孔雀が羽を擴げて見せてやってゐるのを、見學してゐる所です。
葉子　……（ムッとする）
村子　……（鶏と言はれて、何となく自分の周囲を振返ったりするが）変な人ねえ、ホントに！
葉子　……蛭間さん、私、まじめよ。……あなた、全體何をしに此處にやって来たの？
村子は、二人の空気が不意に緊迫したので、気を呑まれ、て黙って二人を見くらべてゐる。
蛭間　……何をしに来たんだとあなたは思ひます。
葉子　……又、ゆすりに来たのね？
蛭間　……すると、そちらに、ゆすられる理由が何かありさうに聞えるなあ。
葉子　御堂には、あなたなんぞに附け込まれるやうな弱味は何一つなくってよ。

蛭間　さうだらうとも。それを聞いて僕も安心ですよ。

葉子　……それに、あなたと私との事は、あれ程ハッキリきまりが附いてゐる筈よ。

蛭間　ご念には及びません。

葉子　なら、そんな待って廻って、変に気を持たせるのは、よして頂戴。

蛭間　……とにかく昔から君は芝居はうまかったよ、ハハハ。

葉子　それが、どうしたの？……あなた、まだ酔ってゐるのね？、

蛭間　さうかな。（頭をブルンブルンと振ってゐる）いや、少し醒めたらしい。頭が少し良くなったやうな気がするもの。

葉子　なら、もう帰ってよ、不愉快だわ。

蛭間　……（それには答へないで、暫く黙ってゐた後で、今迄通りの平静な調子で）……葉子さん、あのねえ、あの精介と言ふ男の子は、誰の子なの？

葉子は返事をしないで立ってゐる。この質問にギヨッとしたのは、却って関係のない村子の方である。彼女は先づ蛭間の顔を、次に葉子の方を見較べて少し顔色を変へてゐるのである

葉子　……どうしてそんな事を訊くんです？、どういふわけで？、どういふ権利があって訊くんですの？、

蛭間　いや、ただ何となく訊いて見たかったまでですよ。

葉子　そんな事を訊くのは失禮だとは思はないの？、

蛭間　（頭を掻く）失禮だったかな？、（薄笑ひを浮べて村子の方を見る）

葉子　いいえ。人間として恥かしい事だわ！。（村子に）ねえ、さうでせう、あんた！。全體どういふ資格があって、人の子供をつかまへて——。

蛭間　おい、本當に、君はいつまで芝居をしてゐれば気が済むんだよ？、

葉子　ふん！　そんな！……いいわ、それが知りたきやあ言ってあげますよ。よござんすか？、精介は、御堂と私の間に出来た子供ですよ。……さあ、これでいいでせう？、

蛭間　……いや、僕もさうだらうと思ってゐたさ。

葉子　そんなら、なぜそんな事を訊くんです？、

蛭間　なあに、ただチヨツト試いてみただけさ。大した事ぢやない。

葉子　此の前もあんたはそれを言ったわね?、そして私も同じ事を答へたのよ。よくつて?、私はそのズツト前から御堂を愛してゐたのよ。(村子の存在なんか全然無視してゐる)そして、あんたはあの頃、半月でも一月でもアパートには帰って来なかったぢやありませんか。金はないし、食ひ物はないし、私、ホントにどんなに辛い目をしたか、……(自分の言葉に昂奮して泣いてゐる。そのために、その言葉に含まれた矛盾にも気がつかないらしい。村子は口出しもならず、ハラハラしてゐる)

蛭間　食ひ物の話をしてゐるんぢやないよ。……でも、さうと判ればそれでいいさ。君も知ってゐるだらう、子供の本當の父親を知ってゐるのは母親だけだといふセリフがあつたらう?、なんしろ古い話さ。でも俺あ時々考へることがあるんだ、もしかすると、母親だって子供の本當の父親を知らないのかもわからない――。

葉子　それでは、あんたは私の事を、そんな女だったと思ふのね!?、そんな!

蛭間　でも、君は先刻君自身の口から、此の人に、あなたも私もスツカリ同じ女だって言ってたぜ。ねえ。(と村子に言ふ。村子めんくらってゐる)ハツハハ、なに、冗談だよ。

葉子　(激怒)……あんたといふ人は、あんたといふ人は、あんたといふ人は、ホントに、なんといふ人でせう!。全體、どういう人間なの!

蛭間　怒らなくていいよ。僕あ、蛭間荘六と言ふ人間さ。工業學校を中途退學して王子で旋盤工をやってゐた。量見ちがひをやってつかまった。それから読って出て来て、行き先きがないので、文化運動にでもと言ふんで、君達の新劇に入れて貰って、半年、君と一緒に芝居をした事もある。それから君と一緒になって共同生活みたいな事を六ケ月ばかり、それから君は御堂の所へ来る、俺は芝居もやめ、メチヤメチヤになって――勿論、俺がメチヤメチヤになったのは君の責任ぢやない、俺自身のせゐだよ――彼方をウロウロ、此方をウロウロ、神も佛もないものか、誰一人ハナも引っかける者もなくて、ボロ屑みたいになった奴を、御堂君が拾ひ上げてくれてインチキ雑誌の編輯者とは相成つたわけだ。ザッとそんなわけだ。見たところ　幽霊みたいだが、なに、まだこれで一種の人間だよ。以上、僕の経歴が、君の気に入らないわけはないと僕は思ってゐるんだがな。

桒子　そんな！そんな！……あんたの言ふ事なんぞ、もう聞かない！（言ひ放って下手奥へスタスタ歩み去る）

蛭間　……さうか。（それを見送ってゐる。……やがて、長椅子の上に仰向けにゴロリと寝る）

間

村子　……あんな事言っていいの？、

蛭間　なんだい？、

村子　だってさ、奥さん随分怒ってゐたよ。

蛭間　なに、大した事はないよ。芝居だ。

村子　あの方、ホントに女優さんなの？、

蛭間　……うむ。

村子　だけど、ホントにあんた、あの奥さんと一緒にゐたの？、……どうして別れたのさ？、

蛭間　……まあ、捨てられたんだな。

村子　馬鹿に気がないのねえ。

蛭間　……。村ちゃん、お前俺のおかみさんにならないか？、

村子　え？、……いやなこった。

蛭間　ハッキリしてゐやがる。……可愛がってやるぞ。

村子　いやだよ。

蛭間　君は偉いよ。

村子　なによ言ってんのさ。偉くなんかないよ。

蛭間　いや、偉いよ。……俺なんか、蟲みたいなもんだ、ズルズルとシッポを引きずって這ひまはってゐる蟲だよ。要りもしないシッポをな。

村子　又、泣いてゐるの？、

蛭間　たつた一度でいいから、ホントにキッスさせろ！。ねえ、村ちゃん！。

村子　馬鹿だねえ。そんな事言ってないで、貰ふものを早く貰って帰らうよ。

蛭間　だって、まだ外は真暗だぜ。

村子　もう間もなく夜が明けるわよ。全體あんた此處に何し

に来たのさ？、
下手奥から御堂が、緊張した顔をして、静かに出て来る。それまでも、眠ってはゐなかったらしいのである。
村子が先づ最初に、次に蛭間が、これを見迎へる。
……短い間。
御堂　……蛭間、君は菓子に、妙なことを言ったさうだがー
ー。
蛭間　なんだ、寝てるんぢゃなかったの？（身を起してゐる）
御堂　もう酔ひは醒めたね。
蛭間　ああ醒めた。初めから大して酔ってはゐないんだ。
御堂　ぢゃ、まじめに話さうぢゃないか。……（村子の存在が邪魔になるらしく、村子を見てゐる間に、ニコニコ微笑しつゝ）やあ、どうだい？
村子　ホントに済みません。あのうー。
御堂　いや、……君、ひと風呂浴びたらどう？、浴室だけは自慢なんだよ。さうなさい。
村子　ええ、でも、なんですからー。
御堂　遠慮しなくっていいさ。どうせ、夜が明けなくちゃ帰るわけにも行かんだらう。ユックリ、いつまで入ってゐて呉れてもよろしい。さ、どうぞ。（廊下へ）
村子　さうですか？、では、いただきます。（蛭間の方を気にしながら、廊下へ。蛭間はノッソリ立って、フランス窓の所へ行く）
御堂　此處だよ。（と浴室の扉を開けながら）道具は、みんな揃ってゐる筈だ。一時間でも二時間でも、どうぞ御自由に。ハハハ。
村子　……では（浴室に消える）
御堂は浴室の扉をドシンと締める。同時に、それまでの笑顔を引っこめて、チヨットの間、静かに立つ。蛭間はフランス窓から何となく戸外を見てゐる。御堂、ユックリした足取りで室に戻って来る。
御堂　……。お互ひに、正直に話さう。
蛭間　……僕あ、いつも正直だよ。
御堂　……君がこんな風な出方をして僕を怒らせてしまふと、結局君の損だと思ふがね？、あまり頭が良いとは言へない

ね。

蛭間　昔から僕は君より頭が悪いよ。なんしろ、育ちが違ふからな。うまい物を食って学問をした華族さんの息子に、職工あがりのルンペンを較べるのが、どだい、無理だ。

御堂　もう、よせ！。でないと——。

蛭間　……怒ったのかい？。そんな気で言ったんぢやないんだよ。事実を言ったまでぢやないか。（詫びるやうな調子である。）

御堂　……それで、なにか、精介の事を君は——いや、僕の言ってゐるのは、もしかするとさうかも知れないと君はホントに思っているのか？、

蛭間　いや、そんな事は考へやしないよ。

御堂　ぢやなにか、考へもしない事を、変な風に口先だけで匂はして見せるんだね？、

蛭間　そんな、……だって、ヒヨッと妙な気がしたもんだから、口がすべっただけだよ。失言だから取消す。かんべんしてくれよ。

御堂　あれは行く行くは御堂家の後を継ぐ子供だ。

蛭間　結構ぢやないか。……そんな、怒るなよ

御堂　なら何故、変な事言って脅かすんだ？、

蛭間　弱ったなあ……。だって、君あそんな事を言ふけど……、ぢや何故、君達は、僕から脅かされるんだよ？、……僕が何か言った位で君達が脅かされる筈はないぢやないか。

間。……御堂は激発しさうになる怒りを壓へる努力のために蒼白になって、その邊を歩き出してゐる。

下手奥から、葉子が眼を光らせて静かにあらはれる。扉の傍に立って、二人を見てゐる

御堂　……。で、……で、他に何か言ふ事はないか？、

蛭間　何をさう怒るんだよ？、気に障ったら謝るから、かんべんしてくれ。どうも僕あ君達になんにも悪い事はしやしないぢやないか。

御堂　始終かうして僕等をうるさくつけ廻して歩いて、変な事を言ふのが、悪い事ぢやないのか？、

蛭間　だって、僕はもう一年も前から君にユックリ会ひたいと思って、なにしてゐるのに、君は避けてばかり居るんだ

から、仕方がないんで、かうして――。

御堂　避ける？、僕が君をか？、ふん、僕が君に会ひたくないと本當に思へば、逃げたり避けたり隠れたりする必要が有ると思ふのか？、……僕がさうしようと思へば、君のやうな男の一人や二人は、簡単に抹殺してしまへるよ。

蛭間　抹殺すると言ふと……

御堂　君位を消してしまふ方法はいくらでもあらうじゃないか。

蛭間　……おや、消してくれ。……正直を言ふと、僕あ此の五六年の間に三度も四度も死なうとした事がある。どういふ譯でか、死ねなかった。……實際、生きてゐる事が、實に、たまらなくなったことがあるんだよ。……現在は、もうそんな風な氣はあまりしないけど、でも、それならそれでいいんだ。消してくれ。（床の絨氈の上に四角に坐ってしまふ）

御堂　……また、脅迫するのか？、

蛭間　（脅迫と言はれて、ビックリして）え、脅迫？、脅迫だって？、俺がこんな事を言ふのが脅迫してゐるやうに君には取れるのか？、馬鹿な！。俺は正直に言ってゐるんだよ。俺は十何年前に君の手で生かされた人間だ。その君に殺されても文句はない事を言ってゐるんだよ。

御堂　ふん……。

蛭間　さうだよ。十何年前、職工をやってゐた頃の俺は、言はばまあ、まだ何も書いてなかった帳面だったんだ。そこへ君がやって来て、その帳面の上に、いろんな事を書いてくれた。まるで、それは輝いて見えるやうな思想だったよ。トテツもなく大がかりな理論だった。……そして君にして見れば、そんな物は皆、思想で、そして、理論だったかも知れないんだ。ところが、俺には、それは唯、理論であるだけでなしに、何と言ったらいいかなあ、自分が生きて行く上の足がかり、……さうだ、世の中を見る眼、……つまり、俺と言ふ人間の生き方になったんだ。俺はあんな風な思想といふものが、やっと判りかけた頃、毎晩のやうに、君の貸してくれた書物を前に置いたまま、自分の手足に火が附いて身體中が焔になったやうな気がしてゐたもんだ。幾晩も幾晩も眠れなかった。自分でも自分の眼がギラギラと輝いてゐるのが判って、どうしても眠れないんだ。それでゐてチットも疲れはしない。……大げさに言へば、此の俺が、つまり、これから始まる歴史のまん中にホントに立ってゐると言った気持。……つまり未来をスッカリ背負って、生きてゐる——そんな気持だった。

御堂　……僕だってさうだったよ。あの時代の若い者は殆んどさうだった。……理想主義といふ奴が、僕等を燃え上らしてゐた時代だ。

姪間　又、時代か？、時代なんか、どうでもいいんだよ。理想主義の理窟なんか愚劣だ。要するに俺達の帳面は、君達の手でさんざんに楽書をされたんだ。君は真面目だったと言ふ。事実、真面目だった。真面目でも、楽書は楽書だったんだ。ところが、君が一杯に楽書をした帳面は、俺にとっては絶體絶命のたった一つしかない帳面だったんだ。君に取っては手習ひ草紙だったものが、俺には、天にも地にもたった一冊しかない帳面だった。それがないと俺は呼吸がつけない。生きて行けない。俺の生活や生命の全部だったんだ。……だから俺は、君から推薦された時には、シンから嬉しかった。その邪魔になりそうなもの、持ってゐるものを全部捨てた。いいね、全部だよ。その頃出来てゐた女ともスッパリ別れちまった。病身の母親も捨てた。おふくろの方はたうとう日暮里の養老院で死んぢやったがね。……そして夢中になって働いた。あの當時、君は俺の事を英雄だなって言った事を覚えてゐるかね？、とにかく、尊敬してゐるらしい顔をしてゐたよ。でもそんな事はどうでもいい。……だから捕まった時も、別に何とも思はなかった。むしろホッとした位だ。これで何年間か休養して、元気になって出たら又働ける。そんな風に考へてゐた。……ところが、その中に世の中の風向きが、をかしな具合になって来た。中に居てもそれが判る。初めは何とも思ってゐなかったが、段々気になって来る。上の連中なんかが次から次とあやまってゐるといふニュースが耳に入る。君もさうだったね。俺がそれまで信頼しきってゐた連中が、続々とあやまってゐると言ふんだ。何だか知らない、俺は譯が判らなくなって、段々気が違ひさうになって来たよ。そして、フッと気がついて見ると、スッカリ俺はもう自信をなくしてゐたんだ……。
御堂　知ってるる。それで君もあやまって、出て来たんだ。
それは、しかし――。
蛭間　さうだ。――いや、お願ひだから、もう少し聞いてくれ。俺の言ひたいのはそれからなんだ。……で、出て来た。誰かに会って、皆がなんでそんな風になったか、その訳を聞きたいと思って出て来た。ところが誰に会ってもそんな事あ聞かしちゃ呉れない。大概そんな事あ判りきってゐるぢやないかといった顔でセセラ笑ってゐる。聞かして呉れても、ツヂツマの合った話は一人もしては呉れない。第一、皆が皆　お互ひに会ひたがらない。君なんかさうだったね。もっとも君はもうその頃は、英根子さんと結婚をして、男爵社長でをさまってゐたんだから無理もないがね。いや、皮肉ぢやないよ。もっと聞いて呉れ。で、それで、仕方がないから、俺あ自分で一所懸命自分のことを考へてみた。……結局俺あ、臆病風にとっつかれたのかな。確かにそれもある。なんかしらん、命が惜しくなったのは事実だったものな。しかし、それだけじやない。ぢや、それまでの自分の考へ方と言ふか信念と言ふか、それが、どっか間違ってゐたのか？、それも確かにさうらしい。しかし、どこが、どんな風に間違ってゐたのか、どうもハッキリしないんだ。どうも、よく解らない。……でも、それはそれとして、その時俺が直ぐ又唯の職工になってゐりやまだ良かった。ところが、俺は、さうはせずに、芝居などといふ文化運動の方へ足を踏み込んでしまった。やっぱり、まだ夢が見てゐたかったんだね。俺みたいな人間が、実は何もしないでゐて、気分だけは何か一かどの事をして居るやうな面をして居るのに、あの当時の文化運動の中ほど居心地の良い所はなかったからねえ。……それから先きはメチヤメチヤさ。この人（と葉子を指す）に惚れた。この人も俺を好きになった――やうな事を言ってた。それで、一緒になった。それから君が再び現れて、俺の手から此の人を――。
葉子　私の事は持出さないで頂戴。
蛭間　君の事を言ったって、君を傷けはしないよ。もともと君が俺と一緒になったのも、俺を好きになったと言ふよりも、なにか一段えらい仕事をして来た人だといった風に自分で勝手に俺に箔を附けて見て居ただけの話さ。その證據に、箔がスッカリ剥げてしまったら、御堂君の方へ走っちまった。

葉子　それが悪いの？

蛭間　悪いなんかと言ってやしないよ。誰だって自分の好きなものの方へ行く権利はある。君はそれをしたまでだものな。ただ君の好きになったものが、御堂君だったのか、それとも御堂君の持ってゐる金だったのか、そいつは僕にもよく判らんがね。

葉子　ええ、さうですとも。勿論私は金は好きよ。偽善者にはなりたくないわ。金も好きよ、私は。だって、金は要るんですもの。あんたと一緒に淀橋に居た時分、私、肺尖をやられて永い事寝込んだ事があったわね。あん時、私は金がないために、何度泣いたか知れないわ。だって、ロクに薬を飲むことも出来なかったんだもの。

蛭間　僕は貧乏だったからね。……いや、非難してゐるんぢゃないさ。人が金の方に走ることに文句を言へる者は世の中に誰も居ないさ。

葉子　だけど、金だけのために私があんたの傍を離れたんだと、あんたは言ひたさうね？　おあいにくさまだわ。私は御堂が好きになったのよ。

蛭間　……いや、さうだらう。御堂君は僕なんかに較べりやその點から言っても上等な男だからな。……だから、そりやそれでいいんだ。ただ僕はやっぱり君に惚れてゐたからなあ。つらかった。あの當時、僕の持ってゐたのは君だけだった。それが行っちまった。つらかったよ。……それ以来五年間、俺はメチャメチャになった。こんな所まで落っこちるものかと自分ながら呆れる位に――。

葉子　それも、私のせゐだと言ふの？

蛭間　しよっちや困るよ。君のせゐなんかぢゃないさ。僕自身のせゐだ。

御堂　それで、長談義は済んだのかね？　で結局、どうしろと言ふんだ？

蛭間　……君が僕の帳面に書いた楽書を、君の手で消してくれよ。

御堂　ハハハ、君はそいつを僕が書いたと言ってゐるが、実はそれは君自身が書いたんだぜ。そんな事よりも、第一に、もうそんな物、とうの昔に消えてゐるよ。君が君自身の手で消してしまってゐるよ。

蛭間　……。なるほど、さうかも知れないな。（相手が嘲笑してゐるのをまるで知らぬもののやうに、自分の膝頭の所を見ながら言ふ）……だが、この事を聞かしてくれ。君は出て来るトタンに昔の事なんかケロリと忘れてしまって、結婚して社長になって、そしてピンピンして現在までやって来てるんだが、それは、あの時、どんな風に君が考へたために、そんなに出来るんだよ？、どんな風に考へが変ったために、いや、変らなかったとしても、どういふ具合になったために、さう出来るのか、そいつの秘密を聞かしてくれ。

御堂　又、皮肉か？、

蛭間　ちがふちがふ。皮肉を言ふつもりなら、こんなまづい皮肉は言はないよ。正直、本當に、そいつを聞きたいんだ。……自分の者は言はなきや判らないかも知れないが、俺はね、五六年、幽霊みたいにウロウロしてゐる間は、多少は世の中の本當の事が判って来たつもりだ。今の時代と、自分と言ふ人間と、一定の思想といふものの関係も、以前に考へてゐたやうなものぢやないといふ事も多少わかった。一言にいふと、君が曾て俺に教へ、そして俺がそれを鵜呑みにして信じてゐた思想、たとへば唯物史観なんていふものを、俺あもう信じてはゐない。人間が生きてゐるといふ事の本當の意味が、多少は判って来た気でゐる。俺あ俺なりに、生きて行く方向と生きて行く力だけは手に入れた積りだ。……それでゐて、それでゐながら、俺が何か物事を考へるだらう？、それから何か物事を見るだらう？、すると、自分でも知らない間に、昔の考へ方、見方でやってゐるんだ！自分が既に信じても居ない體系で考へたり見たりしてゐるんだ。こりや、いけないと思っても、そいつが避け得られない。畜生！と思ふ。なさけない！しんから底から、俺あ、なさけないんだ。だから、こんな事を正直俺ら君に聞くんだ。俺あ、正直だ！俺あ正直言ってんだよ。御堂！俺を助けてくれ！俺あ正直だよ！（耐へ切れず、絨氈の上に顔を埋めて泣く）。

御堂　……。ふん。（相手の真率さが、度はづれ過ぎるために、蛭間の動作が真実なものか、芝居なのか、いづれとも疑はしく思ってゐるらしい）
葉子　……あなた。（彼女には勿論、蛭間の真率さは通じない。何が何だか解らず、おびえた顔をして御堂に寄り添ふ）
（永い間。蛭間次第に泣きやむ）
御堂　……それで？、
蛭間　……（涙を拭きもしないで、ボンヤリしてゐる）
御堂　……蛭間、それから、どうしたんだ？、
蛭間　……？、（御堂を見る顔が、少し間抜けのやうだ）……
……なんだよ？、
御堂　……いや、解ったよ。それで、どう言ふんだい？、
蛭間　……？、
御堂　……いや、それで、金は、いくら位欲しいんだ？、
蛭間　……金？、（あまり泣いたのでシャックリをしながら）
御堂　ハッキリしようぢやないか。もうそろそろ夜が明けるよ。
蛭間　うん。あの女に拂ふ金なら、たしか三四十圓あればい。
御堂　いや、君の欲しい金だよ。但し、これが最後だぜ。
蛭間　……？、（暫く相手を見てゐたが、急に笑い出す）……
……ハッハ、ハッハハハハ。
御堂　なんだ？、
蛭間　ハッハハ。いいよ、いいよ。それでいいんだ。……君は今俺の言った事を、そんな風に取ったのか？、さうか。……いや、それでいい。俺あ自分の事を今迄、堕落し切った人間だと思ってゐたが、俺以下の奴も居るんだ。ハッハハ、それでいいよ。
御堂　ふん。君のやうな男から、倫理上の講義を聞きたくはない！。
蛭間　結構だ。しかし不思議だなあ。曾てあんなに頭が良くて、純粋でさ、人の言ふ事なんか完全に裏の裏までも判ってくれた君が、どういふ訳でこんな風になったのかねえ？。人間、金が出来て、社会的な地位が出来ると、そんな風になるのかねえ？、
御堂　今だって、君の言ふ事の裏の裏まで判るよ。
蛭間　ぢや、俺が腹の中でかうと思ってゐるのが判るかい？、

君は爵位を利用して政略結婚をやって財閥の中にもぐりこんで立派な資本家になる者に成功したが、そいつは君の裡で何か新らしいものが生れたためでも、又、今迄あったものが亡びたためでもないんだ。以前の君がただ裏返しになつただけだ。文字通り裏返しになった。僕は、君の業界に於ける遊泳術が巧妙をきはめてゐる事を、よく知ってゐるよ。

御堂　お説は拝聴して置かう。しかし、黙って聞いてゐると君の言葉は、ルンペンの言葉と言ふよりも、それこそ「權威あるもの」の言葉のやうに聞えるぜ。君は一體何だ？、

蛭間　俺かい？、俺あ唯の人間だ。人間の法則に従はうと思ってゐる者だ。

御堂　僕も人間だ。人間の法則に従ってゐる者だね。

蛭間　（叫ぶ）俺あ、もう一度生きるんだ！

御堂　僕も、もう一度生きてゐるんだよ。

蛭間　……。（静かになって）さうかも知れない。それぞれの意味でね。……なる程、俺は転向者だ。しかし実は、転向者以下なんだ。辱かしいけれど、実際さうなんだよ。自分の思想の誤りに気がついたトタンに、自分のそれまでの生き方全體まで間違ってゐたと思った。思想は思想、生きることは生きることと別々に切離したりは出来なかった。だもんだから思想を捨てると同時に俺は底の底まで根こそぎに別のものになってしまった。だから或る意味では俺はメチヤメチヤになった人間だ。君はさうぢやない、文字通り転向したんだ。そして成功した。俺は元も子もなく破産した。みじめだよ。しかし、破産してメチヤメチヤになり盡しても、俺あまだ「人間」を信用してゐるらしいんだ。「日本人」を信用してゐる。自分のわきを歩いてゐる人々が、結局に於て、この俺も一緒に歩かせて行かしてくれない筈はない。俺だけをはねのけたり見殺しにしたりする筈はない。……そんな気持だ。気持と言ふよりも、もっと根強い、言はば本能だ。こんな事を言ふと、君は又、俺の事を動物的だと言ふね？、いいよ、動物的なんだ。いや、的では無くて、俺あ動物だもの。……俺が、社会だとか国家なんかを本能的に信用するのは、俺が人間を信用してゐるからだよ。理窟ぢやねえ！どんな風になっても、どこ迄

行っても、さうなんだから仕方がねえんだ。俺あ近頃になって、自分のそんな所に気がついたんだ。……俺あ、犬だ。うす見っともねえ事をやらかしてしまって、主人にも迷惑をかけ、自分もみじめになり尽した犬だ。しかし、それでも俺あ、やっぱり主人の後をついて行く以外に行先きがねえんだ。主人になぐられたって、俺あ主人の後をついて行くよ。そのために、ぶち殺されたって、これは、もう仕方がねえ。

御堂　わかったよ。あくまで勤労階級に奉仕しようとするんだね？

蛭間　「階級」に「奉仕」するんだって？　なんの話だ？

御堂　どこらが、そんな態度を理論的にまとめ上げたものは何だっけな？

蛭間　ハッハハハ、例の君の得意の堂々めぐりをやらかさうと言ふんだな。その手には乗らないよ。乗るやうな脈が俺と言ふ人間には、もうなくなってゐるんだ。そんな理窟を受けとめるだけの底が抜けちゃってゐるんだ。馬鹿になっちゃってるんだ。第一、それでは順序が逆だよ。破産して文無しになった人間に、借金の證文を突きつけて見たって仕様がない。

御堂　……。でも君は先刻、物事を見る眼が昔通りだと言って泣いたな？

蛭間　泣いた。なさけないから。

御堂　おや、そこには、なんにもないぢやないか。

蛭間　ないよ。だから、なさけないんだ……。だが、それをなさけないと思ふ俺と言ふ人間がまだ残ってゐるから、まだ大丈夫だ。こいつを手元にして、俺あ、何か捜すよ。

御堂　見つかるかね、何かが？

蛭間　見つかるよ。

御堂　見つかって見たら、僕のと同じだったってね。

蛭間　君の？　君のと言ふのは全體何だい？

御堂　……。ぢや真面目に言はう。君が先刻から何度も言ってゐるやうに、僕は転向者だ。僕は、十二三年前の自分のした事を今から考へて見ても不真面目だったとは思はん。ただ、根本が間違ってゐた。自分みたいな人間の限界性と言ふものも見誤ってゐた。それほど思ひ上ってゐた、とも言へる。……とにかく間違つてゐたと気がついた。で、政治運動も今後しないし、それまでのやうな考へを捨てることを約束して出て来たんだ。僕は自分の約束は守る人間だよ。それでだ、出て来てその約束を守りながら、とにかく自然に自分にやれる事をやつて来てゐるまでだ。正直、僕は善良な國民の一人にならうと思つてゐるまでだ。僕に爵位があつたり、金があつたり、それから社長にされたりしてゐることが良いか悪いか知らんが、とにかく僕の責任じやないよ。仕方がないぢやないか。世間といふものは僕等が廿代に考へてゐたやうな単純なものぢやないさ。君は自分のことだけを惨めだ惨めだと言つてゐるが、実は僕も君と同じやうに惨めなのかもわからないんだ。

蛭間　さうかねえ。……どこが、どんな風に惨めなのかねえ？　ただ言葉の上でそんな事言つてゐるだけぢやないのかねえ？　俺から見ると君は唯すばしつこく立廻つて金を儲けて贅沢してゐる人間に見えるだけだ。

御堂　金儲けが悪いかね？

蛭間　そんな一般的な事を言つてるんぢやないさ。俺にやそんな者解りやしねえ。

御堂　ところが、そんな事を言つてゐる君の感情も一般的なもんぢやないかね？

蛭間　さうぢやないんだよ。一昨年、壮八が戦死して、――さうだ君は知らなかつたな、壮八と言ふのは俺の弟さ、良い奴だつた。俺あシンから彼奴が好きだつた。職工だつたがね、召集されてから三ヶ月も経たないで上海で戦死した。二十三だ。生れて来て人間らしい楽しみもまだ何一つしないままだ。恋愛ひとつしてやしなかつたよ。決死隊に加はつたんださうだ。「日本は実に良い国です。兄さん、僕はなんの心残りも無く、僕の愛する日本の国のために死ぬつもりです」……最後の手紙に書いてあつた。その通りに死んだよ。俺あ、可哀さうで可哀さうで、やりきれなかつた。その内にフツと気がついたら、憐れまれていいのは実は此の俺だつたんだ。弟は自分の言葉の通りだスパツと死ねたんだ。日本は実に良い国です。……そして、そいつのために、何も考へないで驅け込んで行けた。偉いとも思ふし、美しいぢやないか！　なんの心残りも無くと言ふのは、形容詞でもなんでもない！。それが、やっと俺にわかった。わかると不意に眼がさめたやうになった。わかるかね？、わからんだらうなあ。これ以上、どう説明していいか、俺にはうまく言へねえんだ。そして、さうして死んで行ってゐるのは俺の弟だけぢやない。無数のそんな奴がある。俺あそれを考へた。

御堂　……僕だって親類中に戦死者を何人か出してゐる。

蛭間　さうかね。そいで、よく現在みたいな事がやって行けるね？。

御堂　僕が何をやってゐると言ふんだ？……僕は世の中の法則を守ってゐるだけだよ。僕はただ仕事に精出してゐるまでだ。自分の仕事に精を出すことで、国家に仕へようとしてゐる。それが悪いだらうか？、悪けりや、よすまでだよ。……しかし僕よりも君こそ、そいで、よく現在みたいな事がやって居れるね？、

蛭間　僕が現在なにをやってゐるんだい？、

御堂　自分でそれがわからんのか？、ユスリだよ。

蛭間　なんだって、ユスリ？、あ、さうか。

御堂　ハッハハハ、とぼけてはいけないなあ。

蛭間　どうも、お互いに言葉がまるっきり通じなくなっちやったやうだ。

葉子　あなた……（手に持って来てゐた御堂の大型の皮の紙入れを御堂に渡す）……なんでもいいから、此の人の欲しいだけ早く渡して、帰って貰って下さい。私、もうこれ以上耐へられないわ。

御堂　……君は、どうも、和田ガラス工場の小さな株主からでも手繰って何かを聞きこんだらしいね。……そんなに気を持たせるんだったら僕の方から、ハッキリ言ってやらう。なるほど、君の知ってゐるやうに、僕は、和田ガラスを僕の製作所に合併したい。合併の時の條件を自分に都合の良いやうにしたいんだ。だから、君山や熊谷を使って先方の株を買収して、それを市場で売りはたいてゐるよ。仕事と言ふものは、そんな物なんだ。勝つか負けるか二つに一つがあるきりだ。その中間の途といふのはないんだ。勝たなければ、負けるんだ。負けたくないから、僕は、自分の力で出来るだけの事をするまでだ。……僕は、光學機械製造

の仕事を独占的にやって行きたい。それには先づ和田ガラスが欲しいんだ。欲しいものを、金を出して手に入れようとしてゐるだけさ。

蛭間　わかったよ。君は手に入れるだらうよ。丁度僕から此の葉子さんを手に入れたやうにね。

御堂　やって見るがいい。なるほど、君山個人の場合は、和田ガラスの考課表の査定をごまかしたとか何とか言ふんで瀆職罪か收賄罪が成り立つかも知れんよ。しかし僕にまでホコリをかぶせる事は出来んだらうよ。

蛭間　へえ……そんなもんかねえ？

御堂　合併問題に関して、これ以上に君が知ってゐる事があつたら言ってみたらどうだ？　え？……ハハハ、だからいま金を出してやるのは、君の口を僕が怖がってゐるからぢやないぜ。誤解してくれちゃ困るぜ。ただ、うるさいからだ。君なんかにチラクラされるのがうるさいからだよ。（紙幣を、いいかげんに掴み出して、蛭間の方へ出す）………さあ、取れよ。

蛭間　……（御堂の顔と、紙幣とを見較べてゐる）……いやあ。……僕の言ってるのは、そんな事ぢやないんだ。

御堂　不足なのか？　あんまり慾張るもんぢやないよ。（言ひながら又二三枚の紙幣を加へて、蛭間に握らせる）……でも、これっきりだぜ。今後あんまりつけ上ると、ホントに怒るよ。……そしたら、君の身がどうなるか、君は知っている筈だ。

蛭間　俺の言ってゐるのは、違ふと言ってゐるのが判らないのか？

御堂　……（瞬間、相手を鋭く睨んでゐたが、不意に再びニコニコして）麹町の事だね？　誰から聞いた？……だって、あんな、もういつ死ぬかも判らない病身の美根子が、いくら自分に附いた不動産だからって、握り込んでゐたって、何になるんだ？　結局、どんなにジタバタしたって法律上の夫である僕の手に自然に転げ込んで来るものだよ。美根子をいろんな親戚達に逢はせたりしないやうに警戒してゐるのは、彼女の病気に障るからさ。僕から監禁されてゐるやうに言ひふらすのは、彼奴の神経病のせゐだ。元来が、家附きの娘を鼻にかけて、美根子のする事は、みんな

非常識で病的なんだ。ハッハ、君は醫者からでも聞いたの
か？、

葉子　……（初めて聞くことらしく、稍々ビックリしてゐる）
あなた、それ、ホント？、

御堂　だって仕方がないぢやないか。うっちやって置けば、くだらないお家騒動みたいになってしまふ。（蛭間に）どうだ、書き立てて見るかね、君なんかも、同じやうに完全な狂人と言ふレッテルを貼られて、気違ひ病院にでもはふり込まれるはうが幸福かも知れないぜ？、

蛭間　え？、ホントかで、麹町の奥さんは、そんな目に逢ってゐるのか？、

御堂　……知らない？、白を切るのもいい加減にしたらどうだ。（相手を眼で追ひまはしてゐる）……

蛭間　……。知らないよ。……ただ、君が此の女のほかにも此の間、烏森の芸者を引かした事は知ってゐるよ。……でも——。

葉子　え！、それ、ホントなの？、……（カッとして御堂に眼をうつす）あなた、ホントなんですか？、

御堂　……（噛みつくやうに）君は黙ってゐろ。（蛭間に）ふん。それがどうしたんだ？、

蛭間　いやあ　それだけは知ってゐるんだ。それ以外の事は知らない。合併問題の事も、麹町の奥さんの事も、今、君から聞かされて初めて知ったんだ。

御堂　馬鹿を言へ！

蛭間　ホントだ、君は何か勘違ひをしてゐたらしいなあ。僕がそんな事を知ってゐて、それをネタに脅迫に来たと思ったんだね？、滑稽だよ。先づ第一に、そんな者僕あ知ってはゐなかった。勿論、脅迫に来たんでもないよ。どうも、君を脅迫したのは、君自身らしいね。……この金はそちらへ返すよ。そうと判ったら、貰う手はないや。

間。御堂は何かショックを受けて、動かなくなってゐる。葉子も真青な顔をして二人を見較べてゐる

蛭間　……これで君と僕との帳尻が、すっかり合ったやうだ。……俺は弱いさ。この先き、どうなるかわからない。多分ウダツのあがりっこはないだろう。君は強いよ。この先君は何でも征服して行くだろう。君から聞いた者は誰にも

言やあしないから、その點は安心したまへ。……とにかく此の金は返すよ。

御堂　……（立直って、落着きを取り戻す）いや、その金は君にやった物だから、持って行けよ。

蛭間　要らない。

御堂　呉れてやるから持って行け。……しかしもう今後、僕の眼の前に現はれないで呉れよ。（殆んど歯をむき出して言ふ）

蛭間　いや、現はれようとしても、多分それは出来ないだらうよ。俺は、これから臺灣へ行くからね。やっと決心がついた。日本人がホントに一所懸命になって生きてゐる土地へ俺も行って見よう。もしかすると、向うで志願して支那へ渡らせて貰はうかと思ってゐるよ。

葉子　あんたは逃げるのね、私達に泥をはねかけっぱなしにして置いて、逃げるのね？、

蛭間　逃げるって、さうさなあ、……ああ逃げるよ。こんな所は早くにげ出したいんだ。そして日本人としてのホントの生き方を俺あ教はりたいんだよ。……泥をはねかけたと言ふが、そんな事俺は知らん。君達に泥をはねかけたのは君達自身ぢやないかねえ。なあに、気にしなくともいいよ。そんな泥なんか、自分で直ぐ拭き取れるさ。君達には金があるし、地位があるからな。君達は今後も相変らず幸福にやって行けるよ。

御堂　……。よけいな世話は焼かないで、行くなら早く行かないか。

蛭間　さうだね。そろそろ白みはじめて来た。（なるほどフランス窓が明るくなりかかってゐる）……えゝと、村子は——ああ風呂か。恐ろしく永いなあ、伸びちまってゐるんぢやないかな。

葉子　卑怯者！

蛭間　……？、ああ俺は卑怯者かも知れないよ。白状しちまへば、俺は未だに君にみれんがあるらしいからなあ。ハハハ、まあいいさ、仕方がない。

葉子　あんたは、動物だ。

蛭間　自分は動物でないやうな事を言ふぜ。自惚れるのはよせよ。なるほど君は美しいよ。しかしあの村子を見るがい

い。昨日の晝間、此處へ来るまで間を持たうと川向うの方をブラブラしてゐたら、店の中からヒヨイと出て来た彼奴が、いきなり、俺を羽がひじめに引掴んで、グイグイ店の中に引っぱり込んでしまひやがつた。たしかにあの女は俺より力が強いよ。ハハハ。村子の方が君よりヅッと美しいかも知れないよ。

葉子　……あの女と一緒に臺湾に行く積りね？、

蛭間　冗談言っちゃいけない。あの女は、別に俺の事を好いても何にもしてやしない。一緒に行けと言ったって行くもんか。ハッキリしてゐるよ。君のやうなセンチメンタルな芝居を打ったりもしないし、それから自分の芝居で自分が泣き出したり、惚れてもゐない男に惚れてゐるやうな気になったりもしないさ。ハハ、いや。そんな事、どうでもいい。君は、せいぜい、その美しいツラと身體を大事にするがいいよ。それが君にある限り、御堂君は君を捨てやしないよ。ぢや、さようなら。……（クルリと振向いた場所が、三面鏡の前。自然に眼に入った鏡の中の自分の姿を見る。……顔を左右へ動かして見てゐる。やがてニヤリと笑って自分の姿に向って）……やあ、フッフッフ。

下手奥の扉口から寝巻姿の精介が、寝呆けた顔をして出て来る。そのまま立停って、ボーッとした眼つきで蛭間の後姿を見てゐる。

その姿が、やっぱり鏡の奥に映ったと見え、蛭間、ヂッと鏡の中を見てゐる。

蛭間　ああ、……（暫くそのままで動かずに居たが、不意にクルリと振向いて精介の方を見る。……精介はボンヤリ立ってゐる。御堂も葉子も蛭間の視線を追って精介を見る。……間）

葉子　……（眼を殆んど兇悪に近くキラキラさせて）何をボンヤリしてゐるの？、早く行って頂戴。

蛭間　行くよ。……（言ひながらも、眼は精介を見詰めてゐる。フランス窓が、かなり明るんで来てゐる。……蛭間再び鏡の方を向いて、自分の姿と、精介の姿を見てゐる。……急に何と思ったか、直ぐ傍のテーブルの上に載ってゐたウイスキーの瓶を掴み上げて、三面鏡に叩きつけようとする）

葉子　あっ！

蛭間　……（叩きつけるのをフッとよして静かに）……まあ、大事にするんだな。……ぢや。

誰にともなく言って、蛭間スタスタと廊下に出て、廊下奥の玄関の方へ歩み去って行き、奥に消えさうになった時に、浴室の扉が内から開いて、湯あがりの村子が、少しヨタヨタしながら出て来る。長湯をし過ぎて少し湯気に当ったらしい形跡がある。急には歩き出せないで、扉の傍の壁に左手を突いて身體を支へながらフーッと大きい息を吐いてゐる。

室内では、御堂も葉子も精介も石になったやうに動かぬ。

御堂の視線はまだ精介に注がれてゐる。

ズッと通り過ぎてゐた蛭間がノコノコ引返して来る。

蛭間　どうしたい？

村子　めんどうな話はもう済んだの？いくら私が長湯好きだって、こんなに永く入ってゐたかあ、ありませんよ。私が居ない方が良いかと思ってさ、一所懸命　間を持ってゐたけど、もう我慢出来なくなつちやった。おかげで、うだつちやって、フラフラだよ。

蛭間　村ちやん、君はベッピンだよ。

村子　冗談言つちやいけませんよ。あんた、貰ふものは貰つちやったの？困るよ私。

蛭間　あ、さうだ。（まだ左手に握ってゐた紙幣を、村子に握らせる）

村子　なにさ？これ、なに？　こんなに澤山、どう言ふの？、どうしたのさ？、え？、

蛭間　いいよ、いいよ。……（相手の隙を見て指でスッと頰を撫でる）

村子　なんだい、馬鹿！

蛭間　失敬。ハッハハ（スタスタと廊下奥の方へ消え去る）

村子　帰るの？、ねえ！、そんなら私も帰るからさ。待ってよ！　邪慳だねえ。ねえ？、待ってよ！（フラつく足でその邊をウロウロしてゐる）

御堂　……（まだ精介を睨んでゐる）

葉子　その、烏森とかに居る人ねえ――。

御堂　……（さう言ひ出した葉子の顔を、左手で突きやるや

車の音。

ラに押しつけて）……蛭間！・蛭間！・おい、チヨット！

（急ぎ足に廊下に出て来る。出会ひがしらに、村子にぶっつかりさうになる）

村子　ああ、こゝお金なんですけど、あの人が渡しましたけど、こんなに餘分にいただく法はないんで――。

御堂は、追ひかけて行かうとして出足をくじかれて、村子には返事をしないで、室に戻る。

村子　弱ったねえ。（ずっこけて来かかる腰紐を締め直したりして、殆んどオロオロしてゐる）ホントに待ってくれたって、いいのにさ。（廊下奥へ）ねえ、あんた！（今度は室内の方を覗いて）ねえどうしたもんで……。

その覗き込まれた室内では、御堂が、精介の顔を喰い入るやうに見守ったまま動かずにゐる。葉子は、御堂の方を見詰めたまま、これも動かない。精介、まだボンヤリと扉の傍に立って鏡の方を見てゐる。鏡には此の室内の光景が映ってゐる。妙な空気にめんくらった村子が、困ってモヂモヂしてゐる。

フランス窓が、明るくなって来た空を映して、遠くを流

あとがき

〈妻恋行〉

昭和十年、著者三十三才。「新潮」10年2月号に発表。後にリアリズム文学叢書才五篇として、戯曲集「妻恋行」に収録、文学案内社より刊行された。

初演（10年2月）　大阪、文楽座

演出　八田元夫

出演者　山本安英
　　　　薄田研二
　　　　本庄克二
　　　　高山象三
　　　　柳原徹
　　　　永田靖

〈屠殺場へ行く路〉

昭和十一年、著者三十四才。「中央公論」11年5月号に発表。"東京舞台"が11年10月に初演している。遺憾ながら、演出者及び出演者を明らかにしない。

〈鏡〉

昭和十四年、著者三十七才。「新潮」14年9月号に発表。15年11月 河出書房版 現代戯曲才三巻に収録された。

昭和三十七年七月十五日 印刷
昭和三十七年七月十七日 発行

限定版
２１５部
その内の
第 194 番

三好十郎著作集 第二十一巻
（非売品）

著作者 三好十郎
監修者 三好きく江
発行者 三好十郎著作刊行会
代表者 大武正人
東京都大田区北千束町七七四番地
電話 東京（七一七）二三八五番
振替 東京五一七五二

印刷者 株式会社 タイト印刷
東京都中央区八重洲四ノ五梅田ビル内

第二十一回配本